COMBOIO NOCTURNO PARA LISBOA

Pascal Mercier

COMBOIO NOCTURNO PARA LISBOA

Pascal Mercier

Romance

Tradução de
João Bouza da Costa

8.ª edição

D.QUIXOTE

Título: *Comboio Nocturno para Lisboa*
Título original: *Nachtzug nach Lissabon*

Edição: Cecília Andrade
Tradução: João Bouza da Costa
Revisão: João Vidigal

Paginação: 4b atelier de design – quatrob@4b.mail.pt
Impressão e acabamento: Multitipo

1.ª edição: Março de 2008
8.ª edição: Setembro de 2017 (reimpressão)
ISBN: 978-972-20-2983-4
Depósito legal n.º 389 369/15

Publicações Dom Quixote
Uma editora do Grupo Leya
Rua Cidade de Córdova, n.º 2
2610-038 Alfragide • Portugal
www.dquixote.pt
www.leya.com

Nuestras vidas son los rios
Que van dar en la mar,
Qu'es el morir

Jorge Manrique

Nous sommes tous de lopins e d'une contexture si informe et diverse, que chaque piece, chaque momant, faict son jeu. Et se trouve autant de difference de nous à nous mesmes, que de nous à autruy.

Somos todos farrapos de uma textura tão informe e diversa que cada peça, a cada momento, esvoaça como muito bem lhe apraz. E existem tantas diferenças entre nós e nós próprios como entre nós e os outros.

Michel de Montaigne, ESSAIS, Segundo Volume, 1

Cada um de nós é vários, é muitos, é uma prolixidade de si mesmos. Por isso aquele que despreza o ambiente não é o mesmo que dele se alegra ou padece. Na vasta colónia do nosso ser há gente de muitas espécies, pensando e sentindo diferentemente.

Fernando Pessoa, LIVRO DO DESASSOSSEGO, Anotação de 30.12.1932

ÍNDICE

PRIMEIRA PARTE

A Partida

1 O dia a partir do qual nada continuaria a ser como até aí, na vida de Raimund Gregorius, começou como tantos outros dias. Vindo da estrada nacional, entrou às sete e quarenta e cinco na ponte de Kirchenfeld, que liga o centro da cidade à zona onde se encontra o liceu. Era isso que fazia todos os dias de trabalho durante o ano lectivo, e chegava à ponte precisamente um quarto de hora antes das oito. Quando uma vez encontrou a ponte vedada ao trânsito cometeu um erro na aula de Grego, logo a seguir. Nunca tal tinha acontecido antes, e nunca aconteceu depois. A escola inteira comentou esse lapso durante dias a fio. Quanto mais tempo durava a discussão, maior era o número daqueles que o atribuíam a um erro de audição. Finalmente, essa versão acabou por se impor também entre os alunos que estavam presentes quando o caso ocorreu. Era simplesmente impensável que o *Mundus*, como lhe chamavam, pudesse cometer um erro em Grego, Latim ou Hebraico.

Gregorius olhou em frente, para as torres esguias do Museu de História da cidade de Berna, mais para cima, para a cintura do trânsito e para baixo, para o Aare, com as suas águas glaciares verdes. Um vento agreste, que arrastava nuvens baixas, virou-lhe o chapéu-de-chuva e molhou-lhe o rosto com rajadas de chuva. Foi então que reparou na mulher a meio da ponte. Tinha apoiado os cotovelos no parapeito e lia, sob a chuva torrencial, aquilo que parecia ser uma carta. Tinha de agarrar a folha com ambas as mãos. Quando Gregorius se aproximou amarrotou subitamente o papel, amassou-o até o transformar numa bola informe e atirou-o ao ar com um movimento brusco. Sem se aperceber disso, Gregorius apressara-se e encontrava-se agora apenas a poucos passos de distância. Viu a fúria estampada no rosto pálido e molhado. Não era o tipo de fúria capaz de se esvaziar num caudal de palavras. Era uma fúria tenaz e interiorizada, que ela há muito devia alimentar. Agora a mulher agarrava-se à balaustrada com os braços retesados, enquanto os calcanhares se libertavam dos sapatos. *Queres ver que ela vai saltar.* Gregorius largou o chapéu-de-chuva, que foi imediatamente projectado por uma rajada de vento para longe da ponte, deixou cair ao chão a pasta cheia de cadernos escolares e soltou uma série de impropérios que de modo nenhum faziam parte do seu vocabulário habitual. A pasta abriu-se e os cadernos espalharam-se pelo asfalto molhado. A mulher virou-se. Por instantes ficou imóvel, a ver como os cadernos escureciam, encharcados. Depois tirou uma caneta de feltro do bolso do sobretudo, avançou dois passos, inclinou-se para Gregorius e escreveu-lhe uma sequência de números na testa.

– Desculpe – disse num francês ofegante e com sotaque estrangeiro –, mas não me posso esquecer deste número de telefone e não tenho papel aqui comigo.

Agora olhava para as próprias mãos, como se as estivesse a ver pela primeira vez.

– É claro que também podia... – e começou a escrever na palma da mão, olhando ora para a testa de Gregorius, ora para a palma da própria mão. – Eu... eu não queria ficar com ele, queria esquecer tudo, mas quando vi a carta ser levada pelo vento... tive de o apontar.

As gotas de chuva nas lentes grossas toldavam a vista de Gregorius, enquanto ele tentava reunir às apalpadelas os cadernos encharcados. E novamente, pareceu-lhe, a ponta da caneta corria pela sua testa. Mas não, só agora percebia que eram os dedos da mulher que tentava desajeitadamente apagar os números com um lenço de papel.

– É um descaramento, eu bem sei. – E de repente começou a ajudar Gregorius a apanhar os cadernos. Ele tocou na sua mão, roçou com os dedos o joelho, e quando ambos se esticaram para agarrar o último caderno as suas cabeças embateram uma na outra.

– Muito obrigada – balbuciou, quando finalmente se levantaram. E, apontando para a cabeça: – Dói-lhe?

Ausente, a olhar para baixo, ele negou com um sacudir de cabeça. A chuva caía-lhe no cabelo e escorria-lhe pelo rosto.

– Posso acompanhá-lo um pouco?

– Hum... sim, claro – gaguejou Gregorius.

Atravessaram em silêncio a ponte e continuaram a caminhar em direcção ao liceu. Gregorius calculou que já devia passar das oito. A primeira aula já começara de certeza. O que é que ela quisera dizer com «um pouco»? Entretanto, ela adaptara-se ao ritmo da sua passada e trotava ao seu lado como se o tivesse feito durante todo o dia. Tinha levantado a larga gola do sobretudo, de modo que agora Gregorius só lhe podia ver parte do perfil na testa.

– Tenho de ir para ali, para o liceu – disse, parando. – Sou professor.

– Posso ir consigo? – insistiu a rapariga em voz baixa.

Gregorius hesitou e passou com a manga pelas lentes molhadas dos óculos. – Pelo menos lá está seco, não é?! – disse por fim.

Subiram as escadas, Gregorius segurou a porta para a deixar passar e, de repente, viram-se no átrio que parecia sempre vazio e silencioso depois das aulas terem começado. Os seus sobretudos pingavam.

– Espere aqui um instante – pediu Gregorius, e dirigiu-se ao lavatório para ir buscar uma toalha.

Em frente ao espelho limpou os óculos e secou o rosto. Os números na sua testa ainda permaneciam reconhecíveis. Segurou a ponta da toalha sob o jorro de água quente e quis começar a esfregar quando se imobilizou a meio do movimento. *Foi esse o instante que tudo decidiu*, pensou quando, horas mais tarde, recordou os acontecimentos. O que aconteceu foi que, de repente, se apercebeu de que, no fundo, não queria apagar a marca do seu encontro com aquela mulher enigmática.

Imaginou-se então a aparecer diante da turma com um número de telefone escrevinhado na testa. Ele, o *Mundus*, o mais fiável e previsível indivíduo naquela escola e, muito provavelmente, em toda a história da instituição: há mais de trinta anos no activo, sem ponta de mácula ou defeito que lhe pudessem apontar no exercício da sua profissão; sim, um autêntico pilar da instituição, eventualmente um pouco enfadonho, tinha de admitir, mas em todo o caso respeitado e temido até mesmo na própria Faculdade, devido ao seu estupendo conhecimento das línguas antigas; ele a quem os alunos, delicadamente, sempre tentavam pôr à prova, ano após ano, surpreendendo-o com telefonemas a meio da noite, a pedir-lhe uma conjectura sobre uma remota passagem num antiquíssimo texto, só para encaixarem uma imediata e exaustiva resposta naquele tom seco e judicioso que o caracterizava – resposta essa que nunca deixava de incluir um comentário crítico sobre outras possíveis opiniões – e tudo exposto com uma lógica e uma calma que em momento nenhum dava azo a que se apercebesse a mínima irritação pelo incómodo nocturno. Ele, o *Mundus*, precisamente, um homem com um nome próprio impossível e, por assim dizer, vetusto, que simplesmente exigia ser abreviado e que também não podia ser abreviado senão assim, com aquela fórmula concisa que, como nenhuma outra, acabava por espelhar o cerne daquele homem. Pois o que ele carregava consigo, como filólogo clássico, era, de facto, nem mais nem menos do que todo um mundo, ou mais precisamente vários e completos mundos, já que, para além de ser capaz de recuperar imediatamente toda e qualquer passagem de um qualquer texto do Latim ou do Grego, também tinha a mesma memória instantânea para o Hebraico, pelo que já por mais de uma vez espalhara uma certa perplexidade entre catedráticos e especialistas do Velho Testamento. *Se desejais conhecer um verdadeiro erudito*, costumava dizer o reitor, sempre que o apresentava a uma nova turma, *aqui o tendes*.

E esse mesmo «erudito», pensava Gregorius agora, esse homem seco que para muitos parecia consistir apenas em palavras mortas – e que por alguns dos colegas que lhe invejavam o apreço e a popularidade entre os alunos era maldosamente apelidado de *Papiro* – esse erudito, enfim, iria aparecer na sala de aula com um número de telefone rabiscado na testa por uma mulher desesperada e visivelmente indecisa entre o ódio e o amor; uma mulher que vestia um casaco de cabedal vermelho e se exprimia com uma entoação maravilhosamente suave e meridional, que mais parecia um sussurrar muito arrastado, que pelo simples facto de ser escutado tornava qualquer pessoa decente num cúmplice.

Quando Gregorius lhe entregou a toalha a rapariga segurou o pente entre os dentes e começou a esfregar o longo cabelo negro contido pela gola do sobretudo como numa taça. O porteiro surgiu no átrio e, ao dar com Gregorius, lançou um olhar espantado ao relógio fixado sobre a porta da saída e, logo a seguir, ao seu próprio relógio de pulso. Gregorius acenou-lhe com a cabeça, como sempre fazia. Uma aluna passou apressadamente por eles, virou-se duas vezes e continuou a correr.

– Eu dou aulas lá em cima – explicou Gregorius à mulher, apontando através da janela para a outra parte do edifício. Segundos decorreram. Sentiu o coração bater. – Quer vir?

Mais tarde Gregorius não quis acreditar que tivesse dito isso, mas muito longe da verdade não deve ter ficado porque, de repente, seguiam os dois lado a lado em direcção à sala de aulas. Ele ouvia o chiar das suas solas de borracha sobre o linóleo e o som cavo e breve dos botins sempre que a mulher colocava um pé no chão.

– Qual é a sua língua materna? – perguntara-lhe antes.

– *Português* – respondera ela.

O *ó*, que ela surpreendentemente pronunciara como um *u*, a claridade crescente e estranhamente abafada do *ê* e o suave *che* final soaram-lhe como uma melodia que aos seus ouvidos perdurou muito mais tempo do que na realidade e que ele simplesmente gostaria de ter escutado durante todo o resto do dia.

– Espere um pouco – pediu-lhe, enquanto tirava o seu bloco de notas do bolso do casaco e arrancava uma folha: – Para o número.

Já tinha a mão no puxador da porta quando lhe pediu para repetir a palavra que há pouco dissera. Ela fê-lo e, pela primeira vez, ele viu-a sorrir.

A conversa foi instantaneamente interrompida mal entraram na sala. Um silêncio, todo ele feito de espanto, preenchia agora o espaço. Mais tarde, Gregorius recordou-o com precisão: saboreara a surpresa daquele súbito silêncio, aquela perplexidade atónita que se manifestava em todos os rostos e, de algum modo, também desfrutara do facto de ter sido capaz de sentir algo de que nunca se julgara capaz.

Mas o que é que se está a passar aqui? A pergunta lia-se em cada um dos mais de vinte olhares que fixavam o estranho par parado à porta. O que é que o *Mundus* fazia ali com a careca molhada e o sobretudo encharcado, ao lado de uma mulher muito pálida e meio despenteada?

– Talvez ali?! – propôs Gregorius à mulher, apontando para uma cadeira vazia num canto, ao fundo. Depois avançou para o seu lugar, cumprimentou todos, como de costume, e foi sentar-se atrás da secretária. Como não fazia a menor ideia do que poderia apresentar como explicação pediu simplesmente que se começasse com a tradução do texto que estavam a dar. As traduções avançavam com dificuldade e ele reparou nalguns olhares curiosos. Também os havia confusos, pois então não era que ele, o *Mundus*, que detectava um erro mesmo a dormir, deixava agora passar um chorrilho de incorrecções, equívocos e imprecisões?

Ainda assim, conseguiu evitar olhar ostensivamente para a mulher ao canto. E no entanto tinha-a presente a cada segundo que passava, via as madeixas molhadas que ela afastava do rosto, as mãos que se contorciam muito brancas uma na outra, o olhar ausente, perdido, que parecia procurar algo para além da janela. A certa altura, tirou do bolso a caneta para apontar na folha o número de telefone. Depois recostou-se novamente e pareceu ignorar onde estava.

Era uma situação impossível e Gregorius olhou de esguelha para o relógio: só mais dez minutos para o intervalo. Foi então que a mulher se levantou e se dirigiu silenciosamente para a porta. Ao fechá-la virou-se para ele e levou o indicador aos lábios. Ele baixou a cabeça e ela repetiu o gesto sorrindo. A seguir ouviu-se o bater suave da porta no trinco.

A partir desse momento, Gregorius deixou de ouvir o que os alunos diziam. Sentia-se como se estivesse completamente sozinho e rodeado por um silêncio ensurdecedor. A uma certa altura deu consigo à janela, a seguir os movimentos da mulher de vermelho, até ela desaparecer à esquina. Sentia o esforço que lhe custava não ter ido atrás dela. Uma e outra vez viu o dedo a tocar nos lábios, num gesto que podia ter tantos significados: *não quero incomodar*, e: *o segredo fica entre nós*, mas também: *deixe-me ir agora, não pode haver continuação*.

Quando tocou para o intervalo manteve-se à janela. Atrás dele, os alunos retiraram-se num silêncio estranho. Mais tarde, também ele acabou por sair. Abandonou o edifício pela porta traseira, atravessou a rua e foi sentar-se na biblioteca nacional, onde ninguém o iria procurar.

Quando tocou para a segunda hora da aula dupla já ele lá estava, como sempre. Tinha apagado o número da testa, não sem antes o ter apontado, após um instante de hesitação, no seu bloco de notas e secado a estreita coroa de cabelos grisalhos. Apenas as manchas húmidas no casaco e nas calças revelavam ainda que algo de invulgar sucedera. Gregorius tirou da mala o maço de cadernos molhados.

– Um azar – explicou lacónico. – Tropecei e eles caíram-me ao chão, à chuva. Mas presumo que as correcções ainda sejam legíveis; senão vão ter de trabalhar com conjecturas.

Era assim que eles o conheciam e um perceptível alívio espalhou-se pela sala. De vez em quanto, viu-se ainda confrontado com um olhar de curiosidade, e uma réstia de timidez notava-se numa ou outra voz. De resto, tudo continuava como dantes. Escreveu no quadro os erros mais frequentes e deixou que os alunos trabalhassem em silêncio.

Poder-se-ia dar àquilo que lhe aconteceu no quarto de hora seguinte o nome de «decisão»? Mais tarde, Gregorius iria colocar-se inúmeras vezes essa questão, sem que chegasse a qualquer conclusão definitiva. Mas se isso não o fosse, então o que seria uma decisão?

Tudo começou quando, de repente, se pôs a observar os alunos debruçados sobre os seus cadernos como se os estivesse a ver pela primeira vez.

Lucien von Graffenried, que durante o torneio de xadrez no anfiteatro, em que ele defrontava anualmente uma dúzia de alunos em partidas simultâneas, movera à sorrelfa uma das figuras. Após completar os lances nos outros tabuleiros, Gregorius aproximara-se e reparara imediatamente na infracção. Ficara a olhar calmamente para ele, enquanto o rosto de Lucien enrubescia. – Achas que tens necessidade disso? – perguntara, e depois conduzira a partida para um empate.

Sarah Winter, que lhe aparecera à porta de casa às duas da manhã, só porque não sabia o que fazer com a sua gravidez. Ele preparara um chá e escutara o que ela tinha para dizer, e nada mais. – Estou tão contente por ter seguido o seu conselho – dissera-lhe ela uma semana mais tarde – teria sido demasiado cedo para ter uma criança.

Beatrice Lüscher, com a sua caligrafia de uma regularidade impecável, que sob o peso do seu sempre perfeito rendimento escolar parecia estar a envelhecer assustadoramente depressa. René Zingg, sempre no limite inferior das notas.

E, claro, Natalie Rubin. Uma rapariguinha caprichosa que, de certo modo, era como uma jovem palaciana de um século pretérito: inacessível, cortejada e temida pela sua língua afiada. Na semana passada levantara-se depois do toque para o intervalo, espreguiçara-se como alguém que se sente bem no seu corpo e tirara um bombom do bolso da saia. A caminho da porta, desembrulhara-o e, no momento em que passara por ele, levara-o à boca. Tinha acabado de tocar os seus lábios quando, interrompendo o movimento, se virara para ele e, estendendo-lhe o bombom vermelho-vivo, perguntara: – Quer? – Divertida com o seu espanto, soltara aquela sua estranha risadinha estridente e, com um movimento «fortuito», tratara de roçar com os dedos a sua mão.

Gregorius lembrou-se de todos eles, um por um. Primeiro pareceu-lhe estar a auscultar os seus sentimentos por cada um deles numa espécie de balanço provisório. Ao chegar à fila do meio deu consigo a pensar cada vez com mais insistência: *quanta vida têm ainda pela frente; e como o seu futuro está ainda em aberto; quantas coisas podem ainda acontecer-lhes; e as vivências que ainda os esperam!*

Português. Ouviu a melodia da palavra e viu à sua frente o rosto da jovem, de olhos fechados, quando esfregava o cabelo com a toalha. Um rosto como que de alabastro. Por uma última vez o seu olhar deslizou sobre as cabeças dos alunos. Depois levantou-se devagar, dirigiu-se para a porta, retirou o sobretudo húmido do gancho onde estava pendurado e saiu da sala, sem sequer se virar uma última vez.

A mala com os livros que o tinham acompanhado durante toda uma vida ficou em cima da secretária. No patamar das escadas parou e lembrou-se de como de dois em dois anos costumava mandar encadernar de novo os livros, sempre na mesma loja, onde se riam das folhas gastas e esfareladas, já quase como mata-borrão. Enquanto a mala permanecesse em cima da mesa os alunos iriam supor que ele voltaria. Mas não fora por esse motivo que ele deixara ficar para trás os livros e resistia agora à tentação de os ir buscar. Se se ia agora embora tinha também que deixar ficar para trás aqueles livros. Sentia isso com uma grande nitidez, mesmo que nesse instante, enquanto caminhava para a porta de saída, não fizesse, no fundo, a mínima ideia do que isso poderia significar: ir-se embora.

No átrio de entrada o seu olhar pousou na pequena poça que se formara enquanto a mulher esperara que ele regressasse dos lavabos. Era o vestígio de uma visitante vinda de um mundo distante e Gregorius contemplou-o com aquela espécie de devoção que costumava sentir sempre que se encontrava perante um achado arqueológico. Só quando ouviu os passos arrastados do porteiro é que caiu em si e abandonou rapidamente o edifício.

Sem se deter, continuou a andar até chegar a uma esquina de onde podia lançar um olhar para trás sem ser visto. Com uma súbita veemência, de que se julgara incapaz, sentiu então o quanto amava aquele edifício e tudo o que ele representava. Teve também uma noção muito forte da falta que ele lhe iria fazer. Pôs-se a fazer contas: há quarenta e dois anos atrás, com quinze anos e dominado por um misto de alegria e apreensão, entrara pela primeira vez por aquela porta. Quatro anos depois, abandonara-o com o diploma da *matura* na mão, para regressar volvidos outros quatros anos, como substituto do professor de Grego que sofrera um acidente. Precisamente o professor que a seu tempo lhe abrira as portas do Mundo Antigo. Depois o estudante universitário substituto transformara-se num substituto permanente que prosseguira com os seus estudos superiores até fazer, já com trinta e três anos, o doutoramento.

E fizera-o só porque Florence, a sua mulher, insistira com ele para que o fizesse. Nunca pensara num doutoramento; sempre que lhe perguntavam por isso ele ria-se simplesmente. Não era isso que importava. O que verdadeiramente importava era algo muito simples: conhecer os textos antigos até ao mais ínfimo pormenor, estar à vontade no que à gramática e aos mais subtis detalhes estilísticos dizia respeito e saber a história de cada uma das suas expressões. Por outras palavras: ser *bom*. Não se tratava de modéstia – na exigência perante si próprio ele era tudo menos modesto. Também não era excentricidade ou uma qualquer forma rebuscada de vaidade. Talvez fosse apenas, como muitas vezes chegou a pensar, mais tarde, uma raiva silenciosa que se virava contra todo o pretensiosismo mundano. Uma espécie de obstinação indomável, com a qual ele se quisera vingar do mundo dos presumidos que fizera sofrer o seu pai durante toda a vida, só porque nunca passara de um simples guarda de museu. O facto de outros que sabiam bem menos do que ele – na verdade muitíssimo menos – se afadigarem com os exames curriculares, na ânsia de obterem a desejada cátedra, nada significava para ele. Era como se pertencessem a um outro mundo, insuportável na sua superficialidade, um mundo regido por critérios pelos quais ele apenas podia sentir desprezo. No liceu ninguém iria ter a ideia peregrina de o despedir para o substituírem por alguém com um canudo. O reitor, ele próprio um filólogo clássico, conhecia a sua qualidade, aceitava sem reservas a sua autoridade e sabia que os alunos se revoltariam caso isso sucedesse. Quando finalmente se dignou a fazer o doutoramento, o exame pareceu-lhe ridiculamente fácil e entregou-o a meio do tempo. No fundo, sentira-se sempre um pouco rancoroso pelo facto de Florence o ter obrigado a abdicar da sua obstinação.

Gregorius virou-se e começou a caminhar lentamente em direcção à ponte de Kirchenfeld. Assim que a viu, teve a sensação, simultaneamente inquietante e libertadora, de que agora, aos cinquenta e sete anos, estava finalmente prestes a tomar as rédeas da sua própria vida.

2

No sítio onde a mulher estivera a ler a carta sob a chuva torrencial parou e olhou para baixo. Pela primeira vez tomou consciência da altura a que se caía dali. Teria ela querido saltar? Ou teria sido apenas um receio precipitado da sua parte, motivado talvez pelo facto de o irmão de Florence se ter também atirado de uma ponte? Para além de saber que a sua língua materna era o português, não fazia a mínima ideia de quem poderia ser aquela mulher. Nem sequer lhe conhecia o nome. É claro que era um disparate tentar descobrir dali de cima a carta amarrotada e transformada numa pequena bola. E no entanto pôs-se a perscrutar as profundezas com olhos que logo começaram a lacrimejar com o esforço. Aquele ponto negro seria o seu guarda-chuva? Levou a mão ao casaco e assegurou-se de que ainda tinha no bolso o bloco de apontamentos com o número que a portuguesa desconhecida lhe escrevera na testa. Depois caminhou até ao fim da ponte, sem saber para que lado se devia virar. Estava a fugir da vida que vivera até então. Podia alguém com essa intenção ir simplesmente para casa?

O seu olhar deteve-se no Hotel Bellevue, o mais antigo e distinto da cidade. Já milhares de vezes havia passado por ali, sem nunca entrar. E desde sempre sentira que ele ali estava. De uma certa forma indefinida era como se aquela presença imóvel fosse importante para ele; tê-lo-ia perturbado se soubesse que o edifício tinha sido demolido, ou mesmo deixado de ser um hotel – ou simplesmente *aquele* hotel. Mas nunca lhe passaria pela cabeça que ele, o *Mundus*, lá entrasse, à procura do que quer que fosse. Hesitante, foi-se aproximando da entrada. Um Bentley estacionou, o *chauffeur* saiu do carro e entrou no hotel. Ao segui-lo, Gregorius não conseguiu evitar a sensação de que estava a fazer algo de profundamente revolucionário e, no fundo, proibido.

O *foyer* com a cúpula de vidro colorido encontrava-se vazio e a alcatifa abafava todo e qualquer som. Gregorius sentiu-se contente por ter parado de chover e o seu sobretudo já não pingar. Avançou com os seus sapatos pesados e disformes e entrou no salão do restaurante. Apenas duas das mesas postas para o pequeno-almoço estavam ocupadas. O som discreto de um *divertimento* de Mozart alimentava a sensação de que ali uma pessoa se encontrava longe e a salvo de tudo quanto fosse ruidoso, importuno e de mau gosto. Gregorius despiu o sobretudo e foi sentar-se numa mesa à janela. Não, disse ao empregado de mesa com o casaco beige claro, ele não era cliente do hotel. Sentiu como estava a ser examinado: a grossa camisola de gola alta por baixo do casaco usado com os reforços de camurça nos cotovelos; as calças de bombazina deformadas; a parca coroa de cabelos a cingir a poderosa calva; a barba grisalha que lhe dava sempre um aspecto um pouco desleixado. Quando o empregado se afastou com o pedido Gregorius conferiu com movimentos atabalhoados o dinheiro que tinha no porta-moedas. Depois apoiou os cotovelos na toalha engomada e olhou para a ponte.

Era um disparate esperar poder vê-la surgir ali de novo, pensou. Tinha voltado para trás pela ponte e desaparecera numa das vielas da cidade antiga. Viu-a à sua frente, sentada ao fundo da sala de aulas, o rosto ausente virado para a janela. Viu-a torcer e apertar as mãos brancas. E viu uma vez mais surgir o rosto de alabastro por detrás da toalha, um rosto esgotado e vulnerável. *Português*. Indeciso, procurou o bloco de apontamentos e estudou o número de telefone. O empregado trouxe o pequeno-almoço numa bandeja de prata. Gregorius deixou arrefecer o café. De repente levantou-se e dirigiu-se para o telefone. A meio caminho, mudou de ideias e voltou para a mesa. Acabou por pagar o pequeno-almoço em que nem sequer tocara e deixou o hotel.

Há muitos anos que não ia à livraria espanhola no Hirschengraben. Antigamente tinha lá ido buscar, de vez em quando, um livro de que Florence precisara para a sua dissertação sobre San Juan de la Cruz. No autocarro acontecera, por vezes, folheá-los, mas em casa nunca tocava neles. O castelhano era o território dela. Era como latim e no entanto completamente diferente do latim, e isso incomodava-o. Custava-lhe aceitar que palavras em que o latim estava ainda tão presente pudessem vir de bocas actuais – numa travessa, no supermercado, no café. Que pudessem ser utilizadas para mandar vir coca-cola, para regatear ou praguejar. Achava essa ideia difícil de suportar e sempre que lhe surgia tratava de pô-la imediatamente de parte. Claro que os romanos também tinham regateado e praguejado. Mas isso era um pouco diferente. Ele amava as frases latinas porque elas transportavam em si a serenidade de tudo quanto era passado. Porque não exigiam uma resposta à sua afirmação. Porque eram linguagem para além do palavreado. E porque eram belas na sua forma inalterável. Línguas mortas – as pessoas que objectavam nesses termos não faziam a menor ideia, não tinham a menor noção, e ele, Gregorius, podia ser duro e inflexível no seu desprezo por elas. Quando Florence falava espanhol ao telefone ele fechava a porta. Isso magoava-a, e ele não conseguia explicar-lhe.

Na livraria cheirava maravilhosamente a couro antigo e pó. O dono, um homem já de certa idade com um lendário conhecimento das línguas românicas, estava ocupado na sala do fundo. A da frente encontrava-se quase vazia, à excepção de uma jovem, muito provavelmente uma estudante universitária. Estava sentada num canto, ao lado de uma mesa, a ler um livro fino de capa amarelada. Gregorius teria preferido ficar sozinho. A sensação de estar ali apenas porque a melodia de uma palavra portuguesa não lhe saía do pensamento – e talvez também porque não soubera para onde ir, senão para ali – teria sido mais fácil de suportar sem testemunhas. Pôs-se a percorrer as estantes sem nada ver. De vez em quando, tirava os óculos para poder ler melhor um título numa das prateleiras de cima; mas mal acabava de ler, já o tinha esquecido. Como tantas outras vezes, estava sozinho com os seus pensamentos, e o seu espírito encontrava-se como que selado em relação ao exterior.

Quando a porta se abriu virou-se imediatamente. Ao aperceber-se do desapontamento que sentiu quando percebeu que era apenas o carteiro reparou que, contra todas as suas intenções e contra a mais elementar noção de bom-senso, continuava à espera da portuguesa. A estudante fechou o livro e levantou-se. Mas em vez de o pôr na mesa, onde estavam os outros, permaneceu de pé, deixando correr o olhar uma e outra vez pela encadernação cinzenta. Depois passou levemente com a mão por ela e só decorridos alguns segundos é que voltou a colocá-lo em cima da mesa, mas de uma forma cuidadosa e quase terna, como se temesse que com um manuseamento mais brusco ele pudesse desfazer-se em pó. Durante um momento permaneceu parada em frente à mesa, dando a sensação de que talvez tivesse mudado de ideias e quisesse agora comprá-lo. Mas acabou por ir-se embora, as mãos enfiadas nos bolsos do sobretudo, a cabeça baixa. Gregorius agarrou no livro e leu: AMADEU INÁCIO DE ALMEIDA PRADO, UM OURIVES DAS PALAVRAS, LISBOA 1975.

O livreiro, que entretanto se aproximara, lançou um olhar ao livro e leu o título em voz alta. Gregorius ouviu apenas um caudal de sons sibilantes; as vogais engolidas e quase inaudíveis pareciam constituir somente um pretexto para articular uma e outra vez o ritmo sussurrante do *che*.

– Sabe falar português?

Gregorius sacudiu a cabeça.

– *Um Ourives das Palavras*. Não acha um título bonito?

– Tranquilo e elegante. Como prata baça. Pode repeti-lo novamente em português?

O livreiro repetiu as palavras. Para além das palavras em si, podia notar-se o prazer que ele sentia em pronunciar os seus sons aveludados. Gregorius abriu o livro e folheou-o até o texto começar. Depois entregou-o ao outro, que lhe lançou um olhar surpreso e afectuoso, antes de começar a ler. Gregorius fechou os olhos enquanto escutava. Depois de ler algumas frases o livreiro parou.

– Quer que traduza?

Gregorius disse que sim com um movimento de cabeça. E então

escutou o fluir de frases que provocaram nele um efeito anestesiante, pois pareciam ter sido escritas propositadamente para si; e não só para ele, mas sim para ele naquela precisa manhã em que tudo havia mudado.

De mil experiências que fazemos apenas conseguimos transpor uma para a linguagem, e mesmo essa de uma forma fortuita e sem o apuro que merecia. Entre todas as experiências mudas, permanecem invariavelmente ocultas aquelas que, imperceptivelmente, transmitem à nossa vida a sua forma, o seu colorido e a sua melodia. Quando depois nos viramos para esses tesouros, como uma espécie de arqueólogos da alma, descobrimos quão desconcertantes eles são. O objecto da observação recusa a imobilidade, as palavras deslizam para fora da vivência e no final o que temos no papel não passa de um espólio de contradições. Durante muito tempo acreditei que isso era um defeito, uma carência que precisava de ser ultrapassada. Hoje penso que as coisas não se passam assim: que o reconhecimento de tamanho desconcerto acaba por ser a via régia para a compreensão dessas experiências, simultaneamente íntimas e, não obstante, tão enigmáticas. Eu bem sei, tudo isto pode parecer estranho, até mesmo extravagante. Mas desde que vejo as coisas assim tenho a sensação de que, pela primeira vez, encaro a vida de uma forma atenta e lúcida.

– Isto é a introdução – disse o livreiro e começou a folhear. – E a partir daqui, pelo que me parece, ele começa a escavar, passagem após passagem, à procura de todas as experiências ocultas. Tornar-se o seu próprio arqueólogo. Existem passagens com várias páginas e outras muito breves. Aqui, por exemplo, está uma que não contém mais do que uma única frase. E traduziu:

Se é verdade que apenas podemos viver uma pequena parte daquilo que em nós existe, então o que acontece ao resto?

– Quero ficar com o livro – disse Gregorius.

O livreiro fechou-o e passou com a mão delicadamente pela encadernação, tal como a jovem estudante ainda há pouco.

– Encontrei-o o ano passado numa caixa de cartão de um alfarrabista de Lisboa. Agora já me estou a lembrar: trouxe-o porque gostei do prefácio. Depois acabei por perdê-lo de vista. – O homem olhou para Gregorius, que procurava confusamente a carteira, apalpando todos os bolsos. – Ofereço-lho.

– Mas isso... – balbuciou Gregorius em voz baixa, e pigarreou.

– Também não me custou praticamente nada – disse o livreiro entregando-lhe o livro. – E agora também já me lembro de si: San Juan de la Cruz. Certo?

– Isso era a minha mulher – disse Gregorius.

– Então o senhor é o filólogo clássico do liceu de Kirchenfeld, a sua esposa falou-me de si. E mais tarde também houve outra pessoa que se referiu a si. Deu a entender que o senhor é assim uma espécie de enciclopédia ambulante. – O livreiro soltou uma gargalhada. – A enciclopédia preferida dos alunos.

Gregorius enfiou o livro no bolso do sobretudo e estendeu-lhe a mão. – Muito obrigado.

O livreiro acompanhou-o até à porta. – Espero não o ter...

– De modo nenhum – interrompeu-o Gregorius, tocando-lhe ao de leve no braço.

Na Bubenbergplatz ficou parado a olhar à sua volta. Passara ali toda a sua vida, conhecia desde sempre aquela praça, sentia-se em casa. Para alguém tão míope como ele isso era importante. Para alguém como ele a cidade em que se vivia era como um casulo, uma concha habitável, uma toca segura. Tudo o resto significava perigo. Só alguém que usasse lentes tão grossas como as dele podia compreender isso. A Florence não o compreendera. E provavelmente pela mesma razão também não percebera porque é que ele não gostava de viajar. Entrar num avião e, poucas horas depois, aterrar num mundo completamente diferente, sem ter tempo de se organizar e integrar as imagens da distância percorrida entre os dois sítios – isso não era coisa de que se gostasse. Isso perturbava-o. *Não está certo,* dissera a Florence. *O que é que queres dizer com isso: não está certo?* – perguntara-lhe ela irritada. Ele não fora capaz de lhe explicar, e assim ela acabara por viajar cada vez mais sozinha, ou com outros, na maioria das vezes para a América do Sul.

Gregorius aproximou-se da montra do cinema Bubenberg. Na sessão da noite passavam um filme a preto e branco, uma adaptação cinematográfica de um romance de Georges Simenon: *O homem que via passar os comboios*. Gostou do título e deteve-se a observar as imagens com atenção. Nos finais dos anos 70, quando toda a gente comprara um televisor a cores, ele perdera dias e dias a tentar adquirir ainda um aparelho a preto e branco. Por fim, acabara por levar para casa um usado, de que alguém se quisera ver livre. Tenazmente, defendera-o, mesmo depois de se casar. Pusera-o no seu escritório e sempre que ficava sozinho em casa desprezava o aparelho a cores da sala de estar e acendia a velha caixa, cujas imagens estremeciam e por vezes rolavam. *Mundus, tu és impossível*, dissera-lhe Florence certa vez, quando o encontrara em frente ao velho televisor feio e disforme. O facto dela ter começado a chamá-lo como os outros o chamavam e a tratá-lo, no fundo, como a um factótum da cidade de Berna – isso fora o princípio do fim. Quando o televisor a cores saíra de casa, juntamente com o divórcio, ele respirara de alívio. Só anos mais tarde, quando as válvulas se avariaram irremediavelmente, é que comprara um aparelho a cores.

As fotografias na montra do cinema eram grandes e extremamente nítidas. Uma delas mostrava o rosto de uma palidez de alabastro de Jeanne Moreau, que afastava da testa umas madeixas molhadas. Gregorius estremeceu e afastou-se em direcção ao café mais próximo, para estudar um pouco o livro em que um aristocrata português procurava captar em palavras as suas experiências mudas.

Só agora, ao folheá-lo página a página com a consideração e a cautela de um amante de livros antigos, é que descobriu o retrato do autor: uma fotografia antiga, já amarelecida na altura da impressão, em que as superfícies anteriormente negras se haviam desbotado, adquirindo um tom pardacento e escuro. O rosto claro demarcava-se de um fundo sombrio e granulado. Gregorius deteve-se a limpar as lentes dos óculos, voltou a pô-los e poucos instantes bastaram para que se sentisse completamente dominado por aquele rosto verdadeiramente impressionante.

O homem não devia ter muito mais do que trinta anos e irradiava uma inteligência, uma altivez e uma ousadia que, pura e simplesmente, o encandearam. O rosto claro com a testa alta surgia emoldurado por um cabelo farto e escuro, de um brilho baço, que, penteado para trás, se assemelhava a um elmo. Dessa massa lisa caíam para as orelhas madeixas em caracóis suaves. Um fino nariz romano conferia-lhe uma grande clareza, acentuada pelas sobrancelhas fortes, como duas traves desenhadas com um pincel grosso num traço fluente e cedo interrompido no seu movimento para o exterior, de forma a gerar uma concentração para o centro, onde se situava a sede dos pensamentos. Os lábios cheios e torneados, que no rosto de uma mulher não teriam surpreendido, surgiam emoldurados por um fino bigode e uma pêra cuidadosamente aparada, que através da sombra negra que projectava sobre o pescoço estreito transmitia a Gregorius a impressão que, de algum modo, se tinha também que contar ali com uma certa dureza e brusquidão. No entanto, o que acabava por decidir tudo eram os olhos escuros. Surgiam acentuados por olheiras, mas não eram sombras de cansaço, exaustão ou doença, mas sim de uma certa seriedade e melancolia. No seu olhar escuro a suavidade misturava-se com a audácia e a firmeza. Aquele homem era um sonhador e um poeta, pensou Gregorius; ao mesmo tempo, porém, tratava-se de alguém que não hesitaria em usar uma arma ou um bisturi; e alguém a evitar quando aqueles olhos se incendiassem. Uns olhos capazes de pôr em sentido um exército de gigantes. Olhos também a quem a crueldade não era estranha. Da roupa via-se apenas a gola branca da camisa com o nó da gravata e a mancha de algo que ele julgou identificar como uma sobrecasaca.

Era quase uma hora quando Gregorius despertou do transe que a contemplação do retrato lhe provocara. Uma vez mais, o café voltara a arrefecer à sua frente. Desejou poder ouvir a voz do português, ver como se movia. 1975: se por essa altura andava pelos trinta, como aparentava na fotografia, então agora devia ter pouco mais de sessenta anos. *Português*. Gregorius tentou recordar-se da voz da desconhecida e transmitiu-lhe em pensamento um acento mais grave, sem que por isso se transformasse na voz do livreiro. Devia ser uma voz de uma claridade melancólica, capaz de corresponder na íntegra ao olhar de Amadeu de Prado. Esforçou-se para que as frases do livro adquirissem o timbre único dessa voz. Mas não foi capaz, pois não fazia ideia de como cada uma daquelas palavras deviam ser pronunciadas.

Lá fora, em frente ao café, passou Lucien von Graffenried. Gregorius ficou surpreendido e aliviado ao notar que não se assustara. Ficou a olhar para o rapaz que se afastava e pensou nos livros em cima da secretária. Tinha de esperar até as aulas recomeçarem, às duas. Só então podia ir à livraria comprar um curso para aprender português.

3 Mal Gregorius tinha acabado de pôr o primeiro CD e ouvir as primeiras frases em português, o telefone tocou. A escola. Os toques repetiam-se interminavelmente. Ele estava de pé, ao lado do aparelho, e ensaiava explicações que pudesse dar. «*Desde hoje de manhã sinto que há ainda outras coisas que quero fazer na vida. Que já não quero ser o vosso* Mundus. *Não faço a mínima ideia do que está para vir. Mas, seja o que for, não admite adiamentos, por mais ínfimos que estes sejam. O meu tempo corre, e pode muito bem acontecer que esteja a esgotar-se.*» Gregorius disse as frases em voz alta. Eram verdadeiras, lá isso ele sabia, em toda a sua vida poucas frases dissera verdadeiramente importantes que fossem tão coerentes e genuínas como aquelas. Mas, ao serem pronunciadas, soavam de uma forma vazia e patética e era simplesmente impossível dizê-las ao telefone.

O telefone deixara de tocar. Mas em breve recomeçaria. Estavam preocupados e não descansariam até o encontrarem; podia ter-lhe acontecido alguma coisa. Mais cedo ou mais tarde, tocariam à porta. Agora, em Fevereiro, ainda anoitecia cedo. Não poderia acender as luzes. No centro da cidade que constituíra o centro da sua vida ele encontrava-se agora em fuga e via-se obrigado a esconder-se no apartamento onde morava há quinze anos. Tudo aquilo era bizarro, ridículo e soava como uma cena de uma comédia barata. E no entanto era *a sério,* mais a sério do que a maior parte das coisas que até aí experimentara e fizera. Mas era impossível tentar explicar isso àqueles que o procuravam. Gregorius imaginou-se a abrir-lhes a porta e a convidá-los a entrar. Era impossível. Pura e simplesmente impossível.

Escutou três vezes seguidas o primeiro disco do curso e, pouco a pouco, começou a fazer uma ideia da diferença que existia entre a língua escrita e a falada. E de tudo aquilo que era aglutinado e engolido no português falado. A sua infalível e fácil memória para construções linguísticas começou então a funcionar.

O telefone recomeçava a tocar em intervalos de tempo que lhe pareceram cada vez mais curtos. Da inquilina anterior herdara um aparelho antediluviano e sem uma ficha que tivesse podido agora desligar. Na altura exigira que tudo continuasse como até aí. Agora viu-se obrigado a ir buscar uma manta de lã para abafar os toques.

As vozes que o conduziam através do curso convidavam-no a repetir palavras e pequenas frases. Nas suas tentativas sentia-se tropeçar numa língua demasiado inchada e tosca. As línguas antigas pareciam-lhe ideais para a sua pronúncia de Berna, e naquele universo imóvel ele nunca havia sentido a necessidade de se apressar. Os portugueses, pelo contrário, pareciam estar sempre com pressa, à semelhança dos franceses, perante os quais ele, desde o princípio, se sentira inferior. Já Florence havia amado aquela espécie de elegância vertiginosa e quando ele se apercebia da facilidade com que ela o conseguia falar ficava quedo e mudo.

Mas agora, de repente, tudo mudara: Gregorius *queria* imitar o ritmo acelerado do locutor e a musicalidade clara da voz da locutora, que lhe fazia lembrar o som de uma flauta *piccolo*. Por isso não se cansava de repetir sempre as mesmas frases, na esperança de encurtar a distância entre a sua pacata pronúncia e o modelo vibrante. Decorrido algum tempo, começou a perceber que estava a passar pela experiência de uma grande libertação – a libertação de uma auto-imposta limitação, de uma assumida lentidão e indolência, tal como eram perceptíveis no seu próprio nome e nos passos arrastados do seu pai, sempre que caminhava de uma sala para a outra no museu; a libertação de uma certa imagem que cultivara de si próprio, de acordo com a qual ele permanecia, mesmo quando não estava a ler, como alguém definitivamente míope, debruçado sobre livros poeirentos. Uma imagem que ele não construíra de forma consciente e planeada, mas que, pelo contrário, se desenvolvera de um modo lento e sub-reptício – a imagem do *Mundus*, que não transportava consigo apenas a sua assinatura, mas também as de muitos outros que, ao longo dos tempos, tinham achado mais agradável e confortável conservarem aquela imagem sossegada de museu, talvez para nela melhor poderem repousar.

Para Gregorius era como se saísse agora dessa imagem como do interior de um poeirento quadro a óleo pendurado na parede esquecida da nave lateral de um qualquer museu. Andava de um lado para o outro na penumbra do apartamento sem luz, pedia um café em português, perguntava por uma rua em Lisboa, interessava-se pela profissão e o nome de alguém e conversava um pouco sobre o tempo.

E de repente começou a falar com a portuguesa dessa manhã. Perguntou-lhe pela razão da raiva que sentira pelo remetente da carta. *Você quis mesmo saltar*? Agitado, procurou no dicionário e na gramática que comprara as expressões e formas verbais que lhe faltavam. *Português*. Como a palavra lhe parecia agora já bem mais familiar! Se até aí possuíra a magia de uma preciosidade num país longínquo e inacessível, agora era já mais como uma entre milhares de outras pedras preciosas num palácio cuja porta ele acabava de abrir.

Bateram à porta. Gregorius dirigiu-se em bicos de pés para o leitor de CD e desligou-o. Eram vozes jovens, vozes de alunos que deliberavam lá fora. Por duas vezes o som estridente da campainha voltou a cortar o silêncio escuro em que Gregorius aguardava imóvel. Depois os passos afastaram-se escadas abaixo.

A cozinha era a única divisão que dava para as traseiras e possuía persianas. Gregorius baixou-as e acendeu a luz. Foi buscar o livro do aristocrata português e os manuais, sentou-se à mesa e começou a traduzir o texto que surgia logo a seguir ao prefácio. Era como latim e, no entanto, completamente diferente do latim. Só que desta vez isso não o incomodava minimamente. Era um texto difícil, moroso. Metodicamente e com a persistência de um corredor de maratona procurou os vocábulos e consultou as tabelas dos verbos, até conseguir decifrar as obscuras formas. Após algumas frases, sentiu-se dominado por uma excitação febril. Foi buscar papel para escrever a tradução. Eram já quase nove horas quando, finalmente, se deu por satisfeito:

PROFUNDEZAS INCERTAS. *Será que existe um segredo sob a superfície da actividade humana? Ou serão as pessoas tal e qual como se manifestam nos seus actos tão explícitos?*

Pode parecer estranho, mas em mim a resposta muda com a luz que cai sobre a cidade e o Tejo. Se for a luz mágica de um dia vibrante de Agosto, capaz de produzir sombras claras de um recorte nítido, a ideia de uma profundidade humana subjacente e oculta parece-me estranha como um fantasma curioso e, de algum modo enternecedor, qualquer coisa como uma miragem que se materializa quando me ponho a olhar longa e fixamente as ondas que cintilam nessa mesma luz. Se, pelo contrário, a cidade e o rio surgirem iluminados por uma cúpula de luz difusa e acinzentada num dia turvo de Janeiro, então não conheço maior certeza do que esta: a de que toda a actividade humana não passa de uma manifestação incompleta, para não dizer ridiculamente incipiente, de uma vida interior oculta e de uma profundidade imprevista, que assoma à superfície sem jamais, em momento algum, a alcançar.

E a juntar-se a esta estranha e inquietante incerteza da minha capacidade de avaliação há ainda uma outra experiência que, desde que a conheci, tem mergulhado constantemente a minha vida numa insegurança perturbadora: trata-se do facto de eu, no que a esse assunto diz respeito, e para além do qual não pode haver, para nós humanos, nada mais importante, acabar por revelar o mesmo grau de incerteza sempre que me vejo e analiso a mim próprio. Quando, por exemplo, me encontro ao sol, na esplanada do meu café preferido, a ouvir o riso cristalino das raparigas que passam, então parece-me que todo o meu mundo interior se encontra repleto até ao canto mais remoto e me é totalmente conhecido, precisamente porque se esgota na disparidade destas impressões felizes. No momento, porém, em que um prosaico e desmistificador manto de nuvens se desloca, encobrindo o sol, tenho subitamente a certeza de que em mim existem profundezas e baixios ocultos, a partir dos quais coisas imprevistas podem surgir a qualquer instante para me arrastarem consigo. Nessas alturas costumo pagar rapidamente e procurar um entretenimento fugaz, na esperança de que o sol regresse depressa, dando novamente crédito ao consolo da superficialidade.

Gregorius procurou a fotografia de Amadeu de Prado e apoiou o livro contra o candeeiro de mesa. Frase após frase, foi lendo o texto traduzido, tentando perceber até que ponto coincidia com aquele olhar audaz e melancólico. Até agora, apenas uma vez tinha empreendido uma experiência semelhante: quando lera as reflexões de Marco Aurélio, ainda estudante. Em cima da mesa estivera um busto de gesso do imperador e enquanto trabalhara no texto sentira-se como que protegido pela sua presença muda. No entanto, entre aquela experiência anterior e a de agora havia uma diferença de que Gregorius se tornava cada vez mais consciente, à medida que a noite ia avançando, sem que ele a pudesse expressar em palavras. Mas quando se aproximavam as duas horas da manhã já ele sabia uma coisa: com o rigor da sua percepção o português transmitia-lhe uma concentração e nitidez no sentir que nem mesmo o velho e sábio imperador, cujos *Pensamentos* devorara como se lhe tivessem sido directamente dirigidas, conseguira proporcionar-lhe. Entretanto, traduzira uma outra anotação:

PALAVRAS NUM SILÊNCIO DE OURO. *Quando leio o jornal, ouço rádio ou presto atenção ao que as pessoas me dizem no café sinto, cada vez com mais frequência, tédio, para não dizer uma náusea, perante sempre o mesmo chorrilho de palavras iguais, escritas e ditas – sempre as mesmas expressões retóricas, sempre os mesmos floreados e metáforas. E o pior é quando me escuto a mim próprio e tenho de constatar que também eu me limito a alinhar sempre pelos mesmos padrões. Como estas palavras estão tão gastas e usadas, tão esgotadas pela excessiva utilização! Será que haverá ainda nelas o vestígio de um significado residual? É claro, a troca de palavras continua a funcionar, as pessoas agem de acordo com isso, riem e choram, viram para a esquerda e para a direita, o empregado de mesa traz o café ou o chá. Mas não é isso que eu quero questionar. A questão é: será que elas exprimem ainda algum pensamento? Ou serão apenas construções sonoras que impelem as pessoas de um lado para o outro, só porque iluminam constantemente, na mente de cada um, vestígios de uma eterna tagarelice?*

Acontece por vezes eu ir à praia e sentir a cabeça exposta a um vento que gostaria que fosse gelado, bem mais frio do que aquele a que por cá estamos habituados: desejo então que ele me esvazie de todos as palavras gastas, de todos os hábitos esgotados da linguagem, para que possa regressar com um espírito purificado, limpo das escórias de todo este perpétuo palavreado. Mas depois, na primeira oportunidade em que tomo a palavra, tudo volta ao princípio. A depuração que pretendo não é um processo que se instale automaticamente. Tenho de fazer algo e tenho de o fazer com palavras. Mas o quê? Não é que queira abandonar a minha língua para assumir uma outra diferente. Não, não se trata de uma qualquer forma de deserção linguística. E há ainda uma outra coisa que eu também me digo: não é impossível inventar de novo a linguagem. Mas então o que é que eu quero, afinal?

Talvez seja algo como isto: quero compor de um novo modo as palavras portuguesas. As frases construídas segundo essa nova composição não seriam invulgares ou extravagantes, nem exaltadas, afectadas ou forçadas. Teriam antes de ser como que construções arquetípicas do português, capazes de definirem um centro, para que as pessoas tivessem a sensação de que brotavam de um modo fácil, directo e sem qualquer contaminação da própria essência transparente e cristalina desta língua. Teriam de ser palavras sem mácula, como mármore polido, e apresentar a pureza e o rigor dos sons de uma partita de Bach, capazes de transformarem no mais perfeito silêncio tudo quanto lhes é alheio. Por vezes, quando me sinto ainda capaz de uma atitude conciliadora para com o lodo linguístico, penso que isso poderia ser proporcionado pelo silêncio agradável de uma sala de estar, ou pela quietude saciada que se instala entre os amantes. Mas quando me sinto completamente dominado pela fúria e pela indignação perante os pegajosos hábitos linguísticos, então não aceito menos do que o silêncio claro e frio do espaço sideral, em que silenciosamente gravito como único ser capaz de se exprimir em português. O empregado de mesa, a cabeleireira, o condutor do eléctrico abririam a boca de espanto ao ouvirem as novas palavras, e a sua admiração teria a ver com a beleza das frases, uma beleza que não seria mais do que o brilho da sua própria claridade. Seriam – imagino eu – frases urgentes, necessárias, embora também se lhes pudesse chamar implacáveis. Íntegras e inamovíveis, elas ali estariam, e nisso seriam idênticas às palavras de um Deus. Seriam simultaneamente livres de exageros e despidas de qualquer pathos, *precisas e de tal forma despojadas que seria impossível privá-las de uma única palavra ou de uma única vírgula. Nesse aspecto seriam comparáveis a um poema, compostas por um ourives da palavra.*

Gregorius sentia a fome morder-lhe o estômago e impôs-se a si próprio comer algo. Mais tarde estava sentado no quarto às escuras com uma chávena de chá. E agora? Por duas vezes tinham tocado à campainha da porta, e a última vez que ouvira o toque abafado do telefone tinha sido pouco antes da meia-noite. Amanhã surgiria um anúncio na coluna dos desaparecidos e depois era só esperar que a polícia lhe viesse bater à porta. Por enquanto, ainda estava a tempo de voltar atrás. A um quarto para as oito atravessaria a ponte de Kirchenfeld, entraria no edifício do liceu e explicaria a sua misteriosa ausência com uma história qualquer que contribuiria para alimentar a sua fama de esquisito. Mas isso não o apoquentava minimamente, na verdade até condizia com a sua imagem. E ninguém faria a mínima ideia da imensa distância que, em menos de vinte e quatro horas, percorrera no seu espaço interior.

Mas essa é que era a questão. Ele *percorrera-a*. E não ia permitir que os outros o obrigassem a negar esse silencioso percurso. Foi buscar um mapa da Europa e começou a estudar a melhor maneira de viajar para Lisboa de comboio. O serviço de informações, foi-lhe comunicado ao telefone, só estaria a funcionar a partir das seis da manhã. Começou então a fazer a mala.

Eram já quase quatro da manhã quando se sentou no sofá, pronto para viajar. Lá fora começava a nevar. De repente, sentiu que a coragem o abandonava. Era uma ideia completamente disparatada. Uma portuguesa desconhecida, meio transtornada. Apontamentos amarelados de um qualquer aristocrata lusitano. Um curso de português para principiantes. A sensação do tempo que se escoa. Tudo isso não era motivo para uma pessoa fugir em pleno Inverno para Lisboa.

Por volta das cinco Gregorius telefonou a Konstantin Doxiades, o seu oftalmologista. Já muitas vezes tinham conversado ao telefone a meio da noite, até para partilhar o mal comum das insónias. As pessoas que não conseguem dormir sentem-se ligadas por uma solidariedade muda. Por vezes acontecia mesmo entreterem-se a jogar uma partida de xadrez rápida, às cegas. Geralmente, Gregorius conseguia depois dormir ainda um pouco, antes de chegar a hora de ir para a escola.

– Não faz sentido nenhum, não é?! – exclamou no final da sua titubeante história. O grego permaneceu calado. Gregorius conhecia aquilo. Agora fecharia os olhos, o polegar e o indicador a massajarem lentamente a raiz do nariz.

– Claro que faz sentido – disse por fim Doxiades. – Absolutamente.

– E vai ajudar-me, quando eu já não souber o que fazer?

– Telefone simplesmente. De dia ou de noite. Não se esqueça dos óculos de reserva.

Lá estava ela, aquela segurança lacónica na sua voz. Uma segurança de médico e, simultaneamente, algo que ia muito para além de um mero relacionamento profissional; a segurança de uma pessoa que se permitia o tempo necessário para raciocinar, para que depois esse esforço se traduzisse em juízos sólidos. Há já vinte anos que Gregorius ia àquele médico, o único que conseguira tirar-lhe o medo da cegueira. Por vezes comparava-o ao pai, que depois da morte prematura da sua mãe – e independentemente do sítio onde se encontrasse, ou do que estivesse a fazer –, parecia permanecer na segurança algo poeirenta de um museu. Desde cedo que Gregorius compreendera o quanto essa segurança era, no fundo, frágil. Gostara do pai e houvera até momentos em que esse sentimento chegara mesmo a ser mais forte e profundo do que um mero gostar. Mas também sofrera pelo facto do pai não ser alguém em quem ele se pudesse apoiar, a quem ele pudesse recorrer como ao grego, em cujos juízos inabaláveis sempre pudera confiar. Mais tarde, acabara por sentir alguns remorsos por causa dessa censura dissimulada. A segurança de cuja falta ele sentira não fora algo de que o pai dispusesse, pelo que não o podia acusar de lha ter sonegado. Era simplesmente preciso ter sorte na vida para que uma pessoa se tornasse segura. E não se podia dizer que o seu pai tivesse tido muita sorte, nem consigo nem com os outros.

Gregorius sentou-se à mesa da cozinha e tentou escrever uma carta ao reitor. Mas, ou as frases lhe saíam num tom demasiado brusco, ou tentava desculpar-se, como que mendigando compreensão. Às seis horas telefonou às informações dos caminhos-de-ferro. Partindo de Genebra a viagem durava vinte e seis horas. Passava por Paris e Irún, no País Basco, e daí seguia no comboio nocturno em direcção a Lisboa, onde chegaria por volta das onze da manhã. Gregorius reservou um bilhete. O comboio para Genebra partia às sete e meia.

Finalmente, conseguiu escrever a carta.

Ex.mo Sr. Reitor, caro colega Kägi,

Com certeza que entretanto já lhe foi comunicado que eu ontem abandonei sem qualquer esclarecimento a aula e não regressei, assim como também já deve saber que todos os esforços empreendidos para me encontrar foram em vão. Estou bem de saúde, não me aconteceu nada. Não obstante, aconteceu-me ontem algo que transformou muita coisa na minha vida. Trata-se de uma experiência muito pessoal e ainda demasiado próxima para que, neste momento, a possa descrever. Assim, tenho simplesmente que pedir-lhe para aceitar o meu procedimento inesperado e inexplicado. Creio que me conhece suficientemente bem para saber que tudo isto não acontece por leviandade, irresponsabilidade ou indiferença. Vou empreender uma longa viagem e não lhe posso agora precisar como e quando regressarei. Assim, não espero que mantenha livre o meu cargo. A maior parte da minha vida está indissociavelmente ligada a esse liceu e tenho a certeza de que irei sentir a sua falta. Agora, porém, há algo que me afasta dele e pode muito bem acontecer que esse movimento seja definitivo. Nós os dois, eu bem o sei, somos admiradores de Marco Aurélio e certamente que se lembrará daquela passagem dos seus Pensamentos *que diz: «Força-te, força-te à vontade e violenta-te, alma minha; mais tarde, porém, já não terás tempo para te assumires e respeitares. Porque de uma vida apenas, uma única, dispõe o homem. E se para ti esta já quase se esgotou, nela não soubeste ter por ti respeito, tendo agido como se a tua felicidade fosse a dos outros... Aqueles porém que não atendem com atenção os impulsos da própria alma são forçosamente infelizes.»*

Quero agradecer-lhe a confiança de que sempre deu mostras, bem como a boa colaboração que nos uniu. Estou certo de que irá encontrar as palavras adequadas para explicar tudo isto aos alunos. Palavras que lhes saberão transmitir o quanto gostei de trabalhar com eles. Ontem, antes de me ir embora, observei-os com atenção e pensei: quanto tempo têm ainda pela frente!

Esperando que me compreenda e desejando-lhe o melhor, para si e para o seu trabalho, despeço-me

Raimund Gregorius

PS: Deixei os meus livros em cima da secretária. Poderia tratar de os recolher e guardar?!

Enviou a carta no correio da estação. A seguir, ao tirar dinheiro na caixa multibanco, reparou que as suas mãos tremiam. Limpou os óculos e assegurou-se de que trazia consigo o passaporte, os bilhetes de viagem e a agenda pessoal. Encontrou um lugar à janela. Quando o comboio abandonou a estação em direcção a Genebra nevava em grandes flocos lentos.

4 Enquanto pôde, Gregorius agarrou-se às silhuetas das derradeiras casas de Berna. Quando, finalmente, estas desapareceram irrevogavelmente, ele tirou do bolso o bloco de notas e começou a apontar os nomes dos alunos que ensinara ao longo do tempo. Começou com o ano anterior e foi depois regredindo para o passado. Para cada nome procurou a expressão do rosto, um gesto característico e um episódio revelador do carácter. Os três últimos anos não lhe ofereceram qualquer resistência, depois começou a sentir, cada vez com mais frequência, que lhe faltava alguém. A meados da década de noventa, as turmas já só eram compostas por alguns, poucos, rostos e nomes. Finalmente, a sequência temporal diluiu-se irremediavelmente. Restavam apenas uns quantos rapazes e raparigas com os quais tinha vivido episódios especiais.

Fechou o bloco de notas. Esporadicamente encontrava na cidade um aluno ou uma aluna que ensinara há muitos anos. Já não eram rapazes e raparigas, mas sim homens e mulheres com parceiros, filhos e profissões. Acontecia-lhe assustar-se ao reparar nas transformações que os seus rostos haviam sofrido. Por vezes, o susto tinha a ver com o resultado dessas transformações: um azedume prematuro, um olhar acossado, algum sinal de uma doença grave. Mas, na maioria das vezes, aquilo que o fazia estremecer era o simples facto de que os rostos transformados revelavam vestígios do decorrer inexorável do tempo. A impiedosa decadência de tudo quanto existe. Olhava então para a pele das suas mãos, onde surgiam os primeiros sinais da velhice, e às vezes ia buscar fotografias dos seus tempos de estudante e tentava lembrar-se de como tinha sido toda aquela longa caminhada, dia após dia, ano após ano. Nesses dias ficava mais assustadiço do que o normal, e então podia muito bem acontecer que aparecesse no consultório de Doxiades sem se fazer anunciar, para que ele o descansasse e lhe tirasse, uma vez mais, o medo de cegar. Mas o que mais o impressionava eram os encontros com alunos que entretanto tinham vivido muitos anos no estrangeiro, num outro Continente, sujeitos a um outro clima, com uma outra língua. *E o senhor? Continua em Kirchenfeld?* – perguntavam-lhe, e os seus movimentos revelavam uma mal contida impaciência. Na noite a seguir a um desses encontros costumava defender-se, primeiro da pergunta e depois do facto de se ver obrigado a defender-se.

E agora que tudo isto lhe vinha à cabeça ali estava ele, sentado num comboio há mais de vinte e quatro horas sem dormir, avançando em direcção a um futuro incerto, como nunca na vida lhe tinha acontecido.

A permanência em Lausanne constituiu uma tentação. Na via ao lado entrou o comboio que ia para Berna. Gregorius imaginou-se a chegar à estação de Berna. Olhou para o relógio. Se apanhasse um táxi para Kirchenfeld podia ainda chegar a tempo à quarta aula. Quanto à carta, teria de a reaver, ou falando com o carteiro, ou pedindo a Kägi que lhe entregasse o envelope fechado. Desagradável, mas não impossível. O seu olhar pousou no bloco de apontamentos em cima da mesa do compartimento. Sem o abrir, recordou a lista com os nomes dos alunos. E, de repente, compreendeu: aquilo que logo após o desaparecimento das últimas casas de Berna começara como a tentativa de se agarrar a algo de conhecido transformara-se cada vez mais, ao longo das horas seguintes, numa espécie de despedida. Para nos podermos despedir de algo, pensou enquanto o comboio se punha em movimento, é necessário criar uma perspectiva de distanciamento. Havia que transformar toda aquela evidência difusa, não nomeada, que o rodeara numa clareza capaz de reconhecer o que ela para ele significara. E isso significava que ela tinha de cristalizar-se em algo palpável e com contornos nítidos. Algo tão real e nítido como a lista dos inúmeros alunos que ao longo dos anos haviam marcado, mais do que qualquer outra coisa, a sua vida. Para Gregorius era como se o comboio, que agora saía da estação, deixasse também para trás um pedaço de si próprio. De certa forma, sentiu-se vogar à deriva numa placa de gelo que, por um qualquer sismo imperceptível, se tivesse separado da terra firme e afastasse agora em direcção ao mar alto e frio.

Quando a composição ganhou velocidade ele adormeceu e só acordou ao sentir a carruagem imobilizar-se na estação de Genebra. A caminho do comboio francês de alta velocidade, sentiu-se tão excitado como se partisse para uma viagem de muitas semanas no Transiberiano. Mal se sentou no seu lugar, a carruagem foi invadida por um grupo de turistas franceses. Um grasnar cheio de uma elegância histérica encheu o compartimento e quando alguém se debruçou sobre ele com o sobretudo aberto para colocar uma mala na prateleira, os óculos foram-lhe arrancados do nariz. Isso foi o suficiente para Gregorius fazer algo que nunca fizera em toda a sua vida: agarrou nas suas coisas e mudou-se para a primeira classe.

As poucas situações em que viajara na primeira classe datavam já de há uns bons vinte anos atrás. Na altura Florence exigira-o, ele submetera-se, mas ao sentar-se no acento acolchoado sentira-se como um impostor. *Achas que sou um chato?* – perguntara-lhe após uma dessas viagens. *Como? Mas isso são coisas que se perguntem,* Mundus? – defendera-se ela, passando com a mão pelo cabelo, como sempre fazia quando não sabia o que dizer. Quando Gregorius passou com as mãos pelo estofo elegante, no momento em que o comboio se pôs de novo em movimento, foi como se o seu acto representasse uma vingança tardia cujo significado nem ele próprio era capaz de alcançar. Sentiu-se contente por não haver ali ninguém que pudesse aperceber-se daqueles seus sentimentos vagamente pérfidos e incompreendidos.

Depois assustou-se com o preço do suplemento que teve de pagar ao revisor e quando o homem se foi embora conferiu novamente o troco. Recordou o código secreto do seu cartão de crédito e anotou-o no bloco de notas. Pouco depois arrancou a folha e deitou-a fora. Em Genebra tinha parado de nevar e agora, pela primeira vez desde há semanas, voltava a ver o sol. O sol aqueceu-lhe o rosto através do vidro da janela e ele acalmou-se. Sabia perfeitamente que sempre tivera demasiado dinheiro na sua conta à ordem. *Mas o que é que o senhor anda a fazer?* – dissera-lhe a gerente da sucursal, ao reparar no seu saldo. Na verdade, ele pouco dinheiro levantava. *Tem de saber investir o seu dinheiro!* Ela fizera-o por ele, e assim, com o decorrer do tempo, acabara por se transformar num homem razoavelmente rico, que parecia não fazer a menor ideia da sua situação financeira.

Gregorius pensou nos dois livros de Latim que, no dia anterior, sensivelmente àquela hora, deixara em cima da mesa da sala de aulas. *Anneli Weiss*, estava escrito a tinta, numa caligrafia infantil, ao canto da primeira folha. Lá em casa não havia dinheiro para livros novos, de modo que procurara na cidade e acabara por comprá-los usados num alfarrabista. Quando os mostrara, em casa, a maçã-de-adão do pai movera-se intensamente. Movia-se sempre intensamente quando algo o apoquentava. Ao princípio o nome estranho escrito nos livros incomodara-o. Mas depois acabara por imaginar a antiga dona como uma rapariga de meias brancas até aos joelhos e longos cabelos ao vento; pouco depois, já por nada deste mundo quisera trocar os seus livros usados. Não obstante, mais tarde, quando começara a ganhar como professor substituto, não deixara de desfrutar do facto de poder comprar edições de luxo dos textos antigos. Isso tinha sido há mais de trinta anos e ainda agora tudo aquilo parecia um pouco irreal. Ainda há bem poucos dias tinha estado a olhar para as estantes e surpreendera-se a pensar: como é que eu pude comprar toda esta biblioteca?

A pouco e pouco, as recordações começaram a deformar-se em imagens de um sonho em que o livro fino onde a sua mãe apontava o dinheiro que ganhava com as limpezas surgia sempre de novo com a intensidade de um doloroso fogo-fátuo. Sentiu-se aliviado quando foi acordado pelo estilhaçar de um copo que alguém tinha deixado cair.

Faltava ainda uma hora até Paris. Gregorius sentou-se no vagão-restaurante e ficou a olhar para a claridade de um dia onde já se notavam os primeiros vestígios da Primavera. Foi então, subitamente, que se lhe tornou claro que estava, de facto, a efectuar aquela viagem, de que não se tratava apenas de uma mera eventualidade – algo que ele congeminara em mais uma noite de insónias e que existia, latente, como probabilidade – mas sim de algo verdadeiro que se estava a desenrolar na realidade. E quanto mais crédito ia concedendo a essa sensação, mais lhe parecia que a relação entre probabilidade e realidade se ia alterando.

Então Kägi, o seu liceu e todos os alunos cujos nomes anotara no bloco de apontamentos não seriam todos eles, se bem que reais, meras eventualidades que por acaso se tinham concretizado, enquanto que aquilo que ele neste momento estava a viver – o deslizar e o troar abafado do comboio, o tilintar discreto dos copos que se tocavam na mesa do lado, o cheiro a óleo rançoso que vinha da cozinha, o fumo do cigarro que o cozinheiro estava a fumar –, tudo isso possuía, no fundo, uma qualidade real que nada tinha a ver com meras eventualidades, nem com quaisquer possibilidades concretizadas, constituindo antes como que realidades puras e duras, repletas da densidade e daquela obrigatoriedade avassaladora que caracterizava algo indiscutivelmente real?

Sentado à mesa, em frente ao prato já vazio e à taça de café fumegante, Gregorius tinha a sensação de nunca na vida se ter sentido tão desperto como agora. E não se tratava, parecia-lhe, de uma questão de grau, como quando alguém sacode o sono e se sente cada vez mais desperto, até estar completamente acordado. Era diferente. Tratava-se de uma outra, de uma nova espécie de lucidez, de uma nova experiência de estar no mundo que ele até aí desconhecera. Quando a Gare de Lyon surgiu ele voltou para o seu lugar e quando, pouco depois, pôs o pé na plataforma, pareceu-lhe que, pela primeira vez, saía completamente consciente de um comboio.

5 O ímpeto da recordação atingiu-o sem que para tal estivesse preparado. Ele não se esquecera que aquela havia sido a sua primeira estação, a sua primeira chegada em comum a uma cidade estrangeira. Naturalmente, não tinha esquecido isso. Com o que não contara fora que, ao chegar ali, tudo seria como se o tempo não tivesse decorrido. Os pilares de ferro verdes e os tubos vermelhos. Os arcos redondos. A luz que atravessava o telhado.

– Vamos até Paris! – dissera de repente Florence, a meio do primeiro pequeno-almoço na sua cozinha, os braços em volta do joelho dobrado.

– Achas que…

– Sim, agora. Agora mesmo!

Ela tinha sido sua aluna, uma rapariga bonita, na maior parte das vezes despenteada, que desconcertava todos com os seus caprichos e provocações. Depois, de um período para o outro, tornara-se um ás a Latim e Grego e quando ele surgira, pela primeira vez nesse ano, na sala para as aulas facultativas de Hebraico, lá estava ela na primeira fila. Mas Gregorius nem sequer sonhara que aquilo pudesse ter algo a ver com ele.

Depois veio o exame final e seguiu-se um novo ano lectivo, antes de voltarem a encontrar-se na cafetaria da Universidade, onde ficaram sentados a conversar até que lhes vieram pedir para saírem.

– Que grande cegueta que me saíste! – dissera-lhe ela quando lhe tirara os óculos. – Não deste por nada! Embora já toda a gente o soubesse! Mas mesmo *todos*!

O certo, pensou Gregorius, enquanto se dirigia de táxi para Montparnasse, era que ele era alguém que, de facto, não reparava nessas coisas; alguém que até perante si próprio era tão discreto que não podia sequer acreditar que uma outra pessoa pudesse sentir um qualquer sentimento forte em relação a si. A *ele*! Se bem que, no caso da Florence, tivesse acabado por ter razão.

– Tu nunca estiveste verdadeiramente interessada em *mim*! – queixara-se ele no final de um casamento de cinco anos.

Foram as únicas palavras acusatórias que ele dissera durante todo aquele tempo. Tinham ardido como fogo e sentira como tudo se transformava em cinza.

Ela olhara para o chão. Apesar de tudo, esperara que ela contestasse. Mas a contestação não surgira.

La Coupole. Gregorius não tinha contado que passassem pelo Boulevard du Montparnasse e ele voltasse a ver o restaurante em que a sua separação havia sido selada, sem que uma única palavra tivesse sido dita sobre isso. Pediu ao condutor que parasse e ficou a olhar durante algum tempo em silêncio para a marquise vermelha com as letras amarelas e as três estrelas à esquerda e à direita. Tinha representado, sem dúvida, uma distinção, o terem-na convidado a ela, uma simples doutoranda, para aquela conferência de romanistas. Ao telefone soara excitadíssima, quase histérica – pelo menos fora o que ele achara –, de modo que hesitara em ir buscá-la, conforme combinado, no fim-de-semana. Mas depois acabara por ir e encontrara-se com os novos amigos da sua mulher naquele famoso local cujos aromas de pratos requintados e vinhos caríssimos lhe tinham feito sentir, logo à entrada, que aquilo não era propriamente um sítio para ele.

– Só um instante – pediu ao condutor, e atravessou a rua.

Nada havia mudado e encontrou logo a mesa em que ele, enfiado nas suas farpelas ridículas, enfrentara o bando de literatos oportunistas. A conversa girara à volta de Horácio, e também de Safo, lembrava-se agora que incomodava o empregado de mesa apressado e impaciente. Ninguém o conseguira acompanhar quando ele citara com o seu tosco acento de Berna, verso após verso, de cor, reduzindo a pó, os *aperçus* espirituosos dos peraltas da Sorbonne. Até a mesa ficar mergulhada em silêncio.

Florence passara a viagem de regresso sozinha no vagão-restaurante, enquanto as réplicas da sua ira se dissipavam lentamente, dando lugar a uma tristeza que só podia ter a ver com o facto de ele ter querido afirmar-se daquela maneira perante a própria mulher; porque era evidente que fora isso mesmo que acontecera.

Perdido nesses acontecimentos distantes, Gregorius acabara por esquecer o tempo e agora o condutor do táxi tinha de se empenhar a fundo para chegar a tempo à Gare Montparnasse. Quando, por fim, se sentou ofegante no seu lugar e o comboio para Irún se pôs em movimento, repetiu-se uma sensação que já em Genebra o havia assaltado: a impressão de que era o comboio e não ele que decidia o rumo e a continuidade desta viagem tão nítida e real que o projectava, à medida que as horas e estações iam decorrendo, cada vez mais para fora do universo daquilo em que julgava ter consistido a sua vida. Nas próximas três horas, até Bordéus, não haveria paragens, nem qualquer possibilidade de regressar.

Olhou para o relógio. Na escola terminava agora o primeiro dia sem a sua presença. Nestes próximos minutos os seis alunos de Hebraico esperavam por ele. Às seis, depois da hora dupla, ele tinha, por vezes, ido com eles ao café, e aproveitava para lhes falar da forte contaminação histórica e da arbitrariedade dos textos bíblicos. Ruth Gautschi e David Lehmann, que queriam estudar Teologia e trabalhavam mais do que ninguém, tinham acabado por arranjar cada vez mais pretextos para não os acompanharem. Há cerca de um mês interpelara-os sobre isso. Ambos achavam que ele lhes estava a tirar algo, responderam de uma forma evasiva. Claro, também se podia interpretar aquele material com os olhos de um filólogo. Mas sempre eram as Sagradas Escrituras.

Com os olhos fechados Gregorius aconselhou o reitor a substituí-lo nas aulas de Hebraico por uma estudante de Teologia, uma sua antiga aluna. Ela sentara-se precisamente no mesmo lugar que Florence escolhera no seu tempo. Mas a sua esperança de que isso não se tratasse de um acaso acabara por não se confirmar.

Por alguns instantes instalou-se um completo vazio no seu cérebro, depois Gregorius voltou a ver à sua frente o rosto da portuguesa surgir por detrás da toalha naquela palidez quase transparente. Uma vez mais encontrava-se nos sanitários da escola, em frente ao espelho, e sentia que não queria apagar o número de telefone que a misteriosa mulher lhe apontara na testa. Uma vez mais viu-se diante da sua secretária, a avançar para o sobretudo húmido pendurado no gancho, a tirá-lo e a sair sem explicações da sala de aulas.

Português. Gregorius estremeceu, abriu os olhos e olhou para a planície francesa, sobre cuja linha do horizonte o sol declinava. De repente, a palavra que fora como uma melodia que se perdia numa distância quase órfica já nada lhe dizia. Tentou recuperar o timbre encantado que aquela voz possuíra, mas tudo quanto conseguiu captar foi um eco que rapidamente se extinguiu, e o esforço em vão só conseguiu tornar ainda mais premente a sensação de que a preciosa palavra, sobre a qual se tinha erigido toda aquela viagem demencial, se lhe escapava. E não lhe servia de nada lembrar-se exactamente do modo como a locutora do curso pronunciara a palavra no CD.

Levantou-se, foi ao lavabo e esteve algum tempo a molhar a cabeça com uma água que sabia a cloro. Novamente no seu lugar, tirou da mala o livro do nobre português e começou a traduzir o capítulo seguinte. Ao princípio, era sobretudo uma fuga para a frente, um esforço alvoraçado para continuar a acreditar naquela viagem, apesar do susto de há instantes. Mas bastou-lhe ler a primeira frase para se sentir novamente tão atraído pelo texto como durante a leitura da noite anterior, na cozinha.

NOBREZA SILENCIOSA. *É um erro acreditar que os momentos decisivos de uma vida, nos quais a sua direcção habitual se altera para sempre, têm forçosamente que ser de um dramatismo ruidoso e lancinante, agitado por violentas pulsões interiores. Isso não passa de uma ilusão* kitsch, *de historietas inventadas por jornalistas ébrios, realizadores sensacionalistas e escritores em cujas cabeças circulam as fartas tramas dos pasquins. Na verdade, o dramatismo de uma experiência decisiva é, não raras vezes, inacreditavelmente silencioso. E tão poucas afinidades ela tem com o estrondo, a labareda e a erupção vulcânica que, na maior parte das vezes, ela nem sequer é apercebida no momento em que é efectuada. Quando mais tarde liberta o seu efeito revolucionário, fazendo com que a vida seja vista sob uma luz completamente diferente e ganhando como que uma melodia própria e absolutamente original, então isso acontece silenciosamente, e a sua nobreza específica consiste precisamente nesse espantoso silêncio.*

De tempos a tempos, Gregorius lia uma frase do texto e olhava depois pela janela, para Ocidente. Na claridade residual do céu podia já sentir-se, parecia-lhe, a presença do mar. Pôs de parte o dicionário e fechou os olhos.

Se ao menos pudesse ver uma vez mais o mar, dissera a sua mãe, meio ano antes de morrer, quando sentira que estava a chegar ao fim. *Mas claro que não temos dinheiro para isso.*

Qual é o banco que me concede um crédito, ouvira dizer ao pai, *ainda por cima para uma coisa dessas.*

Gregorius, que por essa altura estudava no liceu de Kirchenfeld, levara-lhe a mal aquela tão apagada resignação. E depois fizera algo que o surpreendera de tal modo que, mais tarde, nunca conseguira afastar definitivamente a sensação de que, muito provavelmente, aquilo nunca havia sucedido.

Era final de Março e o primeiro dia de Primavera. As pessoas traziam os sobretudos pendurados no braço e através das janelas abertas do «barracão» corria uma aragem tépida. Tinham recorrido àquela construção pré-fabricada há já alguns anos porque havia falta de espaço no edifício principal do liceu. Entretanto, tornara-se tradição que fossem ali instaladas as turmas do último ano. A mudança para o «barracão» parecia-lhes assim como que um ritual de passagem para a maturidade e as sensações de libertação e medo equilibravam-se: *mais um ano e vejo-me livre disto... mais um ano, e vou ter de...* Esses sentimentos contraditórios manifestavam-se no modo como os alunos se dirigiam para o «barracão», de uma forma simultaneamente indiferente e meio assustadiça. Ainda hoje, quarenta anos volvidos, e no comboio para Irún, Gregorius podia sentir o que era estar metido naquele seu corpo de então.

As aulas da tarde começaram com Grego. Quem ensinava era o reitor, o antecessor de Kägi. Tinha a mais primorosa caligrafia grega que imaginar se pode, desenhava as letras com uma espécie de volúpia rigorosa e especialmente as formas curvas – como no ómega e no teta, ou quando traçava o eta para baixo – eram autênticas obras de arte. Amava o Grego. *Mas ama-o da maneira errada*, pensava Gegorius ao fundo da sala de aulas. A sua maneira de amar era uma forma de vaidade. Não tinha a ver com o facto dele celebrar as palavras. Se assim fosse, Gregorius teria gostado. Porém, quando aquele homem escrevia no quadro as mais difíceis e rebuscadas formas verbais, não estava a celebrar as palavras mas apenas o seu próprio virtuosismo. As palavras tornavam-se assim como que ornamentos com os quais ele se adornava, transformando-se em algo semelhante ao lacinho pontilhado que constituia a sua imagem de marca. Ao fluírem da sua mão com aquela elegância fácil, adquiriam a qualidade do anel de brasão que ele ostentava, como se elas próprias não passassem de simples jóias, de objectos preciosos e inúteis. E com isso as palavras gregas deixavam de ser verdadeiramente palavras gregas. Era como se o pó de ouro do anel de brasão decompusesse a sua essência helénica, que só se revelava àqueles que as amavam por si próprias. A poesia era para o reitor algo como uma preciosa peça de mobiliário, um vinho requintado ou um elegante traje de noite. Gregorius tinha a sensação de que com a sua presunção o reitor lhe roubava os versos de Ésquilo e de Sófocles. Parecia não saber nada dos anfiteatros gregos. Ou então sabia tudo sobre eles, revisitava-os frequentemente, dirigia viagens de estudo das quais regressava sempre muito bronzeado. Só que não percebia nada do assunto – mesmo que Gregorius não pudesse explicar ao certo porquê.

Nesse dia ele olhara pela janela do «barracão» e ficara a pensar na frase da sua mãe, uma frase que tinha feito deflagrar toda a sua fúria pelo hedonismo vaidoso do reitor, embora não conseguisse perceber bem a relação entre as duas coisas. Sentira o pulsar do coração até ao pescoço. Com um rápido olhar para o quadro assegurara-se de que o reitor iria precisar ainda de algum tempo até acabar de escrever a frase começada, antes de se virar para os alunos para a comentar. Silenciosamente, afastara a cadeira, enquanto os outros continuavam a escrever com as costas dobradas. O caderno ficara aberto em cima da secretária. Com a lentidão tensa de alguém que prepara um ataque de surpresa, dera dois passos em direcção à janela aberta, sentara-se no caixilho, passara as pernas por cima e saltara para fora.

A última coisa que vira lá dentro fora o rosto entre o surpreso e divertido de Eva, a ruiva com as sardas e o olhar acetinado que, para seu desespero, nunca tivera mais para lhe dar do que uma expressão trocista. Ele, o rapazito com os óculos de lentes grossíssimas e as armações feiosas, pagas pela caixa! – Incrível! – teria dito de certeza. Ela estava sempre a dizê-lo, por isso é que todos a tratavam por a «Incrível». – Incrível! – dissera quando soubera da alcunha.

Gregorius dirigira-se com passadas rápidas para a Bärenplatz. Era dia de mercado e as pessoas avançavam com dificuldade por entre as bancas de venda alinhadas. Quando a multidão o obrigara a ficar parado em frente a uma dessas bancas, o seu olhar pousara numa caixa aberta. Uma simples caixa metálica com uma divisão para as moedas e outra para as notas juntas num maço grosso. A vendedora baixara-se nesse momento para arrumar qualquer coisa por baixo da banca, o seu grande traseiro enfiado numa saia de um tecido áspero aos quadrados parecia suspenso no ar. Ele aproximara-se lentamente da caixa, enquanto o seu olhar ia controlando as pessoas. Dois passos bastaram-lhe para se pôr atrás da mesa de exposição. Depois, com um movimento rápido, agarrara no maço de notas e mergulhara no mar de gente. Quando começara a subir ofegante a viela que ia dar à estação esperara que alguém o seguisse aos gritos ou que uma mão férrea o agarrasse por um braço. Nada disso acontecera.

Moravam na Länggasse, num prédio de aluguer cinzento com o reboco já sujo, e ao entrar no corredor, onde de manhã à noite cheirava a couve, vira-se a si próprio entrar no quarto da mãe doente para a surpreender com a notícia de que em breve poderia ver o mar. Só no último degrau das escadas, em frente à porta, é que compreendera que todo aquele plano era impossível, para não dizer irreal. Como é que lhes iria poder explicar a forma como arranjara todo aquele dinheiro? Ele que não tinha qualquer experiência em mentir?

No regresso à Bärenplatz comprara um envelope onde enfiara o maço de notas. A mulher da saia aos quadrados estava com uma cara chorosa quando ele se aproximou. Comprara fruta e enquanto ela se afastara para a pesar na balança ele enfiara o envelope por baixo dos legumes. Chegara à escola pouco antes de tocar para o intervalo. Voltara a entrar pela janela aberta e sentara-se no seu lugar.

– Incrível! – dissera Eva ao vê-lo, e a partir daí começara a olhá-lo com mais respeito. Mas isso era bem menos importante do que ele tinha pensado. O mais importante era que a descoberta sobre si próprio que acabara de fazer na última hora não lhe provocara qualquer tipo de pavor mas apenas um grande espanto, um assombro que perdurara durante semanas.

O comboio deixou a estação de Bordéus em direcção a Biarritz. Lá fora era já quase noite e Gregorius viu o seu rosto espelhado no vidro. O que teria sido de si se aquele que na altura roubara o dinheiro da caixa se tornasse dominante na sua vida, em vez daquele outro que começara a amar de tal modo as velhas palavras silenciosas que acabara por lhes atribuir a supremacia sobre tudo o resto? O que é que aquela decisão arrojada tinha a ver com esta? E teriam, de facto, algo em comum?

Gregorius agarrou no livro de Prado e procurou até encontrar a reflexão lacónica que o livreiro lhe traduzira na livraria espanhola do Hirschengraben:

Se é de facto verdade que apenas podemos viver uma pequena parte daquilo que existe em nós, então o que acontece ao resto?

Em Biarritz entraram um homem e uma mulher que ficaram parados à frente de Gregorius a falarem das reservas. Vinte e oito. Demorou algum tempo até identificar as palavras portuguesas.

Concentrou-se então naquilo que os dois diziam e durante a meia hora seguinte conseguiu compreender uma ou outra palavra, mas foram poucas. Na manhã do dia seguinte iria chegar a uma cidade em que a maior parte das coisas que as pessoas diziam se perdia aos seus ouvidos como um sussurro incompreensível. Pensou na Bubenbergplatz, na Bärenplatz, na Bundesterrasse, na ponte de Kirchenfeld. Entretanto, lá fora escurecera completamente. Gregorius apalpou os bolsos, certificou-se de que ainda tinha a carteira com o dinheiro, o cartão de crédito e os óculos sobressalentes. Estava com medo.

Entraram na estação de Hendaia, a povoação fronteiriça francesa. A carruagem esvaziou-se. Quando os portugueses se aperceberam disso, assustaram-se e começaram a tirar à pressa as malas da prateleira. – *Isto ainda não é Irún* – disse Gregorius. Era uma frase do disco do curso, só o nome da povoação era diferente. Os portugueses hesitaram por causa da sua pronúncia desajeitada e da lentidão com que juntara as palavras. Mas depois olharam para fora e viram a placa da estação. – *Muito obrigada* – disse a mulher. – *De nada* – respondeu Gregorius. Os portugueses sentaram-se, o comboio pôs-se em movimento.

Gregorius nunca mais iria esquecer essa cena. Eram as suas primeiras palavras portuguesas no mundo real e tinham causado efeito. O facto de as palavras desencadearem algo nos outros, de poderem pôr alguém em movimento ou de travar esse impulso, de fazerem com que uma pessoa pudesse rir ou chorar, sempre lhe parecera estranho. Desde criança. E no fundo isso nunca deixara de o impressionar. Como é que elas conseguiam isso? Não era como a magia? Mas nesse momento o mistério parecia-lhe ainda maior do que habitualmente, pois tratava-se de palavras das quais ele na manhã do dia anterior ainda não fazia a mínima ideia. Quando pôs o pé na plataforma da gare de Irún todo o seu medo tinha desaparecido, e caminhou com passos seguros em direcção à carruagem-cama.

6 Eram dez horas da noite quando o comboio, que até à manhã seguinte iria atravessar a Península Ibérica, se pôs em movimento, dei-

xou para trás, uma após outra, as foscas lanternas da estação e deslizou para dentro da escuridão. Os dois compartimentos ao lado de Gregorius tinham ficado vazios. Duas carruagens mais à frente, na direcção do vagão-restaurante, um homem alto, de cabelo grisalho, estava encostado à sua porta. – *Boa noite* – cumprimentou, quando os seus olhares se encontraram. – *Boa noite* – disse também Gregorius.

Ao ouvir a pronúncia estrangeira, o homem esboçou um sorriso. Tinha um rosto bem delineado, de traços claros e determinados, que sugeria autoridade e distância. O seu fato, escuro e particularmente elegante, fez Gregorius pensar num *foyer* de ópera. Só a gravata desapertada não parecia condizer com isso. O homem cruzou os braços, encostou a nuca à porta e fechou os olhos. Assim, com os olhos fechados, o seu rosto revelava um profundo cansaço, uma fadiga que tinha a ver com outras coisas, para além da hora tardia. Quando, decorridos alguns minutos, o comboio atingiu a sua máxima velocidade, o homem abriu os olhos, acenou com a cabeça para Gregorius e desapareceu no seu compartimento.

Gregorius daria tudo para conseguir adormecer, mas o martelar monótono das rodas que se transmitia à cama não ajudava. Soergueu-se e espalmou o rosto contra o vidro da janela. Pequenas estações abandonadas deslizavam na escuridão, esferas de uma luz difusa, leitosa, nomes de povoações ilegíveis que corriam no sentido contrário a uma velocidade vertiginosa, carros de bagagem arrumados, uma cabeça com um boné numa casinha de guarda-linha, um cão abandonado, uma mochila encostada a um poste, por cima uma cabeleira loura despenteada. A segurança que o sucesso com as primeiras palavras em português lhe transmitira começou a esboroar-se. *Telefone simplesmente, de dia ou de noite*. Ouviu a voz de Doxiades e pensou no seu primeiro encontro, há vinte anos, tinha ele uma pronúncia ainda muito mais cerrada.

– Cego? Não. Os olhos são simplesmente o seu ponto fraco. Controlamos regularmente a retina. Além disso, agora já há o laser. Não há motivo para entrar em pânico. – Depois, a caminho da porta, tinha ficado parado e olhara-o nos olhos. – Mais algumas preocupações?

Gregorius abanara a cabeça sem dizer nada. Só meses mais tarde é que lhe contara que via aproximar-se inevitavelmente o divórcio com Florence. O grego acenara com a cabeça, não parecera surpreendido. *Por vezes tememos uma coisa apenas porque tememos uma outra coisa,* dissera.

Pouco antes da meia-noite Gregorius dirigiu-se para o vagão-restaurante. A carruagem estava vazia, à excepção do homem de cabelo grisalho que jogava xadrez com o empregado de mesa. No fundo, o serviço de restaurante já estava fechado, explicou-lhe o empregado, mas depois acabou por ir buscar a água mineral que Gregorius lhe pedira e convidou-o com um gesto a sentar-se à sua mesa. Gregorius percebeu rapidamente que o cavalheiro de há pouco, que tinha posto uns óculos com aros dourados, estava prestes a cair numa refinada armadilha que o empregado lhe armara. Com a mão já sobre a figura, o homem olhou de repente para ele. Gregorius abanou a cabeça e o homem retirou a mão. O empregado de mesa, um homem com mãos inchadas e um rosto rude, por detrás do qual era difícil imaginar um cérebro de xadrezista, ergueu o olhar surpreendido. Nesse momento, o homem dos óculos de ouro virou o tabuleiro na direcção de Gregorius e convidou-o, com um gesto da mão, a prosseguir a partida. Foi uma luta longa e renhida e eram já quase duas horas quando o outro se deu por vencido.

Quando mais tarde se detiveram em frente à porta do seu compartimento, o homem perguntou a Gregorius de onde vinha, e a partir daí passaram a falar em francês. De quinze em quinze dias ele viajava neste comboio, explicou, e só uma única vez conseguira vencer aquele empregado do vagão-restaurante, enquanto que com o outro colega ganhava a maior parte das vezes. Depois apresentou-se: José António da Silveira. Era negociante e vendia porcelana em Biarritz. Como tinha medo de voar, viajava de comboio.

– Quem é que conhece os verdadeiros motivos dos seus medos – disse, depois de um curto intervalo, e o cansaço que Gregorius já anteriormente notara surgiu de novo estampado no seu rosto.

Quando, no seguimento da conversa, explicou que pegara na pequena fábrica do pai e a transformara numa grande firma, referiu-se a si próprio como se fosse uma outra pessoa que tomara um sem-número de decisões compreensíveis, se bem que, no fundo, erradas.

O mesmo aconteceu quando se referiu ao divórcio e aos dois filhos que quase nunca via. Desapontamento e tristeza manifestavam-se na sua voz, e a Gregorius impressionou-o o facto de não haver ali ponta de autocomiseração.

– O problema – disse Silveira quando o comboio parou na estação de Valladolid – é que não dispomos de uma visão de conjunto sobre a nossa vida. Nem para a frente, nem para trás. Se algo correr bem tivemos simplesmente sorte. – Um martelo invisível testou o estado dos travões. – E o senhor, como é que veio parar a este comboio?

Estavam sentados na cama de Silveira quando Gregorius lhe contou a sua história. A portuguesa da ponte de Kirchenfeld foi excluída. Isso era algo que podia contar a Doxiades, mas não a um estranho. Ficou aliviado por Silveira não lhe pedir para ir buscar o livro de Prado. Não queria que mais ninguém o lesse e lhe dissesse o que pensava.

Quando acabou instalou-se o silêncio entre ambos. Silveira não ficara indiferente, Gregorius podia aperceber-se disso pela maneira como rodava com os dedos o seu anel de brasão e pelos olhares breves e inquietos que lhe lançava.

– E o senhor simplesmente levantou-se e abandonou a escola? Sem mais nem menos?

Gregorius anuiu. De repente, arrependeu-se de ter falado de si; parecia-lhe que algo de precioso tinha sido posto em causa. Queria agora tentar dormir, disse. Foi nesse momento que Silveira tirou do bolso um bloco de apontamentos. Podia fazer o favor de lhe repetir as palavras de Marco Aurélio sobre os desassossegos da própria alma? Quando Gregorius saiu do compartimento Silveira estava debruçado sobre o bloco, a ponta da esferográfica seguindo a sequência das palavras.

Gregorius sonhou com cedros vermelhos. Uma e outra vez as palavras iluminaram como fogos-fátuos o seu sono inquieto. A imagem das árvores remetia para o nome da editora que publicara as reflexões de Prado. Até então não lhe tinha dado grande importância. Só a pergunta de Silveira sobre a maneira como pretendia encontrar o autor é que o fizera pensar que a primeira coisa a fazer seria procurar aquela casa editora. Era possível que o livro tivesse surgido numa edição de autor, pensara ao adormecer; nesse caso os *cedros vermelhos* teriam um significado que só talvez Amadeu de Prado conhecesse. Depois, no sonho, vagueou com o misterioso nome nos lábios e uma lista telefónica debaixo do braço pelas ruas íngremes de Lisboa, perdido numa cidade sem rosto sobre a qual apenas sabia que tinha sido construída sobre colinas.

Quando, por volta das seis horas, despertou e leu, através da janela do seu compartimento, o nome SALAMANCA, abriu-se, sem que antes se tivessem manifestado quaisquer prenúncios, uma comporta da memória que se tinha mantido selada durante quatro décadas. A primeira coisa que lhe veio à cabeça foi o nome de uma outra cidade: *Isfahan*. Subitamente, ele ali estava, o nome da cidade persa para onde quisera emigrar quando acabara o liceu. E esse nome que continha em si uma tão grande carga de mistério comoveu-o como se fosse a senha secreta para uma outra vida possível que ele não tinha ousado viver. E quando, por fim, o comboio deixou Salamanca, voltou a experimentar, decorridos que eram todos aqueles anos, todos os sentimentos e sensações com que aquela outra vida se lhe tinha então sido aberta, para logo voltar a fechar-se.

Tudo começara com o professor de Hebraico, que logo no segundo ano lhes dera a ler o Livro de Job. Para ele, Gregorius, fora como uma embriaguez quando começara a compreender as frases e se lhe abrira um caminho que conduzia para dentro do Oriente. Nas obras de Karl May as regiões do Oriente eram sempre muito alemãs, não só por causa da língua. Mas agora, no livro que se lia de trás para a frente, tudo aquilo soava a Oriente. Elifas de Teman, Bildad de Chuach, Zofar de Naama. Os três amigos de Job. Bastavam aqueles nomes, que na sua estranheza inebriante pareciam vir de um mundo remoto, para além de todos os oceanos! Que mundo maravilhoso, urdido com todas as fibras do sonho!

Depois disso ele quisera ser, durante algum tempo, orientalista. Alguém que conhecesse a fundo o Oriente, o Mundo do Levante. O Levante, ele amava essa palavra que o conduzia para longe, para além da Länggasse e em direcção a uma luz mais intensa. Pouco antes do exame final do liceu chegara mesmo a responder a um anúncio de um industrial suíço residente em Isfahan que precisava de um professor particular para os seus filhos. Relutante, preocupadíssimo com ele mas também cheio de apreensão pelo vazio que iria deixar, o pai lá lhe dera os três francos e trinta para a gramática persa. Refugiado no seu cubículo, ele escrevera no pequeno quadro da parede as novas cifras do Oriente.

Mas depois surgira um sonho que começara a persegui-lo, um sonho que, parecia-lhe, durava toda a noite. O conteúdo era o mais simples possível e uma parte do tormento consistia nessa simplicidade que, à medida que a imagem se ia repetindo, parecia como que depurar-se. Porque, no fundo, tudo se resumia a uma única imagem: ondas de areia do deserto, brancas e abrasadoras, eram-lhe sopradas para os óculos pelo hálito incandescente da Pérsia. Naquele trânsito perpétuo a areia sedimentava-se numa crosta que lhe impedia a visão, derretia as lentes e acabava por lhe devorar os olhos.

Depois de duas, três semanas em que o sonho o assaltara sempre de novo, perseguindo-o mesmo depois de acordar e durante parte do dia, entregara a gramática persa e devolvera o dinheiro ao pai. Os três francos e trinta com que pudera ficar guardara-os numa caixinha e era como se possuísse moedas persas.

O que teria sido dele se tivesse conseguido superar o medo da poeira abrasadora do Oriente e chegado mesmo a viajar? Gregorius pensou no sangue-frio com que deitara a mão ao dinheiro da vendedora de legumes na Bärenplatz. Teria bastado para enfrentar tudo quanto lhe surgiria pela frente em Isfahan? O *Papiro*. Porque é que a alcunha que ele durante anos encarara como uma simples piada, incapaz de o atingir, de repente, o magoava tanto agora?

O prato de Silveira já estava vazio quando Gregorius entrou no vagão-restaurante. Os dois outros portugueses, com os quais ele trocara na véspera as suas primeiras palavras, também já iam na segunda chávena de café.

Passara a última hora acordado e estendido na cama, a pensar no carteiro que por volta das nove costumava entrar no átrio do liceu e entregar o correio ao porteiro. Hoje também lá estaria a sua carta. Kägi não iria acreditar. O *Mundus* desaparecia assim, sem mais nem menos, da sua vida? Qualquer outro sim, mas não ele. A notícia iria espalhar-se rapidamente, escada abaixo, escada acima, e para os alunos reunidos em grupos nos patamares das escadas, em frente à entrada, não haveria outro tema.

Em pensamento, Gregorius passara revista aos colegas, imaginara a sua reacção, o que iriam pensar, sentir e dizer. E ao fazê-lo descobrira algo que o atravessara como um choque eléctrico: na realidade, não tinha certezas em relação a ninguém. Ao princípio tinha sido diferente: o Burri, por exemplo, major e cumpridor das suas obrigações de crente, achava aquilo incompreensível, para não dizer aberrante, e inadmissível, pois quem é que iria agora dar as suas aulas; já a Anita Mühletaler, que acabava de se divorciar, inclinava a cabeça, pensativa – no fundo, até podia imaginar uma decisão dessas, embora não para si; Kalbermatten, o mulherengo e secreto anarquista de Saas Fee, talvez comentasse na sala dos professores: – E porque não?!; enquanto Virginie Ledoyen, a professora de Francês, cuja imagem crispada contrariava em absoluto o seu belo nome de diva, iria reagir à notícia com um olhar de carrasco. Sim, no início tudo isso lhe parecera evidente. Mas depois Gregorius lembrara-se de como, há uns meses atrás, surpreendera o convencional pai de família Burri na companhia de uma loura que, com a sua minissaia, parecia algo mais do que uma simples conhecida; e de como Anita Mühletaler podia ser mesquinha quando os alunos exageravam; e como Kalbermatten podia acobardar-se quando era necessário enfrentar o Kägi; e como Virginie Ledoyen abdicava da austeridade dos seus princípios e se deixava enrolar facilmente por certos alunos que lhe sabiam dar a volta.

Seria possível deduzir algo de todas estas observações? Algo que tivesse a ver com ele e com o seu inesperado acto? Seria possível prever ou supor algo como uma oculta compreensão, ou mesmo uma secreta inveja? Gregorius levantara-se e olhava agora para a paisagem mergulhada no verde-prateado dos olivais. A intimidade que o ligara aos colegas durante todos estes anos revelara-se um completo desconhecimento que evoluíra para um hábito enganador. E para ele seria, no fundo, importante – verdadeiramente *importante* – saber o que os outros pensavam? E teria a perplexidade que agora sentia a ver apenas com a sua cabeça cansada, ou estaria prestes a tornar-se consciente de uma alienação que desde sempre existira mas que se mantivera escondida por detrás de rituais sociais?

Comparado com aquele outro rosto que à luz difusa do compartimento nocturno se tornara permeável – permeável para os sentimentos que se manifestavam de dentro para fora e permeável para o olhar exterior que o procurava perceber – os traços de Silveira pareciam hoje de manhã relativamente fechados. À primeira vista, parecia arrependido por se ter aberto a um estranho na intimidade abafada de um compartimento que cheirava a mantas de lã e desinfectante. Foi pois com alguma relutância que Gregorius acabou por se sentar à sua mesa. Mas não demorou muito a perceber: a expressão séria e contida do seu rosto não revelava uma atitude de distanciamento ou rejeição, mas antes uma espécie de pensativa sobriedade que indicava que o encontro com Gregorius despoletara dentro de si sentimentos surpreendentes e complexos, com os quais parecia agora querer familiarizar-se.

O português apontou para o telefone ao lado da sua chávena. – Mandei reservar um quarto para si no hotel onde costumo alojar os meus parceiros de negócios. Tem aqui o endereço.

Entregou a Gregorius um cartão de visita com as indicações no verso. Tinha ainda de ver alguns papéis antes da chegada, disse, e preparou-se para se levantar. Mas depois voltou a recostar-se e pela maneira como olhou para Gregorius notou-se que um qualquer processo se desencadeara dentro dele. Queria saber se ele nunca se tinha arrependido de dedicar a sua vida às línguas antigas. De certeza que isso significara obrigatoriamente uma vida recolhida e sossegada.

Achas que sou um chato? Gregorius apercebeu-se de como a pergunta que um dia fizera a Florence o tinha ocupado durante a viagem de ontem, e algo dessa dúvida devia poder ler-se no seu rosto, pois Silveira pediu-lhe, assustado, que não levasse a mal as suas palavras, já que ele apenas tentava perceber como é que seria viver uma vida assim, tão diferente da sua.

Tinha sido a vida que ele quisera ter, disse Gregorius, e ao dizê-lo reparou, assustado, que na firmeza exagerada com que o afirmava havia uma secreta obstinação. Há dois dias atrás, quando entrara na ponte de Kirchenfeld e dera com a portuguesa, não teria tido necessidade dessa veemência despropositada. Teria dito precisamente o mesmo, mas as palavras não estariam imbuídas daquele sopro de obstinação, sair-lhe-iam antes com a naturalidade de um acto tão simples e necessário como o respirar.

E então porque é que está agora aqui sentado? Gregorius temia a pergunta e, por um instante, aquele elegante português pareceu-lhe um inquisidor.

Quanto tempo é preciso para aprender Grego, queria agora saber Silveira. Gregorius respirou fundo, aliviado, e precipitou-se numa resposta que lhe saiu demasiado longa. Seria possível que ele lhe escrevesse algumas palavras hebraicas ali no guardanapo, pediu Silveira.

E Deus disse: *Faça-se Luz! E fez-se Luz,* escreveu Gregorius, e traduziu-lhe.

O telemóvel de Silveira tocou. Tinha agora de ir-se embora, disse quando a conversa terminou. Enfiou o guardanapo no bolso do casaco.
– Qual era a palavra para LUZ? – quis ainda saber, já de pé, e a caminho da porta repetiu-a para si.

O grande rio lá fora tinha de ser o Tejo. Gregorius estremeceu: isso queria dizer que estavam quase a chegar. Voltou para o compartimento, que o revisor entretanto transformara num compartimento normal com um acento almofadado, e sentou-se à janela. Não queria que a viagem chegasse ao fim. O que iria fazer em Lisboa? Tinha um quarto de hotel reservado. Daria uma gorjeta a quem lhe trouxesse o saco. Fechara a porta, descansaria. E depois?

Apreensivo, agarrou no livro de Prado e começou a folheá-lo.

> SAUDADE PARADOXAL. *Durante 1922 dias frequentei o liceu para o qual o meu pai me mandou, o mais severo do país, como costumava dizer. «Não precisas de tornar-te um erudito», disse-me uma vez, e ensaiou um sorriso que, como quase sempre, lhe saiu forçado. Ao terceiro dia já eu sabia que iria ter de contar os dias, para não ser por eles triturado.*

Enquanto procurava no dicionário a palavra *triturado*, o comboio entrou na Estação de Santa Apolónia.

Aquelas poucas frases tinham-no deixado impressionado. Eram as primeiras que revelavam algo sobre a vida exterior do português. Aluno num liceu severo que contava os dias de reclusão e filho de um pai com um sorriso quase sempre forçado. Estaria aí a origem da fúria contida que se podia sentir em muitas das suas frases? Gregorius não saberia dizer porquê, mas queria saber mais sobre essa fúria. Via agora os primeiros traços no retrato de alguém que vivia aqui, nesta cidade. De alguém com quem ele queria ter algo mais a ver. Era como se aquelas frases lhe trouxessem novas da cidade. Como se mesmo agora ela tivesse deixado de ser uma cidade completamente estranha.

Gregorius agarrou no saco de viagem e desceu para a plataforma da estação. Silveira esperara por ele. Levou-o até ao táxi e indicou ao condutor o endereço do hotel. – Já sabe, tem o meu cartão – disse, fazendo um breve gesto de despedida.

7

Quando Gregorius acordou era já fim de tarde e o crepúsculo caía sobre a cidade coberta de nuvens. Logo após a chegada tinha-se deitado vestido em cima da cama e caíra num sono pesado em que não se conseguira libertar da sensação de que, no fundo, não se devia deixar cair no sono, pois havia milhares de coisas para fazer, coisas que não tinham nome, sem que por isso deixassem de ser menos prementes; muito pelo contrário, a sua fantasmagórica ausência de nome tornava-as em algo que exigia ser imediatamente assumido, para impedir que qualquer coisa de verdadeiramente mau e impossível de nomear pudesse acontecer. Agora, ao lavar a cara na casa de banho, sentiu, aliviado, que com aquela sensação de atordoamento também se dissipava o medo de se tornar culpado por estar a perder algo de importante.

Nas horas seguintes deixou-se ficar sentado à janela e tentou organizar os seus pensamentos. De vez em quando, o seu olhar deslizava pelo canto onde se encontrava o saco de viagem com todas as suas coisas ainda por arrumar. Quando anoiteceu completamente desceu para a recepção e pediu para que lhe telefonassem para o aeroporto, para saber se ainda havia um voo para Zurique ou Genebra nessa noite. Não havia nenhum e enquanto subia no elevador sentiu, admirado, o quanto essa notícia o deixara aliviado. Depois ficou sentado na cama às escuras a tentar interpretar aquele desconcertante alívio. Marcou o número de Doxiades e deixou tocar dez vezes, antes de pousar o auscultador. Abriu o livro de Prado e retomou a leitura no sítio onde a interrompera, na estação.

Seis vezes por dia ouvia o repicar do sino da torre que anunciava o início das aulas e que soava como se estivessem a chamar monges para a oração. Foi assim 11 532 vezes que eu cerrei os dentes e me dirigi do pátio para aquele edifício soturno, em vez de seguir o impulso da imaginação que me exigia que atravessasse o pátio e saísse pelo portão, em direcção ao porto, à amurada de um qualquer navio, onde iria poder finalmente lamber o sal dos lábios.

Agora, passados que são trinta anos, regresso sempre àquele sítio. Não existe a mínima razão prática para isso. Mas então porque será? Sento-me nos degraus musgosos e gastos, em frente à entrada, e não faço a menor ideia porque é que o meu coração desata sempre a bater desenfreadamente. Porque é que sinto tanta inveja quando vejo os alunos com as suas pernas queimadas e cabelos brilhantes a entrarem e saírem, como se aquela fosse a sua casa? O que é que faz com que eu os inveje? Há pouco tempo, com as janelas abertas num dia de calor, fiquei a ouvir os vários professores e escutei as respostas balbuciantes que os miúdos davam àquelas mesmas perguntas que já a mim, no meu tempo, me tinham feito tremer. Poder lá estar sentado uma vez mais? Não, não era isso certamente o que eu desejava. Na penumbra fresca de um grande corredor encontrei o porteiro, um tipo com uma cabeça de pássaro espetada para a frente, que veio logo ter comigo com um olhar desconfiado: – O que é que o senhor está à procura? – perguntou, quando eu já passara por ele. Tinha uma voz asmática de falsete que parecia vir de um qualquer tribunal do outro mundo. Fiquei parado, sem me virar. – Já andei neste liceu – disse, e senti-me imediatamente desprezível ao reparar no tom enrouquecido da minha voz. Durante alguns segundos reinou no corredor um silêncio espectral. Por fim, o homem retomou o seu caminho num passo arrastado. Tinha-me sentido apanhado. Mas apanhado a fazer o quê?

No último dia do exame final pusemo-nos todos de pé por detrás das nossas carteiras, de boné na cabeça, parecia que estávamos em sentido numa parada. Devagar, o senhor Cortês foi avançando, parando em frente de cada um para lhe anunciar pessoalmente as notas e lhe entregar o diploma com o seu habitual olhar severo. Esgotado e pálido, o meu colega de carteira, um pobre marrão, agarrou no seu sem qualquer alegria e segurou-o entre as mãos, como se fosse uma Bíblia. Com uma risadinha atrevida o última da classe deixou-o cair, como se fosse lixo. Depois saímos todos para o calor de um meio-dia de Julho. O que é que podíamos, o que devíamos fazer com todo aquele tempo que se estendia agora à nossa frente, aberto e informe, insustentavelmente leve na sua liberdade e com um peso de chumbo na sua incerteza?

Nunca, antes ou depois, assisti a uma cena que me revelasse, como aquela que a seguir se desenrolou, o quanto as pessoas são, no fundo, diferentes. A primeira coisa que o último da classe fez foi agarrar no boné e, girando em torno do próprio eixo, como um lançador, atirá-lo com toda a força para além da vedação do pátio, na direcção do lago. O pano embebeu-se lentamente, até se afundar por entre os nenúfares. Outros três ou quatro seguiram o seu exemplo e um dos bonés ficou pendurado na vedação. O meu parceiro de carteira, pelo contrário, ajeitou o boné na cabeça, entre o medroso e o indignado, não se conseguia perceber bem qual o sentimento que nele prevalecia. O que iria ele fazer na manhã seguinte, quando já não havia motivo para usá-lo? Mas o que mais me impressionou foi o que pude observar num canto sombrio do pátio. Meio escondido por detrás de um arbusto poeirento, um rapaz tentava arrumar o seu boné na mochila. Ele não queria enfiá-lo lá dentro de qualquer maneira, isso percebia-se perfeitamente pelos seus gestos hesitantes. Em vez disso, foi experimentando, até conseguir arrumá-lo de uma forma cuidadosa. Para isso acabou por ter de retirar alguns livros, que entalou desajeitadamente debaixo do braço. Quando se virou e olhou para nós podia ler-se nos seus olhos o desejo ou a esperança de que ninguém tivesse reparado nos seus envergonhados esforços, e talvez até um derradeiro vestígio daquela crença mágica infantil, segundo a qual é possível tornar-se invisível desviando simplesmente o olhar.

Ainda hoje me vejo a torcer o meu próprio boné suado, primeiro numa direcção, depois na outra. Estava sentado no musgo quente das escadarias da entrada e pensava no desejo intransigente do meu pai que eu me tornasse médico – alguém, pois, capaz de livrar das dores pessoas como ele. Eu amava-o pela sua confiança e maldizia-o pelo terrível peso que aquele seu compreensível desejo representava para mim. Entretanto, as alunas da escola de raparigas tinham chegado. – Estás contente por ter acabado? – quis saber a Maria João, sentando-se ao meu lado. Ficou a olhar para mim. – Ou afinal acabaste por ficar triste?

Agora, finalmente, julgo saber o que me fez empreender sempre de novo aquela viagem até ao liceu: eu quero regressar àqueles minutos no pátio em que o passado tinha caído dos nossos ombros como um peso morto, sem que o futuro tivesse ainda começado. O tempo suspendeu-se e conteve o seu impulso como nunca mais voltou a fazê-lo. Serão os joelhos castanhos da Maria João e o cheiro a sabão do seu vestido claro tudo aquilo a que eu quero regressar? Ou trata-se do desejo – um desejo evanescente e patético – de voltar àquele ponto da minha vida em que teria podido optar por uma outra direcção completamente diferente daquela que acabou por fazer de mim aquilo que sou hoje?

Há algo de estranho neste desejo, um sabor a paradoxo e extravagância lógica. E isto porque aquele que o deseja já não é aquele outro que um dia, livre ainda de toda a carga do futuro, se viu perante a bifurcação dos caminhos. Pelo contrário, aquele que anseia pelo retorno, tentando nostalgicamente revogar o irrevogável, está marcado por toda a carga de um futuro que, ao ser percorrido, se tornou passado. E tentaria revogá-lo se não o tivesse percorrido e sofrido? Sentar-me uma vez mais no musgo quente com o boné entre as mãos – isso só pode representar o desejo paradoxal de viajar para trás no tempo que me fez, mas levando-me simultaneamente a mim, àquele que agora sou e que foi marcado por tudo o que aconteceu. E será imaginável que o rapazinho de então pudesse opor-se ao desejo do pai e recusar-se a entrar no anfiteatro de Medicina – tal como eu hoje, por vezes, desejo? Teria podido fazê-lo e tornar-me naquilo que agora sou? Nessa altura não havia em mim um ponto de vista formado pela experiência sofrida e no qual eu me pudesse basear para optar pela outra possibilidade. De que me serviria regredir no tempo, apagando experiência atrás de experiência, até voltar a tornar-me no rapaz que tão obcecado estava pela frescura daquele cheiro que vinha do vestido da Maria João e pela imagem dos seus joelhos castanhos? O rapaz do boné – não tenhamos ilusões – teria de ser muito diferente de mim para ter escolhido uma outra opção, tal como hoje em dia o desejo. Mas nesse caso, como um outro, também não se teria tornado neste que agora deseja o regresso ao momento em que os caminhos se bifurcaram. Será que é possível desejar ser ele? Às vezes parece-me que teria sido mais satisfatório ser ele. Mas para mim, que não sou ele, essa satisfação só pode existir, no fundo, enquanto satisfação dos desejos que não são os dele. Se eu de facto fosse ele, não sentiria o desejo – cuja satisfação tanto me teria podido satisfazer – de ser ele, tal como os meus actuais desejos o projectam, desde que esqueça que nunca os poderia sentir se, de facto, eles tivessem sido concretizados.

E no entanto tenho a certeza de que não tardará muito a despertar novamente dentro de mim esse desejo de ir até à escola para me entregar a uma nostalgia cujo objecto, no fundo, não pode existir, já que nem sequer é possível pensá-lo. Pode haver algo mais louco do que isso: ser movido por um desejo cujo objecto é impensável?

Era já quase meia-noite quando Gregorius teve, por fim, a certeza de ter percebido o difícil texto. Prado era portanto médico. E tornara-se médico porque o pai, a quem o sorriso poucas vezes «saía» com naturalidade, tinha tido esse desejo imperioso; um desejo que não tinha a ver com um qualquer despotismo ou vaidade paternal, mas que parecia antes estar relacionado com um desamparo provocado por dores crónicas. Gregorius abriu a lista telefónica. Havia quatro *Prados*, mas nenhum *Amadeu*, nenhum *Inácio* nem nenhum *Almeida*. Mas porque é que ele partira do princípio que Prado vivia em Lisboa? Começou então a procurar nas *Páginas Amarelas* uma editora chamada *Cedros Vermelhos*: nada. Iria ter de procurar em todo o país? E faria algum sentido, aquela sua demanda? Por mais ínfimo que esse sentido fosse?

Gregorius pôs-se a caminhar pela cidade nocturna. Andar pelas ruas de uma cidade depois da meia-noite era algo a que ele se habituara desde que, aos vinte e tal anos, perdera a capacidade de adormecer facilmente. Vezes sem conta calcorreara as vielas vazias de Berna, parando, de quando em quando, para escutar, como um cego, os solitários passos que iam e vinham. Gostava de ficar parado em frente às montras escurecidas das livrarias, tomado pela sensação de que nessas alturas, em que os outros dormiam, todos aqueles livros lhe pertenciam só a ele. Com passos lentos virou da rua lateral, onde se encontrava o hotel, para a Avenida da Liberdade e começou a caminhar em direcção à Baixa, onde as ruas se encontravam alinhadas como num tabuleiro de xadrez. Fazia frio e uma névoa fina formava um nimbo esbatido em torno das velhas lanternas de rua com a sua luz dourada. Encontrou uma pequena pastelaria ainda aberta, onde comeu uma sandes e bebeu um café.

Prado gostava de se sentar nas escadas da sua escola e imaginar como é que teria sido se tivesse vivido uma vida completamente diferente. Gregorius pensou na pergunta que Silveira lhe colocara e à qual ele respondera, não sem alguma rispidez, que vivera a vida que escolhera. Sentia agora como a dúvida nas imagens do médico sentado nos degraus cobertos de musgo e do comerciante no comboio abalavam algo que nas seguras e conhecidas ruas de Berna nunca teria podido ser abalado.

Nesse instante, o único cliente que, para além dele, ainda se encontrava na pastelaria, pagou e saiu. Com uma pressa súbita e incompreensível ele também pagou e pôs-se a seguir o sujeito. Era um homem já idoso, que arrastava uma perna e parava de vez em quando para descansar. Gregorius seguiu-o à distância até ao Bairro Alto, onde o viu desaparecer por detrás da porta de um prédio estreito e degradado. No primeiro andar acendeu-se uma luz, o cortinado foi afastado e o homem surgiu à janela, a fumar um cigarro. Protegido pela escuridão do umbral da porta de um prédio, Gregorius pôs-se a observar a sala iluminada que se abria por detrás da sua silhueta. Um sofá forrado com um tecido desfiado de *gobelin*. Dois cadeirões que não condiziam um com o outro. Uma vitrina com loiça e pequenas figuras de porcelana colorida. Um crucifixo na parede. Nem um único livro. Como seria ser aquele homem?

Depois do sujeito ter fechado a janela e corrido o cortinado, Gregorius saiu do vão de entrada. Perdera a orientação e decidiu tomar a rua seguinte que descesse. Nunca tinha seguido alguém como agora, imaginando como seria viver a vida daquele estranho, em vez da sua. Era um tipo de curiosidade completamente novo que agora despertara nele e que, de certa forma, condizia com a intensidade daquele novo estado de vigília que experimentara durante a viagem e com o qual descera do comboio na gare de Lyon, em Paris, ontem ainda, ou lá quando fora.

De vez em quando, parava e ficava a olhar. Os velhos textos, os seus velhos textos também se encontravam cheios de figuras que viviam uma vida. E ler e entender esses textos sempre significara também ler e perceber aquelas vidas. Então porque é que tudo agora era tão novo quando tinha de se confrontar com o aristocrata português ou com aquele sujeito coxo que ainda agora deixara a fumar à janela num prédio degradado? Sem conseguir arranjar resposta, foi descendo, pé ante pé, pela calçada húmida da viela íngreme, e respirou de alívio quando reconheceu a Avenida da Liberdade.

O choque apanhou-o desprevenido, pois não vira o sujeito com os patins em linha. Era um gigante que, ao ultrapassá-lo, lhe deu com o cotovelo uma pancada na têmpora, arrancando-lhe os óculos da cara. Agoniado e de repente sem visão, sentiu-se vacilar e deu alguns passos em frente, até que, para seu desespero, pisou os óculos que se estilhaçaram sob a sola do sapato. Uma vaga de pânico inundou-o. *Não se esqueça dos óculos de reserva*, ouviu Doxiades dizer-lhe ao telefone. Decorreram minutos até ele conseguir regularizar a respiração. Depois ajoelhou-se e pôs-se a procurar às apalpadelas os estilhaços das lentes e os aros quebrados. Juntou o que pôde no lenço e deu-lhe um nó. Lentamente, tacteando ao longo das paredes dos prédios, foi-se aproximando do hotel.

O porteiro levantou-se de um salto e quando Gregorius se aproximou do espelho do átrio de entrada viu que estava a sangrar da têmpora. No elevador estancou o sangue da ferida com o lenço do porteiro e depois correu pelo corredor, abriu a porta com dedos trémulos e precipitou-se para o saco de viagem. Sentiu lágrimas de alívio quando a sua mão se fechou em volta do estojo metálico dos óculos sobresselentes. Pô-los, lavou o sangue, e colou o adesivo que o porteiro lhe dera sobre a ferida. Eram duas e meia da manhã. No aeroporto ninguém atendeu o telefone. Por volta das quatro adormeceu.

8 Se na manhã seguinte Lisboa não estivesse mergulhada naquela luz deslumbrante, pensou Gregorius mais tarde, as coisas talvez tivessem tomado um outro rumo. Talvez tivesse seguido directamente para o aeroporto e tomado o primeiro avião para casa. Mas aquela luz impedia qualquer movimento de retorno. O seu brilho transformava tudo o que pertencesse ao passado em algo extremamente distante, quase irreal; sob aquele fulgor a vontade despojava-se de toda e qualquer sombra do passado, e a única possibilidade de que uma pessoa dispunha era partir para o futuro, por mais incerto e desconhecido que este fosse. Berna com os seus flocos de neve encontrava-se a uma distância impossível e Gregorius teve grande dificuldade em acreditar que haviam decorrido apenas três dias desde que encontrara a enigmática portuguesa na ponte de Kirchenfeld.

Depois do pequeno-almoço marcou o número de José António da Silveira e foi atendido pela secretária. Seria possível indicar-lhe um oftalmologista que falasse alemão, francês ou inglês, perguntou. Meia hora depois ela ligou-lhe, saudou-o da parte de Silveira e deu-lhe o número de telefone de uma médica a quem a sua irmã ia, uma especialista que tinha trabalhado muito tempo nas clínicas universitárias de Coimbra e Munique.

O consultório encontrava-se no bairro de Alfama, o mais antigo da cidade, situado por detrás do castelo. Gregorius caminhou lentamente na manhã luminosa, evitando cuidadosamente tudo quanto o pudesse atropelar. Por vezes parava e esfregava os olhos por detrás das lentes grossas: com que então esta é que era Lisboa, a cidade para onde viajara só porque, ao olhar para os seus alunos, vira, de repente, a sua vida a partir do fim e também porque lhe tinha ido parar às mãos o livro de um médico português, cujas palavras soavam como se tivessem sido escritas propositadamente para ele.

O espaço para onde entrou, uma hora mais tarde, em nada se parecia com o consultório de uma médica. Os painéis de madeira escura, os quadros originais e os pesados tapetes transmitiam a impressão de se estar em casa de uma família nobre, dentro da qual tudo decorria silenciosamente e de acordo com normas há muito estabelecidas. Gregorius não se sentiu surpreendido por não encontrar ninguém na sala de espera. A pessoa que habitava aqueles espaços não dependia das receitas dos seus pacientes. A senhora doutora chegaria dentro de minutos, dissera-lhe a mulher por detrás do balcão de recepção. Nada na sua aparência revelava a assistente médica. A única coisa que apontava para aspectos comerciais era um ecrã iluminado cheio de nomes e números. Gregorius pensou no consultório de Doxiades, sóbrio e por vezes mesmo um pouco desleixado, e na assistente com os seus modos empertigados. De repente, teve a sensação de estar a cometer uma traição e, quando uma das grandes portas se abriu e a médica apareceu, sentiu-se aliviado por não precisar de estar mais tempo a sós com os seus sentimentos insensatos.

A doutora Mariana Conceição Eça era uma mulher com grandes olhos escuros que inspiravam confiança. Cumprimentou-o num alemão fluente, com muito poucos erros. Sabia que era amigo de Silveira e sabia também o motivo por que ali estava. Que ideia era essa de pedir desculpa pelos transtornos provocados por uns óculos partidos, perguntou-lhe. Era perfeitamente natural que alguém tão míope como ele precisasse de uns óculos de reserva. Até pela segurança que isso tranmitia.

Imediatamente, Gregorius sentiu-se completamente calmo. Reparou como se afundava no sofá em frente à secretária e sentiu o desejo de nunca mais ter de se levantar. Mariana Eça parecia dispor de um tempo ilimitado para ele. Gregorius nunca tinha tido uma sensação semelhante durante uma consulta médica, nem mesmo com Doxiades, aquilo ali era algo de irreal, quase como num sonho. Esperara que ela lhe medisse os óculos sobresselentes, lhe fizesse os testes habituais e o mandasse a uma óptica com uma receita médica. Em vez disso, pediu-lhe que lhe contasse a história da sua miopia, etapa por etapa, preocupação atrás de preocupação. Quando, no final, lhe entregou os óculos, ela estava a olhar para ele com uma expressão inquiridora.

– O senhor é um homem que não dorme bem – disse.

Depois pediu-lhe que a acompanhasse até ao outro lado da sala, onde estavam os aparelhos.

A consulta durou mais de uma hora. Os aparelhos eram diferentes dos que conhecia do consultório de Doxiades e a Dr.ª Eça examinou o fundo dos seus olhos com a minúcia de alguém que se orienta numa paisagem completamente nova. Mas o que mais o impressionou foi o facto dela repetir por três vezes os testes de focagem. De tempos a tempos, havia intervalos em que lhe pedia para andar de um lado para o outro e chegou mesmo a envolvê-lo numa conversa sobre a sua profissão.

– O facto de vermos ou não vermos bem depende de muitos factores – disse com um sorriso, ao aperceber-se do seu espanto crescente.

No final foram-lhe indicados números de dioptrias que divergiam substancialmente dos habituais e a discrepância de valores entre ambos os olhos revelou-se mais pronunciada. A Dr.ª Eça apercebeu-se da sua perturbação.

– Experimente simplesmente – propôs, tocando-lhe ao de leve no braço.

Gregorius sentiu-se vacilar entre uma atitude de defesa instintiva e a confiança. A confiança venceu. A médica deu-lhe o cartão de visita de uma óptica e telefonou logo a seguir. Com a sua voz portuguesa regressou instantaneamente a magia que sentira ao ouvir a misteriosa mulher pronunciar a palavra *português* na ponte de Kirchenfeld. De repente, fazia sentido que ele estivesse naquela cidade, um sentido claro, que por enquanto se mantinha oculto, um sentido que não se podia nomear. Pelo contrário, fazia parte desse sentido que não se devia exercer sobre ele qualquer forma de violência, como tentar desvendá-lo precipitadamente, formulando-o em palavras.

– Dois dias – disse a médica depois de desligar –, o César acabou de me dizer que mais rápido não é possível.

Subitamente, Gregorius tirou do bolso do casaco o livro com as reflexões de Amadeu do Prado, mostrou-lhe o estranho nome da editora e falou-lhe da sua procura falhada na lista telefónica. – Sim – disse ela distraída –, dá ideia de ser uma edição de autor.

– E quanto aos «cedros vermelhos», não me espantaria se fossem uma metáfora para algo.

Isso também já ele pensara: uma metáfora ou um código para algo secreto – sangrento ou belo. Algo camuflado sob a folhagem colorida de uma biografia.

A médica foi até uma outra sala e regressou com uma agenda. Abriu-a e percorreu com o dedo uma das folhas.

– Aqui está! Júlio Simões – disse. – Um amigo do meu defunto marido. Um antiquário que sempre nos pareceu saber mais de livros do que qualquer outro mortal. Às vezes até fazia impressão.

Apontou o endereço e explicou a Gregorius onde é que era.

– Cumprimente-o da minha parte. E apareça por cá com os óculos novos, quero saber se o meu diagnóstico está correcto.

Quando Gregorius se voltou no patamar das escadas ela ainda se encontrava à porta, a mão encostada à ombreira. Silveira telefonara-lhe. Então talvez também soubesse que ele tinha fugido. Teria gostado de falar com ela sobre o assunto, e enquanto descia as escadas os seus passos tornaram-se hesitantes, como os de alguém que abandona um local sem vontade.

O céu cobrira-se com um fino véu branco que dissipava o brilho da luz do Sol. A óptica encontrava-se perto da estação dos cacilheiros que atravessavam o Tejo. O rosto casmurro de César Santarém iluminou-se quando Gregorius lhe disse de que parte vinha. O técnico olhou para a receita, sopesou os óculos que Gregorius lhe entregou e disse num francês arranhado que era possível fazer aquelas lentes num material mais leve e utilizar uma armação também mais leve.

Era a segunda vez, num curto espaço de tempo, que alguém questionava o juízo de Constantin Doxiades. Gregorius teve a sensação de que lhe estavam a tirar da mão as rédeas da própria vida, uma vida que, desde que se conseguia lembrar, tinha sido passada com uns pesados óculos encavalitados no nariz. Inseguro, foi experimentando armação após armação, e acabou por se deixar seduzir pela assistente de Santarém, que se exprimia num português torrencial e o aconselhou a comprar uns óculos finos e avermelhados, que lhe pareceram demasiado modernos e chiques para a sua carantonha larga e quadrada. Depois, já a caminho do Bairro Alto, onde se encontrava a livraria do alfarrabista Júlio Simões, não se cansou de dizer para si próprio que podia perfeitamente utilizar os óculos novos como reserva e que não precisava de os usar. Quando chegou ao alfarrabista tinha recuperado o seu equilíbrio.

O senhor Simões era um homem seco com um nariz adunco e olhos escuros, de uma inteligência mercurial. Mariana Eça tinha-lhe telefonado para lhe explicar o assunto. Gregorius pensou que meia cidade de Lisboa estava ocupada em anunciá-lo e ajudá-lo, podia já quase falar-se de uma dança de roda do pré-aviso, ele não se lembrava de ter assistido a algo semelhante.

CEDROS VERMELHOS – há trinta anos que negociava em livros e nunca tinha ouvido falar numa tal editora, disso tinha ele a certeza. UM OURIVES DAS PALAVRAS – não, também não conhecia o título. Começou a folhear, foi lendo uma ou outra frase e Gregorius ficou com a sensação de que ele estava à espera de recuperar um qualquer dado que pudesse conduzir a uma pista. Finalmente, olhou novamente para o ano da edição. 1975 – nessa altura ainda estudava no Porto e não teria sabido de um livro que surgira em edição de autor e que, ainda por cima, fora impresso em Lisboa.

– Se alguém souber – concluiu, começando a encher um cachimbo – é o velho Coutinho, o antigo dono disto. Já deve ter quase noventa e é meio maluco, mas a sua memória para livros é fenomenal, um verdadeiro prodígio. Telefonar-lhe não posso, porque ele quase não ouve; mas vou-lhe escrever aqui umas linhas de apresentação.

Simões dirigiu-se para a sua secretária a um canto e rabiscou algo numa folha que enfiou num envelope.

– Tem de ter paciência com ele – avisou ao entregar-lhe o envelope –, o homem teve muito pouca sorte na vida e é um velhote amargurado. Mas também pode ser extremamente simpático se uma pessoa lhe cair no goto. É uma questão de acertar no tom, só que nunca se sabe qual é o tom certo.

Gregorius deixou-se ficar bastante tempo no alfarrabista. Conhecer uma cidade pelos livros que lá se encontram fora algo que ele sempre fizera. A sua primeira viagem ao estrangeiro, ainda como estudante, tinha sido a Londres. De regresso a Calais, no *ferry-boat*, tornara-se-lhe claro que nada vira da cidade, para além da pousada de juventude, do Museu Britânico e das muitas livrarias à sua volta. *Mas esses livros podem estar em qualquer parte*, diziam-lhe os outros, sacudindo as cabeças perante tudo aquilo que ele perdera. *Sim, mas, de facto, não estavam em qualquer outra parte, mas sim ali*, replicara.

E agora ali estava ele perante aquelas estantes repletas de livros até ao tecto. Livros portugueses, que ele no fundo não conseguia ler, mas que lhe transmitiam a sensação de entrar em contacto com a cidade.

Quando nessa manhã saíra do hotel achara que, para dar um sentido àquela sua estadia tinha de encontrar Amadeu de Prado o mais depressa possível. Mas depois tinha havido os olhos escuros, o cabelo de reflexos acobreados e o casaco de veludo negro de Mariana Eça e agora surgiam-lhe todos aqueles livros com os nomes dos antigos donos que lhe faziam lembrar a caligrafia de Anneli Weiss nos seus manuais de Latim.

O GRANDE TERRAMOTO. Para além de saber que ele tinha destruído Lisboa em 1755, Gregorius nada mais sabia do terrível sismo que abalara a fé de tantas pessoas. Tirou o volume da estante. O livro que se encontrava ao lado tinha o título A MORTE NEGRA e tratava da epidemia da peste nos séculos XIV e XV. Com ambos os livros debaixo do braço, dirigiu-se para o outro lado da sala, onde se encontrava a Literatura. Luís Vaz de Camões; Francisco de Sá de Miranda; Fernão Mendes Pinto; Camilo Castelo Branco. Todo um universo, do qual ele nunca ouvira falar, nem mesmo através de Florence. José Maria Eça de Queirós, O CRIME DO PADRE AMARO. Hesitante, como se fosse algo proibido, retirou o volume da estante e juntou-o aos dois outros que decidira levar. E subitamente, sem qualquer prenúncio, ali estava ele à sua frente: Fernando Pessoa, O LIVRO DO DESASSOSSEGO. No fundo era inacreditável, mas viajara para Lisboa sem sequer pensar que estava a viajar para a cidade do ajudante de guarda-livros Bernardo Soares, que trabalhara na Rua dos Douradores e de quem Pessoa anotara os mais solitários pensamentos que o mundo havia escutado, antes ou depois dele.

Mas seria assim tão inacreditável? *Os campos são mais verdes na descrição do que no seu verde*. Esta frase de Pessoa tinha conduzido ao episódio mais desconcertante que ocorrera entre Florence e ele durante todos os anos do seu casamento.

Ela estava sentada com colegas na sala, ouviam-se gargalhadas e o tilintar de copos. Ele aparecera só porque precisara de um livro. Quando entrara alguém lera a frase. *Digam lá se isto não é uma frase brilhante?* – exclamara um colega de Florence. E ao fazê-lo sacudira a trunfa de artista e pousara a mão no braço nu da sua mulher. *Muito poucas pessoas conseguirão perceber essa frase* – dissera ele. Subitamente, o silêncio instalara-se na sala. *E tu és um desses eleitos*? – perguntara Florence num tom cortante. Com toda a calma ele retirara o livro da estante e saíra sem mais uma palavra. Tinham decorrido minutos até ele ouvir de novo o som de vozes na sala de estar.

Quando depois voltara a ver O LIVRO DO DESASSOSSEGO seguira rapidamente em frente. Nunca tinham falado sobre o episódio. Era simplesmente algo que se fora juntar a tudo quanto contribuíra para os separar.

Gregorius tirou o livro da estante.

– Sabe o que é que me parece este livro incrível? – perguntou o Senhor Simões, enquanto batia o preço na caixa. – É como se Marcel Proust tivesse escrito os ESSAIS de Michel de Montaigne.

Gregorius sentia-se extenuado quando chegou ao topo da Rua Garrett com os pesados sacos. Mas não queria voltar para o hotel. Estava a começar a habituar-se àquela cidade e tencionava aprofundar aquela sensação, para ter a certeza de que nessa noite não voltaria a telefonar para o aeroporto para marcar um voo de regresso. Bebeu um café e apanhou o eléctrico que o iria levar até ao Cemitério dos Prazeres, perto da rua onde morava um tal Vítor Coutinho, um velhote meio tresloucado que talvez soubesse algo sobre Amadeu de Prado.

9

Ao entrar no velho eléctrico centenário de Lisboa, Gregorius sentiu-se transportado para a Berna da sua infância. De facto, aquele 28 que avançava pela parte alta da cidade tropeçando, sacudindo-se e tilintando, em nada parecia distinguir-se dos velhos eléctricos com os quais ele viajara horas e horas a fio pelas ruas e vielas de Berna, numa altura em que ainda não precisava de pagar bilhete. Os mesmos bancos de ripas de madeira envernizadas, a mesma corda para tocar junto aos estribos de couro que pendiam do tecto, o mesmo braço metálico que o condutor manejava para travar e acelerar e cujo funcionamento permanecia para ele um mistério tão insondável como antigamente. A uma certa altura, já ele usava o boné dos alunos do liceu, os velhos eléctricos começaram a ser substituídos por outros, mais modernos. O seu rolar era mais silencioso e suave, os outros alunos pelavam-se por andar neles e não poucos chegavam tarde às aulas por terem esperado por um dos novos eléctricos. Ele nunca ousara dizê-lo, mas sentira-se incomodado pelo facto do mundo estar a mudar. Um dia, enchera-se de coragem, viajara até às oficinas da companhia e perguntara a um homem de fato-macaco o que é que acontecia aos velhos eléctricos. Eram vendidos para a Jugoslávia, explicara-lhe o mecânico. Devia ter reparado na sua infelicidade, pois fora ao escritório e voltara com um modelo de um velho carro. Ele ainda hoje o possuía e guardava-o como a um vestígio precioso e insubstituível de tempos pré-históricos. Era esse modelo que agora via à sua frente quando o eléctrico lisboeta estremeceu e chiou antes de finalmente se imobilizar na estação terminal.

A possibilidade daquele português de olhar audaz poder já ter morrido não se lhe havia colocado até aí. Só agora, com o cemitério à sua frente, essa hipótese lhe surgia. Angustiado, com passos lentos, foi andando pelos caminhos flanqueados de pequenos mausoléus da cidade dos mortos.

Não devia ter decorrido mais de uma meia hora quando parou diante de um grande jazigo de mármore branco manchado pelo tempo. Duas placas com os cantos e bordas decoradas tinham sido esculpidas na pedra. AQUI JAZ ALEXANDRE HORÁCIO DE ALMEIDA PRADO, QUE NASCEU EM 28 DE MAIO DE 1890 E FALECEU EM 9 DE JUNHO DE 1954, e AQUI JAZ MARIA PIEDADE REIS DE PRADO, QUE NASCEU EM 12 DE JANEIRO DE 1899 E FALECEU EM 24 DE OUTUBRO DE 1960, podia ler-se na placa superior. Na de baixo, nitidamente mais clara e menos atacada pelo musgo, Gregorius leu: AQUI JAZ FÁTIMA AMÉLIA CLEMÊNCIA GALHARDO DE PRADO, QUE NASCEU EM 1 DE JANEIRO DE 1926 E FALECEU EM 3 DE FEVEREIRO DE 1961, e por baixo, com menos pátina nas letras: AQUI JAZ AMADEU INÁCIO DE ALMEIDA PRADO, QUE NASCEU EM 20 DE DEZEMBRO DE 1920 E FALECEU EM 20 DE JUNHO DE 1973.

Gregorius não conseguia desviar o olhar da última data. O livro que trazia no bolso fora publicado em 1975. Se este Amadeu de Prado fosse, de facto, o médico que tinha estudado no severo liceu do reitor Cortês e mais tarde voltara sempre para se sentar no musgo quente da sua escadaria de entrada e para se perguntar como é que teria sido se se tivesse tornado um outro, então já não fora ele próprio a publicar as suas meditações. Alguém o fizera por ele, provavelmente numa edição particular. Um amigo, um irmão, uma irmã. Se essa pessoa ainda vivesse, vinte e nove anos depois, seria ela que ele tinha de encontrar.

Mas o nome no jazigo também podia ser um acaso. Gregorius queria acreditar que se tratava de uma mera coincidência; queria-o com todas as suas forças. Sentia como ficaria desiludido e desencorajado se já não pudesse encontrar-se com aquele homem melancólico que pretendera recriar a língua portuguesa porque esta, na sua forma tradicional, lhe parecera demasiado caduca e inútil.

Não obstante, agarrou no bloco de notas e apontou todos os nomes com as datas dos nascimentos e dos óbitos. Aquele Amadeu de Prado morrera com cinquenta e três anos. Perdera o pai com trinta e quatro. Teria sido aquele o pai a quem o sorriso «saía», quase sempre, forçado? A mãe morrera quando ele tinha quarenta. Quanto à tal Fátima Galhardo, essa podia ser a mulher de Amadeu, que morrera ainda jovem, apenas com trinta e cinco anos, quando ele tinha quarenta e um.

Gregorius olhou uma vez mais para o mausoléu e só então reparou numa inscrição na base, semi-encoberta por folhas de hera: QUANDO A DITADURA É UM FACTO A REVOLUÇÃO É UM DEVER. Teria então a morte de Prado sido uma morte política? A Revolução dos Cravos, que marcara o final da ditadura em Portugal, ocorrera na Primavera de 1974. Aquele Prado já não a tinha presenciado. A inscrição dava a entender que tivesse morrido como resistente. Gregorius tirou o livro do bolso e observou o retrato: podia ser, pensou, condizia com a expressão do seu rosto e também com toda aquela fúria contida que se manifestava em tudo quanto escrevia. Um poeta e místico da palavra que pegara em armas para combater a ditadura de Salazar.

À saída tentou perguntar a um homem de uniforme como é que se podia saber a quem pertencia um determinado jazigo. Mas as suas poucas palavras portuguesas não chegavam para tanto. Assim, tirou da carteira a folha onde Júlio Simões apontara a morada do seu antecessor e pôs-se a caminho.

Vítor Coutinho morava numa casa que parecia poder ruir a qualquer instante. Ficava afastada da rua, escondida por detrás de outras casas, e tinha a fachada inferior coberta de hera. Não havia campainhas e Gregorius ficou durante algum tempo parado no pátio, sem saber o que fazer. No preciso momento em que se preparava para ir embora, alguém perguntou irritado de uma das janelas superiores.

– O que é que quer?

A cabeça que se debruçava para baixo estava emoldurada por caracóis brancos que, sem qualquer interrupção, continuavam numa barba também completamente branca. Encavalitados no nariz, viam-se uns óculos de aros grossos e escuros.

– Pergunta sobre livro – exclamou Gregorius, levantando a voz e acenando com o livro de Prado.

– O quê? – ladrou o outro, e Gregorius repetiu o que dissera.

A cabeça desapareceu e pouco depois ouviu-se o zumbir do trinco eléctrico. Gregorius entrou para um corredor com estantes cheias de livros até ao tecto e um tapete oriental completamente puído no chão de pedra vermelha. Cheirava a comida azeda, pó e tabaco de cachimbo. O homem dos cabelos brancos surgiu nas escadas, um cachimbo entalado entre os dentes escuros. Uma camisa aos quadrados, de uma cor deslavada e indefinível, caía sobre umas velhas calças de bombazina, os pés estavam enfiados em sandálias desapertadas.

– Quem é você? – quis saber num tom de voz demasiado alto. Sob as enormes sobrancelhas, os olhos de um castanho-claro, de uma tonalidade que fazia lembrar a do âmbar, observavam-no irritados, como se alguém tivesse vindo perturbar o seu sossego.

Gregorius entregou-lhe o envelope com a mensagem de Simões. Ele era suíço, explicou em português, e acrescentou logo a seguir em francês: filólogo clássico e à procura do autor daquele livro. Como Coutinho não reagiu, repetiu tudo já quase aos gritos.

Ele não era surdo, interrompeu-o o velho em francês com um sorriso malicioso a enrugar-lhe ainda mais o rosto curtido. Embora isso de ser surdo até desse jeito, com os disparates que se ouviam por todo o lado.

O seu francês tinha uma pronúncia impossível, mas as palavras saíam-lhe numa sequência correcta, se bem que lentamente. Deu uma vista de olhos pela mensagem de Simões, depois apontou para a cozinha, ao fundo do corredor e seguiu à frente. Na mesa da cozinha, juntamente com uma lata de sardinhas vazia e um copo de vinho tinto, encontrava-se um livro aberto. Gregorius dirigiu-se para a cadeira, do outro lado da mesa, e sentou-se. Foi então que o velho se aproximou e fez algo de surpreendente: tirou-lhe os óculos da cara e experimentou-os. Piscou os olhos, olhou para um lado e para o outro, enquanto agitava distraidamente os seus próprios óculos.

– Pelo menos isto temos em comum, não é?! – concluiu por fim, entregando-lhos.

A solidariedade daqueles que andam pelo mundo carregando grossas lentes. Subitamente, toda a irritação e desconfiança haviam desaparecido do rosto de Coutinho, que estendeu a mão para agarrar o livro de Prado.

Sem dizer uma palavra, pôs-se a observar o retrato do médico. A uma certa altura levantou-se, absorto como um sonâmbulo, para servir a Gregorius um copo de vinho. Um gato aproximou-se furtivamente e roçou-se pelas suas pernas. Ele não lhe deu atenção, até que por fim tirou os óculos e começou a massajar a cana do nariz com o polegar e o indicador, num gesto que a Gregorius fez lembrar Doxiades. Vindo do quarto ao lado, ouvia-se o bater de um relógio de parede. O velho esvaziou o cachimbo, levantou-se, foi buscar outro a uma prateleira e começou a enchê-lo. Decorreram novamente minutos, até ele começar a falar em voz baixa e rouca, na abstracta tonalidade das recordações antigas.

– Seria errado dizer que o conheci. Nem sequer se pode falar de um encontro. Mas vi-o, por duas vezes, à porta do seu consultório, de bata branca, as sobrancelhas erguidas, à espera do doente seguinte. Fui lá com a minha irmã, que ele andava a tratar. Hepatite. Tensão alta. Ela tinha uma fé cega nele. Creio até que estava um bocado apaixonada. Nem é de espantar, um belo homem, e depois um carisma que deixava os outros como que hipnotizados. Era filho do famoso juiz Prado que se suicidou, há quem diga por já não poder suportar mais as dores da coluna curvada; outros presumem que tenha sido por uma questão de culpa, por se ter mantido no cargo durante a ditadura.

Amadeu de Prado tinha uma grande reputação. Chegou mesmo a ser venerado. Até salvar a vida a Rui Luís Mendes, um gajo da polícia secreta a quem chamavam o «carniceir». Isso aconteceu em meados dos anos 60, tinha ele acabado de fazer cinquenta anos. A partir daí, as pessoas começaram a evitá-lo. Isso destroçou-o. Depois chegou a envolver-se com a resistência, sem que as pessoas o soubessem; como se se sentisse na obrigação de espiar o seu gesto salvador. Mas tudo isso só se veio a saber depois da sua morte. Se bem me lembro, morreu inesperadamente de uma hemorragia cerebral, um ano antes da revolução. Nos últimos tempos vivia com uma irmã, uma tal Adriana que o idolatrava.

Na minha opinião, só pode ter sido ela que publicou este livro. Estou mesmo em crer que sei onde, mas há já muito tempo que essa tipografia fechou. Uns anos mais tarde, apareceu-me na loja. Pu-lo num canto qualquer, não o li, sentia uma certa aversão contra ele, vá lá saber-se porquê. Talvez porque nunca gostei da tal Adriana, apesar de mal a conhecer. Mas ela assistia-o e de ambas as vezes que eu lá fui irritou-me a arrogância com que tratava os doentes. Provavelmente, estarei a ser injusto, mas eu sempre fui assim.

Coutinho começou a folhear o livro. – Boas frases, pelo que vejo. E um bom título. Não sabia que ele escrevia. Onde é que o comprou? E porque é que anda à procura dele?

A história que Gregorius então lhe contou soava diferente da que contara a José António da Silveira no comboio nocturno. Sobretudo porque agora incluía também a misteriosa portuguesa da ponte de Kirchenfeld e o número de telefone na testa.

– Ainda tem o número? – quis saber o velho, a quem a história agradara tanto que abrira mais uma garrafa.

Durante um momento Gregorius sentiu-se tentado a procurar no bloco de notas. Mas depois sentiu que aquilo estava a ir longe de mais para ele; após o episódio com os óculos não lhe espantava nada que o velhote chegasse mesmo a telefonar. Simões chamara-lhe «maluco». Certamente que isso não significava que ele fosse perturbado, nada disso. Tudo o que ele parecia ter perdido ao longo da sua vida solitária com o gato eram as noções de distância e proximidade.

Não, acabou por dizer Gregorius, já não tinha o número. Que pena, achou o velho. Ele não acreditou em nada do que o outro lhe disse e, de repente, estavam ali sentados, um em frente do outro, como duas pessoas completamente estranhas.

Na lista telefónica não encontrara nenhuma Adriana de Almeida Prado, disse Gregorius depois de um longo silêncio constrangido.

Coutinho achou que isso não queria dizer nada. Se ainda fosse viva, Adriana devia andar pelos oitenta e por vezes as pessoas de idade mandavam desligar o telefone. Pelo menos era o que ele tinha feito ainda há pouco tempo. Por outro lado, se tivesse morrido o seu nome estaria inscrito no jazigo da família. Quanto ao endereço onde o médico morara e trabalhara, não, disso já não se lembrava, depois de terem passado quarenta anos. Numa rua qualquer do Bairro Alto. Mas também não devia ser assim tão difícil encontrar a casa, porque era um edifício com a fachada forrada a azulejos azuis, o único naquela zona. Pelo menos, era-o na altura. O consultório azul, como as pessoas lhe chamavam.

Quando Gregorius se despediu do velhote, uma hora depois, os dois tinham-se novamente aproximado. Uma distância rude alternava bruscamente com uma imprevisível cumplicidade no comportamento de Coutinho, sem que ele fosse capaz de compreender os motivos para aquelas abruptas mudanças de humor. Espantado, Gregorius acompanhou-o numa rápida visita à casa que o velho transformara numa única e imensa biblioteca. Era uma pessoa extremamente letrada e possuía inúmeras primeiras edições.

E conhecia o nobiliário português. Os Prado, soube então Gregorius, vinham de uma linhagem muito antiga, que remontava aos tempos de um tal João Nunes do Prado, um neto do rei D. Afonso III. Eça? Provinha da união de D. Pedro I e Dona Inês de Castro e era um dos nomes mais distintos de todo o Portugal.

– É claro que o meu nome é ainda mais antigo e também está relacionado com uma casa real – deixou escapar Coutinho, e através da insinuação irónica podia notar-se o seu orgulho.

Disse-lhe que invejava os conhecimentos que Gregorius tinha das línguas antigas e já a caminho da porta foi buscar a uma das estantes uma edição greco-portuguesa do Novo Testamento.

– Não faço ideia porque é que lhe ofereço isto – disse – mas as coisas são como são.

Ao atravessar o pátio Gregorius sentiu que nunca mais se iria esquecer daquela frase. Nem da mão do velho nas suas costas, a empurrá-lo suavemente para fora.

O eléctrico trepidava pelo entardecer. À noite não iria encontrar a casa azul, pensou. O dia durara uma eternidade e agora ele apoiava a cabeça, esgotado, contra o vidro embaciado. Seria possível que ainda só estivesse há dois dias naquela cidade? E que só tivessem decorrido quatro dias, nem sequer cem horas, portanto, desde que deixara os seus livros de latim em cima da secretária? Saiu na Praça da Figueira e caminhou até ao hotel carregando o pesado saco com os livros do alfarrabista Simões.

10

Porque razão falara o Kägi com ele numa língua que soava como o português, sem o ser? E porque é que se fartara de dizer mal de Marco Aurélio, sem pronunciar uma única palavra sobre ele?

Sentado no canto da cama, Gregorius esfregava os olhos, tentando afastar o sono. Depois tinha sido o porteiro a lavar com a mangueira o sítio onde ele havia estado com a portuguesa, quando ela secara o cabelo. Antes ou depois disso, já não conseguia lembrar-se, estivera com ela no gabinete de Kägi, para lha apresentar. Não fora preciso abrir portas, de repente encontravam-se perante a sua gigantesca secretária, um pouco como solicitantes que se tinham esquecido do motivo da sua solicitação; mas subitamente o reitor nem sequer estava presente, a secretária e até mesmo a parede traseira tinham desaparecido e abrira-se-lhes uma vista panorâmica para os Alpes.

Gregorius reparava agora que a porta do mini-bar estava entreaberta. Acordara a meio da noite e comera os amendoins e o chocolate. Antes disso, sentira-se angustiado ao ver a caixa do correio do seu apartamento de Berna atafulhada de papel, todos aqueles envelopes com facturas e prospectos, e de repente vira a sua biblioteca em chamas, antes de se transformar na biblioteca de Coutinho, com uma série interminável de Bíblias carbonizadas.

Durante o pequeno-almoço Gregorius repetiu de tudo e permaneceu sentado, para desagrado da empregada que começara a preparar as mesas para o almoço. Não fazia a menor ideia de como as coisas iriam continuar. Ainda há pouco estivera a ouvir a conversa de um casal alemão a planear o dia turístico. Tentara imitá-los e falhara. Lisboa não lhe interessava como objecto de curiosidade turística, como cenário de férias. Lisboa era a cidade para onde ele fugira da sua própria vida. A única coisa que ainda podia imaginar era atravessar o Tejo no *ferry-boat* para poder ver a cidade de uma outra perspectiva. Mas, no fundo, até nem isso queria. Afinal de contas, o que é que ele queria?

Começou a ordenar os livros: os dois sobre o terramoto e a morte negra, o romance de Eça de Queirós, *O Livro do Desassossego*, o Novo Testamento, os livros do curso de Português. Depois fez a mala, à experiência, e encostou-a à porta.

Não, também não era aquilo. Nem tinha a ver com os óculos que amanhã estariam prontos. Aterrar agora em Zurique e sair do comboio na estação de Berna: não era possível, agora já não era possível.

Então o quê? Seria isso que provocava aquela confrontação com o passar do tempo e a morte: o não saber, de repente, o que se queria? O alienar-se da sua própria vontade? O perder aquela intimidade natural com o próprio querer? Tornando-se assim como que alheio a si próprio e passando a questionar-se como se questiona um problema?

Porque é que não procurava a casa azul onde Adriana de Prado talvez ainda morasse, trinta e um anos depois da morte do irmão? Porque é que hesitava? Porque é que, de repente, sentia aquele bloqueio?

Gregorius fez então aquilo que sempre fizera quando se sentira inseguro: abriu um livro. A sua mãe, uma filha de camponeses do *mittelland* de Berna, poucas vezes agarrara num livro – quando muito um romance regional de Ludwig Ganghofer. Depois a leitura arrastara-se ao longo de semanas. O pai descobrira a leitura como um remédio contra o tédio nos salões vazios do museu e depois de lhe tomar o gosto lera tudo o que lhe fora parar às mãos. *Agora também tu te escondes por detrás dos livros*, dissera-lhe a mãe, na altura em que também o filho descobrira o gosto de ler. Doera-lhe que ela visse as coisas por essa perspectiva e que não percebesse o que ele queria dizer quando falava da magia e do fulgor que certas frases boas podiam ter.

Havia as pessoas que liam e depois havia as outras. Era fácil distinguir se uma pessoa era leitora ou não. Não havia, entre os seres humanos, maior distinção. As pessoas ficavam muito admiradas quando ele afirmava isso, e algumas abanavam a cabeça perante tal bizarria. Mas era assim mesmo. Gregorius sabia-o. Sabia-o simplesmente.

Mandou embora a criada de quarto e durante as horas seguintes esforçou-se por perceber um texto de Amadeu de Prado cujo título lhe chamara a atenção ao desfolhar o livro.

O INTERIOR DO EXTERIOR DO INTERIOR. *Há algum tempo atrás – era uma daquelas manhãs ofuscantes de Junho e a claridade matinal pairava pelas vielas como que suspensa – vi-me espelhado numa montra da Rua Garrett. Era-me desagradável ter ali a minha imagem a obstruir-me a visão para o interior – até porque tudo aquilo acabava por simbolizar o relacionamento que costumo manter comigo próprio – e estava a começar a encaminhar a visão através da sombra provocada pela pala da mão sobre os olhos quando, por detrás da minha imagem reflectida, surgiu, como a sombra ameaçadora de uma tempestade capaz de transformar o mundo, a silhueta de um sujeito alto. Parou, tirou do bolso da camisa um maço de cigarros e levou um aos lábios. Enquanto expulsava o fumo do primeiro travo, o seu olhar desviou-se e acabou por se fixar em mim. Afinal, perguntei-me enquanto desviava o olhar, como se não tivesse dificuldade em ver o que estava no interior da montra, o que é que nós sabemos uns dos outros? Ele, o estranho, via um homem seco, de cabelo já grisalho, um rosto estreito, austero, e uns olhos escuros, por detrás de umas lentes redondas com aros dourados. Lancei então um olhar inquiridor à minha imagem reflectida. Como sempre, lá estava eu com os meus ombros ossudos, mais empertigado do que direito, a cabeça mais acima do que a minha verdadeira altura deixaria supor, ainda por cima um pouco afastada para trás, e não havia dúvida que era verdade aquilo que todos diziam, mesmo as pessoas que gostam de mim: que eu parecia um sujeito arrogante, alguém que despreza tudo quanto é humano, um misantropo que para tudo e todos tem sempre disponível um comentário cheio de escárnio. Foi essa, certamente, a impressão com que o fumador ficou de mim.*

E no entanto como ele se enganava! Quantas vezes dou comigo a pensar: se ando sempre assim, tão exageradamente direito, não será para protestar contra o corpo inexoravelmente dobrado do meu pai, contra o sofrimento de vê-lo assim vergado pela doença de Bechterev, o olhar abatido de um servo humilhado que não ousa enfrentar o seu senhor de cabeça erguida? Quando me endireito é como se, ao fazê-lo, pudesse também endireitar, para lá do túmulo, as costas do meu orgulhoso pai, ou como se, por intermédio de uma qualquer lei mágica de efeito retrógrado, conseguisse tornar a sua vida menos curvada e minada pela dor, como se através deste meu esforço actual lograsse despojar o penoso passado da sua horrível factualidade, substituindo-o por uma outra, melhor e mais livre.

E esse não terá sido o único equívoco que a minha imagem provocou no estranho. Depois de uma noite sem fim, passada sem sono nem consolo, eu teria sido o último a olhar com arrogância para os outros. No dia anterior anunciara a um doente, na presença da sua mulher, que já não lhe restava muito tempo de vida. Tens que fazê-lo, insistira comigo próprio, antes de lhes pedir para entrarem no consultório, eles têm o direito de planearem o seu futuro e o dos cinco filhos. E depois, não esquecer: uma parte da dignidade humana consiste na força que é necessária para olhar o próprio destino de olhos nos olhos, por mais difícil que isso seja. A consulta tinha sido marcada para o princípio da tarde, uma brisa leve e quente arrastava para dentro da sala, através das portas abertas da varanda, os sons e odores de um dia maduro de Verão, e se nos pudéssemos entregar completa e inconscientemente a essa suave onda de vida esse poderia ter sido um momento de felicidade. Se ao menos um vento impiedoso fustigasse agora os vidros com rajadas de chuva, lembro-me de ter pensado quando o casal de sentou à minha frente. Sentaram-se nas extremidades das cadeiras, vacilantes e angustiados e cheios de ansiedade, desejosos de ouvirem o veredicto que os libertasse de uma morte eminente, para que pudessem finalmente sair dali e descerem as escadas e misturarem-se com os passantes, com um mar de tempo à sua frente. Eu tirei os óculos e massajei com o polegar e o indicador a cana do nariz, antes de começar a falar. Eles devem ter reconhecido no gesto o prenúncio de uma verdade terrível, pois quando ergui o olhar tinham-se dado as mãos numa procura instintiva que, por uma qualquer razão, me pareceu há muito desaprendida. Essa espécie de intuição fugaz que me deixou com um nó na garganta só veio aumentar ainda mais a sua espera e foi para aquelas mãos que eu então falei, tão insuportável se me tornara enfrentar os seus olhares dominados pelo mais puro pavor. As mãos entrelaçaram-se, fincaram-se uma na outra, o sangue retirou-se e foi essa imagem de um emaranhado de dedos brancos, exangues e crispados que me roubou o sono e que eu tentava afastar quando parti para o passeio que me conduziu àquela montra espelhada. (E havia ainda algo mais que eu tentava afastar durante aquele meu périplo pelas vielas cintilantes: a lembrança de como a minha fúria, provocada pela falta de sensibilidade das minhas palavras ao transmitir a amarga mensagem, se descarregou depois sobre a Adriana, só porque ela excepcionalmente se tinha esquecido de trazer o meu pão preferido. Ela, que cuida de mim melhor do que uma mãe! Pudesse o brilho dourado daquela luz tardia apagar aquela injustiça, de modo algum atípica para a minha pessoa!)

O olhar do homem do cigarro, que agora se encostara ao poste de um candeeiro, vagueava entre mim e as ocorrências da rua. Aquilo que via de mim não lhe podia revelar nada sobre um poço de dúvidas e fragilidades que tão-pouco coincidia com aquela minha aparência orgulhosa e mesmo arrogante. Transpus-me então para dentro do seu olhar, recuperei-o dentro de mim com a ajuda de um mimetismo imaginário e extraí-lhe a imagem de mim que ele em si criara. Aquilo que eu parecia e mostrava ser, pensei, nunca o havia sido, nem um único minuto da minha vida. Nem na escola, nem na universidade, nem no consultório. Será que acontece o mesmo com os outros? Será que ninguém se reconhece no seu exterior? Que a imagem de si próprios lhes surge como um cenário de deformações grosseiras? Que todos se apercebem com horror de um abismo que invariavelmente se abre entre a percepção que os outros têm deles e o modo como se vêem a si próprios? Que as duas intimidades, a interior e a exterior, se podem afastar de tal maneira que acaba por tornar-se quase impossível considerá-las como intimidade com o mesmo ser?

A distância para com os outros, para a qual nos transporta esta consciência, torna-se ainda maior quando realizamos que a nossa imagem exterior não surge aos outros como aos próprios olhos. Não se vêem pessoas como se vêem casas, árvores ou estrelas. Vemo-las na expectativa de as podermos encontrar de uma certa maneira, tornando-as assim num pedaço da nossa própria interioridade. A fantasia compõe-nos uma imagem à nossa medida, para que os outros possam corresponder aos nossos desejos e esperanças, mas também de modo a que neles se confirmem os nossos próprios receios e preconceitos. Na verdade, nem sequer conseguimos alcançar, de uma forma segura e imparcial, os contornos exteriores de uma outra pessoa. A meio caminho, o nosso olhar é desviado e turvado por todos os desejos e fantasmas que fazem de nós a pessoa especial e insubstituível que somos. Mesmo o exterior de um interior continua a ser um pedaço do nosso mundo interior, para já não falarmos dos pensamentos que produzimos sobre um outro mundo interior e que, no fundo, são tão inseguros e imprecisos que acabam por revelar mais sobre nós próprios do que sobre o outro. Como é que o homem do cigarro vê o sujeito empertigado com o rosto consumido, os lábios cheios e uns óculos com aros de ouro, encavalitados num nariz afiado e direito e que até a mim próprio parece desagradavelmente dominante? E como é que essa imagem se insere na estrutura secreta das suas simpatias e antipatias e na restante arquitectura da sua alma? O que é que na minha aparência é exagerado e ampliado pelo seu olhar e o que é que ele delicadamente exclui, como se não existisse? Inevitavelmente, será sempre uma imagem distorcida, aquela que o estranho fumador constituirá da minha imagem, e a sua noção daquilo que penso acumulará distorções sobre distorções. E assim acabamos por ser duplamente estranhos, pois entre nós não se encontra apenas o enganador mundo exterior, como também a imagem enganadora que dele surge em cada interioridade.

Mas serão esta estranheza e esta distância mesmo um mal? E um pintor teria inevitavelmente que nos representar de braços abertos, desesperados na vã tentativa de alcançar o outro? Ou será que o seu quadro nos devia mostrar, pelo contrário, numa posição reveladora do alívio que sentimos pela consciência dessa dupla barreira que é também sempre um muro protector? Devíamos estar gratos pela protecção que a perplexidade nos concede? E pela liberdade que ela torna possível? Como seria se nos deparássemos um com o outro completamente desprotegidos, através da dupla clivagem que o corpo interpretado representa? Se nos precipitássemos um para dentro do outro, sem que nada de divisório e ilusório se interpusesse?

Enquanto ia lendo a autodescrição de Prado, Gregorius voltava constantemente ao retrato que surgia no início do livro. Imaginou o cabelo penteado para trás, como um elmo, a ficar grisalho e colocou-lhe uns óculos de lentes redondas com aros de ouro. Arrogância, até mesmo um certo desprezo tinham visto os outros nele. E no entanto, segundo Coutinho, ele fora um médico respeitado, mesmo venerado. Até ter salvo a vida do homem da polícia secreta. Depois disso, as mesmas pessoas que o haviam venerado passaram a desprezá-lo. Isso tinha-o destroçado e ele tentara redimir-se trabalhando para a oposição clandestina.

Como é que podia suceder que um médico sentisse necessidade de expiar algo que todo e qualquer médico era obrigado a fazer e que, no fundo, acabava por ser o contrário de uma falha? Havia qualquer coisa na descrição de Coutinho que não batia certo, pensou Gregorius. As coisas tinham de ser mais complexas, mais intrincadas. Gregorius continuou a folhear o livro. *Nós homens, que sabemos uns dos outros?* Passou em frente. Talvez houvesse uma anotação sobre essa mudança dramática e dolorosa na sua vida.

Como não encontrasse nada, saiu do hotel ao anoitecer e pôs-se a caminho da Rua Garrett, onde Prado parara para ver a sua imagem reflectida numa montra e onde também se encontrava a livraria de Júlio Simões.

Já não havia luz solar que pudesse espelhar os vidros das montras. Mas decorrido algum tempo ele encontrou uma loja de roupas iluminada com um enorme espelho onde podia observar-se através do vidro. Tentou fazer aquilo que Prado fizera: identificar-se com um olhar estranho, reproduzi-lo dentro de si e, a partir desse olhar distanciado, retratar a sua própria imagem. Encontrar-se consigo próprio como com um estranho, alguém que se acaba de conhecer.

Era então assim que os alunos e colegas o tinham visto. Era aquela a aparência do seu *Mundus*. E Florence também o tinha tido assim à sua frente, ao princípio como aluna apaixonada na primeira fila, depois como mulher para quem ele se fora tornando, paulatinamente, num marido cada vez mais pesado e enfadonho, alguém que cada vez mais se vira obrigado a recorrer à erudição para destruir a magia, a leveza e o encanto do seu mundo romântico de cintilações e cabriolas intelectuais.

Todos tinham tido à sua frente essa mesma imagem, e no entanto, tal como Prado dissera, cada um tinha visto algo diferente, pois cada fragmento percepcionado de humanidade exterior era, simultaneamente, também um pedaço de interioridade. O português tinha tido a certeza de que em nenhum minuto da sua vida se assemelhara àquilo que ele parecera ser para os outros; por mais conhecido que o seu exterior lhe fosse, ele não se reconhecera nele e ficara mesmo profundamente assustado com essa estranheza.

Agora era Gregorius que estremecia depois de ser abalroado por um rapaz apressado. O susto provocado pelo encontrão coincidiu com a constatação inquietante de que ele próprio não dispunha de uma certeza que pudesse equivaler à do médico. De onde é que Prado retirara a segurança para postular que era completamente diferente daquele que os outros viam nele? Como é que havia chegado a essa segurança? Referia-se a ela como a uma intensa luz interior que desde sempre o iluminara, uma luz que simultaneamente significara uma grande proximidade consigo próprio e uma imensa distância em relação aos outros. Gregorius fechou os olhos e viu-se novamente no vagão-restaurante a caminho de Paris. Aquela nova lucidez, aquele estar completamente acordado que ele experimentara ao descobrir que a sua viagem estava realmente a acontecer, teria isso a ver com aquela outra lucidez que o português cultivara na auto-análise, com aquela forma superior de actividade e disponibilidade psíquica cujo preço fora a solidão? Ou tratar-se-ia de duas coisas completamente diferentes?

Ele andava pelo mundo como se estivesse sempre debruçado sobre um livro e a ler constantemente, diziam-lhe as pessoas. Agora endireitava-se e tentava sentir o esforço que representava compensar a dolorosa curvatura das costas de um pai com uma cabeça esticada para cima e um porte exageradamente aprumado. Nos primeiros tempos do liceu tinha tido um professor que sofrera da síndrome de Bechterev. Essas pessoas encolhem a nuca para trás para não terem de estar sempre a olhar para o chão. Isso faz com que apresentem aquele aspecto que Prado constatara no porteiro do liceu: parecem pássaros. Lembrava-se ainda de certas piadas cruéis que na altura circulavam sobre a figura curvada e o professor vingara-se com uma severidade traiçoeira e punitiva. Como é que deveria ter sido então ter um pai que fora obrigado a viver toda uma vida naquela posição humilhante, hora após hora, dia após dia, sentado à mesa do juiz como à mesa de jantar, com as crianças?

Alexandre Horácio de Almeida Prado fora juiz, um juiz famoso, como Coutinho afirmara. Um juiz que exercera as suas funções durante a ditadura de Salazar, à sombra de um homem, portanto, que quebrara com todas as leis. Um juiz que eventualmente nunca conseguira perdoar-se isso e que acabara por optar pelo suicídio. *Quando a ditadura é um facto, a revolução é uma obrigação*, podia ler-se na base do jazigo dos Prado. Teria essa frase a ver com o filho, que trabalhara para a oposição clandestina? Ou também com o pai, que reconhecera demasiado tarde a sua verdade?

Ao descer para a grande praça, Gregorius sentiu que queria saber todas essas coisas e que as queria saber de uma maneira diferente, muito mais urgente do que todos os outros factos históricos com que se confrontara através dos textos antigos ao longo de toda a sua vida. E porquê? O juiz já tinha morrido há meio século, a revolução ocorrera há trinta anos e a morte do filho também pertencia àquele passado distante. Então porquê? O que é que ele tinha a ver com tudo aquilo? Como é que pudera acontecer que uma única palavra portuguesa e um número de telefone rabiscado na sua testa o pudessem ter arrancado das rotinas da sua própria vida em Berna e projectado para tão longe, envolvendo-o em vidas de portugueses que já não existiam?

Numa livraria do Rossio, saltou-lhe à vista uma fotobiografia de António de Oliveira Salazar, o homem que desempenhara um papel decisivo, talvez mesmo mortal, na vida dos Prado. A capa mostrava um sujeito vestido de preto com um rosto dominador mas não insensível, com um olhar duro, mesmo fanático, que no entanto revelava inteligência. Gregorius começou a folhear o livro. Salazar, pensou, fora um homem que procurara o poder, mas não alguém que o alcançara com actos de uma arbitrariedade cega e de absurda violência; assim como não o teria desfrutado como quem desfruta da abundância transbordante de certas refeições excessivas numa orgia demencial. Para o atingir e manter durante tantos anos ele abdicara, durante toda a sua vida, de tudo quanto não se subordinasse a um exercício de incansável rigor, à absoluta disciplina e ao ritual ascético. O preço tinha sido elevado, isso podia notar-se na dureza dos seus traços e no esgar forçado daquele seu tão raro sorriso. E as necessidades e impulsos reprimidos daquela vida austera, no meio da opulência do regime, tinham-se libertado sob a forma de ordens implacáveis, legitimadas pela retórica da razão de Estado.

Na escuridão, Gregorius permanecia deitado a pensar na grande distância que sempre existira entre ele e os acontecimentos mundiais. Não que ele se deixasse de interessar pelas ocorrências políticas que ultrapassavam as fronteiras do seu país. Em Abril de 1974, quando a ditadura em Portugal chegara ao fim, pessoas da sua geração tinham viajado para o Sul e levaram-lhe a mal quando dissera que o turismo político não era algo que lhe interessasse. Não podia portanto dizer-se que ele fosse um simples rato de biblioteca que não sabia nada de nada. Mas tinha sido sempre um pouco como se estivesse a ler Tucídides. Um Tucídides que escrevia para o jornal e que depois se via no telejornal. Mas tinha aquilo tudo alguma coisa a ver com a Suíça e a sua invulnerabilidade? Ou apenas consigo? Com a sua fascinação pelas palavras, por detrás das quais as coisas, por mais cruéis, sangrentas ou injustas que fossem, se ocultavam? Ou talvez também com a sua miopia?

Quando o pai, que não passara de sargento, lhe falava dos tempos em que a sua companhia estivera «estacionada na margem do Reno», como costumava dizer, ele, o filho, sempre tivera uma sensação de irrealidade, de qualquer coisa vagamente estranha cujo significado consistia, sobretudo, em lembrar-se daquilo como de algo excitante, que sobressaía da banalidade da restante vida. O pai sentira isso e uma vez perdera a paciência: *Nós tivemos medo, um medo de morte*, dissera, *pois as coisas podiam ter dado para o torto, e se assim fosse, tu talvez nem sequer existisses*. Não é que tivesse gritado, isso era coisa que o pai nunca fizera; mesmo assim, tinham sido palavras iradas, que o filho ouvira com vergonha e nunca mais esquecera.

Seria por causa disso que ele agora queria saber como seria ter sido Amadeu de Prado? Para através desse acto de compreensão se aproximar do mundo?

Gregorius acendeu a luz e voltou a ler frases que já tinha tentado traduzir.

NADA. *Aneurisma. Qualquer instante pode ser o último. Sem o mínimo pressentimento, no mais completo desconhecimento, irei transpor uma barreira invisível, para além da qual nada existe, nem sequer a escuridão. O meu próximo passo pode muito bem ser o passo através dessa barreira. Não é então ilógico sentir medo disso, tendo consciência de que nem sequer me aperceberei da súbita síncope e sabendo de antemão que tudo irá acontecer assim mesmo?*

Gregorius telefonou a Doxiades e perguntou-lhe o que era um aneurisma. – Sei que a palavra significa um alargamento. Mas de quê? Tratava-se de uma dilatação patológica de um vaso sanguíneo arterial, devido a transformações congénitas ou adquiridas das suas paredes, explicou o grego. Sim, também no cérebro, aliás frequentemente. Muitas vezes as pessoas nem sequer reparam, não se manifestam sintomas, podem viver anos sem dar por nada. De repente, o vaso rebenta e acabou-se. E porque é que ele queria saber isso a meio da noite? Sentia dores? E onde é que estava?

Gregorius sentiu que tinha sido um erro telefonar ao grego. Não encontrou as palavras que teriam correspondido a uma intimidade de há muitos anos. Confuso e renitente, lá foi contando algo sobre o velho eléctrico, sobre um alfarrabista meio esquisito e sobre o cemitério em que se encontrava o túmulo do português morto. Era um discurso sem nexo e ele percebeu isso e calou-se.

– Gregorius? – disse Doxiades quebrando o silêncio.

– Sim?

– Como é que se diz *Schach* em português?

Gregorius gostaria de tê-lo abraçado pela pergunta.

– *Xadrez* – disse, e a secura na boca desapareceu.

– Com os olhos está tudo em ordem?

Pronto, a língua voltara a colar-se ao palato. – Sim. – E depois de um novo intervalo de silêncio Gregorius perguntou:

– Tem a sensação de que as pessoas o vêem tal como é?

O grego desatou às gargalhadas. – Claro que não!

Gregorius sentiu-se baralhado por alguém que ainda por cima se chamava Doxiades se rir de algo que assustara profundamente

Amadeu de Prado. E deitou a mão ao livro do médico, como se procurasse uma tábua de salvação.

– Está mesmo tudo em ordem? – insistiu o grego passado algum tempo.

– Sim – disse Gregorius –, está tudo em ordem.

Terminaram a conversa como de costume.

Perturbado, Gregorius deixou-se ficar deitado na escuridão, tentando descobrir o que se interpusera entre ele e o amigo. Afinal de contas, o outro sempre fora a pessoa cujas palavras lhe tinham dado coragem para empreender aquela viagem, apesar da neve que começara a cair sobre Berna. Ganhara o dinheiro para o curso a conduzir um táxi em Tessalónica. *Um clube de gente bruta, os condutores de táxi*, confessara certa vez. De vez em quando, essa espécie de rudeza intempestiva também se manifestava nele. Como quando praguejava ou travava o cigarro. Os pêlos escuros da barba e o emaranhado espesso de pêlos nos antebraços davam-lhe então um ar selvagem e indomável.

Com que então ele achava natural que a percepção dos outros não coincidisse com aquilo que achava de si próprio. Seria possível que alguém se estivesse nas tintas para isso? E significaria isso um sinal de falta de sensibilidade? Ou de um desejável desprendimento interior? Começava a madrugar quando Gregorius conseguiu, finalmente, adormecer.

11

Não pode ser, é impossível. Gregorius tirou os óculos novos, levíssimos, esfregou os olhos e voltou a colocá-los. Afinal, *era* possível: via agora melhor do que nunca. Sobretudo na parte superior das lentes, através da qual ele olhava para o mundo. Os objectos pareciam saltar-lhe à vista, era como se se esforçassem por chamar-lhe a atenção. E uma vez que também já não sentia o habitual peso sobre o nariz, que transformava a armação numa barreira protectora, a sua nitidez tornava-os quase inoportunos, senão mesmo ameaçadores. Além disso, as novas impressões também o deixavam um pouco aturdido. Voltou a tirar os óculos. No rosto casmurro de César Santarém esboçou-se um sorriso.

– E agora já não sabe quais são os melhores, se os velhos ou os novos – disse.

Gregorius concordou com um aceno de cabeça e pôs-se diante do espelho. A armação fina e avermelhada dos novos óculos, que já nada tinha de barreira marcial, fazia dele uma nova pessoa. Alguém que se interessava pela sua imagem exterior. Alguém que gostava de ser elegante, chique. Bem, isso também era um exagero; mas mesmo assim... A assistente de Santarém, a mesma que lhe impingira aquele modelo, fez lá do fundo um gesto de aprovação. Santarém apercebeu-se disso. – Tem razão – concordou. Gregorius sentiu crescer dentro dele a irritação. Voltou a pôr os óculos velhos, pediu que lhe embrulhassem os novos e pagou rapidamente.

Até ao consultório da Dr.ª Mariana Eça, em Alfama, teria precisado de cerca de uma meia hora a pé. Gregorius demorou quatro horas. Começou por sentar-se cada vez que via um banco e mudar de óculos. Com as novas lentes o mundo era maior e o espaço parecia, pela primeira vez, possuir realmente três dimensões, dentro das quais as coisas podiam expandir-se livremente. O Tejo deixara de ser uma vaga superfície acastanhada e passara a ser um verdadeiro rio, e o Castelo de São Jorge erguia-se no céu em três direcções com uma plasticidade inesperada. Mas assim o mundo também se tornava cansativo. Embora com aquelas novas armações ultraleves lhe fosse mais fácil andar, a passada pesadona a que estava habituado não condizia com a nova leveza no rosto. O mundo tornara-se mais próximo e premente, exigia mais de si, sem que ele pudesse precisar em que consistiam, concretamente, essas exigências. Assim, quando essas opacas exigências começavam a importuná-lo, ele parava e refugiava-se por detrás dos óculos antigos, que mantinham tudo à distância e lhe permitiam cultivar a dúvida sobre se, para além das palavras e dos textos, existiria, de facto, uma realidade exterior – uma dúvida que lhe era cara e sem a qual, no fundo, não era capaz de imaginar a vida. Mas, por outro lado, também já não era capaz de esquecer o novo olhar. Por fim, sentado no banco de um pequeno jardim, tirou do bolso os apontamentos de Prado e experimentou lê-los com os novos óculos.

O verdadeiro encenador da nossa vida é o acaso – um encenador cheio de crueldade, misericórdia e encanto cativante. Gregorius quase que se assustou com a facilidade com que compreendera a frase. Fechou os olhos e entregou-se à doce ilusão de que os novos óculos lhe tornariam assim tão acessíveis todas as outras frases em português – como se fossem um instrumento mágico que, para além dos contornos exteriores das palavras, lhe desvendassem também o seu significado. Levou a mão aos óculos e acomodou-os. Estava a começar a gostar deles.

Quero saber se o meu diagnóstico está correcto – tinham sido as palavras da mulher dos olhos enormes e do casaco de veludo negro; palavras que o tinham surpreendido, porque haviam soado inseguras como a confissão de uma rapariguinha de escola, o que parecia contrariar a segurança que ela, de resto, irradiava. Gregorius ficou a observar uma menina a afastar-se com os seus patins. Se o rapaz patinador da primeira noite tivesse passado por ele sem lhe tocar – ou bastaria talvez que o seu cotovelo não lhe tivesse acertado na têmpora – então ele não estaria agora a caminho do consultório da médica, alarmado e hesitante entre um campo de visão discretamente velado e um outro alucinadamente nítido, que transmitia ao velho mundo esta nova realidade quase irreal.

Parou num bar para beber um café. Era hora de almoço, o interior enchia-se de homens bem vestidos que saíam de um prédio de escritórios situado mesmo ali ao lado. Gregorius observou no espelho o seu novo rosto, depois o resto do corpo, a imagem que a médica iria ver em seguida. As calças de bombazina deformadas nos joelhos, o camisolão de gola alta e o velho impermeável contrastavam com os muitos casacos impecavelmente talhados na cintura e as cores de tons condizentes entre as camisas e as gravatas. Também não condiziam com os novos óculos, com esses então nada parecia condizer. Irritou-o o facto de se sentir incomodado pelo contraste, e à medida que ia bebendo o seu café sentiu-se cada vez mais furioso. Pensou no empregado de mesa do Hotel Bellevue, que o analisara à lupa na manhã da sua fuga, e em como isso não o perturbara minimamente; pelo contrário, sentira que com a sua aparência de maltrapilho se demarcava da elegância oca que o rodeava. Onde é que estava agora a segurança? Pôs os óculos velhos, pagou e saiu.

Aqueles prédios de fachadas nobres ao lado e em frente do consultório de Mariana Eça tinham mesmo lá estado aquando da sua primeira visita? Gregorius pôs os óculos novos e olhou em volta. Médicos, advogados, uma empresa de vinhos, uma embaixada africana. Começou a suar sob o camisolão de lã, enquanto sentia no rosto o vento frio que varrera todas as nuvens do céu. Por detrás de que janela se encontrava o consultório?

O facto de vermos ou não vermos bem depende de muitos factores, dissera-lhe ela. Eram 13h45. Seriam horas para aparecer? Continuou a andar e numa das ruas seguintes parou diante de uma loja de roupa para homens. *Também não vinha mal nenhum ao mundo se comprasses qualquer coisa para vestir*. Florence, a aluna que se sentava na primeira fila, achara atraente a indiferença que ele revelava perante o seu aspecto exterior. Depois a mulher depressa se irritara com esse desprendimento. *Afinal de contas, não vives sozinho. E o Grego não justifica tudo*. Desde que vivia novamente sozinho, há portanto dezanove anos, entrara duas ou três vezes numa loja de roupa. Apreciava o facto de ninguém lhe fazer reparos. Teriam bastado dezanove anos de teimosia? Hesitante, lá entrou na loja.

As duas vendedoras esforçaram-se ao máximo por satisfazer os desejos do único cliente e no final acabaram por ir chamar o gerente. Gregorius via-se uma e outra vez ao espelho: primeiro com fatos completos que faziam dele um banqueiro, um frequentador da ópera, um galã, um professor, um escriturário; depois com casacos que iam do jaquetão ao casaco desportivo, a evocar uma cavalgada no parque de um castelo; finalmente, em modelos de cabedal. De todas as entusiásticas frases portuguesas que sobre ele se abateram, não percebeu nem uma, de modo que a sua reacção se resumiu a um sacudir da cabeça. Por fim, saiu com um fato de bombazina cinzento. Inseguro, continuou a observar-se numa montra, alguns prédios mais à frente. O tom *bordeaux* e a malha muito fina da camisola de gola alta que lhe tinham impingido condiziam mesmo com os aros avermelhados dos óculos novos?

Subitamente, descontrolou-se. Com passadas rápidas, furiosas, entrou nos lavabos públicos, no outro lado da rua, e voltou a vestir a sua roupa velha. Quando passou por uma entrada, por detrás da qual se acumulava um monte de ferro-velho, deixou ficar o saco com a roupa nova. Finalmente, seguiu devagar na direcção do consultório da médica.

Mal entrou no prédio, ouviu no andar de cima o trinco da porta a abrir-se e, logo a seguir, viu-a descer as escadas com um casaco esvoaçante. De repente, desejou ter vestido o fato novo.

– Ah, é você – disse ela, e quis saber como é que ia com os novos óculos.

Enquanto ele lhe ia contando, ela aproximou-se e ajeitou-lhe os aros no nariz. Gregorius sentiu o seu perfume, uma madeixa de cabelo tocou-lhe ao de leve no rosto e por um curto instante o seu movimento fundiu-se com os de Florence quando ela, pela primeira vez, lhe tirou os óculos. Quando ele lhe falou da realidade irreal de que, de repente, as coisas estavam imbuídas, ela sorriu e olhou para o relógio.

– Tenho de tomar o barco, vou fazer uma visita. – Mas, logo a seguir, algo no seu rosto deve tê-la deixado apreensiva, pois como que suspendeu o movimento de ir-se embora e perguntou. – Já experimentou atravessar o Tejo no cacilheiro? Não me quer acompanhar?

Mais tarde Gregorius não conseguiu lembrar-se da curta viagem de carro até à estação fluvial. Só do pormenor dela arrumar o carro com uma única e rápida manobra num lugar que lhe pareceu demasiado apertado. Logo a seguir, estavam sentados lado a lado no convés superior do *ferry* e Mariana Eça contava-lhe a história do tio, um irmão do seu pai que ia visitar.

João Eça vivia num lar de terceira idade em Cacilhas, quase não falava e passava os dias a estudar os lances das mais famosas partidas de xadrez. Fora guarda-livros numa grande firma, um homenzinho humilde, insignificante, no fundo quase invisível. Ninguém teria imaginado que trabalhava para a resistência antifascista. O disfarce era perfeito. Tinha quarenta e sete anos quando os esbirros de Salazar o foram buscar. Como comunista foi condenado a prisão perpétua por alta traição. Dois anos depois, Mariana, a sua sobrinha preferida, foi buscá-lo à prisão.

– Foi no Verão de 1974, poucas semanas depois da Revolução. Eu tinha nessa altura vinte e um e estava a estudar em Coimbra – disse ela com a cabeça virada para o outro lado.

Gregorius ouviu-a soluçar e a sua voz tornou-se áspera para não quebrar.

– Nunca me consegui recompor daquilo que vi. Ele só tinha quarenta e nove anos, mas a tortura transformara-o num velho doente. Lembro-me que antes tinha uma voz cheia e sonora; quando o vi, mal conseguia sussurrar num tom rouco, e as suas mãos, que antes tinham tocado Schubert, sobretudo Schubert, estavam deformadas e não paravam de tremer. – Mariana Eça respirou fundo e sentou-se muito direita. – Só aquela expressão incrivelmente directa, audaz nos olhos cinzentos – isso é que eles não conseguiram quebrar. Precisou de anos para me contar tudo: tinham-lhe posto ferros em brasa à frente dos olhos para o obrigarem a falar. Tinham-se aproximado mais e mais e ele só esperara cair, a qualquer instante, na escuridão ofuscante. Mas o seu olhar não se desviara do ferro, atravessara toda aquela dureza incandescente e acabara por trespassar os rostos dos seus carrascos. A sua incrível firmeza obrigou-os a desistirem. – Desde aí, deixei de ter medo seja do que for – confessou-me um dia. – Percebi que não há mesmo nada que me possa quebrar. Tenho a certeza que não cedeu em nada.

O barco atracou e eles saíram.

– Ali ao fundo – disse Mariana, e ele notou que a médica recuperara a habitual segurança. – O lar é ali.

Mostrou-lhe depois um *ferry* que efectuava uma volta maior, oferecendo uma outra perspectiva da cidade. A seguir permaneceu calada durante alguns instantes, como que indecisa. Era uma indecisão em que se manifestava a consciência de uma intimidade que se estabelecera com uma rapidez inesperada, sem que pudesse ser agora continuada, e talvez também a dúvida alvoroçada sobre se tinha sido conveniente ou acertado revelar tanto sobre o tio João e sobre si própria. Quando, finalmente, se pôs a caminho do lar, Gregorius ficou a observá-la durante muito tempo, tentando imaginar como teria sido ela com vinte e um anos, à espera que se abrissem os portões da prisão.

Regressou a Lisboa e depois voltou a fazer toda a travessia do Tejo. João Eça tinha trabalhado para a oposição clandestina. *Resistência*: a médica utilizara naturalmente a palavra portuguesa – como se, para aquela actividade sagrada, não existisse outra palavra. Dita assim por ela, com uma espécie de urgência contida, a palavra possuíra uma sonoridade inebriante que lhe transmitiam um brilho e uma aura místicos. Um guarda-livros e um médico com cinco anos de diferença entre eles. Ambos tinham arriscado tudo, ambos haviam trabalhado sob um disfarce perfeito, ambos tinham sido mestres do sigilo e virtuosos dos lábios selados. Ter-se-iam conhecido?

Quando regressou a terra Gregorius comprou um mapa da cidade com uma descrição pormenorizada do Bairro Alto. Enquanto jantava elaborou um percurso para a procura da casa azul onde Adriana de Prado talvez pudesse ainda morar, envelhecida e sem telefone. Quando saiu do restaurante começava a anoitecer. Tomou um eléctrico para Alfama. Não lhe foi difícil encontrar a entrada com o monte de sucata. O saco com as roupas novas ainda lá estava. Agarrou nele, mandou parar o primeiro táxi que lhe apareceu e pediu ao motorista que o levasse ao hotel.

12

Ao sair do hotel, bem cedo na manhã seguinte, Gregorius deparou com um dia que começava cinzento e enevoado. Muito contra os seus hábitos, adormecera rapidamente na noite anterior, mergulhando, quase instantaneamente, num caudal de imagens em que barcos, vestuário e prisões se haviam sucedido numa sequência inexplicável. Mas, apesar de inexplicável, toda aquela avalanche não fora desagradável e estivera bem longe de descambar num pesadelo, pois todas aquelas sequências rapsódicas de imagens confusas tinham sido acompanhadas e como que comentadas por uma voz inaudível, mas com uma presença impressionante, que parecia pertencer a uma mulher cujo nome ele se esforçara febrilmente por descobrir, como se a sua vida dependesse disso. Depois, no preciso momento em que acordara, lembrara-se da palavra ansiosamente procurada: *Conceição* – o belo segundo nome próprio da médica que ele lera gravado numa placa de latão na porta do consultório: Mariana Conceição Eça. Ao repeti-lo em surdina lembrara-se, de repente, de uma outra cena esquecida do sonho em que uma mulher de identidade mutante lhe tirava e punha os óculos, pressionando-os contra o seu nariz com uma intensidade que ele ainda agora conseguia sentir.

Isso tinha sido por volta da uma da manhã e era impensável voltar a adormecer. Assim, entretivera-se a folhear o livro de Prado e acabara por traduzir a passagem com o título: CARAS FUGAZES NA NOITE

Frequentemente, quer-me parecer que os encontros entre pessoas são como o súbito cruzar de comboios de alta velocidade no coração da noite. Lançamos olhares fugazes, acossados, aos outros passageiros sentados por detrás de vidros embaciados nuns casulos semi-iluminados e que logo desaparecem do nosso campo de visão, mal tivemos tempo de os percepcionar. Seriam mesmo um homem e uma mulher aqueles vultos vertiginosos como fantasmas, recortados no quadro iluminado de uma janela que surgiu do nada para logo desaparecer na escuridão despovoada, sem sentido nem motivo? Conhecer-se-iam, os dois? Estariam a conversar? A rir? A chorar? Pode dizer-se: acontece o mesmo quando transeuntes desconhecidos se cruzam à chuva e ao vento; pode ser que a comparação faça então algum sentido. Mas na verdade quantas vezes nos sentamos perante as mesmas pessoas, trabalhamos e comemos com elas, dormimos juntos na mesma cama, sob o mesmo tecto. Onde é que estará aí a fugacidade? E tudo o que simula permanência, familiaridade e conhecimento íntimo, não se tratará antes de uma simulação inventada e destinada simplesmente a apaziguar-nos, de um simulacro com o qual pretendemos encobrir e dominar a brevidade angustiante desses instantes, só porque nos seria impossível suportá-la continuamente? E não será cada instante de percepção do outro, cada troca de olhares, algo como o encontro fantasmagoricamente curto que ocorre entre viajantes cujos olhares se interceptam, deslizando em direcções opostas, aturdidos pela velocidade inumana e pelo punho da pressão do ar que tudo faz estremecer e trepidar? E os nossos olhares não se descolam continuamente dos dos outros, como nos compulsivos encontros nocturnos, deixando-nos para trás com meros devaneios, estilhaços de pensamentos e precipitadas projecções? Então em vez das pessoas não serão, na verdade, as sombras que se encontram, lançando as suas alucinadas suposições?

Gregorius conteve a respiração. Como seria ser irmã de alguém cuja solidão se expressava a partir de uma tão vertiginosa profundidade? De alguém que no seu raciocínio demonstrava uma consequência de tal modo desapiedada, sem que, no entanto, as suas palavras soassem desesperadas ou simplesmente exaltadas? Como é que deveria ter sido assisti-lo, entregar-lhe a seringa ou ajudá-lo a aplicar a compressa? E tudo aquilo que ele pensara e escrevera sobre a distância e a alienação entre as pessoas, o que é que tudo isso representara para a atmosfera específica da «casa azul»? Teria ele mantido isso escondido dentro de si, ou teria sido a casa o único local em que permitira que tais pensamentos se exteriorizassem? Talvez no modo como andava de uma sala para a outra, pegava num livro ou decidia que música queria ouvir? Que sons teria ele achado condizentes com os seus pensamentos solitários, que na sua clareza e dureza mais se assemelhavam a estruturas de vidro? E teria procurado nesses sons uma qualquer confirmação radical, ou necessitara de melodias e de ritmos balsâmicos, não mistificadores ou hipnóticos, mas talvez simplesmente suaves?

Agitado por todas estas questões, Gregorius acabara por resvalar novamente, já de madrugada, para um sono leve e vira-se perante uma porta azul inacreditavelmente estreita, consciente do desejo de tocar e, simultaneamente, certo de que não fazia a menor ideia do que iria dizer à mulher que lha iria abrir. Depois de acordar descera para o pequeno-almoço com o fato e os óculos novos. A empregada de mesa hesitara ao vê-lo com uma aparência tão diferente, mas depois o seu rosto iluminara-se com um breve sorriso. E agora ali estava ele, caminhando naquela manhã cinzenta e enevoada de domingo, à procura da casa azul de que o velho Coutinho lhe falara.

Ainda só tinha percorrido poucas vielas na parte alta da cidade quando o homem que seguira na primeira noite surgiu a fumar à janela. Agora, à luz do dia, a casa parecia ainda mais estreita e sórdida do que então. O interior do quarto estava na obscuridade, mas Gregorius conseguiu ainda entrever o tecido *gobelin* do sofá, a vitrina com os *bibelots* coloridos e o crucifixo. Ficou parado e procurou o olhar do homem.

– *Uma casa azul*? – perguntou.

O velho encostou a mão dobrada à orelha e Gregorius repetiu a pergunta. Como resposta obteve um chorrilho de palavras incompreensíveis acompanhadas por movimentos da mão que segurava o cigarro. Enquanto falava, uma velhota curvada e com um aspecto senil surgiu ao seu lado.

– O *consultório azul*? – insistiu Gregorius.

– *Sim*! – grasnou a velha, e depois repetiu: – *Sim*!

Muito excitada, pôs-se então a gesticular com os braços esqueléticos e as mãos enrugadas, até que, decorrido algum tempo, Gregorius percebeu que ela lhe pedia que subisse. Algo confuso, entrou no prédio que cheirava a bafio e a óleo queimado. Teve a sensação de que precisava de ultrapassar uma barreira espessa de cheiros nauseabundos para chegar até àquela porta, por detrás da qual o esperava o velhote com um novo cigarro entre os lábios. Coxeando, conduziu-o para a sala e pediu-lhe com uns murmúrios incompreensíveis e um vago movimento da mão que se sentasse no sofá.

Na meia hora que se seguiu Gregorius esforçou-se penosamente por encontrar um sentido nas frases quase sempre incompreensíveis e nos gestos confusos dos dois anciãos que lhe tentavam explicar como é que tinha sido há quarenta anos, quando Amadeu de Prado tratara as gentes daquele bairro. Sentia-se veneração nas suas vozes, a veneração reservada a alguém verdadeiramente superior. Paralelamente, porém, notava-se a presença de um outro sentimento, de algo de que Gregorius só pouco a pouco se foi apercebendo e que lhe pareceu uma espécie de acanhamento ou timidez que advinha de uma remota acusação que se prefere esquecer, sem que se consiga eliminá-la por completo da memória. *Depois as pessoas começaram a evitá-lo. Isso destroçou-o*, dissera-lhe Coutinho depois de lhe explicar como Prado salvara a vida de Rui Luís Mendes, o «carniceiro» de Lisboa.

O velho puxou para cima uma perna das calças, para lhe mostrar uma cicatriz. – *Foi ele que fez isto* – explicou, acompanhando o comprimento da cicatriz com o dedo manchado pela nicotina. A mulher massajou os temporais com os dedos enrugados e pôs-se depois a imitar um pássaro a voar. Prado tinha feito desaparecer as suas dores de cabeça. E depois mostrou-lhe, também ela, uma pequena cicatriz num dedo, onde provavelmente teria havido um cravo.

Quando, mais tarde, Gregorius se perguntou o que é que tinha sido determinante e o que é que o tinha levado a tocar à porta da casa azul, vieram-lhe sempre à memória aqueles gestos dos dois velhotes, em cujos corpos o médico venerado, depois proscrito e finalmente reabilitado e novamente venerado deixara marcas. Era como se as suas mãos tivessem recuperado a vida.

Gregorius pediu-lhes que lhe indicassem o caminho para o antigo consultório de Prado e despediu-se do casal. Ficaram ambos à janela a vê-lo ir-se embora, as cabeças muito juntas, e pareceu-lhe sentir inveja nos seus olhares, uma inveja paradoxal pelo facto dele agora poder fazer algo que a eles já não lhes era possível fazer: conhecer pela primeira vez Amadeu de Prado, procurando um rumo novo através do seu passado.

Seria possível que a melhor maneira de se aperceber da própria realidade consistisse em tentar conhecer e compreender uma outra pessoa? Alguém cuja vida decorrera de uma forma e de acordo com uma lógica completamente diferentes da sua. E em que medida é que a curiosidade perante a vida de um desconhecido coincidia com a nítida consciência de que o seu próprio tempo se esgotava?

Gregorius bebeu um café ao balcão de uma pequena pastelaria. Era já a segunda vez que ali entrava. Há cerca de uma hora encontrara a Rua Luz Soriano e logo a seguir dera com a casa azul de Prado, um edifício de três andares, azul não só devido aos azulejos que lhe cobriam a fachada, mas sobretudo devido ao facto de todas as janelas serem abobadadas por altos arcos redondos pintados com um ultramarino brilhante. A pintura era já antiga, a tinta desfolhava, havia manchas de infiltrações enegrecidas pelos líquenes. Na tinta azul dos varandins de ferro, por baixo das janelas, também já se faziam notar sinais de deterioração. Só a porta azul da entrada apresentava uma pintura impecável, como se alguém quisesse com isso transmitir que aquilo é que importava.

A campainha não tinha qualquer placa com nome. Gregorius ficara a observar a porta com a aldraba de latão com o coração aos saltos. *Como se todo o meu futuro se encontrasse por trás desta porta*, pensara. Depois afastara-se e entrara naquela pastelaria, uns prédios mais à frente, dominado pela sensação de que algo nele estava prestes a descarrilar. Consultara o relógio: tinha sido há seis dias, sensivelmente por esta altura, que ele tirara do cabide o sobretudo húmido e saíra, sem sequer se virar, da sala de aulas e com isso também daquela sua vidinha tão certa e segura. Agora levara a mão ao bolso do mesmo sobretudo e apalpara as chaves do seu apartamento de Berna. E de repente sentira, tão violento e físico como um ataque de fome, o desejo de se agarrar a um texto grego ou hebraico; de ver à sua frente os belos e estranhos caracteres que para ele, mesmo decorridos quarenta anos, nada haviam perdido da sua maravilhosa elegância oriental; certificar-se de que ao longo daqueles seis inquietantes dias não havia perdido a capacidade de compreender tudo aquilo que eles lhe transmitiam.

No hotel tinha a edição greco-portuguesa do Novo Testamento que Coutinho lhe oferecera; mas o hotel estava demasiado longe, o que ele queria era ler já ali, naquele preciso sítio, ao pé da casa azul que ameaçava engoli-lo mesmo antes que a porta se abrisse. Apressadamente, pagara e pusera-se à procura de uma livraria onde pudesse encontrar esses textos. Mas era domingo e a única coisa que encontrara fora uma livraria da igreja fechada com livros de títulos gregos e hebraicos na montra. Encostara a testa à vidraça embaciada e sentira crescer novamente dentro de si a tentação de apanhar um táxi para o aeroporto e tomar o primeiro avião para Zurique. Aliviado, percebera que conseguia aceitar a urgência desse desejo como se se tratassem de ondas de febre que o assaltavam para de novo se afastarem. Esperara então pacientemente que a crise passasse e regressara à pastelaria próxima da casa azul.

Gregorius tirou do bolso do seu novo casaco o livro de Prado e observou o rosto altivo do português. Um médico que exercera a sua profissão com uma consequência absoluta. Um resistente, que tentara, sob perigo de vida, expiar uma culpa inexistente. Um ourives da palavra, cuja secreta paixão consistira em tentar arrancar à mudez natural as silenciosas experiências da vida humana.

De repente, sentiu-se invadido pelo medo de que alguém completamente estranho pudesse habitar agora a casa azul. Precipitadamente, deixou em cima do balcão as moedas para o café e dirigiu-se para o prédio com passadas rápidas. Já diante da porta azul inspirou fundo duas vezes e deixou o ar sair lentamente. Depois carregou no botão da campainha.

Um retinir inesperadamente alto, que parecia soar de uma distância medieval, ecoou por todo o edifício. Nada aconteceu. Nenhuma luz, nenhuns passos. Gregorius esforçou-se novamente por manter a calma e tocou uma segunda vez. Nada. Virou-se e encostou-se à porta, esgotado. Pensou no seu apartamento de Berna. Sentiu-se aliviado por tudo ter terminado. Lentamente, enfiou o livro de Prado no bolso do sobretudo e sentiu o contacto frio com o metal das chaves de casa. Depois afastou-se da porta e preparou-se para se ir embora.

Nesse preciso momento ouviu passos lá dentro. Alguém descia as escadas. Por detrás de uma das janelas via-se uma luzinha. Os passos aproximaram-se da porta.

– *Quem é?* – perguntou uma voz escura e rouca de mulher.

Gregorius não sabia o que dizer. Silenciosamente, esperou. Segundos decorreram. Por fim, ouviu-se um rodar de chave na fechadura e a porta abriu-se.

SEGUNDA PARTE

O Encontro

13

A mulher alta, completamente vestida de negro, que se encontrava à sua frente parecia, na sua beleza severa e quase monástica, provir de uma tragédia grega. O rosto pálido e magro surgia emoldurado por um xaile de croché que ela apertava com uma mão por baixo do queixo, uma mão delgada e ossuda, com veias escuras salientes que, mais do que os traços do rosto, revelavam a idade avançada. Com uns olhos fundos que brilhavam como diamantes negros observou Gregorius com um olhar amargo que lhe revelava um mundo de provações, um olhar de autodomínio e abnegação que era como uma exortação a todos aqueles cuja vida consistia em deixarem-se levar pela corrente, sem opor resistência. Estes olhos podem inflamar-se, pensou Gregorius, se alguém se opusesse à vontade muda e inflexível daquela mulher que se mantinha ali, empertigada à sua frente, com a cabeça um pouco mais levantada do que, no fundo, a sua altura lho permitia. Uma brasa gelada emanava dela, e Gregorius não fazia a menor ideia sobre como poderia afirmar-se perante ela. Na verdade, já nem sequer se lembrava como é que se dizia «bom dia» em português.

– *Bonjour* – rouquejou, depois de suportar durante mais algum tempo o olhar mudo da mulher, e a seguir tirou do bolso do sobretudo o livro de Prado, abriu-o na página do retrato e mostrou-lho.

– Eu sei que este homem, um médico, morou e trabalhou aqui – prosseguiu em francês. – Eu… queria ver o sítio onde ele morou e falar com alguém que o tenha conhecido. As frases que escreveu são tão impressionantes. Frases sábias. Maravilhosas. Quero saber como era o homem que foi capaz de escrever tais frases. Como é que foi ter vivido com ele.

A transformação no rosto severo e branco da mulher, que devido ao negro do xaile adquirira um brilho baço, fora quase imperceptível.

Só alguém com a lucidez especial que Gregorius neste momento possuía podia reconhecer que a expressão tensa se descontraíra um pouco, apenas um tudo nada, e que o olhar perdera algo da sua áspera rejeição. Mas permaneceu muda, e o tempo começou a dilatar-se.

– *Pardonnnez-moi, je ne voulais pas*... – balbuciou Gregorius, retrocedendo dois passos, enquanto levava a mão ao bolso do sobretudo que, de repente, lhe pareceu demasiado pequeno para acolher novamente o livro. Virou-se para se ir embora.

– *Attendez*! – disse a mulher. A voz soara agora menos irritada e mais calorosa do que ainda há pouco, por detrás da porta. E na palavra francesa manifestara-se o mesmo acento que vibrara na voz da portuguesa desconhecida da ponte de Kirchenfeld. Não obstante, soara como uma ordem a que ninguém ousaria opor-se, e Gregorius lembrou-se das afirmações de Coutinho sobre o modo dominador com que Adriana tratara os doentes. Voltou-se novamente para ela, com o livro ainda na mão.

– *Entrez* – disse a mulher, afastando-se para o deixar passar e fazendo-lhe sinal para que subisse as escadas. Fechou a porta com uma grande chave que parecia vinda de um outro século e seguiu-o. Quando, no patamar de cima, retirou a mão com os nós dos dedos muito brancos do corrimão e passou por ele, em direcção ao salão, Gregorius ouviu-a arquejar e uma fragrância acidulada, que tanto podia provir de um medicamento como de um perfume, roçou-o.

Um salão como aquele nunca ele tinha visto, nem mesmo em filmes. Estendia-se ao longo de todo o comprimento da casa e parecia não ter fim. O soalho de tacos imaculadamente brilhantes era composto por rosetas, nas quais inúmeras e diferentes espécies e tonalidades de madeiras se alternavam, e quando o olhar parecia deter-se na última, surgia ainda uma outra. Ao fundo o olhar acabava por deter-se nas copas de umas árvores velhas que agora, em finais de Fevereiro, surgiam como um emaranhado de ramos negros que se erguiam num céu de chumbo. Num dos cantos encontrava-se uma mesa redonda com móveis de estilo francês – um sofá e três cadeirões, os assentos forrados de um veludo verde-azeitona com reflexos prateados, as costas e pernas torneadas de uma madeira avermelhada; num outro canto via-se um relógio de caixa alta de um negro brilhante, com o pêndulo dourado imóvel, os ponteiros parados a indicarem as seis e vinte e três. E no canto junto à janela encontrava-se um piano de cauda, tapado até à tampa do teclado com uma pesada coberta de brocado negro, entretecida com fios dourados e prateados.

Mas o que impressionou Gregorius mais do que tudo o resto foram as intermináveis estantes de livros encaixadas nas paredes pintadas num tom ocre. Rematavam em cima com pequenos candeeiros Arte Nova e no topo abobadava-se, de parede a parede, um tecto de masseira cujas madeiras retomavam os tons ocres das paredes, misturando-os com padrões geométricos de um vermelho escuro. *Como uma biblioteca conventual*, pensou Gregorius, *como a biblioteca de um antigo discípulo de formação clássica, vindo de abastada casa*. Não ousou caminhar ao longo das paredes, mas o seu olhar rapidamente descobriu os clássicos gregos nas lombadas azuis escuras com letras douradas de Oxford e, logo a seguir, Cícero, Horácio, os escritos dos Patriarcas da Igreja, as OBRAS COMPLETAS de Santo Inácio. Ainda não estava há dez minutos naquela casa e já só desejava nunca mais sair dali. Aquela só podia ser a biblioteca de Amadeu de Prado. Mas seria mesmo?

– O Amadeu adorava o salão, os livros. «Tenho tão pouco tempo, Adriana», queixava-se muitas vezes, «quase não tenho tempo para ler; talvez devesse ter ido mesmo para padre.» Mas ele queria que o consultório estivesse sempre aberto, de manhã à noite. «Quem tem dores ou sente medo não pode esperar», costumava dizer quando eu via que ele estava exausto e o tentava refrear. Lia e escrevia à noite, quando não conseguia dormir. Ou talvez não conseguisse dormir porque tinha a sensação de que tinha de ler, escrever e pensar, já nem sei. Eram como uma maldição, aquelas suas insónias, e hoje tenho a certeza: sem essa doença e sem aquele seu desassossego, a sua constante e aflitiva procura de palavras, o seu cérebro teria aguentado muito mais tempo. Talvez ainda estivesse vivo. Este ano faria 84 anos. A 20 de Dezembro.

Sem lhe fazer uma única pergunta sobre quem ele era, e sem mesmo se apresentar ela começara a falar sobre o seu irmão, sobre o seu sofrimento, a sua entrega, a sua paixão e a sua morte. Sobre todas as coisas que para ela tinham sido o mais importante na vida – nisso as suas palavras e a mímica com que as proferira não permitiam qualquer dúvida. E falara de uma forma tão súbita e espontânea que até parecera que tinha um direito natural a que Gregorius, graças a uma metamorfose instantânea e subterrânea, que ocorrera para além de qualquer noção do tempo, se tivesse transformado num habitante do seu mundo imaginário e numa testemunha omnisciente das suas recordações. Ele era alguém que trazia consigo o livro com o misterioso sinal dos *Cedros Vermelhos*, e já só isso bastara para lhe autorizar a entrada no âmbito sagrado dos seus pensamentos. Quantos anos esperara por que alguém como ele aparecesse, alguém com quem ela pudesse falar sobre o irmão morto? Na lápide estava assinalado 1973 como o ano da sua morte. Queria isso então dizer que Adriana vivera trinta e um anos sozinha naquela casa, trinta e um anos a sós com as recordações e o vazio que o irmão lhe deixara?

Até agora tinha mantido o xaile apertado por baixo do queixo, como se tratasse de esconder qualquer coisa. Nesse momento tirou a mão, o tecido de croché separou-se e deixou ver uma fita de veludo negro que lhe tapava o pescoço. Aquela visão do xaile a abrir-se, deixando ver a fita larga com as rugas brancas do pescoço, tornou-se para Gregorius inesquecível, cristalizando-se numa imagem intacta e minuciosa e transformando-se mais tarde, quando soube o que a fita escondia, cada vez mais num ícone da sua própria recordação; um ícone do qual também fazia parte o movimento da mão com que Adriana se assegurou de que a fita ainda lá estava e na posição correcta; um movimento que – pelo menos foi assim que ele o sentiu – se lhe impôs, bem mais do que um gesto espontâneo, e que, no entanto, era um movimento em que todo o seu ser se manifestava e que parecia revelar mais sobre ela do que tudo o que pudesse fazer de uma forma planeada e consciente.

O xaile escorregara um pouco para trás e agora Gregorius podia ver o seu cabelo encanecido, onde ainda se notavam algumas madeixas isoladas que lembravam o negro primitivo. Adriana deitou a mão ao xaile que lhe escorregava, puxou-o para cima e, com uma expressão de constrangimento, ajeitou-o à frente. Depois parou, como que indecisa, e num brusco movimento de desafio arrancou-o da cabeça. Os seus olhares encontraram-se por um instante e o dela pareceu dizer-lhe: *Pois, estou velha*. Inclinou então a cabeça para a frente, uma madeixa encaracolada caiu-lhe para os olhos, o tronco descaiu e as mãos com as veias de um violeta-escuro acariciaram, num gesto lento e abandonado, o xaile que mantinha preso junto ao ventre.

Gregorius apontou para o livro de Prado que pousara em cima da mesa: – Isto é tudo o que Amadeu escreveu?

As poucas palavras provocaram milagres. Adriana como que deixou cair toda a exaustão e o apagamento que se tinham apoderado dela, endireitou-se, atirou a cabeça para trás, passou as mãos pelo cabelo e olhou para ele. Era a primeira vez que sorria e aquele sorriso atrevido e cúmplice fazia com que parecesse vinte anos mais nova.

– *Venha, senhor.* – Toda a sobranceria desaparecera da sua voz, as palavras já não soavam como uma ordem, nem mesmo como um desafio, agora notava-se nelas já só o anunciar de que lhe iria mostrar algo, de que o iria iniciar em algo oculto e secreto, e de certo modo, condizia com aquela promessa de intimidade e cumplicidade que ela, pelos vistos, se tivesse esquecido que ele não sabia falar português.

Conduziu-o ao longo do corredor, até umas segundas escadas que davam para o sótão, e começou a subir degrau a degrau, arquejante. Ficou parada à frente de uma das duas portas. Aquilo podia interpretar-se como um mero descansar, mas quando, mais tarde, Gregorius começou a organizar as imagens das suas recordações, teve a certeza de que também tinha sido uma hesitação, um duvidar se devia, de facto, revelar ao estranho a esfera do seu sagrado mais-que-tudo. Por fim, premiu o puxador, suavemente, como se se preparasse para entrar no quarto de um doente, e o cuidado com que entreabriu primeiro a porta, para depois a empurrar devagarinho, deu a sensação de que durante todo aquele tempo que demorara a subir as escadas, regredira mais de trinta anos, revisitando um espaço interior, na expectativa de poder vir a encontrar Amadeu a escrever e a pensar nos seus aposentos, ou talvez a dormir.

Lá muito no fundo, na sua consciência, num remoto e algo escurecido confim, Gregorius não deixou de se aperceber de um pensamento que o avisava que lidava agora com uma mulher que caminhava sobre uma ténue linha divisória que separava a sua vida presente e visível de uma outra, que na sua intangibilidade e distância temporal era, para ela, bem mais real. Apenas um leve empurrão, no fundo já só quase um sopro bastaria para que ela se precipitasse e perdesse irremediavelmente no passado daquela sua vida partilhada com o irmão.

De facto, o tempo parara naquele grande espaço em que agora entravam. O quarto estava mobilado com uma sobriedade ascética. Numa das extremidades, com a frente virada para a parede, encontrava-se uma secretária com um cadeirão, no outro canto uma cama com um pequeno tapete à frente que lhe fez lembrar um tapete de orações. Ao centro um sofá com um candeeiro de pé e um monte de livros mal empilhados no soalho, mesmo ao lado. E nada mais. Tudo aquilo era um santuário, um altar erigido em memória de Amadeu Inácio de Almeida Prado, médico, membro da resistência antifascista e ourives das palavras. Reinava ali o silêncio fresco e eloquente de uma catedral, o rumorejar secreto de um espaço habitado pela essência de um tempo congelado.

Gregorius ficou parado à porta; aquilo não era sítio onde um estranho pudesse andar de um lado para o outro. E mesmo que Adriana se movesse agora entre os poucos objectos algo havia que era diferente de um andar normal. Não era que ela se movesse em bicos de pés, ou que os seus movimentos fossem afectados. Mas os seus passos lentos tinham como que algo de etéreo em si, pensou Gregorius, algo imaterial e quase que isento de espaço e de tempo. O mesmo se sentia nos movimentos dos braços e das mãos, agora que ela se dirigira para os móveis e começara como que a livrá-los do pó, suavemente, quase sem lhes tocar.

Fê-lo primeiro com a cadeira da secretária, cujo estilo, com o acento arredondado e as costas torneadas, condizia com o das cadeiras do salão. Encontrava-se numa posição oblíqua em relação à secretária, como se alguém tivesse acabado de levantar-se à pressa e a tivesse empurrado para o lado. Inconscientemente, Gregorius esperou que Adriana a pusesse no lugar, e só quando ela passou com a mão por todos os cantos, sem nada mudar, é que ele compreendeu: a posição atravessada da cadeira era aquela em que Amadeu a deixara há trinta anos e dois meses, pelo que aquela era uma posição que por nada deste mundo podia ser alterada, pois isso teria sido como se alguém tentasse, com um rompante de prometeica insolência, arrancar o passado à sua imutabilidade, ou derrubar as leis da Natureza.

O que era válido para a cadeira valia também para os objectos que se encontravam em cima da secretária, onde se podia também ver uma espécie de suporte ligeiramente inclinado, para melhor poder ler e escrever. Encostado a esse suporte, numa posição inverosímil, de tão inclinada, estava um enorme livro aberto, e à sua frente uma resma de folhas, estando a de cima escrita apenas com algumas, poucas, palavras. Pelo menos foi isso que Gregorius conseguiu ver, esforçando a vista. Suavemente, Adriana passou com a palma da mão pela superfície da madeira e tocou na taça de porcelana azulada que se encontrava em cima do tabuleiro de um vermelho-acobreado, juntamente com o açucareiro cheio de cubos de açúcar cristalizado e um cinzeiro a abarrotar de beatas e cinza. Seriam aquelas coisas também tão antigas? Borras de café ali a secar há trinta anos? Cinza de cigarro com mais de um quarto de século de existência? A tinta na caneta de aparo à mostra há muito que se devia ter transformado em partículas do mais fino pó, ou secado num único borrão negro. E a lâmpada do candeeiro de mesa ricamente decorado, com o *abat-jour* verde-esmeralda, seria possível ainda acendê-la?

Havia ali algo que impressionou Gregorius, mas demorou algum tempo até ele compreender o que era: não havia pó a cobrir aqueles objectos. Fechou os olhos e agora Adriana já só era um espírito com contornos audíveis que deslizava pelo quarto. Teria aquele fantasma limpado constantemente o pó ao longo dos últimos onze mil dias? Teria sido por isso que ela própria acabara por ficar grisalha?

Quando voltou a abrir os olhos Adriana encontrava-se junto a uma torre de livros que parecia prestes a ruir a qualquer instante. Estava a olhar para um exemplar grosso e de grandes dimensões que se encontrava no topo e que reproduzia na capa a imagem do cérebro humano.

– *O cérebro, sempre o cérebro* – queixou-se com uma voz sumida e amargurada. – *Porque é que não disseste nada*?

Agora havia indignação na sua voz, uma irritação resignada, desgastada pelo tempo e pelo silêncio com que o irmão morto lhe respondia há décadas. Ele não lhe disse nada sobre o aneurisma, concluiu Gregorius, nada sobre o medo que o apoquentava e a consciência de que a qualquer momento podia ser o fim. Só depois de ler os seus apontamentos é que ela descobrira. E, para além de toda a dor, ficara indignada por ele lhe ter negado a intimidade desse conhecimento.

Nesse momento ela olhou para Gregorius, como se o tivesse esquecido. Foi lento o seu regresso ao presente.

– Ah, pois, venha cá – disse em francês, e voltou para a secretária com uns passos que pareciam agora já mais seguros do que ainda há pouco. Abriu duas gavetas que se encontravam cheias de resmas de folhas comprimidas entre tampas de cartão várias vezes atadas com fita vermelha.

– Começou a escrever isto logo a seguir à morte da Fátima. *É uma luta contra a paralisia interna*, explicou-me, e, umas semanas mais tarde, acrescentou: *Porque é que não comecei mais cedo com isto?! Nunca se está verdadeiramente lúcido quando não se escreve. E não temos a menor ideia sobre quem somos. Para já não falar sobre quem não somos*. Não deixou ninguém ler, nem a mim me autorizou. Fechou tudo com a chave que guardava sempre no bolso. Ele era... ele podia ser muito desconfiado.

Adriana voltou a fechar as gavetas. – Agora quero ficar sozinha – disse abruptamente, de um modo quase hostil, e enquanto desceram as escadas não disse mais nada. Quando abriu a porta de casa manteve-se calada, arisca e tensa. Não era uma mulher a quem se pudesse apertar a mão.

– *Au revoir et merci* – disse Gregorius, preparando-se para sair.

– Como é que o senhor se chama?

A pergunta soou num tom pouco mais alto do que o necessário, um pouco como um latido rouco que lhe fez lembrar Coutinho. Ela repetiu o seu nome: «*Gregoriusch*».

– Onde é que está alojado?

Deu-lhe o nome do hotel. Sem se despedir, ela fechou a porta e rodou a chave na fechadura.

14

As nuvens espelhavam-se no Tejo. A uma velocidade espantosa perseguiam-se na superfície cintilante, deslizavam, engoliam a luz, só para a deixar refulgir novamente, num outro sítio e com um brilho ainda mais cortante, a partir da escuridão da sombra. Gregorius tirou os óculos e cobriu o rosto com as mãos. Todas aquelas mudanças febris entre a claridade cintilante e as sombras ameaçadoras que lhe atravessavam as novas lentes com uma intensidade inesperada constituíam um martírio para os seus olhos desprotegidos. Ainda há pouco, no hotel, depois de ter acordado de um sonho leve e sacudido por inquietações, após o almoço, experimentara os óculos velhos. Mas entretanto o seu peso compacto incomodava-o, era como se tivesse de empurrar com o rosto um incómodo peso pelo mundo fora.

Inseguro e vagamente estranho a si próprio tentara, sentado durante muito tempo no canto da cama, decifrar e ordenar as confusas vivências daquela manhã. Num sonho em que vira uma muda Adriana deambular pela casa com um rosto de uma palidez marmórea predominara a cor negra, que tinha a estranha característica de se impor aos objectos – a todos os objectos – independentemente das cores que estes tivessem e por mais que brilhassem nessas outras cores. A fita de veludo enrolada no pescoço de Adriana até ao queixo parecia estrangulá-la, pois ela puxava-a constantemente. Noutras alturas agarrava-se à cabeça com ambas as mãos e, mais do que o crânio, parecia ser o cérebro que ela procurava proteger. Uma após outra, as pilhas de livros tinham-se desmoronado e por um momento, em que a expectativa tormentosa se misturara com a aflição e a má consciência do *voyeur*, Gregorius sentara-se à secretária de Prado, coberta por um mar de fossilizações que rodeavam uma única folha de papel escrita até metade, cujas linhas se haviam instantaneamente desbotado até à ilegibilidade, assim que ele as tentara ler.

Enquanto tentara recuperar e perceber todas aquelas imagens oníricas, Gregorius tivera por vezes a sensação de que a visita ao consultório azul não tinha, de facto, ocorrido. Era como se tudo não passasse de um sonho particularmente intenso, dentro do qual era simulada uma diferença entre a vigília e o sonho, como se se tratasse do episódio de uma ilusão sobreposta. Depois fora ele próprio quem se agarrara à cabeça e enquanto recuperava a sensação de realidade da visita e a figura de Adriana se apresentara clara e serena e isenta de todos os componentes oníricos, voltara a rever em pensamento tudo o que acontecera durante aquela breve hora em que estivera em sua casa, gesto por gesto, palavra por palavra. Por vezes sentira um frio invadi-lo quando pensava no seu olhar austero e amargo, em que uma espécie de intransigência se confrontava com acontecimentos distantes. Uma sensação assustadora apoderara-se dele quando a vira levitar daquela maneira pelo quarto de Amadeu, assim tão perfeitamente mergulhada naquele pretérito presente e já tão próxima da demência. Noutros momentos, pelo contrário, sentira vontade de lhe ajeitar o xaile de croché à volta do rosto, para conceder um intervalo de sossego àquele espírito martirizado.

O caminho que ia dar a Amadeu de Prado passava por aquela mulher simultaneamente dura e frágil, ou melhor: atravessava-a, a ela e aos escuros corredores das suas recordações. Seria mesmo isso que ele queria? Seria ele capaz de assumir uma tal tarefa? Ele, a quem os colegas mais maldosos chamavam O *Papiro*, só porque vivera mais nos velhos textos do que no mundo real?

Tudo dependia do seu encontro com outras pessoas que tivessem conhecido Prado; não apenas visto, como Coutinho, ou conhecido como médico, como o coxo e a velhota dessa manhã, mas conhecido verdadeiramente, como amigo, ou talvez como camarada na resistência. Saber isso através da Adriana seria difícil, calculou. Ela encarava o irmão morto como sua exclusiva propriedade, disso apercebera-se ele assim que a ouvira falar, com os olhos postos no livro de Medicina. Toda e qualquer pessoa que questionasse a única e verdadeira imagem dele – que era a sua e apenas a sua – seria por ela negada e por todos os meios afastada do seu contacto.

Gregorius procurara o número de telefone de Mariana Eça e, após longos minutos de hesitação, telefonara-lhe. Veria algum inconveniente em que ele fosse visitar o seu tio João ao lar? Entretanto, já sabia que Prado estivera envolvido na resistência e talvez João o tivesse conhecido. Durante algum tempo tinha reinado o silêncio e Gregorius preparara-se para pedir desculpa pela sua impertinência quando ela respondera num tom de voz pensativo:

– Claro que não tenho nada contra isso, pelo contrário, um novo rosto até talvez lhe fizesse bem. Estou só a pensar como é que ele iria reagir, pois o meu tio pode ser muito brusco e ontem ainda parecia mais reservado do que habitualmente. Ele não pode, de maneira nenhuma, sentir-se atropelado.

Depois calou-se.

– Acho que já sei uma maneira de o ajudar. Ontem queria ir lá levar-lhe um disco, uma nova gravação das sonatas de Schubert. No fundo ele só quer ouvir a Maria João Pires, não sei se pela pianista, se pela mulher, ou se por uma forma meio esquisita de patriotismo. Mesmo assim, vai gostar do disco. Acabei por me esquecer dele. Podia vir cá buscá-lo e levar-lho. Assim a modos que como estafeta mandado por mim. Talvez desta forma ele lhe dê uma oportunidade.

A seguir, ela convidara-o a beber um chá, um fumegante *Assam* vermelho-dourado com açúcar cristalizado, e ele aproveitara para lhe contar o seu encontro com Adriana. Desejara que ela lhe dissesse algo, mas a médica ouvira-o simplesmente em silêncio e apenas uma vez, quando ele se referira à taça do café usada e ao cinzeiro cheio que, pelos vistos, já ali se encontravam há três décadas, é que os seus olhos se haviam contraído, como os de alguém que julga ter descoberto uma pista.

– Seja cauteloso – disse ao despedir-se. – Estou a referir-me à Adriana. E conte-me como foi o seu encontro com o tio João.

E agora ali estava ele, com as sonatas de Schubert na pasta, a caminho de Cacilhas, para ir visitar um homem que tinha passado pelo inferno da tortura sem ter perdido a franqueza do olhar. Gregorius voltou a cobrir o rosto com as mãos. Se alguém lhe tivesse profetizado, ainda há uma semana atrás, quando ele estava sentado no seu apartamento de Berna a corrigir os cadernos de Latim, que dali a sete dias estaria em Lisboa, com um fato e uns óculos novos, sentado num cacilheiro, para ir visitar uma vítima do regime de Salazar, na esperança de que esta lhe revelasse algo sobre um médico e poeta português que já havia morrido há mais de trinta anos, ele teria dito que esse alguém não estava bom da cabeça. Seria ele ainda o mesmo *Mundus*, o devorador de livros míope que se assustava sempre que via um par de flocos de neve cair na sua cidade?

O barco atracou e Gregorius dirigiu-se lentamente em direcção ao lar. Como é que iriam entender-se? Saberia João Eça falar outra língua, para além do português? Era domingo à tarde, as pessoas faziam as suas visitas ao lar, eram fáceis de reconhecer pelos ramos de flores que levavam. Nas varandas estreitas viam-se os anciões sentados, protegidos com mantas, a apanhar um sol que surgia e voltava a desaparecer por detrás das nuvens. Gregorius informou-se na recepção sobre o número do quarto. Antes de bater à porta respirou fundo um par de vezes, devagar. Era a segunda vez nesse dia que se via a si próprio perante uma porta fechada, com o coração aos saltos, sem saber o que o esperava.

Ninguém respondeu, mesmo quando bateu pela segunda vez. Preparava-se já para se ir embora quando ouviu o chiar suave da porta a abrir-se. Estivera à espera de um homem vestido de uma forma negligente, alguém que já raramente se vestia a sério, que passava o tempo de roupão em frente ao tabuleiro de xadrez. Mas o homem que surgiu, silencioso como um fantasma, por detrás da porta entreaberta era completamente diferente. Usava um casaco de lã azul-escuro sobre uma camisa de um branco imaculado, com uma gravata vermelha, calças com vinco impecavelmente passadas a ferro e sapatos negros brilhantes. Mantinha as mãos escondidas nos bolsos do casaco, a cabeça calva com o pouco cabelo cortado rente e as orelhas proeminentes estava ligeiramente inclinada para o lado, como que a indiciar uma forte relutância em confrontar-se com aquilo que estava a ver. Dos olhos cinzentos, franzidos, vinha um olhar que parecia trespassar tudo o que via. João Eça era velho, e poderia estar doente, como a sua sobrinha assegurara; mas não era um homem quebrado. «Eu é que não queria ser seu inimigo», pensou Gregorius involuntariamente.

– *Senhor Eça?* – disse Gregorius. – *Venho da parte da sua sobrinha Mariana. Trago este disco. Sonatas de Schubert.* – Eram palavras que ele procurara no dicionário durante a travessia de barco e que depois repetira várias vezes.

Eça ficou imóvel atrás da porta, a olhar para ele. Gregorius nunca tivera de suportar um tal olhar e, decorridos alguns instantes, olhou para o chão. Foi então que Eça abriu a porta e lhe fez um sinal para entrar. Gregorius entrou num quarto impecavelmente arrumado, em que só parecia haver o estritamente necessário. Por um breve instante pensou nas habitações luxuosas em que a médica vivia e perguntou-se porque é que ela não tinha alojado o tio com mais conforto. Mas o pensamento foi varrido pelas primeiras palavras de Eça:

– *Who are you*? – As palavras foram pronunciadas num tom de voz baixo e rouco e no entanto possuíam autoridade, a autoridade de um homem que já vira tudo na vida e a quem é impossível enganar.

Com o disco na mão, Gregorius respondeu também em inglês, informando-o sobre a sua proveniência e profissão e explicando-lhe como conhecera Mariana.

– Porque é que veio cá? Não me diga que foi por causa do disco.

Gregorius pousou o disco na mesa e encheu os pulmões de ar. Em seguida, tirou do bolso o livro de Prado e mostrou-lhe o retrato.

– A sua sobrinha acha que o pode ter conhecido.

Depois de lançar um rápido olhar à fotografia, Eça fechou os olhos. Pareceu vacilar um pouco e dirigiu-se, ainda com os olhos fechados, para o sofá, onde se sentou.

– Amadeu – disse, quebrando o silêncio, e repetiu. – Amadeu. *O sacerdote ateu*.

Gregorius ficou na expectativa. Uma palavra errada, um gesto em falso e Eça não lhe diria mais nada. Aproximou-se da mesa de xadrez e pôs-se a observar a partida interrompida. Tinha agora de arriscar.

– Hastings 1922. Alekin vence Bogoljubov – disse.

Eça abriu os olhos e lançou-lhe um olhar surpreendido.

– Uma vez perguntaram ao Tartakower quem é que ele considerava o maior xadrezista de todos os tempos. Ele respondeu: «Se encararmos o xadrez como um combate, então é o Lasker; se o virmos como uma ciência, o Capablanca; se for uma arte, o Alekin.

– Pois – concordou Eça. – O sacrifício das duas torres é algo que revela a fantasia de um artista.

– Soa a inveja.

– Pode crer. Nunca tal me passaria pela cabeça.

No rosto curtido de ancião surgiu o vislumbre de um sorriso.

– Se isso servir para o consolar, a mim também não.

Os seus olhares cruzaram-se, depois cada um pareceu perder-se nos seus pensamentos. Ou Eça fazia agora qualquer coisa para continuar a conversa, pensou Gregorius, ou o encontro tinha terminado.

– Ali naquele nicho há chá – disse Eça. – Também me está a apetecer uma chávena.

No primeiro momento Gregorius estranhou que lhe pedissem para fazer aquilo que, normalmente, está destinado ao anfitrião. Mas logo a seguir reparou que as mãos de Eça se cerravam em punhos dentro dos bolsos do casaco de malha e percebeu: não queria que ele lhe visse as mãos deformadas e sacudidas por tremuras, as marcas permanentes do Terror. Encheu as chávenas para ambos. Gregorius esperou, enquanto o chá fumegava. Do quarto ao lado ouviram-se as risadas das visitas, até que o silêncio voltou a instalar-se.

O modo silencioso como Eça acabou por tirar a mão do bolso e levá-la à chávena fez-lhe lembrar a sua também silenciosa aparição à porta. Manteve os olhos fechados, como se acreditasse que com isso a mão deformada se tornaria também invisível para o outro. A mão estava coberta por cicatrizes provocadas por queimaduras de cigarros, faltavam duas unhas e toda ela tremia como que sacudida por espasmos. Nesse instante Eça lançou a Gregorius um olhar inquiridor: estaria ele à altura daquela revelação? Gregorius controlou o pavor que se apoderou dele como um ataque de fraqueza e levou a sua chávena calmamente à boca.

– Encha a minha só até metade.

Eça disse aquilo em voz baixa e enrouquecida e Gregorius nunca mais iria esquecer aquelas palavras. Sentiu nos olhos um ardor que anunciava lágrimas e fez então algo que iria marcar para sempre a sua relação com aquele homem atormentado: agarrou na asa da chávena de Eça e verteu metade do chá quente para dentro da sua própria boca.

A língua e a garganta ardiam-lhe, mas isso agora não tinha importância. Com toda a calma, voltou a pousar a chávena semicheia e rodou a asa na direcção do polegar de Eça. O outro fitou-o então com um longo olhar e também esse olhar se gravou fundo na sua memória. Era um olhar em que a incredulidade e a gratidão se misturavam, uma gratidão como que «à experiência», pois Eça há muito que tinha desistido de esperar dos outros o que quer que fosse que lhe fizesse sentir-se grato. Sempre com a mão a tremer, levou a chávena aos lábios, esperou por um momento favorável e bebeu numa sucessão de goles apressados. Ouviu-se um tilintar ritmado quando ele voltou a pousar a chávena na taça.

Tirou então um maço de cigarros do bolso do casaco, levou um aos lábios e aproximou a chama trémula. Fumou inalando profunda e calmamente e os tremores na mão diminuíram de intensidade. Mantinha a mão que segurava o cigarro semifechada, de modo a que a falta da unha não pudesse ser vista. A outra mão desaparecera novamente no bolso do casaco. Quando começou a falar olhou para a janela.

– A primeira vez que o encontrei foi no Outono de 1952, em Inglaterra, no comboio de Londres para Brighton. Eu estava a tirar um curso de inglês para a firma, eles queriam que eu também me formasse como correspondente no estrangeiro. Foi no domingo, logo a seguir à primeira semana, decidi ir a Brighton porque sentia a falta do mar, pois cresci à beira-mar, lá em cima, no Norte, em Esposende. A porta do compartimento abriu-se e apareceu aquele homem com o cabelo brilhante, que lhe assentava na cabeça como um elmo, e com aqueles olhos incríveis, audazes, e ao memo tempo suaves e melancólicos. Estava a fazer uma grande viagem com Fátima, a sua noiva. O dinheiro nunca representou nada para ele, nem nessa altura nem depois. Vim a saber que ele era médico, fascinado sobretudo pelo cérebro. Um materialista empedernido que originalmente quisera ser padre. Um homem que em relação a muitas coisas tinha uma atitude paradoxal; não absurda mas paradoxal.

Eu tinha, na altura, vinte e sete, ele era cinco anos mais velho. Era-me em tudo absolutamente superior. Pelo menos, foi o que eu achei durante essa viagem. Ele, o rebento de uma casa aristocrática de Lisboa, eu o filho de camponeses do Norte. Passámos o dia juntos, fomos passear à praia, comemos juntos. A uma certa altura, começámos a falar da ditadura. Devemos resistir, disse eu, ainda me lembro das palavras, e lembro-me porque, de certo modo, me pareceram grosseiras perante aquele homem com o rosto delicado de um poeta e que, por vezes, utilizava palavras que eu nunca tinha ouvido.

Ele baixou o olhar, olhou lá para fora, através da janela e concordou com um aceno de cabeça. Eu tinha tocado num tema em que ele não se sentia à vontade. Era o tema errado para um homem que viajava pelo mundo com a sua noiva. Falei de outras coisas, mas ele pareceu desatento e deixou-nos aos dois, a mim e à Fátima, a conversar. *Tens razão*, disse à despedida, *claro que tens razão*. E era evidente que se estava a referir à resistência antifascista.

Quando pensei nele, durante a viagem de regresso a Londres, pareceu-me que ele, ou pelo menos uma parte dele, teria preferido voltar para Portugal comigo, em vez de prosseguir a sua viagem. Tinha-me pedido o endereço e havia nisso algo mais do que um mero gesto de gentileza para com alguém que conhecera no estrangeiro. De facto, não muito depois interromperam a viagem e regressaram a Lisboa. Mas isso não tinha nada a ver comigo. A sua irmã mais velha tinha feito um desmancho e quase morrera. Ele queria acompanhar a situação, não confiava nos médicos. Um médico que desconfiava dos outros médicos, ele era assim, o Amadeu era mesmo assim.

Gregorius viu à sua frente o olhar amargo e intransigente de Adriana. Começava a compreender. E o que é que se passava com a irmã mais nova? Mas isso tinha de esperar.

– Passaram treze anos até eu voltar a vê-lo – continuou Eça. – Foi no Inverno de 1965, o ano em que a polícia de segurança assassinou o Delgado. Na firma tinham-lhe dado a minha nova morada e uma noite aparece-me à porta, pálido e com a barba por fazer. O cabelo, que antes brilhara como ouro negro, estava baço, e o seu olhar denunciava dor. Contou-me que salvara a vida a Rui Luís Mendes, uma alta patente da polícia secreta que era conhecido como o «carrasco de Lisboa», e que se sentia proscrito porque os seus antigos doentes o evitavam.

– Quero trabalhar para a resistência – disse.

– Para repores a justiça?

Ele olhou para o chão, visivelmente embaraçado.

– Não fizeste nada de mal – disse-lhe. – És um médico.

– Quero fazer qualquer coisa – respondeu-me. – Estás a perceber? *Fazer*. Diz-me o que posso fazer. Tu estás a par da situação.

– Porque é que achas que eu estou a par da situação?

– Sei-o – disse ele. – Sei-o desde Brighton.

Era perigoso. Para nós ainda muito mais do que para ele próprio. E isso porque para um antifascista na clandestinidade ele não tinha

– como é que hei-de dizer – a estrutura interior adequada, o carácter certo. Tens de ser paciente, poder esperar, tens de ter uma cabeça como a minha, uma cachola teimosa de campónio e não a alma hipersensível de um sonhador. Senão acabas por arriscar demasiado, cometes erros, colocas tudo em perigo. Lá frieza de espírito, isso ele tinha, até quase de mais, pois chegava a ser temerário. Faltava-lhe a persistência, a obstinação, a capacidade de nada fazer, mesmo que a oportunidade pareça favorável. Ele apercebeu-se de que eu pensava isso, sentia os pensamentos dos outros ainda antes deles começaram a pensar. Para ele foi duro, creio que deve ter sido a primeira vez na sua vida que alguém lhe disse: não serves para isto, falta-te capacidade para isto. Mas ele sabia que eu tinha razão, era tudo menos cego para consigo próprio, e aceitou que as tarefas, de início, fossem pequenas e insignificantes.

Nunca deixei de o avisar que, acima de tudo, tinha de resistir a uma tentação: a de permitir que os seus doentes soubessem que trabalhava para nós. Na verdade, era isso que ele queria, para expiar uma pretensa quebra da lealdade para com as vítimas do Mendes. E no fundo aquele plano só fazia sentido se as pessoas que o acusavam viessem a saber. Se ele conseguisse que elas revogassem o seu juízo e deixassem de o achar desprezível. Se voltassem a admirá-lo e a amá-lo como dantes. Para ele esse era um desejo irresistível, eu sabia-o e ele era o seu e o nosso maior inimigo. Exaltava-se sempre que eu falava disso, acusava-me de subestimar a sua inteligência, eu, um simples guarda-livros, ainda por cima cinco anos mais novo do que ele. Mas sabia que eu também tinha razão nesse ponto. «Detesto que alguém saiba tanto sobre mim como tu», confessou-me uma vez com um sorriso nos lábios.

Acabou por conseguir combater aquela sua necessidade de ser perdoado, aquela sua desvairada nostalgia de obter o perdão por algo que nunca tinha sido uma falta, e não cometeu nenhum erro, ou pelo menos nenhum erro que tivesse consequências.

Sem levantar ondas o Mendes também nunca deixou de proteger o homem que lhe salvara a vida. No consultório de Amadeu foram transmitidas mensagens, envelopes cheios de dinheiro passavam para outras mãos. Nunca houve uma busca, como acontecia por toda a parte.

Amadeu ficava furioso, ele era mesmo assim, aquele sacerdote ateu, queria ser levado a sério, o facto de ser poupado ofendia-o no seu orgulho, e havia nele algo do orgulho de um mártir.

Durante algum tempo, essa sua atitude gerou um novo perigo: o perigo de que ele pudesse vir a provocar o Mendes através de um qualquer acto temerário, de modo a que este deixasse de o poder proteger. Eu falei-lhe nisso. A nossa amizade chegou a estar por um fio. Dessa vez não admitiu que eu tivesse razão, mas tornou-se mais contido, mais prudente.

Não muito mais tarde cumpriu com bravura duas difíceis missões, que só alguém que conhecesse como ele, de cor e salteado, as redes do caminho-de-ferro poderia ter cumprido. E isso era, de facto, algo que Amadeu conhecia, ele era doido por comboios, carris e agulhas, conhecia todos os tipos de locomotivas; e sobretudo conhecia toda e qualquer estação de comboios em Portugal, não havia apeadeiro que ele não conhecesse, quer tivesse guarita de sinais ou não, pois essa era uma das suas obsessões: o facto de através de uma simples manipulação da agulha se poder mudar a direcção de toda uma composição. Aquela fácil operação mecânica fascinava-o, e acabou por ser precisamente o seu conhecimento dessas coisas, aquele seu arrevesado patriotismo dos comboios, que salvou a vida aos nossos homens. Na altura, os camaradas que não tinham ficado nada satisfeitos por eu o ter admitido na organização, porque achavam que ele não passava de um intelectual exaltado que se poderia tornar perigoso para todos nós, mudaram de opinião.

O Mendes deve ter-lhe ficado imensamente grato. Na prisão não me era permitido receber visitas, nem sequer a Mariana, e então dos camaradas de quem se desconfiava que pudessem pertencer ao Partido, desses nem pensar. Com uma única excepção: o Amadeu. Ele podia visitar-me duas vezes por mês, e até o deixavam escolher o dia e a hora. Ele passava por cima de todas as regras.

E veio. Veio sempre e ficava mais tempo do que o estipulado, os guardas temiam o seu olhar furioso, quando apareciam para lhe lembrar que estava na hora. Trazia-me medicamentos, uns para as dores e outros para conseguir dormir. Deixavam-no trazer-mos e depois revistavam-me e tiravam-mos, eu nunca lhe disse isso, ele teria tentado rebentar os muros. Vi lágrimas correrem-lhe pelas faces quando viu o que me fizeram. Claro que eram também lágrimas de compaixão, mas acima de tudo eram lágrimas de uma raiva impotente. Não faltou muito para se atirar aos tipos, o seu rosto suado estava vermelho de raiva.

Gregorius olhou para Eça e imaginou-o com aqueles seus olhos cinzentos e cortantes a ver aproximarem-se os ferros em brasa, aqueles ferros que ameaçavam fundir tudo o que via num magma sibilante. Sentiu a inacreditável força daquele homem que só podia ser vencido se o destruíssem fisicamente; e mesmo a partir da sua ausência, da sua falta, notar-se-ia ainda uma resistência que não deixaria dormir em paz os seus inimigos.

– O Amadeu trouxe-me a Bíblia, o Novo Testamento. Em português e grego. Isso e a Gramática Grega, que ele acrescentou, foram os únicos livros que eles deixaram passar durante aqueles dois anos.

– Tu não acreditas numa única das palavras que aqui estão escritas – disse-lhe quando eles vieram para me levar de novo para a cela.

Ele sorriu. – É um texto bonito – disse. – Uma linguagem belíssima. E toma atenção às metáforas.

Fiquei espantado. Nunca tinha lido a Bíblia a sério, só conhecia as máximas, como qualquer um. Surpreendeu-me aquela estranha mistura de sabedoria e bizarria. Às vezes falávamos sobre isso. «*Acho uma religião em cujo centro se encontra uma cena de execução repugnante*», disse, um dia. «*Imagina que teria sido uma forca, uma guilhotina ou um garrote. Imagina como é que teria então sido o nosso simbolismo religioso.*» Eu nunca tinha visto as coisas daquela perspectiva e quase que me assustei um pouco, talvez também porque dentro daquelas paredes a frase adquiria um peso especial.

Mas ele era mesmo assim, o nosso sacerdote ateu: pensava as coisas até ao fim. Pensava-as *sempre* até às suas derradeiras consequências, por mais negras que estas fossem. Às vezes, aquela sua característica tinha qualquer coisa de brutal em si, uma espécie de pulsão automutiladora. Talvez isso tivesse a ver com o facto de, para além de mim e do Jorge, ele não ter tido outros amigos, até porque tínhamos de saber aturá-lo. Lembro-me que ele se sentia infeliz por a Mélodie o evitar, ele gostava muito da sua irmãzinha. Só a vi uma única vez, pareceu-

-me leve e alegre, uma rapariga que parecia levitar sobre o chão, posso imaginar que sentisse dificuldades em lidar com o lado melancólico do irmão, que ainda por cima podia ser como um vulcão pouco antes da erupção.

João Eça fechou os olhos. A exaustão estava-lhe estampada na cara. Tinha sido uma viagem no tempo, e provavelmente há anos que não falava tanto. Gregorius teria gostado de perguntar e voltar a perguntar: sobre a irmã mais nova com aquele estranho nome; sobre o tal Jorge e a Fátima, e até sobre se na altura começara a aprender o Grego. Escutara quase sem se atrever a respirar e acabara por esquecer-se do ardor na garganta. Agora ela ardia-lhe novamente e sentia a língua pesada. A meio da sua história Eça oferecera-lhe um cigarro. Ele sentira que não o podia recusar, teria sido como se permitisse que o fio invisível que entre os dois havia sido tecido fosse cortado; não podia beber o chá da sua chávena e recusar o seu tabaco, não, não podia ser, nem ele próprio sabia porquê, era simplesmente uma coisa que não podia fazer. E assim tinha levado aos lábios o primeiro cigarro da sua vida e visto a pequena chama tremer entre os dedos de Eça, e depois lá fumara, hesitante e cauteloso, para não ter de desatar ali a tossir. Só agora sentia como aquele fumo quente tinha sido veneno para o ardor na boca. Amaldiçoou o seu desvario e, simultaneamente, sentiu, não sem um certo espanto, que era mesmo aquele ardor do fumo que ele desejara.

O som estridente de uma campainha fê-lo estremecer.

– A comida – explicou Eça.

Gregorius olhou para o relógio: cinco e meia. Eça reparou no seu espanto e sorriu com desdém.

– Demasiado cedo. Como na prisão. O que aqui conta não é o tempo dos que aqui estão alojados, mas o tempo do pessoal.

Gregorius quis então saber se o poderia voltar a visitar. Eça olhou para a mesa do xadrez e concordou com um aceno mudo. Era como se uma couraça de silêncio se tivesse abatido sobre ele. Quando se apercebeu que Gregorius lhe queria dar a mão, enfiou energicamente ambas as mãos nos bolsos do casaco e desviou o olhar para o chão.

Gregorius fez a viagem de regresso a Lisboa sem reparar em quase nada. Subiu a Rua Augusta, atravessando a meio o tabuleiro de xadrez da Baixa, em direcção ao Rossio. Teve a sensação de que o dia mais longo da sua vida estava a chegar ao fim. Mais tarde, já na cama, no quarto de hotel, lembrou-se de como, nessa manhã, encostara a testa à vidraça húmida de nevoeiro da livraria católica, à espera que aquele desejo imperioso de chamar um táxi que o levasse ao aeroporto se acalmasse. Depois conhecera Adriana, bebera o chá vermelho-dourado de Mariana Eça e fumara com a boca queimada, no quarto do seu tio, o seu primeiro cigarro. Teria mesmo acontecido tudo aquilo num único dia? Abriu o livro para ver o retrato de Amadeu de Prado. Todas as novidades que soubera hoje sobre ele tinham-lhe modificado os traços. Começava a viver, o sacerdote ateu.

15

– *Voilà. Ça va aller*? Não é propriamente confortável, mas... – disse algo embaçada Agostinha, a estagiária do Diário de Notícias, o grande e tradicional jornal português.

Sim, concordou Gregorius, estava bem assim, e sentou-se no nicho sombrio onde se encontrava o aparelho de leitura dos microfilmes. Agostinha, que lhe fora apresentada como estudante de História e de Francês por um impaciente redactor, parecia não se querer ir ainda embora. Aliás, ele já tinha ficado com a sensação de que lá em cima, onde os telefones tocavam ininterruptamente e os monitores brilhavam, ela era mais suportada do que necessária.

– Afinal, do que é que está à procura? – perguntava agora. – Bem, não é que me diga respeito, mas...

– Da morte de um juiz – explicou Gregorius. – Procuro a notícia do suicídio de um famoso juiz no dia 9 de Junho de 1954. Que talvez se tenha suicidado porque sofria da síndrome de Bechterev e já não conseguia suportar mais as dores nas costas. Ou que talvez também o tenha feito porque se sentia culpado, por continuar a pronunciar sentenças durante a Ditadura e não conseguir arranjar forças para se opor à injustiça do regime. Tinha sessenta e quatro anos quando se suicidou, portanto não teria de esperar muito mais tempo para se reformar. Alguma coisa lhe deve ter acontecido, algo que tornou impossível essa curta espera. Algo que tenha tido a ver com as costas e as dores, ou que tenha acontecido no Tribunal. É isso que eu quero descobrir.

– E... e porque é que quer descobrir isso? *Pardon*...

Gregorius tirou da mala o livro de Prado e deu-lho a ler:

PORQUÊ, PAI? *«Não dês assim tanta importância a ti próprio!», costumavas dizer quando alguém se queixava. Estavas sentado na tua poltrona, onde mais ninguém podia sentar-se, a bengala entre as pernas magras, as mãos deformadas pela gota apoiadas no castão de prata, a cabeça – como sempre – esticada de baixo para a frente. (Meu Deus, pudesse eu ver-te à minha frente, ao menos uma vez na vida, numa posição direita, de cabeça bem levantada, como correspondia ao teu orgulho! Uma única vez! Mas as milhentas vezes em que vi as tuas costas dobradas destroem toda e qualquer recordação e, mais do que isso, acabam mesmo por paralisar a capacidade de imaginar.) As muitas dores que tiveste de suportar ao longo de toda a tua vida conferiam autoridade a essa tua constante exortação. Ninguém ousava contestá-la. E isso não era apenas exterior; também interiormente a contestação era impensável. É claro que nós crianças costumávamos troçar das tuas palavras, longe de ti havia escárnio e risadas, e até mesmo a mamã, se bem que nunca se abstivesse de nos repreender, deixava, por vezes, transparecer algo assim como o esboço de um sorriso, ao qual nós logo nos atirávamos. Mas a libertação consistia apenas na aparência, era como a aflita blasfémia do temente a Deus.*

As tuas palavras valiam. Foram válidas até àquela manhã em que tomei, angustiado, o caminho da escola, o rosto varrido pela chuva e pela ventania. Na verdade, porque é que essa minha angústia perante as sombrias salas de aulas e de todo aquele triste marranço não foi algo que pudesse e devesse levar a sério? Porque é que eu não me devia importar que a Maria João me ignorasse completamente, quando eu quase não conseguia pensar em mais nada, senão nela? Porque é que tinham de ser logo as tuas dores e a impassibilidade que elas te haviam proporcionado a medida de todas as coisas? «Analisado da perspectiva da Eternidade», acrescentavas por vezes, «não achas que perde importância?!» Saí da escola cheio de raiva e ciúmes do novo amigo da Maria João, pus-me a andar para casa e depois do almoço sentei-me à tua frente. «Quero ir para uma outra escola», anunciei com uma voz que parecia bem mais firme do que a sentia, «aquela onde estou é insuportável.» «Dás demasiada importância a ti próprio», disseste então, enquanto esfregavas a palma da mão no castão de prata. «A quem é que eu devo dar importância senão a mim próprio?», perguntei. «E quanto à perspectiva da Eternidade, isso não existe.»

A sala encheu-se de um silêncio que ameaçava explodir a qualquer instante. Nunca tinha acontecido algo semelhante. Era inadmissível, e o facto de ter vindo do teu filho preferido só tornava tudo ainda pior. Todos ficaram à espera de uma daquelas tuas explosões, durante a qual a tua voz costumava esganiçar-se. Nada disso aconteceu. Pousaste ambas as mãos no castão da bengala. No rosto da mamã vi surgir uma expressão que nunca, até então, tinha visto. Mais tarde pensei que ela tornava compreensível a razão pela qual se casara contigo. Tu levantaste-te simplesmente, sem dizer uma palavra, apenas se ouviu um leve gemer por causa das dores. Ao jantar nem sequer apareceste. Desde que aquela família existia, isso nunca tinha acontecido. Quando, no dia seguinte, me sentei à mesa do almoço, tu olhaste calmamente para mim, talvez um pouco triste. «Em que outra escola é que estás a pensar?», perguntaste. No recreio, a Maria João tinha-me perguntado se eu queria uma laranja? «Já se resolveu tudo», respondi.

Como é que distinguimos se devemos levar a sério um sentimento, ou se, pelo contrário, o devemos considerar como um capricho insignificante? Porquê, Papá, porque é que não falaste comigo antes de o fazer? Para que eu, ao menos, pudesse saber porque o fizeste.

– Estou a perceber – disse Agostinha, e puseram-se ambos a procurar nas fichas a notícia da morte do juiz Prado.

– 1954, nesse tempo a censura era extremamente rigorosa – explicou Agostinha. – Disso percebo eu. A censura na imprensa foi o tema da minha licenciatura. O que o jornal publicou não tem, forçosamente, de corresponder à verdade. E então se se tratou de um suicídio político muito menos ainda.

A primeira coisa que encontraram foi o anúncio do falecimento, publicado no dia 11 de Junho. Agostinha achou-o particularmente sóbrio para os costumes portugueses da época, tão contido e parco em louvores que já quase parecia um grito abafado. *Faleceu*, Gregorius conhecia a palavra de a ter lido no cemitério. *Amor, recordação*, tudo frases feitas, fórmulas ritualizadas. Por baixo os nomes dos parentes mais próximos: Maria da Piedade Reis de Prado; Amadeu; Adriana; Rita. O endereço. O nome da igreja onde a missa fora celebrada. E era tudo. Esta Rita, pensou Gregorius – seria ela a tal Mélodie de que João Eça tinha falado?

Puseram-se então à procura de uma reportagem. Nas semanas que se seguiram ao 9 de Junho não encontraram nada. – Não, não, mais p'rá frente – insistiu Agostinha quando Gregorius quis desistir. Acabaram por encontrar a notícia no final das páginas «Locais» do dia 20 de Junho:

Hoje o Ministério da Justiça anunciou que Alexandre Horácio de Almeida Prado, que, como distinto juiz, serviu, durante inúmeros anos, o Supremo Tribunal, faleceu a semana passada na sequência de prolongada doença.

A notícia era acompanhada por um retrato do juiz de dimensões surpreendentemente grandes, demasiado grandes para o laconismo da comunicação. Um rosto austero com lunetas e uma pequena corrente, pêra e bigode aparados, uma testa alta, não menos alta do que a do filho, cabelo grisalho mas ainda cheio, colarinho alto, branco, com as pontas dobradas, gravata negra, uma mão muito branca em que apoiava o queixo, tudo o resto esbatia-se no fundo escuro. Uma fotografia habilmente tirada, sem um único vestígio do sofrimento das costas dobradas nem da gota nas mãos, a cabeça e a mão surgiam silenciosa e fantasmagoricamente da escuridão, demarcando-se, brancas e autoritárias, do fundo escurecido. Objecção, ou até mesmo contestação, eram impossíveis, um retrato capaz de impor o seu poder a uma sala, uma casa inteira, submetendo-a e asfixiando-a com a premência da sua autoridade inexorável. Um juiz. Um juiz que não podia ter sido outra coisa senão um juiz. Um homem de uma austeridade férrea e de uma inflexível consequência, também perante si próprio. Um homem que se julgaria a si próprio, caso tivesse falhado. Um pai que raramente teria conseguido sorrir. Um homem que teria tido algo em comum com António de Oliveira Salazar: não a sua crueldade, não o seu fanatismo, não a sua ambição e desejo de poder; mas com a sua austeridade e, no fundo, a falta de consideração perante si próprio. Teria sido por isso que ele o servira durante tanto tempo, àquele outro homem do rosto esforçado sob o chapéu de coco? Tanto tempo que no final já não conseguira justificar, perante si próprio, uma crueldade que se manifestara, por exemplo, nos tremores das mãos de um João Eça, que antes haviam tocado Schubert?

Faleceu na sequência de prolongada doença. Gregorius sentiu-se enrubescer de raiva.

– Isto até nem é nada – disse Agostinha –, até nem é nada, em comparação com as falsidades que eu já vi escritas. Com todas as silenciosas mentiras.

Enquanto subiam Gregorius perguntou-lhe onde ficava a rua que aparecia no anúncio funerário. Percebeu que ela teria gostado de o acompanhar e ficou aliviado quando notou que, pelos vistos, ainda precisavam dela na redacção.

– A história desta família... porque é que a leva assim tão a peito? Não acha que é... – disse ainda, já depois de lhe ter estendido a mão.

– Estranho?! Sim, sem dúvida que é estranho. Muito estranho mesmo. Até para mim.

16

Não era propriamente um palácio, mas uma casa de gente abastada, que podia ocupá-la confortavelmente e à vontade, mais um quarto menos um quarto não fazia diferença, casas de banho haveria, certamente, umas duas ou três. Fora aqui que o juiz corcunda vivera e se arrastara pelos seus quartos e corredores, apoiado na sua bengala com castão de prata, lutando tenazmente contra as dores constantes, convicto de que não se devia dar tanta importância a si próprio. Teria ele tido o seu escritório na torre da esquina, cujas duas janelas de arcos redondos estavam separadas uma da outra por pequenas colunas?

Na fachada cheia de cantos e arestas viam-se tantas varandas, cada uma com as suas grades de ferro trabalhado, que uma pessoa ficava com a sensação de não as conseguir contar a todas. Gregorius imaginou que cada um dos cinco membros da família dispusesse de uma ou duas só para si, e pensou nas habitações acanhadas e mal isoladas em que eles tinham vivido, o guarda do museu e a mulher-a-dias com o seu filho míope, sentado em frente à sua mesa, defendendo-se com as complicadas formas verbais gregas do constante linguarejar do rádio que vinha da casa dos vizinhos. A minúscula varanda, demasiado estreita para um guarda-sol, ficava em brasa no Verão. De resto, ele também nunca a teria utilizado, exposta como estava constantemente aos múltiplos bafos das cozinhas circundantes. Em comparação, a casa do juiz era um paraíso de espaço, sombra e silêncio. Por todo o lado exemplares de árvores coníferas de grande porte, com troncos escamosos e ramos entrelaçados, que se agrupavam em pequenos patamares de sombra que, por vezes, faziam lembrar pagodes.

Cedros. Gregorius estremeceu. *Cedros Vermelhos*. Seriam mesmo cedros? Os cedros que para Adriana surgiam mergulhados em vermelho? As árvores que com a sua cor imaginária tinham adquirido uma tal importância que se lhe tinham imposto espontaneamente, quando ela procurara um nome para a editora inventada? Gregorius abordou transeuntes para lhes perguntar se aquelas árvores eram cedros. Encolher de ombros e levantar de sobrancelhas, espanto perante a pergunta de um estrangeiro meio esquisito. Sim, confirmou finalmente uma rapariga, eram de facto cedros, uns exemplares particularmente grandes e bonitos. Gregorius imaginou-se dentro de casa, a olhar para o verde espesso e escuro do arvoredo. O que é que poderia ter acontecido? O que é que poderia ter transformado o verde em vermelho? Sangue?

Por detrás das janelas do torreão surgiu então a figura de uma mulher vestida em tons claros e com o cabelo apanhado; leve, quase diáfana, pôs-se a andar de um lado para o outro, entretida, embora sem pressa; e ei-la que puxa de um cigarro, o fumo subiu em direcção ao tecto alto, a uma certa altura evitou um raio de sol que atravessou os cedros e, pelos vistos, a encandeou, até que, de repente, desapareceu. *Uma rapariga que parecia levitar sobre o chão*, dissera João Eça, referindo-se à tal Mélodie que afinal tinha de se chamar Rita. A *irmãzinha*. Mas a diferença de idades teria sido assim tão grande para que ela fosse ainda hoje uma mulher capaz de se mover de uma forma tão ágil e elástica como a daquela mulher no torreão?

Gregorius continuou o seu caminho e entrou num café na rua seguinte. Juntamente com o café pediu um maço de cigarros da mesma marca que tinha fumado no quarto de Eça, no dia anterior. Acendeu o cigarro, expeliu o fumo sem o engolir e viu à sua frente os alunos no Kirchenfeld, duas ruas mais à frente, a fumar e a beber café de copos de plástico em frente à padaria. Quando é que Kägi tinha instituído a proibição de fumar na sala dos professores? Tentou travar o fumo e foi acometido de uma ardente vontade de tossir que se apoderou da sua respiração. Pousou os óculos novos no balcão, tossiu e esfregou as lágrimas dos olhos. A mulher atrás do balcão, uma matrona que parecia ser também uma fumadora compulsiva, sorriu: – *É melhor não começar* – avisou, e Gregorius ficou orgulhoso de ter percebido, se bem que a compreensão tivesse surgido com um ligeiro atraso. De repente, não sabia o que fazer com o cigarro e acabou por apagá-lo contra o copo de água, ao lado da taça do café. A mulher fez desaparecer o copo com um abanar de cabeça indulgente. O que é que se havia de fazer com principiantes incipientes?!

Vagarosamente, voltou para trás e aproximou-se da entrada da casa dos cedros, preparado para enfrentar novamente a própria perplexidade, após tocar a uma porta desconhecida. A porta abriu-se e a mulher de há pouco saiu do prédio, segurando pela trela um impaciente pastor-alemão. Trazia agora umas *blue jeans* e sapatilhas de ténis, só o blusão claro é que parecia o mesmo. Os poucos passos que os separavam do portão atravessou-os em bicos de pés, puxada pelo cão. *Uma rapariga que parecia levitar sobre o chão*. Apesar das muitas madeixas brancas no cabelo louro continuava a parecer uma rapariga.

– *Bom dia* – disse, erguendo as sobrancelhas e observando-o com um olhar franco.

– Eu... – começou Gregorius em francês, hesitante, enquanto sentia o gosto desagradável do cigarro. – Há muito tempo morou aqui um juiz, um famoso juiz, e eu queria...

– Era o meu pai – disse a mulher, afastando do rosto, com uma sopradela, uma madeixa que se tinha soltado. Tinha uma voz clara que condizia muito bem com o cinzento aquoso dos olhos e as palavras francesas que pronunciara quase sem acento. Rita era um bom nome, mas Mélodie era simplesmente perfeito.

– Porque é que se interessa por ele?

– Porque era o pai deste homem – explicou Gregorius, mostrando-lhe o livro.

O cão deu um puxão.

– *Pan* – disse Mélodie. – *Pan*.

O cão sentou-se. Ela enfiou no pulso o laço da trela e abriu o livro. – Cedros ver… – leu, e de sílaba para sílaba a sua voz foi-se tornando mais baixa, até emudecer por completo. Folheou o livro e observou o retrato do irmão. O seu rosto claro, cheio de minúsculas sardas, escurecera e parecia ter dificuldade em engolir. Imóvel como uma estátua para além do espaço e do tempo continuou a observar o livro e, por um instante, passou com a ponta da língua pelos lábios secos. Depois continuou a folhear, leu uma, duas frases, voltou ao retrato e à imagem da capa.

– 1975 – disse –, nessa altura ele já tinha morrido há dois anos. Eu não fazia a mínima ideia de que havia este livro. Onde é que o arranjou?

Enquanto Gregorius explicava, acariciou com a mão a capa cinzenta, o movimento fê-lo lembrar a estudante na livraria espanhola em Berna. Parecia que já não estava a ouvi-lo e ele interrompeu-se.

– Adriana – disse, de repente. – A Adriana. E nem uma única palavra. *É próprio dela*. – No início, só parecia haver espanto nas palavras, depois juntou-se amargura, e de repente o nome melodioso parecia já não condizer com ela. Olhou para longe, para além do castelo, o seu olhar atravessou a depressão da Baixa e perdeu-se para os lados do Bairro Alto. Como se, com aquele seu olhar enfurecido, quisesse atingir a irmã lá ao longe, na casa azul.

Estavam agora calados um em frente ao outro. *Pan* impacientava-se. Gregorius sentiu-se um intrometido, um *voyeur*.

– Venha lá a casa beber um café – propôs, e de repente parecia ter-se distanciado, como que a saltitar, da sua própria indignação. – Quero ver este livro. *Pan*, estás com azar – e com estas palavras puxou-o com força para dentro de casa.

Era uma casa que respirava vida, uma casa com brinquedos nas escadas, com um cheiro a café, fumo de cigarros e perfume, com jornais portugueses e revistas francesas espalhadas pelas mesas, com capas de CD abertas e um gato que lambia a manteiga na mesa do pequeno-almoço. Mélodie afugentou o gato e serviu o café. Já não estava corada, apenas umas manchas vermelhas revelavam ainda a irritação de ainda há pouco. Pôs os óculos que estavam em cima de um jornal e começou a ler aquilo que o irmão escrevera, saltando parágrafos e páginas. De quando em quando mordia os lábios. A uma certa altura, sem desviar o olhar do livro, despiu o casaco e tirou um cigarro do maço. Respirava com dificuldade.

– Isto da Maria João e da mudança de liceu foi antes do meu nascimento, tínhamos dezasseis anos de diferença. Mas o papá... era mesmo como ele escreve aqui, exactamente! Já tinha quarenta e seis quando eu nasci, fui uma espécie de percalço, gerada no Amazonas, durante uma das poucas viagens a que a mamã o conseguiu convencer. Nem consigo imaginar o papá no Amazonas. Quando eu tinha catorze festejámos o seu sexagésimo aniversário, tenho a sensação de que só o conheci velho, um senhor idoso, corcunda e severo.

Mélodie interrompeu-se, acendeu um novo cigarro e ficou a pensar. Gregorius esperava que ela se referisse à morte do juiz. Mas, nesse momento, o seu rosto desanuviou-se, os seus pensamentos moviam-se noutra direcção.

– A Maria João. Então ele já a conhecia desde miúdo. Não fazia ideia. Uma laranja. Já nessa altura gostava dela. Nunca deixou de gostar. O grande amor intocável da sua vida. Não me espantava se ele nem sequer lhe tivesse dado um beijo. Mas ninguém, nenhuma outra mulher lhe chegou aos calcanhares. Ela casou-se, teve filhos. Nada disso teve importância. Sempre que estava preocupado, sempre que tinha preocupações a sério, ia ter com ela. De certo modo, só ela é que sabia quem ele era. Só ela e mais ninguém. Ele também sabia criar intimidade através de segredos compartilhados, nessa arte sempre foi um mestre, um virtuoso. E nós sabíamos: se havia alguém que conhecia todos os seus segredos, esse alguém era a Maria João. A Fátima sofreu com isso. E a Adriana odiou-a.

Gregorius quis então saber se ela ainda estava viva. A última vez que a vira ela estava a morar em Campo de Ourique, perto do cemitério, disse Mélodie, mas isso já tinha sido há muitos anos. Tinham-se encontrado por acaso junto ao seu mausoléu. Tinha sido um encontro amável, se bem que algo frio.

– Ela, a filha de camponeses, sempre manteve uma certa distância em relação a nós, os aristocratas. O facto do Amadeu pertencer à nossa estirpe foi por ela, por assim dizer, ignorado. Como se não o soubesse. Ou então tratava-se de algo casual, exterior, que nada tinha a ver com ele.

Qual era o seu apelido? Mélodie não o sabia. – Para nós ela sempre foi simplesmente a Maria João.

Saíram do torreão e entraram na parte mais baixa da casa, onde se encontrava um tear.

– Já fiz milhares de coisas – explicou com uma gargalhada, ao aperceber-se dos olhares curiosos de Gregorius. – Sempre fui a inconstante, a imprevisível, por isso é que o papá nunca quis saber de mim.

Por um instante, a sua voz cristalina escureceu, como se uma breve nuvem tapasse o sol. Tudo não passou de um instante e ela apontou para as fotografias da parede que a mostravam em diversos ambientes.

– A servir num bar; a baldar-me à escola; ali estava empregada numa estação de gasolina; e aqui, tem de ver esta: a minha orquestra.

Era uma orquestra ambulante de oito raparigas, todas a tocar violino e todas de bonés tufados de balão, com a pala a pender para o lado.

– Já me descobriu? Tenho o boné virado para a esquerda, enquanto os das outras estão virados para a direita. Quer dizer que eu era a chefe. Ganhámos bom dinheirinho. Tocávamos em casamentos, festas, chegámos a ter uma discreta fama.

De repente, Rita virou-se, dirigiu-se à janela e ficou a olhar lá para fora.

– O papá não gostava nada de todo aquele chinfrim. Mas pouco antes da sua morte – estava eu a tocar em público com as «moças de balão», como nos chamavam – quando, de repente, vejo estacionar junto ao passeio, do outro lado da rua, o carro de serviço do papá, com o *chauffeur* que todas as manhãs o ia buscar a casa às dez para as seis, para o levar para o Tribunal, pois ele fazia questão em ser sempre o primeiro a chegar ao Palácio da Justiça. Como sempre, o papá estava sentado atrás, ao fundo, quando o vi debruçar-se para nos ver. As lágrimas saltaram-me dos olhos e eu descontrolei-me, comecei a cometer erros atrás de erros. A porta abriu-se e o papá lá saiu, com imensa dificuldade e o rosto deformado pela dor. Com a bengala mandou parar os carros – mesmo ali irradiava a autoridade de um juiz –, veio ter connosco, ficou algum tempo lá atrás, entre os outros espectadores, depois abriu caminho até à caixa aberta de um violino e, sem olhar para mim, atirou lá para dentro uma mão cheia de moedas. As lágrimas correram-me pelo rosto e o resto da peça tiveram as outras que o tocar sem a minha participação. Lá ao fundo o carro pôs-se em movimento e o papá acenou-me com a sua mão deformada pela gota, eu também acenei, depois sentei-me na entrada de um prédio e chorei como uma Madalena, não sei se por alegria por ele ter aparecido, ou se por tristeza, por só agora ter vindo.

Gregorius percorreu com o olhar as várias fotografias. Rita tinha sido uma rapariga que se sentava no colo de toda a gente e que punha toda a gente a rir; e quando chorava era coisa de pouca dura, como um breve aguaceiro num dia de sol. Faltava às aulas, mas conseguia sempre passar porque enfeitiçava os professores com o seu atrevimento encantador. Também condizia com tudo isso que, como agora contava, tivesse aprendido Francês de um dia para o outro e que tivesse optado pelo nome de uma actriz francesa chamada Élodie, que os outros tinham imediatamente transformado em Mélodie, uma palavra que parecia ter sido inventada para ela, pois a sua presença era bela e breve como uma melodia, todos se apaixonavam por ela e ninguém a conseguia agarrar.

– Eu amava o meu irmão, ou digamos: gostaria de o ter amado, porque era difícil, como é que se ama um monumento? E não haja dúvidas de que ele era um monumento, já quando eu era criança todos olhavam para ele de baixo para cima, até o papá, mas sobretudo a Adriana, que mo roubou com os seus ciúmes. Ele era um querido para mim, como um irmão mais velho é querido para a sua maninha minorca. Mas eu também gostaria de ter sido levada a sério e não apenas que ele me fizesse festas como a uma boneca. Tive de esperar até aos vinte e cinco para que ele me escrevesse aquela carta, uma carta da Inglaterra.

Mélodie abriu uma secretária e retirou lá de dentro um envelope cheio. As folhas amarelecidas estavam completamente preenchidas com uma caligrafia escrita em tinta negra. Mélodie leu durante algum tempo em surdina, até que começou a traduzir o que Amadeu lhe escrevera de Oxford, poucos meses depois da morte da sua mulher.

«Querida Mélodie, foi um erro ter feito esta viagem. Pensei que me iria ajudar voltar a ver as coisas que vi com a Fátima. Mas tudo isto só me faz sofrer e vou regressar antes do previsto. Sinto a tua falta e por isso mando-te o que escrevi na última noite. Talvez assim consiga aproximar-me de ti com os meus pensamentos.

OXFORD: JUST TALKING. *Porque é que o silêncio nocturno entre os edifícios me parece tão fraco, tão débil e vazio, tão completamente isento de espírito e de encanto? Tão completamente diferente da Rua Augusta, que mesmo às três ou quatro da manhã, quando ninguém por lá passa, ainda parece cheia de vida? Como é que isso pode ser se a pedra clara, de uma luminosidade irreal, abarca edifícios com nomes sagrados, celas da sabedoria, bibliotecas sublimes, espaços de veludo empoeirados repletos de silêncio, nos quais frases perfeitas são proferidas, pensativamente ponderadas, refutadas e defendidas? Como é que isso pode ser?*

Come on, *disse-me o irlandês ruivo quando parei diante de um cartaz que anunciava uma conferência com o título* LYING TO LIARS, let's listen to this; might be fun. *Pensei no padre Bartolomeu que tinha defendido Santo Agostinho: pagar mentira com mentira seria o mesmo que retribuir um roubo com outro roubo, um sacrilégio com outro sacrilégio, um adultério com outro adultério. E isso perante tudo aquilo que na altura estava a acontecer em Espanha e na Alemanha! Tínhamos discutido, como tantas vezes, sem que ele perdesse a sua gentileza. Nunca a perdeu, essa gentileza, nem uma única vez, e quando me sentei na sala de conferências ao lado do irlandês, senti, de repente, uma falta terrível dele e tive saudades.*

Foi inacreditável. A conferencista, uma tarada de uma cismática de uma tia de nariz bicudo e voz roufenha, pôs-se ali a desenvolver uma casuística da mentira que não poderia ser nem mais subtil nem mais irreal. Uma mulher que nunca teve de viver no emaranhado de mentiras que é uma ditadura, onde o saber mentir bem pode ser uma questão de vida ou de morte. Será que Deus pode criar uma pedra que nem Ele próprio é capaz de erguer? Se não for capaz, então não é todo-poderoso; mas se conseguir, então também não o é, pois nesse caso passa a existir uma pedra que ele não é capaz de erguer. Foi esse o tipo de escolástica que a sujeita derramou sobre nós, uma mulher com uma textura de pergaminho e com um intrincado ninho de cabelos grisalhos armado no cocuruto da cabeça.

Mas isso até nem foi o mais inacreditável. Verdadeiramente inconcebível foi a discussão, como eles lhe chamaram. Inserida e demarcada no plúmbeo espartilho da mui típica e controlada troca de gentilezas e galhardetes britânica, eles não se cansaram de tricotar argumentos no mais absoluto dos autismos. Ininterruptamente, asseguravam-se de que estavam a compreender-se mutuamente e a responder uns aos outros. Mas não era o caso. Ninguém, nem um único dos intervenientes manifestou o mais leve sinal de se ter deixado tocar pelos argumentos expostos. E, de repente, com um susto que senti espalhar-se por todo o meu corpo, percebi: é o que acontece sempre. Dizer algo a alguém: como é que se pode esperar que surta algum efeito? O caudal de pensamentos, imagens e sentimentos que continuamente nos atravessa, toda essa espantosa torrente tem um tal poder, uma tal urgência, que constituiria um milagre se não inundasse simplesmente todas as palavras que uma outra pessoa nos diz para as arrastar e entregar ao esquecimento, quando por acaso, por absoluto e mero acaso, não condizem com as nossas próprias palavras. Será que comigo é diferente, pensei. Será que já alguma vez escutei verdadeiramente alguém? Deixando-o entrar dentro de mim com as suas palavras, de modo a que a minha torrente interior fosse canalizada noutra direcção?

How did you like it?, *perguntou o irlandês quando nos vimos na Broad Street. Eu não disse tudo, mencionei apenas que tinha achado fantasmagórico o modo como cada um falara apenas e só para si próprio.* Well, *disse ele*, well. *E decorrido algum tempo:* It's just talking, you know: just talking. People like to talk. Basically, that's it. Talking. No meeting of minds?, *perguntei.* What!, *exclamou ele, e desatou a rir, umas risadas que descambaram num gargalhar gutural.* What! *E, vai daí, atira com toda a força a bola que tinha trazido consigo contra o asfalto. Bem gostaria eu de ser o irlandês, um irlandês que se atrevia a aparecer à noite na sala de conferências do All Souls College com uma bola de futebol de um vermelho brilhante. O que eu não daria para ser o irlandês!*

Agora creio que já sei porque é que o silêncio nocturno que paira neste ilustre local acaba por ser um mau silêncio. As palavras, todas elas destinadas ao esquecimento, esmorecem. Não é aí que está o problema, elas também definham e esmorecem na Baixa. Mas aí ninguém alega que há muito mais para além da verborreia, as pessoas falam e desfrutam do falar, tal como desfrutam quando lambem um gelado, para que a língua possa recuperar das palavras. Enquanto aqui todos agem constantemente como se fosse diferente. Como se o que disseram fosse extraordinariamente importante. Só que também eles têm de dormir na sua importância, e depois sobrepõe-se novamente um silêncio que cheira a podre, porque por todo o lado jazem, silenciosamente fedendo, os cadáveres da presunção.

– Ele odiava-os, aos presunçosos, a quem também costumava chamar de «enchouriçados» – disse Mélodie, enquanto voltava a enfiar o papel no envelope. – Odiava-os em todo o lado: na política, entre os colegas médicos, entre os jornalistas. E o seu juízo era inabalável. Eu gostava desse juízo porque ele era incorruptível, implacável, mesmo perante si próprio. Já não gostava quando ele se tornava num carrasco, demolidor. Nessas alturas costumava evitar o meu monumental irmão.

Ao lado da cabeça de Mélodie via-se uma fotografia em que ela dançava com Amadeu. O seu movimento até nem era desastrado, achou Gregorius; e no entanto, podia notar-se que ele não se sentia à vontade naquela pose. Quando mais tarde voltou a pensar nisso lembrou-se da expressão correcta: a dança não era algo que lhe fosse natural.

– O irlandês com a bola vermelha no sacrossanto College – disse Mélodie no silêncio. – Na altura aquela passagem da carta comoveu-me. Achei que exprimia uma nostalgia de que ele nunca falara até então: a de poder ser, ao menos uma vez na vida, um rapazinho a jogar à bola. É que aos quatro anos já ele lia, e a partir daí leu tudo o que havia para ler. A escola primária entediou-o mortalmente, e no liceu saltou dois anos. No fundo, com vinte anos já sabia tudo e perguntava-se, por vezes, o que é que tinha ainda a esperar. E com tudo isso acabou por se esquecer de jogar à bola.

O cão começou a ladrar e a sala foi invadida por crianças que só podiam ser os netos. Mélodie estendeu a mão a Gregorius. Sabia que ele teria querido saber ainda muito mais, sobre os *cedros vermelhos*, por exemplo, ou sobre a morte do juiz. O seu olhar revelava que ela o sabia, mas também revelava que hoje não estava disposta a falar mais, mesmo que as crianças não tivessem vindo.

Gregorius sentou-se num banco junto ao Castelo e reflectiu sobre a carta que Amadeu mandara à irmã mais nova de Oxford. Tinha de encontrar o padre Bartolomeu, o suave professor. Prado tinha um ouvido para as várias espécies de silêncio, um ouvido como só aqueles que sofrem de insónias possuem. E referira-se à conferencista dessa noite como tendo uma textura de pergaminho. Só agora se apercebia de que no momento em que ouvira aquilo estremecera e, pela primeira vez, se distanciara interiormente do sacerdote ateu com aquele seu juízo implacável. *Mundus, o Papiro. Pergaminho e papiro.*

Gregorius desceu a colina em direcção ao hotel. Numa loja comprou um jogo de xadrez. Durante o resto do dia, até altas horas da noite, tentou ganhar a Alekine, optando, ao contrário de Bogoljubov, por não aceitar o sacrifício das duas torres. Sentiu a falta de Doxiades e pôs os óculos velhos.

17

Não são textos, Gregorius. O que as pessoas dizem não são textos. Elas simplesmente falam. Há já muito tempo que Doxiades lhe dissera isso. Na maior parte das vezes as pessoas eram tão fragmentárias e contraditórias nos seus discursos, queixara-se ele, e esqueciam-se rapidamente daquilo que haviam dito. O grego achou aquilo simplesmente enternecedor. Para alguém que tivesse sido taxista na Grécia, como ele, e para mais taxista em Salónica, era evidente, como só muito poucas coisas são evidentes, que é impossível tomar as pessoas pelo que dizem. Muitas vezes só falam por falar. E não só no táxi.

Levá-las à letra era algo que só podia mesmo caber na cabeça de um filólogo, de um filólogo clássico, que passava todo o santo dia a matutar em palavras inamovíveis, em textos, precisamente, e ainda por cima em textos que arrastavam consigo milhares de comentários.

Mas, se não podemos levar as pessoas à letra, replicara Gregorius, então o que mais se pode fazer com as suas palavras? O grego soltara uma gargalhada. «Podemos aproveitá-las como pretexto para falarmos nós próprios! Para que a conversa nunca acabe!» E agora o irlandês da carta que Prado escrevera à irmã mais nova dissera algo muito parecido, e não se referira a clientes de táxis gregos, mas a professores do All Souls College de Oxford. Dissera-o a um homem que tinha tanto nojo das palavras gastas que desejara um dia poder reformular a língua portuguesa.

Lá fora há já dois dias que chovia a cântaros. Era como se uma cortina mágica protegesse Gregorius do mundo exterior. Ele não estava em Berna e no entanto estava em Berna; estava em Lisboa e não estava em Lisboa. Jogava xadrez durante todo o dia e esquecia-se das posições e das jogadas, o que nunca lhe acontecera até então. Por vezes, via-se com uma figura na mão, sem saber de onde é que ela vinha. Lá em baixo, no restaurante, o empregado de mesa via-se obrigado a perguntar-lhe uma e outra vez o que é que desejava comer, e uma vez mandara vir a sobremesa antes da sopa.

No segundo dia telefonou à sua vizinha de Berna e pediu-lhe para esvaziar a caixa do correio, a chave encontrava-se debaixo do capacho, em frente à porta de entrada. E queria que ela lhe mandasse o correio? Sim, pediu, e depois voltou a telefonar e disse que não. Ao desfolhar o seu bloco de notas encontrou o número de telefone que a portuguesa lhe escrevera na testa. *Português.* Ergueu o auscultador e marcou. Quando ouviu o sinal de desimpedido desligou.

A *Koiné*, o Grego do Novo Testamento entediava-o, era demasiado fácil, só a outra página portuguesa na edição de Coutinho é que lhe despertou um certo interesse. Telefonou a várias livrarias a perguntar por Ésquilo e Horácio, também podia ser Heródoto e Tácito. Tiveram dificuldades em percebê-lo e quando, finalmente, teve sucesso, não foi buscar os livros, por estar a chover.

Nas Páginas Amarelas procurou Escolas de Línguas onde pudesse aprender Português. Telefonou a Mariana Eça e quis falar-lhe da sua visita ao tio João, mas ela estava com pressa e não lhe prestou grande atenção. Silveira encontrava-se em Biarritz. O tempo imobilizara-se e o mundo estava imóvel, e tudo isso acontecera porque a sua vontade parara como nunca, até então, tinha parado.

Por vezes, punha-se à janela com um olhar vazio, a pensar naquilo que os outros – Coutinho, Adriana, João Eça, Mélodie – lhe tinham dito sobre Prado. Era um pouco como se visse surgir os contornos de uma paisagem na névoa, uns contornos ainda encobertos, mas já reconhecíveis, como num desenho oriental a tinta-da-china. Durante esses dias desfolhou uma única vez o Diário de Prado e demorou-se na seguinte passagem:

> AS SOMBRAS DA ALMA. *As histórias que os outros contam sobre nós, e as histórias que contamos sobre nós próprios: quais são as que mais se aproximam da verdade? Será assim tão evidente que são as próprias? Será que cada um é uma autoridade para si próprio? Contudo, essa não é verdadeiramente a questão que me ocupa. A verdadeira questão é: haverá, nessas histórias, uma diferença entre verdadeiro e falso? Em relação a outras histórias sobre aspectos exteriores ela existe, de facto. Mas o que sucede quando nos dispomos a compreender alguém na sua interioridade? Será que essa viagem algum dia terá fim? Será que a alma é um espaço habitado por factos? Ou será que os supostos factos não passam das enganadoras sombras das nossas histórias?*

Na manhã de quinta-feira, Gregorius subiu a avenida, sob um céu claro e azul, até ao Diário de Notícias e pediu a Agostinha, a estagiária, para ver se, no início dos anos 30, teria havido um liceu no qual teriam sido ensinadas as línguas clássicas e onde também teria havido professores padres. Ela investigou cheia de brio e quando o descobriu mostrou-lhe o sítio no mapa da cidade. Também encontrou o respectivo departamento da Igreja, telefonou e informou-se, em nome de Gregorius, sobre um tal padre Bartolomeu, que teria leccionado nesse liceu por volta de 1935. Então só poderia ter sido o padre Bartolomeu Lourenço de Gusmão, disseram-lhe. Actualmente, o senhor padre, que já tinha bem mais de 90 anos, só muito raramente recebia visitas. De que assunto se tratava então, quiseram saber. Amadeu Inácio de Almeida Prado? O senhor padre iria ser informado e depois dariam uma resposta. O telefonema veio poucos minutos depois. O sacerdote dispunha-se a falar com alguém que se interessava por Prado decorrido tanto tempo. Esperava a visita ao fim da tarde.

Gregorius tomou um táxi até ao antigo liceu, onde o discípulo Prado discutira com o padre Bartolomeu sobre a inflexível proibição da mentira por parte de Santo Agostinho, sem que o sacerdote tivesse perdido, por um instante sequer, a sua gentileza. O edifício encontrava-se na parte oriental, no fundo já fora do perímetro da cidade, e estava rodeado por grandes e velhas árvores. Com a sua fachada pintada de um amarelo pálido, quase poderia ser confundido com um antigo Grand Hotel do século XIX, só faltavam as varandas, se bem que a torre estreita com a sineta também não condissesse. O grande edifício estava completamente arruinado. O reboco desfazia-se, os poucos vidros que ainda se viam nas janelas estavam partidos, no telhado faltavam telhas, os algerozes estavam enferrujados e um deles pendia num dos cantos.

Gregorius sentou-se nos degraus da entrada, que já tinham estado cobertos de musgo aquando das visitas nostálgicas de Prado. Isso devia ter sido nos finais dos anos 60. Fora naquele mesmo sítio que ele se sentara e se questionara sobre como é que teria sido se, trinta anos antes, nessa bifurcação do caminho, tivesse optado por seguir numa direcção completamente diferente. Se ele se tivesse oposto ao desejo comovedor, mas também intransigente do pai, e não tivesse entrado no anfiteatro de Medicina.

Gregorius tirou do bolso as suas anotações e procurou a passagem.

... um desejo evanescente e patético – de voltar àquele ponto da minha vida em que teria podido optar por uma outra direcção completamente diferente daquela que acabou por fazer de mim aquilo que hoje sou?... Sentar-me uma vez mais no musgo quente, com o boné entre as mãos – isso só pode representar o desejo paradoxal de viajar para trás no tempo que me fez, mas levando-me simultaneamente a mim, àquele que agora sou e que foi marcado por tudo o que aconteceu.

Ali à frente estava a vedação, entretanto apodrecida, que delimitava o pátio, e por cima da qual o último da turma, terminado o exame final, atirara o seu boné para o lago dos nenúfares, há já sessenta e sete anos. O lago há muito que tinha secado e agora restava apenas o seu declive, coberto por um tapete de hera.

O edifício por detrás das árvores só podia ser a escola das raparigas, de onde viera Maria João, a menina dos joelhos castanhos e do cheiro a sabão no vestido claro, a rapariga que se tornara no grande amor intocável na vida de Amadeu, a mulher que, segundo Mélodie, devia ser a única a saber quem ele, na realidade, tinha sido; uma mulher com uma importância de tal maneira exclusiva que Adriana a odiara, apesar dele, provavelmente, nem sequer lhe ter dado um beijo.

Gregorius fechou os olhos. Estava agora no Kirchenfeld, na esquina do prédio de onde teria podido, sem ser visto, lançar um olhar na direcção do liceu, depois de ter fugido a meio da aula. Uma vez mais sentiu a sensação que há dez dias o atingira com uma inesperada violência e que lhe revelara o quanto ele amava aquele edifício e tudo aquilo que ele representava e o quanto ele iria sentir a sua falta. Era o mesmo sentimento e era um outro, pois já não era o mesmo. Magoava-o sentir que já não era o mesmo e que por isso mesmo, no fundo, também já não era igual. Levantou-se, acompanhou com o olhar a fachada onde a tinta de um amarelo desmaiado se escamava e de repente já não lhe doía. Uma como que suspensa sensação de curiosidade sobrepôs-se à dor e ele empurrou a porta, que estava apenas encostada e que rangeu nos gonzos enferrujados como num filme de terror.

Um cheiro a humidade e mofo entrou-lhe pelas narinas. Após ter dado os primeiros passos quase escorregou, pois o chão de pedra irregular e gasto estava coberto por uma camada de pó húmido e de musgo apodrecido. Apoiado no corrimão, foi subindo lentamente os largos degraus. As portadas que se abriam para o patamar do piso térreo estavam de tal maneira cheias de teias de aranha que quando ele as empurrou se ouviu um rasgar surdo. Gregorius estremeceu com o esvoaçar dos morcegos espantados pelo corredor. Logo a seguir, instalou-se um silêncio como ele nunca havia sentido, um silêncio onde os anos se calavam.

A porta que dava para a reitoria era fácil de reconhecer, pois estava decorada com um delicado trabalho de entalhe. Também ela estava grudada aos caixilhos pela sujidade e só cedeu depois de repetidos empurrões. Gregorius entrou então numa sala em que só parecia haver uma única coisa: uma imensa secretária negra com pés entalhados e retorcidos. Na sua presença tudo o resto – as estantes vazias e empoeiradas, a modesta mesinha-de-chá sobre o soalho de tábuas apodrecidas, o cadeirão de uma austeridade espartana – parecia destituído de realidade. Gregorius limpou o pó do acento da cadeira e sentou-se à secretária. Senhor Cortês, chamara-se o reitor de então, o homem da passada pausada e do aspecto austero.

Gregorius tinha levantado pó, as finas partículas dançavam no cone da luz solar. O tempo silencioso dava-lhe a sensação de ser um intruso e por um longo instante esqueceu-se de respirar. Depois a curiosidade venceu e ele abriu, uma a uma, as gavetas da secretária. Um pedaço de corda, aparas de madeira bolorenta de um lápis afiado, um selo encarquilhado de 1969, um cheiro a cave. E, finalmente, na última gaveta, uma Bíblia hebraica, grossa e pesada, com uma encadernação de linho cinzento, fechada, puída e com bolhas de humidade, na capa BÍBLIA HEBRAICA em letras douradas, já com sombras negras.

Gregorius pôs-se a reflectir. Agostinha dissera-lhe que o liceu não tinha pertencido à Igreja. O marquês de Pombal expulsara os Jesuítas de Portugal em meados do século XVIII e algo de semelhante voltara a suceder no início do século XX. No final da década de 40, ordens como a dos Maristas tinham fundado colégios próprios, mas isso já tinha sido depois dos tempos de liceu de Prado. Até então só houvera liceus públicos que, por vezes, empregavam padres como professores de línguas clássicas. Porquê então a Bíblia? E porquê ali, na secretária do reitor? Um simples engano, um acaso insignificante? Um protesto mudo e invisível contra aqueles que tinham encerrado a escola? Uma forma subversiva de esquecimento, dirigida contra a ditadura e não notada pelos seus cúmplices?

Gregorius começou a ler. Cuidadosamente, virou as páginas onduladas de papel grosso, húmido e apodrecido. O cone da luz do Sol deslocou-se. Ele abotoou o sobretudo, levantou a gola e enfiou as mãos para dentro das mangas. Decorrido algum tempo, levou à boca um dos cigarros que comprara na segunda-feira. De vez em quando via-se obrigado a tossir. Lá fora, por detrás da porta encostada, ouviu-se o esgueirar de algo que só podia ser uma ratazana.

Leu uma passagem do Livro de Job e leu-a com o coração aos saltos. Elifas de Teman, Bildad de Chuach e Zofar de Naama. *Isfahan.* Como é que era o apelido da família cujos filhos ele deveria ter ensinado naquela cidade? Na altura, encontrara na livraria Francke um volume ilustrado sobre Isfahan, com as suas mesquitas, as praças, as montanhas encobertas pelas tempestades de areia nas cercanias. Como não o pudera comprar, visitara todos os dias a livraria, simplesmente para o folhear. Depois do sonho da areia ardente que o cegara e o obrigara a desistir da candidatura, evitara ir à Francke durante vários meses. Quando, finalmente, regressou, o livro já lá não estava.

Os caracteres hebraicos tinham-se desvanecido perante os seus olhos. Gregorius passou a mão pelo rosto suado, limpou os óculos e continuou a ler. Algo de Isfahan, a cidade da cegueira, tinha pedurado na sua vida: desde o início que ele lera a Bíblia como uma obra artística, como poesia, como linguagem musical, aflorada pelo ultramarino e pelo ouro das mesquitas. *Tenho a sensação de que não leva o texto a sério,* dissera Ruth Gautschi, e David Lehmann concordara com um aceno mudo. Teria tudo, de facto, ocorrido há apenas um mês?

Poderá haver seriedade mais séria do que a seriedade poética, perguntara-lhes ele. Ruth ficara a olhar para o chão. Ela gostava dele. Não como Florence, na altura, quando se sentava na primeira fila; nunca teria querido tirar-lhe os óculos. Mas gostava dele, e por isso sentiu-se dividida entre esse afecto e a desilusão, talvez até mesmo o temor pelo facto de ele profanar a Palavra de Deus, ao lê-la como um longo poema e escutá-la como uma sequência de sonatas orientais.

O sol desaparecera do escritório do Sr. Cortês e Gregorius começou a sentir frio. Durante umas breves horas, o abandono daquele espaço tinha transformado tudo em passado. Estivera ali sentado no meio da mais absoluta ausência, na qual apenas os caracteres hebraicos haviam sobressaído como runas de um sonho incerto. Levantou-se então com dificuldade e saiu para o corredor, subiu as escadas e foi ver as salas de aula.

As salas estavam cheias de pó e de silêncio. Se entre elas existissem diferenças, então estas consistiam nos sinais da decadência. No tecto de uma delas viam-se enormes manchas de infiltrações, numa outra o lavatório pendia para um dos lados porque um parafuso enferrujado se quebrara, numa terceira viam-se, espalhados pelo chão, os estilhaços de um quebra-luz de vidro, enquanto a lâmpada pendia de um fio que saía do tecto. Gregorius quis ligar o interruptor: nada, nem ali nem nas outras salas. Num sítio qualquer deu com uma bola de futebol sem ar a um canto, os restos pontiagudos de uma vidraça quebrada brilhavam ao sol do meio-dia. *E com tudo isso acabou por esquecer-se de jogar à bola*, dissera Mélodie, referindo-se ao irmão, a quem os responsáveis tinham deixado aqui saltar dois anos, porque aos quatro já começara a ler tudo o que encontrava nas bibliotecas.

Gregorius sentou-se no lugar em que ele, como aluno do liceu de Berna, se sentara no barraco pré-fabricado. Dali podia ver-se a escola das raparigas, embora metade do edifício estivesse tapada pelo tronco e pela copa de um gigantesco pinheiro manso. Amadeu de Prado teria, por certo, escolhido um outro lugar, de onde pudesse abranger toda a fachada das janelas. Assim teria podido ver a Maria João sentada na sua carteira, fosse qual fosse o lugar onde ela se tivesse ido sentar. Gregorius sentou-se no lugar com a melhor vista e olhou esforçadamente lá para fora. Sim, dali poderia tê-la visto com o seu vestido claro a cheirar a sabão. Tinham trocado olhares e quando ela escrevera um teste ele desejara ter podido conduzir o movimento da sua mão. Teria utilizado um binóculo de teatro? Na mansão aristocrática de um juiz do Supremo Tribunal de Justiça teria de haver um desses *lorgnons*. Alexandre Horácio não o teria utilizado, se é que alguma vez tivesse estado num camarote da ópera. Mas talvez a sua mulher, Maria Piedade Reis de Prado? Durante os seis anos que ainda viveu, depois da sua morte? Terá representado a sua morte uma libertação para ela? Ou teria essa morte como que estancado o tempo, transformando os sentimentos em formações petrificadas de uma lava psíquica, como no caso de Adriana?

As salas alinhavam-se em longos corredores que faziam lembrar um quartel. Gregorius percorreu-os a todos, um após outro. A uma certa altura tropeçou numa ratazana morta e ficou parado, a tremer, durante algum tempo, limpando as mãos suadas ao sobretudo, embora estas nada tivessem a ver com o assunto. Quando desceu novamente para o piso térreo abriu uma porta alta e sem quaisquer ornamentos. Tinha sido ali que os alunos tomavam as refeições. Havia um postigo e, por detrás, o espaço forrado a azulejos da antiga cozinha, da qual já só restavam tubagens enferrujadas que saíam da parede. As longas mesas ainda lá estavam. Haveria um salão nobre?

Encontrou-o no outro lado do edifício. Fileiras de bancos aparafusados ao chão, um vitral onde faltavam dois vidros, à frente uma carteira com candeeiro sobre um estrado. Um banco separado, provavelmente reservado à direcção. O silêncio de uma igreja, ou antes, simplesmente o silêncio em que algo é valorizado, um silêncio que não podia ser interrompido por quaisquer palavras vãs. Um silêncio que transformava palavras em esculturas, monumentos do louvor, da exortação ou de condenação demolidora.

Gregorius voltou para a sala do reitor. Indeciso, tomou o peso à Bíblia hebraica. Já a tinha entalado debaixo do braço e dispunha-se a sair do quarto quando deu meia volta. Forrou a gaveta húmida com a sua camisola e colocou lá dentro o livro. Em seguida, pôs-se a caminho de Belém, no outro extremo da cidade, onde tinha um encontro marcado com o padre Bartolomeu de Gusmão, que morava num lar da Igreja.

18

– Santo Agostinho e a Mentira – esse foi apenas um entre milhares de outros assuntos que nós discutimos – disse o padre Bartolomeu. – Discutíamos muito, sem que nunca tenha havido uma altercação. É que, bem vê, ele era um exaltado, um rebelde, ainda por cima um jovem com uma inteligência mercurial e um orador sobredotado, que, durante seis anos, passou como um furacão pelo liceu, como se tivesse nascido para se tornar numa lenda.

O padre segurava o livro de Prado e passou com a palma da outra mão pelo retrato. O gesto podia ser interpretado como um alisar do papel ou como um acariciar pensativo. Gregorius lembrou-se do modo como Adriana passara com a palma da mão pela secretária de Amadeu.

– Está mais velho – constatou –, mas é ele. Era assim mesmo que ele era, exactamente.

Pousou o livro na manta em que tinha enrolado as pernas.

– Na altura, quando fui seu professor, eu tinha vinte e tal anos, o simples facto de ter de o enfrentar representou para mim um incrível desafio. Dividiu o corpo docente entre aqueles que o detestavam e aqueles que o amavam. Sim, essa é a palavra certa: alguns de nós estavam apaixonados por ele – pelo seu temperamento excessivo, pela sua generosidade transbordante e pela sua tenaz obstinação, pela ousadia não isenta de desprezo, pelo seu destemor e pelo fervor fanático. Ele era um audacioso, um aventureiro que podíamos imaginar perfeitamente numa das nossas gestas marítimas, cantando, pregando, absolutamente determinado em proteger os habitantes dos continentes distantes contra toda e qualquer sevícia ou abuso por parte da tripulação, se necessário com a espada. Estava disposto a desafiar qualquer um, nem que fosse o Demónio, ou mesmo Deus. Não, não se tratava de megalomania, como os seus adversários apregoavam, era apenas vida que se manifestava, isso e uma erupção vulcânica, estrondosa de forças que despertavam, uma explosão de ideias que continuamente brilhavam como uma chuva de centelhas. Sem dúvida que aquele jovem era imensamente orgulhoso. Mas aquele orgulho era de tal maneira indomável, de tal maneira desmedido, que nos deixava atónitos e sem reacção perante aquele milagre da Natureza que parecia estar ali para impor as suas próprias leis. Aqueles que o amavam viam nele um diamante em bruto, uma pedra preciosa por lapidar. Aqueles que o rejeitavam exasperavam-se com a sua falta de respeito, que podia tornar-se ofensiva, e com aquela espécie de presunção muda, se bem que indisfarçável, que é comum a todos aqueles que são mais rápidos, mais claros e mais brilhantes do que os outros e que têm perfeita consciência disso. Esses viam nele um pingente aristocrático, favorecido pelo destino, cheio não só de dinheiro, mas também de talentos, de beleza e encanto, para além daquela sua melancolia irresistível que o transformava num predestinado para se tornar num favorito das mulheres. Era injusto que alguém tivesse sido assim tão mais favorecido do que os outros, era imerecido e isso tornava-o automaticamente num íman para a inveja e para o despeito. E, no entanto, todos aqueles que sentiam isso não deixavam de o admirar secretamente, pois ninguém podia fechar os olhos perante uma evidência: ele era um jovem capaz de tocar no céu.

As recordações tinham transportado o padre para muito longe daquele quarto onde se encontravam – um quarto que, muito embora fosse espaçoso e estivesse cheio de livros, em comparação com o modesto quarto de João Eça, na outra banda, em Cacilhas, não deixava de ser um quarto de um lar de terceira idade, reconhecível pelos aparelhos medicinais e pela campainha por cima da cama. Desde o início, Gregorius gostara daquele homem alto e seco com o cabelo imaculadamente branco e os olhos fundos e espertos. Se tinha sido professor de Prado então já devia ter ultrapassado há muito a barreira dos noventa, mas não havia nada de senil nele, nenhum sinal de que tivesse perdido parte da clareza de espírito com que há setenta anos enfrentara os desafios impetuosos de Amadeu. Tinha mãos finas com dedos longos e delicados, como que criados para virar as páginas de livros antigos e preciosos. Com esses dedos ele folheava agora o livro de Prado. Mas não lia, o tocar e mexer no papel era antes como que um ritual que o ajudava a recuperar o passado distante.

– O que ele já tinha lido quando, aos dezasseis anos, passou a porta daquele liceu com a sua pequena sobrecasaca feita à medida! Entre nós, não foram poucos os que deram por si a verificar, secretamente, se ainda conseguiam acompanhá-lo. E depois víamo-lo sentado na biblioteca com aquela sua memória fenomenal, e os seus olhos escuros sugavam, com o seu olhar extraordinariamente concentrado, cuja concentração nem o maior estrondo conseguiria interromper, todos aqueles volumes grossíssimos, linha após linha, página após página. «Quando o Amadeu lê um livro», disse uma vez um outro professor, «as páginas ficam em branco. Ele não devora apenas o sentido, até a tinta de imprimir desaparece.»

E tinha razão. Os textos pareciam desaparecer por completo dentro dele e o que depois ficava na estante não passava de um invólucro vazio. Por detrás daquela testa descaradamente alta a paisagem do seu espírito expandia-se a um ritmo vertiginoso, semana após semana constituíam-se lá dentro novas formações, surpreendentes constelações de ideias, associações e fantásticas inovações linguísticas que não paravam de nos surpreender. Chegou a acontecer ter-se escondido na biblioteca para continuar a ler durante toda a noite à luz de uma lanterna de bolso. A primeira vez que isso aconteceu a sua mãe entrou em pânico por ele não ter voltado para casa. Mas a pouco e pouco começou a habituar-se, não sem um certo orgulho, ao facto do seu rapaz tender a violar todas as regras que lhe impunham.

Alguns professores temiam que o olhar concentrado de Amadeu se fixasse neles. Não é que fosse um olhar de rejeição ou de desafio, e muito menos um olhar hostil. O que acontecia era que ele concedia a quem explicava apenas uma e não mais do que uma oportunidade para expor as coisas de uma forma correcta. Mas se cometêssemos um erro, ou deixássemos transparecer insegurança, o seu olhar não parecia estar a espiar-nos nem manifestava desprezo. No fundo, nem sequer se via nele desapontamento. Não, o que acontecia era que ele simplesmente se desligava, olhava para outro lado, tentava que não nos apercebêssemos. À saída era sempre amável, amigável. Mas era precisamente essa vontade perceptível de não magoar que tornava tudo tão devastador. Eu próprio o senti na pele e outros comprovaram-no: aquele olhar inabalável acompanhava-nos até quando preparávamos as aulas. Havia professores para quem o seu olhar era o do examinador, que os lançava de novo para o banco da escola, e outros que o conseguiam encarar com o espírito de um desportista que enfrenta um adversário poderoso. Não conheci colega que não tenha sentido o mesmo: que Amadeu Inácio de Almeida Prado, o filho precoce e hiperatento do famoso juiz, estava sempre presente na sala de estudo quando se tratava de preparar uma matéria difícil, algo em que também nós, enquanto professores, pudéssemos cometer erros.

E, no entanto, ele não era apenas exigente. Aliás, não se pode dizer que ele fosse constante na sua identidade. Havia quebras nele, fendas e fracturas, e por vezes tínhamos a sensação de não o conhecermos de todo. Quando se apercebia do que acabara de provocar com aqueles seus modos excessivos mas de certa maneira também arrogantes, ficava perplexo, caía, de repente, das nuvens e tentava remediar tudo. E depois havia ainda o outro Amadeu, o colega bom e atencioso. Podia ficar noites inteiras com os camaradas para os preparar para um exame e demonstrava uma modéstia e uma paciência angélica, que envergonhava todos aqueles que antes tinham dito mal dele.

Os acessos de melancolia também faziam parte de um outro Amadeu. Quando eles o afligiam era como se, temporariamente, um outro espírito se tivesse acoitado dentro dele. Tornava-se tremendamente assustadiço, o mínimo ruído fazia-o estremecer como se tivesse sido chicoteado. Nesses momentos parecia a própria materialização da dificuldade de viver. E que ninguém se atrevesse a tentar consolá-lo ou animá-lo: atirava-se a nós com um sibilar furioso.

Sabia tantas coisas, aquele rapazinho abençoado. Só havia uma coisa que não sabia fazer: festejar, descontrair-se, deixar-se ir. Aí parecia estorvar-se a si próprio com aquela sua absoluta lucidez e o desejo apaixonado de compreender tudo e manter sempre o controlo da situação. Nada de álcool. E cigarros também não, esses só vieram mais tarde. Mas litros e litros de chá, ele adorava o brilho vermelho-dourado de um pesado *Assam* e trazia propositadamente de casa uma chaleira de prata que, no final, ofereceu ao cozinheiro.

– Parece que houve uma história com uma tal Maria João – interpôs Gregorius.

– Sim. E Amadeu amava-a. Amava-a daquela forma inimitável e casta de que todos se riam, sem conseguirem esconder a sua inveja. A inveja perante um sentimento que, no fundo, só conheciam dos contos de fadas. Ele amava-a e venerava-a. Pois, era isso: ele venerava-a – se bem que não se costume dizer isso das crianças. Mas Amadeu era em muitos aspectos diferente. E não era que fosse uma rapariga particularmente bonita, não era aquilo a que se costuma chamar uma princesa, nem pouco mais ou menos. E pelo que sei também não deve ter sido grande aluna. Ninguém conseguiu perceber completamente aquilo, e muito menos as outras raparigas da escola feminina do lado, que teriam dado tudo para atrair sobre si o olhar do príncipe aristocrático. Talvez tivesse a ver simplesmente com o facto de ela não ter ficado impressionada com ele, de não se ter deixado ofuscar e dominar como todas as outras. Talvez fosse disso que ele precisasse: que alguém o enfrentasse naturalmente e em pé de igualdade, com palavras, olhares e gestos que com a sua naturalidade e discrição o redimissem de si próprio.

Quando a Maria João aparecia e se sentava nos degraus, ao seu lado, de repente ele parecia acalmar-se completamente e como que libertar-se do fardo da sua lucidez e da sua percepção instantânea, do fardo da sua ininterrupta atenção, daquele esforço que o obrigava a ultrapassar-se e superar-se continuamente. Quando estava sentado ao lado dela ele até podia esquecer-se do toque da campainha para o recomeço das aulas, e ao vê-lo assim ficava-se com a sensação de que ele desejava nunca mais levantar-se. Era então que a Maria lhe pousava a mão no ombro e o fazia regressar daquele seu precioso paraíso do descanso. Era sempre ela que lhe tocava; nunca vi a sua mão pousada no ombro dela. Quando se levantava para ir para a sua escola costumava prender com um elástico o cabelo negro brilhante num rabo-de-cavalo. E ele não se cansava de a observar, como que enfeitiçado, deve ter gostado muito daquele gesto. Um dia o elástico foi substituído por um travessão de prata e pela expressão do seu rosto pude deduzir de que se tratava de um presente seu.

Tal como Mélodie, também o padre Bartolomeu desconhecia o apelido da rapariga.

– Agora que me está a perguntar isso quase me parece que nós *não queríamos* saber o seu nome; como se o facto de sabê-lo representasse, de algum modo, uma *perturbação* – disse. – Com os santos também não nos passa pela cabeça perguntarmos pelo apelido deles, não é verdade?! Ou com a Diana, ou a Electra.

Uma enfermeira em traje de freira entrou no quarto.

– Agora não – disse o padre Bartolomeu quando ela agarrou na braçadeira para a medição da pressão arterial.

Disse-o com uma suave autoridade e, de repente, Gregorius compreendeu porque é que aquele homem tinha significado uma imensa sorte para Prado: o padre Bartolomeu possuía exactamente o tipo de autoridade de que ele precisara para se tornar consciente dos seus próprios limites. E talvez também para se libertar da autoridade austera e inflexível do pai juiz.

– Mas gostaríamos de beber um chá – disse o padre, apagando com o seu sorriso a irritação que mal começara a esboçar-se no rosto da Irmã. – Um *Assam*, e faça-o forte, para que o vermelho-dourado brilhe como deve ser.

O padre fechou os olhos e manteve-se calado. Não queria abandonar aquele passado remoto em que Amadeu oferecera a Maria João um travessão de prata. Aliás, achou Gregorius, o que ele, na verdade, gostaria mesmo era de ficar com o seu aluno preferido, com quem tinha debatido sobre Santo Agostinho e milhares de outras coisas. Com o rapaz que tinha podido tocar no céu. O rapaz a quem ele teria querido também pousar a mão no ombro, como o fizera a Maria João.

– A Maria e o Jorge – prosseguiu o padre, agora com os olhos fechados – foram para ele como que os seus santos protectores. Jorge O'Kelly. Nele, o futuro farmacêutico, encontrou Amadeu um amigo, e não me espantaria nada se ele tivesse permanecido o seu único verdadeiro amigo, para além da Maria. Em muitos aspectos era exactamente o seu oposto, e por vezes eu cheguei a pensar: ele precisa do Jorge para se tornar *inteiramente* ele próprio. Com a sua cabeçorra de campónio, o cabelo cerdoso e eternamente despenteado, e a sua maneira de ser pesada e algo complicada podia parecer limitado, e nos dias da porta aberta cheguei a ver pais de jovens de boas famílias a virarem-se nos corredores, surpreendidos, quando ele passava por eles com as suas pobres roupas. De facto, não tinha nada de elegante, com aquelas camisas amarrotadas, os casacos deformados e a gravata negra – sempre a mesma – que ele usava descaída, como protesto contra a imposição do uso da gravata na escola.

Uma vez vimo-los vir ao nosso encontro, no corredor do colégio e um dos colegas disse, depois deles passarem por nós: «Se tivesse de definir para uma enciclopédia o conceito da Elegância e o seu preciso contrário, só precisava de apresentar as fotografias daqueles dois miúdos. Qualquer comentário adicional tornar-se-ia supérfluo.»

Jorge era alguém com quem o Amadeu podia descansar e recompor-se do seu ritmo vertiginoso. Quando estava com ele, decorrido algum tempo, começava também a ficar mais lento, a ponderação do Jorge transmitia-se. Como, por exemplo, no xadrez. Ao princípio ficava doido quando o Jorge se punha a matutar num lance durante uma eternidade, e para a sua concepção do mundo, para a sua metafísica mercurial era impensável que alguém que precisasse tanto tempo para pensar pudesse, no final, acabar por vencer. Mas depois começava a respirar aquela calma do amigo, a calma de alguém que, desde sempre, parecia saber quem era e a quem pertencia. Pode parecer absurdo, mas acho que chegaram a um ponto em que Amadeu *precisava* das periódicas derrotas que Jorge lhe infligia. Ficava infeliz quando excepcionalmente ganhava, para ele deve ter sido como se o rochedo ao qual podia agarrar-se, ruísse de repente.

Jorge sabia ao certo quando é que os seus antepassados irlandeses tinham vindo para Portugal, sentia-se orgulhoso do seu sangue irlandês e dominava bem o inglês, mesmo que a sua boca não parecesse ter sido criada para pronunciar as palavras inglesas. E de facto ninguém se teria espantado se o encontrasse numa quinta irlandesa, ou num qualquer *pub* no campo; se imaginássemos isso, víamos surgir de repente, à nossa frente, o jovem Samuel Beckett.

Por essa altura já ele era um ateu incorrigível, não me pergunte como é que nós o sabíamos, o certo é que o sabíamos. Se o questionássemos sobre isso, ele limitava-se a recitar, impávido e sereno, a divisa da sua família: *Turris fortis mihi Deus*. Lia os anarquistas russos, andaluzes e catalães e chegou a pensar atravessar a fronteira para lutar contra o Franco. O facto de depois se ter tornado um militante antifascista não me surpreendeu minimamente; no fundo, o contrário é que seria de espantar. Durante toda a sua vida foi um romântico sem ilusões, se é que isso existe, e tem de existir. E esse romântico tinha dois sonhos: tornar-se farmacêutico e tocar num Steinway. O primeiro sonho pôde concretizá-lo, pois ainda hoje o pode encontrar, com a sua bata branca, atrás do balcão da farmácia da Rua dos Sapateiros. Quanto ao segundo sonho, toda a gente se ria, a começar por ele próprio. E isso porque as suas mãos rudes com as polpas dos dedos largas e as unhas estriadas condiziam mais com o contrabaixo da escola, que ele chegou a experimentar durante algum tempo, até que num ataque de desespero pela sua falta de talento acabou por o quebrar.

O padre bebeu o seu chá e Gregorius reparou, não sem algum desapontamento, que o seu beber se foi transformando, cada vez mais, num sorver. De repente, sempre acabara por se tornar num ancião a quem os lábios já não obedeciam completamente. Também o seu estado de espírito se modificara: agora a voz surgia velada pela tristeza e pela nostalgia, como se quisesse falar do vazio que Prado deixara no final da sua carreira liceal.

– Claro que todos nós sabíamos que, no Outono, quando o calor abrandasse e uma sombra dourada começasse a embaciar a luz, já não o encontraríamos nos corredores. Mas ninguém falou nisso. Na despedida estendeu-nos a todos a mão, não se esqueceu de ninguém, agradeceu com palavras calorosas e nobres, ainda me lembro que, por um momento, pensei: tal e qual um presidente.

O padre hesitou, mas, por fim, acabou por dizer:

– Talvez pudessem ter sido um pouco menos perfeitas, essas palavras de despedida. Um tudo-nada indecisas, desajeitadas, tacteantes. Algo um pouco mais parecido com uma pedra em bruto. Não tanto como mármore polido.

E também deveria ter-se despedido dele, do padre Bartolomeu, de um modo diferente daquele que utilizara para os outros, pensou Gregorius. Com outras palavras, mais pessoais, talvez mesmo com um abraço. Magoara-o ter-se sentido tratado como mais um entre outros. E ainda continuava a magoá-lo agora, setenta anos depois.

– Nos primeiros dias depois do início do novo ano escolar, andei como que anestesiado pelos corredores. Anestesiado pela sua ausência. E foi preciso que insistisse comigo próprio: não, não podes esperar ver surgir novamente o elmo dos seus cabelos, já não podes esperar que o seu vulto orgulhoso dobre a esquina e tu possas ver como ele explica algo a alguém, enquanto move as mãos daquela sua maneira inconfundivelmente expressiva. E tenho a certeza de que outros sentiram o mesmo, se bem que também não tenhamos falado no assunto. Uma única vez ouvi alguém dizer: «Isto já não é o que era.» Era evidente que se referia à ausência do Amadeu. À falta da sua voz suave de barítono nos corredores. Não tinha a ver apenas com o facto de já não o vermos, de já não o encontrarmos. A *sua ausência via-se*, era algo palpável com que nos confrontávamos. A sua falta era como o rigoroso vazio recortado numa fotografia, quando alguém recorta minuciosamente, com uma tesoura, uma figura e depois a sua ausência se torna predominante e bem mais intensa do que todas as outras presenças. Era assim que sentíamos a falta de Amadeu: através da sua precisa ausência.

Passaram anos até eu voltar a encontrá-lo. Já estava a estudar em Coimbra e só de vez em quando é que ouvia falar dele, através de um amigo assistente de um professor de Medicina nas aulas e na cadeira de Anatomia. Também aí Amadeu se tornou rapidamente numa lenda viva. Se bem que não propriamente brilhante, claro. É que mesmo os professores mais laureados, os especialistas mais reputados se sentiam postos à prova perante ele. Não que ele soubesse mais do que eles, isso não se pode dizer. Mas era insaciável na sua necessidade de explicações e parece que ocorreram cenas dramáticas no anfiteatro, quando ele, com o seu inflexível rigor cartesiano, apontava para uma suposta explicação que, no fundo, não o era.

Uma vez parece que chegou mesmo a ridicularizar um professor particularmente vaidoso, ao comparar a sua explicação com a resposta de um médico numa peça de Molière, que explicava o poder soporífero de um determinado remédio com a sua *virtus dormitiva*. Ele podia ser implacável quando se tratava de confrontar a vaidade. Sem misericórdia. Aí era só cortar a direito. *É uma forma ignorada de estupidez*, costumava dizer, *é preciso abstrairmo-nos da insignificância cósmica de todas as nossas acções para podermos ser vaidosos, e isso é uma forma flagrante de estupidez*.

Quando ele estava assim, o melhor era mesmo não o ter como adversário. Foi essa a conclusão a que todos rapidamente chegaram em Coimbra. E descobriram ainda uma outra coisa: que ele tinha um sexto sentido para as manobras de retaliação dos outros. Quem também possuía esse sentido era o Jorge, e o Amadeu conseguiu imitá-lo dentro de si próprio e depois cultivá-lo de uma forma autónoma. Quando suspeitava que alguém o queria comprometer, procurava o mais remoto lance de xadrez que pudesse ser pensado para esse efeito e preparava-se cuidadosamente para o contra-ataque. Deve ter sido isso que aconteceu também na Faculdade, em Coimbra. Quando lhe pediam para ir ao quadro, na sala de aulas, e o interrogavam acerca das coisas mais inverosímeis, ele recusava o giz que o professor vingativo lhe oferecia com um sorriso malicioso e tirava do bolso o seu próprio pedaço de giz. «Ah, isso!», parecia dizer com um indisfarçável desdém, e depois começava a encher o quadro com esboços anatómicos, equações fisiológicas e fórmulas bioquímicas. «Será que tenho mesmo que saber isto?», perguntava, quando lhe escapava algum aspecto. O sorriso dos outros não era visível, mas podia ouvir-se. Simplesmente ninguém o conseguia apanhar.

Tinham passado a última meia hora sentados no escuro, até que o sacerdote acendeu a luz.

– Fui eu que o sepultei. Adriana, a irmã, assim o quis. Ele tinha tido um colapso quando passeava pela Rua Augusta, de que tanto gostava, por volta das seis da madrugada. Sentira-se uma vez mais acossado pelas insónias. Uma mulher que saía de casa com o cão chamou uma ambulância. Mas já estava morto. O sangue do aneurisma que lhe rebentou no cérebro extinguira para sempre a luz brilhante da sua consciência.

Eu ainda hesitei, não sabia o que ele teria pensado acerca do pedido de Adriana. *O funeral é coisa dos outros; o morto não tem nada a ver com isso*, dissera certa vez. Tinha sido uma daquelas suas frases cáusticas, pelas quais alguns tanto o temiam. Ainda seria válida?

A Adriana, que por vezes podia ser um dragão, um dragão sempre empenhado em proteger o Amadeu, estava desamparada como uma menina perante todas aquelas coisas que a morte exige de nós. E foi assim que eu decidi corresponder ao seu pedido. Teria de encontrar palavras que pudessem perdurar perante o seu espírito silencioso. Após décadas em que não o sentira a espreitar-me por cima do ombro quando eu trabalhava as palavras, eis que ele ali estava de novo. A chama da sua vida extinguira-se, mas na altura tive a sensação de que o rosto lívido e para sempre silenciado exigia ainda mais de mim do que aquele outro rosto antigo, que na diversidade colorida da sua vivacidade tantas vezes me desafiara.

Mas as minhas palavras na cerimónia do funeral não teriam de ser dignas apenas do morto. Eu sabia que o O'Kelly iria lá estar. Na sua presença era-me impossível proferir palavras que tratassem de Deus e daquilo a que Jorge costumava chamar «as suas promessas vazias». A solução consistia em evocar as minhas experiências com Amadeu e as indestrutíveis marcas que ele deixara em todos aqueles que o conheciam, mesmo nos seus inimigos.

No cemitério juntou-se uma multidão incrível. Tudo pessoas que ele tratara, gente simples, a quem ele nunca enviara uma factura. No final acabei por dizer apenas uma única palavra religiosa: Ámen. Proferi-a porque Amadeu amara a palavra e porque Jorge também o sabia. A palavra sagrada ecoou no silêncio dos jazigos. Ninguém se mexeu. A dada altura começou a chover. As pessoas choravam, abraçavam-se. Ninguém se dispunha a ir-se embora. As comportas do céu abriram-se e as pessoas ficaram encharcadas até aos ossos. Mas continuaram ali. Deixaram-se simplesmente ficar onde estavam. Lembro-me de ter pensado: querem parar o tempo com os seus pés de chumbo, querem impedir que ele continue a fluir, para que não consiga afastá-los do médico querido, aliená-los, como ele a cada segundo faz com tudo aquilo que lhe antecede. Finalmente, decorrida talvez uma meia hora de imobilidade, notou-se um movimento da parte dos mais velhos, daqueles que já mal se podiam aguentar em pé. Mas ainda demorou cerca de uma hora, até o cemitério ficar vazio.

Quando, por fim, também eu me quis ir embora, aconteceu uma coisa estranha, algo com que, mais tarde, cheguei mesmo a sonhar, algo que teve a irrealidade de uma cena filmada por Buñuel. Duas pessoas, um homem e uma mulher jovem, de uma beleza contida, aproximaram-se da sepultura, vindos de extremidades opostas do caminho. O homem era o O'Kelly, a mulher eu não a conhecia. Não o podia saber, mas sentia-o: aqueles dois conheciam-se. Pareceu-me que era um conhecimento íntimo, e que essa intimidade estava relacionada com uma qualquer desgraça. Uma tragédia em que Amadeu tinha também estado envolvido. Ambos tinham um caminho sensivelmente igual para percorrer, até chegarem à sepultura, e parecia que sincronizavam um pelo outro o ritmo dos seus passos, para que chegassem ao mesmo tempo. Durante todo o percurso nem por uma única vez os seus olhares se encontraram, ambos caminhavam com os olhos postos no chão. O facto de evitarem olhar-se criava entre ambos uma proximidade que conseguia ser maior do que qualquer contacto que os seus olhares tivessem podido assumir. Continuaram sem se olhar mesmo quando permaneceram um ao lado do outro, perante a sepultura, e como que respirando em uníssono. O morto parecia pertencer-lhes só a eles e a mais ninguém, e eu senti que tinha de ir-me embora. Até hoje desconheço qual é o segredo que une aquelas duas pessoas e o que é que ele tem a ver com o Amadeu.

Uma campainha soou, devia ser o sinal para o jantar. Uma sombra de irritação alterou por um instante a expressão do rosto do sacerdote. Com um movimento impetuoso afastou a manta das pernas, dirigiu-se à porta e fechou-a à chave. De regresso ao sofá, estendeu a mão para o interruptor e apagou a luz. Um carro com talheres a tilintar rolou pelo corredor e afastou-se. O padre Bartolomeu esperou até o silêncio se instalar novamente, antes de prosseguir.

– Ou talvez saiba qualquer coisa, ou pressinta. É que, pouco mais de um ano antes de ter morrido, Amadeu apareceu de repente, a meio da noite, à minha porta. Toda a sua autoconfiança parecia tê-lo abandonado, a sua expressão, a sua respiração e os seus movimentos eram os de um acossado. Preparei um chá e ele sorriu fugazmente quando apareci com o açúcar cristalizado que ele tinha adorado quando era um rapazinho. Mas, logo a seguir, o seu rosto contraiu-se novamente naquela expressão torturada.

Era evidente que não o podia pressionar, no fundo, nem sequer devia perguntar-lhe fosse o que fosse. Mantive-me portanto em silêncio, à espera. Ele lutava consigo próprio, de uma maneira como só ele o fazia: como se da vitória ou derrota nesse combate dependessem a vida e a morte. E se calhar era disso mesmo que se tratava. Eu tinha ouvido rumores segundo os quais ele andaria a trabalhar para a resistência antifascista. Enquanto fitava o vazio à sua frente, esforçando-se por respirar, eu registava aquilo em que o envelhecimento o transformara: as primeiras manchas nas mãos delicadas, as olheiras sob os olhos atormentados pela insónia, as madeixas brancas no cabelo. E, subitamente, com um grande susto, tornei-me consciente: ele tinha um aspecto desleixado. Não como um sem-abrigo sujo. O desleixo era menos perceptível, mais suave: a barba crescida, pêlos que saíam das orelhas e do nariz, unhas mal cortadas, um brilho amarelado no colarinho branco, sapatos sujos. Como se há já vários dias que não tivesse estado em casa. E havia também aquelas tremuras irregulares das pálpebras que eram como que o resumo de toda uma vida passada à beira da exaustão.

«Uma vida contra muitas vidas. Isso não são contas que se façam, não acha?!» A sua voz era ofegante, como que acossada, e por detrás dela notava-se tanto a indignação como o medo de fazer algo de errado, algo de imperdoável.

«Tu sabes o que penso sobre isso» respondi. «Não mudei de opinião desde então.»

«E se fossem mesmo *muitos*?»

«Terias de ser *tu* a fazê-lo?»

«Pelo contrário: tenho de *impedi-lo*.»

«Ele sabe demasiado?»

«Ela. Tornou-se um perigo. Não conseguiria aguentar. Acabaria por falar. É o que os outros pensam.»

«O Jorge também?» Era um tiro no escuro, mas que acertou em cheio.

«Sobre isso não quero falar.»

Decorreram minutos de silêncio. O chá ficou frio. Ele estava a rebentar pelas costuras. Amá-la-ia? Ou seria simplesmente porque se tratava de um ser humano?

«Como é que ela se chama? *Os nomes são as sombras invisíveis com as quais os outros nos vestem, e nós a eles*. Ainda te lembras?»

Eram as suas próprias palavras numa das muitas redacções com que ele nos havia surpreendido.

Por um momento, a recordação como que o libertou e sorriu.

«Estefânia Espinhosa. Um nome como um poema, não é verdade?»

«O que é que queres fazer?»

«Atravessar a fronteira. Ir para as montanhas. Não me pergunte para onde.»

Depois desapareceu pelo portão do quintal. Foi a última vez que o vi vivo.

Depois da cena misteriosa no cemitério pensei muitas vezes naquela nossa conversa nocturna. A mulher seria a tal Estefânia Espinhosa? Teria vindo de Espanha, onde a notícia da morte de Amadeu a surpreendera? E quando se aproximara do O'Kelly, ter-se-ia aproximado do homem que a quisera sacrificar? Teriam ficado ambos imóveis e incapazes de olharem um para o outro, em frente ao túmulo do homem que sacrificara a amizade de toda uma vida para salvar a mulher com o nome poético?

O padre Bartolomeu acendeu a luz. Gregorius levantou-se.

– Espere – pediu o sacerdote. – Agora, que lhe contei todas estas coisas, também acho que deve ler isto – e foi buscar a uma estante uma pasta velhíssima, atada com fitas desbotadas. – O senhor é um filólogo clássico. Pode ler isto. É uma cópia do discurso que Amadeu pronunciou na cerimónia final. Foi ele que a redigiu especialmente para mim. Em latim. Fantástico. Inacreditável. Disse-me que esteve no salão nobre. Foi precisamente aí, por detrás daquele púlpito, que ele discursou.

Todos nós já prevíamos que algo pudesse acontecer, mas não aquilo. Desde que ele pronunciou a primeira frase que mal se ouvia respirar. E o silêncio foi-se adensando e tornando mais completo. As frases saídas da pena de um jovem iconoclasta de dezassete anos, que falava como se já tivesse vivido toda uma vida, estalavam como chicotadas. Comecei a perguntar-me o que é que iria acontecer quando a última palavra se dissipasse. Tive medo. Medo por ele, que sabia o que estava a fazer e que, por outro lado, não o sabia. Medo por aquele aventureiro hipersensível, cuja vulnerabilidade nada ficava a dever à sua eloquência. Mas medo também por nós, que talvez não estivéssemos à altura da situação. Os professores mantinham-se muito direitos nas suas cadeiras, muito crispados. Alguns tinham os olhos fechados e pareciam estar ocupados em erguer no seu interior barreiras de defesa contra aquela salva de acusações blasfémicas, um baluarte contra um sacrilégio que ninguém teria imaginado possível ali, naquele espaço. Iriam eles falar ainda com ele? Conseguiriam resistir à tentação de defender-se com um desdém que o reduziria, automaticamente, a uma condição de criança?

A última frase, como poderá ler, contém uma ameaça, comovente mas também assustadora, pois por detrás dela sentia-se a presença de um vulcão capaz de cuspir fogo; e se isso não acontecesse podia ser que ele sucumbisse perante as convulsões do seu próprio magma. Amadeu não proferiu essa frase em voz alta e com o punho cerrado, mas em voz baixa, de uma forma quase suave, e ainda hoje não sei se o fez de propósito, para aumentar a intensidade dramática, ou se, de repente, depois de toda a firmeza com que tinha lançado no silêncio todas aquelas frases ousadas e irreverentes, a coragem o abandonou e ele se sentiu compelido, com aquela suavidade na voz, a pedir antecipadamente perdão. Claro que não foi algo planeado, mas talvez o desejo o tivesse impelido interiormente, já que para o exterior a sua lucidez era enorme, embora ainda não o fosse para dentro.

A última frase soou. Ninguém se mexeu. Amadeu ordenou as

folhas, lentamente, o olhar baixo. Até que já não havia nada mais para ordenar. Já não havia para ele nada mais a fazer lá à frente, absolutamente nada. Só que não nos podemos separar assim de uma estante de leitura depois de um discurso como aquele, sem que o público tome posição, seja ela qual for. Teria significado uma derrota da pior espécie: como se nada tivesse sido dito.

Senti vontade de me levantar e aplaudir, já só pelo brilhantismo daquele discurso desmedido. Mas depois senti que não me era possível aplaudir uma blasfémia, por mais elaborada que ela fosse. Ninguém o pode fazer, e muito menos um padre, um homem de Deus. E assim permaneci sentado. Os segundos passaram. Muitos mais não deviam passar, sob pena de tudo aquilo ruir, transformando-se numa catástrofe, para ele e para nós. Amadeu ergueu a cabeça e esticou as costas. O olhar resvalou para os vidros coloridos da janela e aí se deteve. Não foi intencional, tenho a certeza de que não se tratou de um truque teatral. Foi uma reacção perfeitamente involuntária que, como verá, ilustrou o seu discurso. Mostrou-nos que ele *era* o seu discurso.

Talvez isso tivesse bastado para quebrar o gelo. Mas foi então que aconteceu algo que a todos no salão pareceu como uma prova jocosa da existência de Deus: lá fora, um cão começou a ladrar. Primeiro foi um ganir breve e seco, que nos acusava pelo nosso silêncio mesquinho; mas depois transformou-se num uivar e ulular contínuo, dedicado à miséria de todo aquele tema.

Jorge O'Kelly desatou às gargalhadas e depois de um segundo sobressalto todos os outros o acompanharam. Creio que, por um momento, Amadeu ficou consternado, ele podia ter contado com tudo, menos com uma descarga de humor. Mas como fora Jorge que começara tudo devia estar em ordem. O sorriso que surgiu no seu rosto foi um pouco forçado, mas manteve-se, e enquanto outros cães se juntavam ao lamento ele desceu do estrado.

Só então o Sr. Cortês, o nosso reitor, conseguiu acordar do seu torpor. Levantou-se, foi ter com Amadeu e apertou-lhe a mão. Será possível reconhecer num aperto de mão o alívio que se sente por se tratar do último? O Sr. Cortês disse a Amadeu umas quantas palavras que logo foram abafadas pelo uivar dos cães. Amadeu respondeu e enquanto falava recuperou a autoconfiança, podia ver-se isso nos seus gestos, na maneira como enfiou as folhas do escandaloso manuscrito no bolso da sobrecasaca; notava-se que não estava a tentar esconder algo, meio envergonhado; não, com aqueles gestos ele parecia querer apenas guardar algo precioso num local seguro. No final, baixou a cabeça, olhou para o reitor, olhos nos olhos, e dirigiu-se para a porta, onde Jorge o esperava. O'Kelly pôs-lhe o braço por cima do ombro e empurrou-o para fora.

Mais tarde, vi-os aos dois no parque. O Jorge falava e gesticulava, o Amadeu escutava. Os dois fizeram-me lembrar um treinador que reconstitui com o seu protegido as peripécias de um combate. Depois apareceu a Maria João. O Jorge apoiou ambas as mãos nos ombros de Amadeu e empurrou-o com uma risada na sua direcção.

Entre os professores o discurso quase que não foi comentado. Não quero com isto dizer que tenha sido silenciado. Terá tido mais a ver com o facto de não termos conseguido encontrar as palavras, ou o tom certo para trocarmos impressões. Com certeza que também houve quem tivesse ficado contente com o calor insuportável que se fez sentir por esses dias. Assim não tivemos de dizer: «Não pode ser!», ou: «Talvez até tenha alguma razão, mas...» Em vez disso, limitámo-nos a dizer: «Que calor horrível!»

19

Como era possível, pensou Gregorius, que ele estivesse ali a atravessar uma Lisboa nocturna num eléctrico centenário e, ao mesmo tempo, tivesse a sensação de que afinal sempre conseguia partir para Isfahan, mesmo com trinta e oito anos de atraso? Depois da visita ao padre Bartolomeu saíra a meio do percurso e fora, finalmente, buscar à livraria as tragédias de Ésquilo e os poemas de Horácio que havia encomendado. Depois, já a caminho do hotel, o seu passo tornara-se cada vez mais lento e hesitante. Durante vários minutos tinha ficado submerso nos vapores de uma churrascaria, enfrentando o cheiro repugnante da gordura queimada. Na altura parecera-lhe extraordinariamente importante ficar ali parado, naquele preciso momento, para tentar descobrir o que começava a manifestar-se dentro de si. Quando é que tinha tentado concentrar-se assim tanto numa pista?

Para o exterior a sua lucidez era enorme, embora ainda não o fosse para dentro. Parecera-lhe algo de perfeitamente natural quando o padre Bartolomeu dissera isso acerca de Prado. Como se todo o adulto tivesse um conhecimento directo e espontâneo sobre as formas de consciência exterior e interior. *Português*. Gregorius vira novamente à sua frente a portuguesa na ponte de Kirchenfeld, como ela se apoiara com os braços esticados no parapeito, e como os seus calcanhares tinham saído dos sapatos. *Estefânia Espinhosa, um nome como um poema*, dissera Prado. *Atravessar a fronteira. Ir para as montanhas. Não me pergunte onde*. E então, de repente, sem perceber como e de onde aquilo lhe vinha, Gregorius soubera aquilo que, sem o saber, sentira vagamente dentro de si: ele não queria ler o discurso de Prado no quarto do hotel mas lá fora, no liceu abandonado, no preciso sítio onde ele fora lido. Lá, onde a Bíblia hebraica ainda se encontrava na gaveta, embrulhada na sua camisola. Lá onde havia ratazanas e morcegos.

Porque é que aquele seu desejo, talvez um pouco grotesco, se bem que inofensivo, lhe parecera assim tão decisivo, como se dele dependesse algo essencial? Como se o facto de voltar para trás, na direcção do eléctrico, em vez de seguir para o hotel, pudesse ter consequências de um alcance inusitado? Tinha entrado numa loja de ferragens pouco antes do fecho e comprara a lanterna de bolso mais potente que havia à venda. E agora via-se de novo sentado num daqueles velhos eléctricos, a caminho do metro que o iria levar até à periferia, onde se encontrava o liceu.

O edifício encontrava-se completamente mergulhado na escuridão do parque e parecia abandonado como nunca um outro edifício parecera abandonado. Quando se pusera a caminho, ainda há pouco, Gregorius lembrara-se do cone de luz solar que ao meio-dia tinha percorrido o escritório do Senhor Cortês. O que agora tinha ali à sua frente era um edifício silencioso como um navio sepultado no fundo do mar, perdido para os humanos e intangível para o tempo.

Gregorius sentou-se numa pedra e pensou num aluno que, há muito tempo, entrara pela calada da noite no liceu de Berna e, para se vingar, esbanjara milhares de francos a telefonar para toda a gente do escritório do reitor. Chamava-se Hans Gmür e usara o seu nome como um garrote. Gregorius pagara a conta do seu próprio bolso e convencera Kägi a não apresentar queixa. Encontrara-se com Gmür a sós na cidade, para tentar descobrir o motivo pelo qual quisera vingar-se. Não o conseguira. «Por vingança, mais nada», não se cansara de repetir o jovem. Com os olhos postos na sua tarte de maçã parecia esgotado e consumido por um despeito tão antigo como ele próprio. Depois de se despedirem Gregorius tinha ainda ficado muito tempo a vê-lo afastar-se. De certa forma, até o admirava um pouco, dissera mais tarde a Florence, ou invejava-o.

«Imagina só: senta-se no escuro à secretária do Kägi e desata a telefonar para Sydney, para Belém, Santiago, até para Pequim. Sempre para as embaixadas, onde falam alemão. Não tem nada a dizer, nada de nada. A única coisa que lhe interessa é ouvir o ruído da ligação e sentir passar aqueles segundos caríssimos. De certa forma não deixa de ser grandioso, não achas?»

«E és tu que dizes isso? Tu, um homem que prefere pagar o que deve antes que as facturas lhe apareçam na caixa do correio? Só para não ficar a dever nada a ninguém?»

«Por isso mesmo», insistira ele, «por isso mesmo.»

Como sempre que ele respondia daquela maneira, Florence ajeitara a armação dos óculos de um *design* exageradamente moderno.

Gregorius acendeu a lanterna de bolso e seguiu o feixe de luz em direcção à entrada. Na escuridão o ranger da porta soou bem mais alto do que durante o dia. Mais alto e mais proibitivo. O esvoaçar dos morcegos espantados inundou o interior do edifício. Gregorius esperou até que eles se acalmassem novamente, antes de passar pela porta de batentes que dava para o patamar do piso térreo. Depois seguiu em frente, varrendo o chão de pedra com a luz, para não pisar alguma ratazana morta. O ar estava gélido dentro daqueles muros arrefecidos, e a primeira coisa que fez foi dirigir-se ao escritório do reitor para ir buscar a sua camisola.

Olhou para a Bíblia hebraica. Tinha pertencido ao padre Bartolomeu. Em 1970, quando o liceu fora encerrado, por ser considerado uma forja para a elite vermelha, o padre e o sucessor do Senhor Cortês tinham-se encontrado no escritório vazio do reitor, cheios de raiva e de um sentimento de impotência. «Sentimos necessidade de fazer qualquer coisa, algo de simbólico», revelara-lhe o padre.

E fora então que ele metera a sua Bíblia na gaveta da secretária. O reitor ficara a olhar para ele e deixara escapar um sorriso. «Perfeito. O Senhor há-de encarregar-se de lhes pedir contas» – dissera.

No salão nobre, Gregorius sentou-se no banco reservado à direcção, onde o Sr. Cortês acompanhara com uma expressão empedernida o discurso de Prado. Tirou então do saco plástico da livraria a pasta do padre Bartolomeu, desatou os laços e retirou o maço de folhas que, após o discurso, ainda em cima do estrado, Amadeu começara a ordenar, envolto no mais penoso e aterrador dos silêncios. Eram os mesmos caracteres caligráficos escritos em tinta preta que ele já conhecia da carta que Prado enviara a Mélodie de Oxford. Gregorius apontou o feixe da lanterna para o papel amarelecido e começou a ler

REVERÊNCIA E AVERSÃO PERANTE A PALAVRA DE DEUS

Não quero viver num mundo sem catedrais. Preciso da sua beleza e da sua transcendência. Preciso delas contra a vulgaridade do mundo. Quero erguer o meu olhar para o brilho dos seus vitrais e deixar-me cegar pelas cores prodigiosas. Preciso do seu esplendor. Preciso dele contra a suja uniformidade das fardas. Quero cobrir-me com a frescura seca das igrejas. Preciso do seu silêncio imperioso. Preciso dele contra a berraria na parada da caserna e o arrazoar frívolo dos oportunistas. Quero escutar o eco oceânico do órgão, essa inundação de sons sobrenaturais. Preciso dele contra o chinfrim ridículo da música de marcha. Amo as pessoas que rezam. Preciso da sua imagem. Preciso dela contra o veneno insidioso do supérfluo e negligente. Quero ler as poderosas palavras da Bíblia. Preciso da força irreal da sua poesia. Preciso dela contra o aviltamento da linguagem e a ditadura das senhas. Um mundo sem estas coisas seria um mundo no qual eu não gostaria de viver.

E, no entanto, existe ainda um outro mundo no qual eu não quero viver: um mundo onde o corpo e o pensar independente são condenados e onde coisas que fazem parte do melhor que podemos experimentar são estigmatizadas como pecados. O mundo em que nos é exigido amar os tiranos, os torcionários e assassinos traiçoeiros, mesmo quando as suas brutais passadas marciais ecoam atordoantes pelas vielas, ou quando se esgueiram silenciosos e felinos, como sombras cobardes, pelas ruas e travessas, para enterrar pelas costas, direito ao coração das vítimas, o aço faiscante. Entre todas as afrontas que do alto do púlpito foram lançadas às pessoas, uma das mais absurdas é, sem dúvida, a exigência de perdoar e até de amar essas criaturas. Mesmo se alguém o conseguisse, isso significaria uma falsidade sem igual e um esforço de abnegação desumano que teria, forçosamente, que ser pago com a mais completa atrofia. Esse mandamento, esse desvairado e perverso mandamento do amor para com o inimigo serve apenas para quebrar as pessoas, para lhes roubar toda a coragem e toda a confiança em si próprias, e para as tornar maleáveis nas mãos dos tiranos, para que elas não consigam encontrar a força para se revoltarem, se necessário pegando em armas.

Eu venero a palavra de Deus, pois amo a sua força poética. E abomino a palavra de Deus, pois odeio a sua crueldade. O amor é um difícil amor, pois tem constantemente que distinguir entre o fulgor das palavras e a exaltada submissão a uma divindade presumida. O ódio é um difícil ódio, pois como é que podemos permitir-nos odiar palavras que participam da própria melodia da vida nesta parte do mundo? Palavras que nos ensinaram, desde o início, o que significa a reverência? Palavras que para nós foram como que fanais, quando começámos a pressentir que a vida visível não pode ser toda a vida? Palavras sem as quais não seríamos aquilo que somos?

Mas não nos esqueçamos: são palavras que exigem de Abraão que ele sacrifique o seu próprio filho, como se de um bicho se tratasse. O que é que fazemos com a nossa ira quando lemos isso? O que pensar de um tal Deus? Um Deus que acusa Job de disputar com ele quando nada sabe e nada entende? Quem foi que o criou assim? E porque é menos injusto quando Deus lança, sem qualquer motivo, alguém para a desgraça do que quando é um comum mortal a fazê-lo? Não terá Job todos os motivos para a sua queixa?

A poesia da Palavra divina é tão avassaladora que tudo silencia. Toda e qualquer contestação acaba reduzida a um lastimável ladrar. É por isso que não basta pôr simplesmente a Bíblia de parte, temos antes de a atirar fora, assim que estejemos fartos dos seus desaforos e da servidão que ela nos impõe. Manifesta-se nela um Deus avesso à vida e à alegria, um Deus que só pretende constranger a poderosa dimensão de uma vida humana, o grande círculo que ela consegue descrever – desde que lhe concedam para tal a liberdade – e apertá-la até que se reduza a um só e contraído ponto da obediência. Amarfanhados pela mágoa e suportando o peso dos pecados, ressequidos pela sujeição e pela infâmia da confissão, devemos arrastar-nos até à sepultura, a testa marcada pela cruz de cinza, na esperança mil vezes refutada de uma vida melhor ao seu lado. Mas como é que poderíamos passar melhor ao lado de alguém que antes nos roubou toda a alegria e nos privou de todas as liberdades?

E, no entanto, as palavras que Dele vêm e que para Ele se dirigem são de uma sedutora beleza. Como as amei nos meus tempos de sacristão! Como me deixei embriagar por elas à luz das velas do altar! Como me pareceu claro, claro como a luz, que aquelas palavras fossem a medida de todas as coisas! Como achava incompreensível que as pessoas dessem importância a outras palavras, quando cada uma delas só podia significar uma condenável dispersão e uma perda da essência! Ainda hoje paro quando escuto um canto gregoriano; e por um instante irreflectido sinto-me triste porque o antigo arrebatamento deu definitivamente lugar à rebelião. Uma rebelião que se ateou em mim como uma labareda quando, pela primeira vez, ouvi as seguintes palavras: sacrificium intellectus.

Como é que podemos ser felizes sem a curiosidade, sem perguntas, dúvidas e argumentos? Sem o prazer de pensar? Estas duas palavras, que são como o golpe da espada que nos decapita, não significam outra coisa senão a imposição de dirigir o nosso sentir e actuar contra o nosso próprio pensar; elas representam um convite a uma dilaceração total, a ordem para que sacrifiquemos precisamente aquilo que constitui o núcleo da felicidade em cada um de nós – a unidade e a concordância internas da nossa vida. O escravo no porão da galera está acorrentado, mas pode pensar o que quiser. Porém, o que Ele, o nosso Deus, nos impõe é que interiorizemos, com o nosso próprio esforço, a nossa própria servidão, e que, ainda por cima, o façamos com alegria e de livre vontade. Poderá haver maior escárnio?

Na sua omnipresença, o Senhor é alguém que, dia e noite, nos observa, a cada hora, a cada minuto, a cada segundo Ele regista as nossas acções e o nosso pensamento. Nunca nos permite um momento sequer em que possamos estar a sós connosco próprios. Mas o que é um ser humano sem segredos? Sem pensamentos e desejos que apenas ele e só ele conhece? Todos os torcionários, os da Inquisição e os actuais sabem-no bem: corta-lhe a retirada para dentro, nunca apagues a luz, nunca o deixes sozinho, nega-lhe o sono e o sossego – e ele acabará por falar. O facto da tortura nos roubar a alma significa que ela nos nega a possibilidade de estarmos sozinhos connosco próprios, algo de que necessitamos como do ar para respirar. Será que o Senhor, o nosso Deus, não se apercebeu de que com a sua desenfreada curiosidade e a sua repugnante indiscrição nos rouba a alma, uma alma, ainda por cima, que se quer imortal?

Quem é que quer a sério ser imortal? Quem é que deseja viver para toda a eternidade? Como seria entediante e vazio saber que o que hoje acontece, neste mês ou neste ano, não tem qualquer significado. Os dias, os meses e os anos sucedem-se indefinidamente. Infinitamente, no sentido literal da palavra. Se isso assim fosse, haveria algo que ainda tivesse importância? Não precisaríamos de contar com o tempo, não perderíamos oportunidades, nunca teríamos de nos apressar. O facto de fazermos uma coisa hoje ou deixá-la para amanhã seria indiferente, perfeitamente indiferente. Negligências milhões de vezes repetidas deixariam de ter, perante a perspectiva da eternidade, qualquer relevância, e não faria sentido lamentar algo, pois teríamos sempre tempo para recuperar. Nem sequer poderíamos entregar-nos à simples fruição do dia, pois esse prazer alimenta-se precisamente da consciência da caducidade do tempo, o ocioso é um aventureiro perante a morte, um cruzado contra o ditado da pressa. Se houvesse sempre e em todas as ocasiões tempo para tudo e mais alguma coisa, onde é que haveria ainda espaço para nos alegrarmos com um certo esbanjar do tempo disponível?

Um sentimento não é idêntico quando surge pela segunda vez. Ele tinge-se de outras nuances devido à percepção do seu retorno. Nós entediamo-nos e fartamo-nos dos nossos sentimentos quando eles se repetem demasiadas vezes ou duram demasiado tempo. Seria então forçoso que na alma imortal se instalasse um descomunal tédio e um gritante desespero, perante a certeza de que aquilo nunca teria fim. Os sentimentos querem desenvolver-se, e nós com eles. Eles tornam-se naquilo que são precisamente porque expulsam o que foram antes, e porque fluem em direcção a um futuro em que novamente se irão afastar de si próprios. O que é que aconteceria se esse caudal desaguasse no infinito? Dentro de nós teriam de gerar-se milhares de sensações que nós, habituados que estamos a uma dimensão limitada do tempo, nunca conseguiríamos imaginar. De modo que, pura e simplesmente, não sabemos o que nos é prometido quando ouvimos falar da vida eterna. Como é que seria continuarmos a ser nós próprios na eternidade, sem o consolo de podermos, um dia, vir a ser redimidos da obrigação de sermos nós? Não o sabemos e o facto de nunca o virmos a saber representa uma bênção. E isso porque de uma coisa podemos estar certos: esse paraíso da eternidade seria um inferno.

É a morte que concede ao instante a sua beleza e o seu pavor. Só através da morte é que o tempo se transforma num tempo vivo. Por que é que o Senhor, o Deus omnisciente, não sabe isso? Porque é que nos ameaça com uma imortalidade que só poderia significar um vazio insuportável?

Não quero viver num mundo sem catedrais. Preciso do brilho dos seus vitrais, do seu fresco recato, do seu silêncio imperioso. Preciso das marés sonoras do órgão e do sagrado ritual das pessoas em oração. Preciso da santidade das palavras, da elevação da grande poesia. De tudo isso preciso. Mas não menos necessito da liberdade e do combate contra tudo o que é cruel. Porque uma coisa não é nada sem a outra. E que ninguém me obrigue a escolher.

Gregorius leu o texto três vezes, e o seu espanto foi crescendo. Uma mestria no uso do latim e uma elegância estilística que nada deviam às de Cícero. Um ímpeto no pensar e uma sinceridade no sentir que faziam lembrar Santo Agostinho. Num rapaz de dezassete anos. Num plano musical, pensou, um tal virtuosismo no manejo de um instrumento faria pensar numa criança-prodígio.

No que à frase final dizia respeito, o padre Bartolomeu tinha razão: aquela ameaça era comovente. A quem é que ela era dirigida? Um rapaz como ele escolheria sempre o combate contra a crueldade. Para isso, se necessário, prescindiria mesmo das catedrais. O sacerdote ateu construiria catedrais próprias para se opor à mediocridade do mundo, nem que estas consistissem apenas em palavras de ouro. A sua rejeição da crueldade só se tornaria ainda mais inflexível.

E se a ameaça não consistisse apenas numa formalidade vazia? Teria o jovem Amadeu, naquele dia em que subira ao estrado, antecipado, sem o querer, o que trinta e cinco anos mais tarde iria fazer: opor-se aos planos do movimento antifascista, e aos do próprio Jorge para salvar Estefânia Espinhosa?

Gregorius desejou poder ouvir a sua voz e sentir a lava torrencial das suas palavras. Tirou do bolso as anotações de Prado e iluminou o retrato com a lanterna. Até sacristão ele tinha sido, uma criança que dedicara a sua primeira paixão às velas do altar e às palavras bíblicas, que no seu brilho intenso lhe haviam parecido intangíveis. Mas depois tinham-se intrometido palavras de outros livros, palavras que se haviam desenvolvido dentro dele, até que ele se transformara num artífice, em alguém capaz de tomar o pulso a todas as palavras estranhas e de fabricar as suas próprias.

Gregorius abotoou o sobretudo, enfiou as mãos frias nas mangas e deitou-se no banco corrido. Sentia-se esgotado. Esgotado pelo esforço de ouvir e pela febre de querer perceber. Mas também esgotado pela atenção interiorizada que parecia acompanhar aquele estado febril e que, por vezes, lhe parecia não ser mais do que a própria substância da febre. Pela primeira vez sentia a falta da sua cama no apartamento de Berna, onde costumava passar horas a ler, à espera do momento em que, finalmente, conseguisse adormecer. Pensou na ponte de Kirchenfeld, como ela era, antes da portuguesa ter entrado nela e a ter transformado para sempre. Pensou nos livros de Latim na estante da sua sala de aulas. Só tinham passado dez dias. Quem é que o substituíra para dar o *ablativus absolutus*? Quem é que explicara a composição da Ilíada? Nas aulas de Hebraico tinham-se debruçado ultimamente sobre a escolha das palavras de Lutero, quando ele decidira deixar que Deus se transformasse num *Deus zeloso*? Ele explicara aos alunos a tremenda distância que existia entre o texto alemão e o hebraico, uma distância que podia deixar sem respiração alguém que fosse suficientemente consciente. Quem continuaria esse diálogo?

Gregorius começou a sentir frio. Há muito que o último metro tinha partido. Não havia por ali nenhum telefone nem nenhum táxi e demoraria várias horas a chegar a pé ao hotel. Em frente à porta do salão nobre ouvia-se o leve sibilar dos morcegos. De vez em quando uma ratazana chiava. De resto, reinava um silêncio sepulcral.

Tinha sede e alegrou-se quando encontrou um bombom no bolso do sobretudo. Quando o meteu na boca viu à sua frente a mão de Natalie Rubin, a mesma mão que um dia lhe oferecera aquele outro bombom de um vermelho-vivo. Durante um ínfimo instante parecera-lhe que ela iria meter-lhe o bombom na boca. Ou fora apenas imaginação sua?

Ela espreguiçou-se e soltou uma risada quando ele lhe perguntou como é que podia encontrar a Maria João, quando ninguém parecia conhecer o seu apelido. Já ali estavam há vários dias, em frente a uma churrascaria perto do cemitério dos Prazeres, ele e a Natalie, pois tinha sido ali que a Mélodie vira a Maria pela última vez. O Inverno chegou e começou a nevar. O comboio para Genebra pôs-se em movimento na estação de Berna. Por que razão é que entrara, perguntou-lhe o revisor com um ar severo, e ainda por cima em primeira classe. A tiritar de frio Gregorius procurou o bilhete em todos os bolsos. Quando acordou e se sentou no banco, com os membros rígidos, começava a escurecer lá fora.

20

No primeiro metro do dia foi ele, durante algum tempo, o único passageiro, e teve a sensação de que aquela composição não passava de mais um episódio no mundo silencioso e imaginário do liceu, a que ele começava a adaptar-se. Depois começaram a entrar portugueses, portugueses trabalhadores que nada tinham a ver com Amadeu de Prado. Gregorius sentiu-se grato pelos seus rostos vulgares, obstinados, que de certa forma eram semelhantes aos rostos das pessoas que de madrugada subiam para o autocarro na Länggasse. Conseguiria ele viver aqui? Viver e trabalhar, ou o que isso pudesse significar para ele?

O recepcionista do hotel olhou-o preocupado. Sentia-se mesmo bem? Não lhe tinha acontecido nada? Depois entregou-lhe um envelope de papel grosso, selado com lacre vermelho. Tinha sido ali entregue ontem à tarde por uma senhora já de idade, que ficara à sua espera até bastante tarde.

Adriana, pensou Gregorius. De todas as pessoas que conhecera aqui, só ela se lembraria de lacrar um envelope. No entanto, a descrição do recepcionista não condizia com ela. Na verdade, ela não viria pessoalmente, uma mulher como ela nunca viria pessoalmente. Só podia ser a governanta, a mulher encarregada de manter o pó longe do quarto de Amadeu, no sótão, para que nada fizesse lembrar o decorrer do tempo. Estava tudo bem, assegurou Gregorius uma vez mais, antes de subir para o quarto.

Queria vê-lo! Adriana Soledade de Almeida Prado. Era tudo o que se podia ler na excelente folha de papel de carta. Escrito com a mesma tinta negra que ele já conhecia dos apontamentos de Amadeu, com letras que conseguiam ser simultaneamente desajeitadas e altivas. Como se a pessoa que os escrevera tivesse tido dificuldade em lembrar-se da ortografia, antes de a desenhar com uma espécie de *grandezza* enferrujada. Ter-se-ia esquecido que ele não dominava o português e que tinham falado em francês?

Por um momento Gregorius quase se assustou com o laconismo das palavras que soavam como uma ordem para comparecer na casa azul. Mas logo a seguir viu à sua frente o rosto pálido e os olhos negros com aquele olhar amargo, viu a mulher caminhando pelo quarto do irmão à beira do abismo, incapaz de aceitar a sua morte; e de repente as palavras deixaram de soar autoritárias para lhe parecerem quase como um pedido de socorro gritado por aquela garganta rouca, coberta pela misteriosa fita de veludo.

Gregorius ficou a observar o leão negro, pelos vistos o animal heráldico da família Prado, que se podia ver imprimido no cimo da folha, ao centro. O leão condizia com a austeridade do pai e com a sua morte soturna, condizia com a figura vestida de negro de Adriana e com a audácia implacável do carácter de Amadeu. Pelo contrário, nada tinha a ver com Mélodie, a rapariga leve e inconstante, fruto de um invulgar descuido cometido na margem do Amazonas. E com a mãe, com Maria da Piedade Reis? Por que é que ninguém falava dela?

Gregorius tomou um duche e dormiu até ao meio-dia. Satisfê-lo a ideia de pensar primeiro em si e deixar esperar Adriana. Teria conseguido fazê-lo também em Berna?

Mais tarde, a caminho da casa azul, passou pela livraria de Júlio Simões e perguntou-lhe onde é que poderia arranjar uma gramática persa. E qual seria o melhor livro para aprender português, caso ele se decidisse a aprender a língua.

Simões riu-se. – Tudo ao mesmo tempo, português e persa?

A irritação de Gregorius não durou mais do que um instante. O sujeito não podia saber que, chegado àquele encruzilhada na sua vida, não havia qualquer diferença entre o português e o persa. De certa maneira, tratava-se de uma só língua, única e idêntica. Simões ainda quis saber como é que iam as suas investigações sobre Prado e se Coutinho o tinha conseguido ajudar. Uma hora mais tarde, já eram quase quatro, Gregorius tocou à porta da casa azul.

A mulher que veio abrir devia andar pelos cinquenta e tal.

– *Sou a Clotilde, a criada* – disse.

Levou a mão marcada por toda uma vida de trabalhos domésticos ao cabelo grisalho, para se certificar da posição do carrapito.

– *A senhora está no salão* – explicou, seguindo à frente.

Tal como na primeira vez, Gregorius sentiu-se impressionado pelas dimensões e pela elegância do salão. O seu olhar deteve-se no grande relógio de caixa. Continuava a marcar as seis e vinte e três. Adriana estava sentada à mesa do canto. O mesmo cheiro acre a medicamento ou perfume voltava a sentir-se à sua volta.

– Atrasou-se – constatou.

A carta preparara Gregorius para aquele tipo de recepção austera sem quaisquer saudações introdutórias. Enquanto se sentava à mesa, reparou, não sem algum espanto, que não tinha qualquer dificuldade em adaptar-se à rispidez da velha senhora. Para ele, todo o seu comportamento não exprimia outra coisa senão dor e solidão.

– Mas cá estou – limitou-se a responder.

– Pois. – E a seguir, após uma longa pausa, novamente: – Pois.

Silenciosamente, sem que ele se tivesse apercebido disso, a empregada aproximara-se da mesa.

– *Clotilde* – ordenou Adriana. – *Liga o aparelho*.

Só então Gregorius reparou na caixa. Era um antiquíssimo gravador com bobinas do tamanho de pratos. Clotilde fez passar a fita magnética pela ranhura da cabeça de som e fixou-a na bobina vazia. A seguir, carregou numa tecla, as bobinas começaram a rodar e ela retirou-se.

Durante algum tempo não se ouviu senão os ruídos de fundo. Até que a voz de uma mulher disse:

– *Porque não dizem nada*?

Mais do que isso Gregorius não conseguiu perceber, pois o que a seguir se ouviu não passou, para os seus ouvidos, de um emaranhado caótico de vozes sobrepostas pelos ruídos e estalidos que só poderiam ter a ver com um manuseamento inábil do microfone.

– O Amadeu – disse Adriana, quando se ouviu uma voz masculina isolada. A sua habitual rouquidão acentuara-se quando pronunciara o nome do irmão. Levou a mão ao pescoço e cingiu a fita de veludo negra, como se quisesse apertá-la ainda mais contra a pele.

Gregorius tinha o ouvido colado ao altifalante. A voz era diferente da que ele imaginara. O padre Bartolomeu falara de um barítono suave. A tonalidade correspondia, mas o timbre era seco, sentia-se que aquele homem era capaz de falar com uma rispidez cortante. Mas teria essa impressão a ver com o facto das únicas palavras que ele percebera terem sido «*não quero*»?

– A Fátima – explicou Adriana, quando uma nova voz sobressaiu da confusão. O tom de desdém com que ela pronunciara o nome dizia tudo. Fátima fora um elemento perturbador. Não só naquela conversa. Em todas as conversas. Não era digna de Amadeu. Apropriara-se ilicitamente do irmão querido. Teria sido melhor se nunca tivesse entrado na sua vida.

Fátima tinha uma voz suave e velada que revelava as dificuldades que sentira em impor-se. Haveria também em toda aquela suavidade a exigência de que a escutassem de um modo particularmente atento e indulgente? Ou seriam apenas os ruídos que lhe causavam essa impressão? Ninguém a interrompia e no final os outros esperaram que as suas palavras se desvanecessem.

– São todos tão atenciosos para com ela, tão exageradamente atenciosos – comentou Adriana, enquanto ainda se ouvia Fátima a falar.

– Era como se o seu ciciar fosse um golpe do destino que tudo desculpava, todas as lamechices religiosas, simplesmente tudo.

Gregorius não se apercebera do ciciar que acabara por ser encoberto pelos ruídos de fundo.

A voz seguinte pertencia a Mélodie. Falava a uma velocidade estonteante, a uma certa altura pareceu soprar para o microfone e desatou às gargalhadas. Visivelmente incomodada, Adriana virou-se para a janela. Quando ouviu a sua própria voz estendeu a mão para o aparelho e apressou-se a desligá-lo.

O olhar de Adriana manteve-se colado àquela máquina que tornara presente o passado durante alguns minutos. Era o mesmo olhar que ele já lhe tinha visto no domingo, quando se detivera a contemplar os livros e a falar com o irmão morto. Tinha ouvido aquela gravação centenas, talvez milhares de vezes. Conhecia cada palavra, cada crepitar e cada estalido. Era como se continuassem todos ali sentados, na casa da família onde Mélodie ainda morava. E se era assim, então porque é que não podia referir-se a eles no presente, ou numa forma de passado recente, como se tudo tivesse ocorrido ontem?

– Não acreditámos no que estávamos a ver quando a mamã trouxe isto para casa. É que ela não percebe nada de máquinas, mesmo nada. Até tem medo delas. Pensa que vai acabar por estragar tudo. E depois não é que nos aparece em casa com um gravador? Um dos primeiros que apareceram no mercado?

«Não, não» disse o Amadeu, quando mais tarde falámos nisso. «Não tem a ver com o seu desejo de imortalizar as nossas vozes. Trata-se de algo completamente diferente. O que ela quer é que voltemos a dar-lhe atenção.»

E tem razão. Agora que o papá está morto e nós temos o consultório aqui, a vida deve parecer-lhe vazia. A Rita anda por aí à solta e raramente a visita. Embora a Fátima a vá ver todas as semanas, isso pouco consolo traz à mamã.

«O que ela quer é ver-te a ti» diz ao Amadeu quando regressa.

Mas o Amadeu é que já não quer. Ele não o diz, mas eu sei-o. Quando se trata da mamã ele é um cobarde. É a única cobardia que existe nele. Num homem que não se furta a nenhum confronto desagradável.

Adriana voltou a agarrar-se ao pescoço. Por um instante pareceu disposta a revelar o segredo que se escondia por detrás da fita de veludo e Gregorius susteve a respiração. Mas o instante passou e o olhar de Adriana regressou ao presente.

Gregorius perguntou-lhe então se podia voltar a ouvir o que Amadeu dissera na gravação.

– *Não me admira nada* – começou Adriana, e a seguir repetiu de memória cada uma das palavras do irmão. Era mais do que um recitar de frases memorizadas. Mais do que a reprodução de um texto por parte de uma actriz de talento num momento de inspiração. A proximidade nem sequer era maior. Era simplesmente absoluta. Adriana *era* Amadeu.

Gregorius voltou a perceber a frase *não quero* e ainda algo de novo: *ouvir a minha voz de fora.*

Chegada ao fim da gravação, Adriana começou a traduzir. Que aquilo fosse possível não o espantava nada, dizia Prado. Aliás conhecia o princípio técnico da Medicina. *Mas não gosto daquilo que faz com as palavras.* Ele não queria ouvir a sua voz vinda de fora, não era algo que ele estivesse disposto a aceitar, até porque já se achava suficientemente antipático. E depois aquela cristalização das palavras faladas: quando uma pessoa fala, fá-lo com a convicção libertadora de que a maior parte do que se diz acaba por ser esquecido. Ele acha horrível ter de pensar que tudo é guardado, cada palavra dita irreflectidamente, cada deslize ou disparate. Fazia-lhe lembrar a indiscrição de Deus.

– Isso ele apenas murmurou – disse Adriana. – A mamã não gosta dessas coisas e a Fátima fica logo aflita.

A máquina destruía a liberdade do esquecimento, prosseguia Prado. *Mas olha não te estou a acusar, mamã. Até é bastante engraçado. Não deves levar assim tão a sério tudo aquilo que o espertalhão do teu filho diz.*

– Mas porque demónio é que te vês obrigado a consolá-la sempre e a retirar tudo o que acabaste de dizer? – indignou-se Adriana. – Quando ela sempre te soube torturar daquela sua maneira sonsa?! Porque é que não consegues simplesmente assumir o que pensas? Se é isso que *sempre* fazes noutras ocasiões?

Gregorius insistiu em voltar a ouvir a gravação, por causa da voz.

O pedido comoveu-a. Quando rebobinou a fita tinha estampada no rosto a alegria de uma menina que está surpreendida e feliz pelo facto dos adultos darem valor àquilo que para ela é importante.

Gregorius voltou a ouvir as palavras de Prado. Pousou em cima da mesa o livro com o retrato e escutou a voz, associando-a ao rosto, até que ela se tornou mesmo parte do homem fotografado. Depois olhou para Adriana e assustou-se. Devia ter estado a olhar para ele durante todo o tempo e entretanto o seu próprio rosto como que se abrira, toda a sua rispidez e amargura tinham-se desvanecido e o que restava era uma expressão com a qual ela o admitia no mundo do seu amor e admiração pelo irmão. *Seja cuidadoso. Estou a referir-me à Adriana*, ouviu Mariana Eça dizer.

– Venha até ali – disse Adriana –, quero mostrar-lhe o sítio onde trabalhamos.

Os seus passos eram agora mais seguros e rápidos do que ainda há pouco, quando o conduzira pelo rés-do-chão. Dirigia-se agora ao consultório do irmão. Precisavam dela, tinha pressa, *quem tem dores ou medo não pode esperar*, costumava dizer Amadeu. Rapidamente, introduziu a chave na fechadura, abriu todas as portas e acendeu todas as luzes.

Há trinta e um anos Prado tinha recebido aqui o seu último paciente. Na marquesa podia ver-se uma impecável toalha de papel. Na estante havia seringas que actualmente já não se utilizavam. A meio da secretária um ficheiro aberto com uma das fichas separada. Ao seu lado, o estetoscópio. No cesto do lixo pedaços de algodão tingidos por um sangue de há décadas. Penduradas na porta duas batas brancas. Nem uma partícula de pó.

Adriana tirou uma das batas do cabide e vestiu-a. – A sua fica sempre à esquerda, ele é canhoto – explicou, enquanto se abotoava.

Gregorius começou a temer pelo momento em que ela deixaria de conseguir orientar-se naquele presente-passado em que se movia como uma sonâmbula. Mas esse momento ainda não tinha chegado. Com uma expressão quase alegre, as faces coradas pelo entusiasmo, abriu o armário dos medicamentos e verificou o *stock*.

– Já quase não temos morfina – murmurou. – Tenho de telefonar ao Jorge.

Depois fechou o armário, alisou a toalha de papel da marquesa, ajeitou com a ponta do sapato a posição da balança, certificou-se de que o lavatório estava limpo e dirigiu-se à secretária com o ficheiro. Sem tocar, nem mesmo sequer olhar para a ficha posta de lado, começou a falar da doente.

– Porque é que lhe deu na cabeça ir pedir ajuda àquela aldrabona daquela abortadeira?! Bom, claro que ela não sabia o que eu sofri. Mas toda a gente sabe que o Amadeu nunca recusou ajuda nestas situações. Que ele se está nas tintas para a lei quando o sofrimento de uma mulher assim o exige. Mais uma criança para a Etelvina, isso está fora de questão. O Amadeu já disse que na próxima semana vamos ter de decidir se ela vai ter de ser hospitalizada.

Gregorius começou a inquietar-se. *A sua irmã mais velha fez um aborto e quase que morreu*, lembrou-se de ter ouvido João Eça dizer. Ali em baixo Adriana regredia ainda mais profundamente no passado do que lá em cima, no escritório do irmão. Lá em cima tratava-se de um passado que ela só pudera acompanhar do exterior. Com o livro homenageara-o postumamente. Mas quando ele se sentara a fumar e a beber café à secretária, a pena antiquada na mão, ela não o conseguira alcançar, e Gregorius tinha a certeza que ela ardera então de ciúmes pela solidão não compartilhada dos seus pensamentos. Aqui, nos quartos do consultório, tinha sido diferente. Aqui ela pudera ouvir tudo o que ele dizia, conversara com ele sobre os doentes e assistira-o. Aqui ele pertencera-lhe por completo. Durante muitos anos fora aqui o centro da sua existência, o espaço do seu mais real presente. E o seu rosto, que apesar das marcas da velhice – e de certo modo através dessas mesmas marcas – parecia agora jovem e belo, revelava o seu desejo de poder permanecer para sempre nesse presente, de nunca mais ter de abandonar a eternidade precária daqueles anos felizes.

O momento do despertar já não estava longe. Os dedos de Adriana certificavam-se com movimentos inseguros se todos os botões da bata branca estavam nas casas. O brilho dos olhos começou a esmorecer, a pele flácida do velho rosto descaiu, a felicidade dos tempos passados dissipou-se.

Gregorius não quis que ela acordasse para regressar à fria solidão da sua vida, em que era obrigada a recorrer a Clotilde para ligar o gravador. Pelo menos não agora, não já, seria demasiado cruel. E por isso arriscou.

– O tal Rui Luís Mendes. O Amadeu tratou-o aqui dentro?

Foi como se tivesse tirado uma seringa da estante e lhe tivesse injectado uma droga que lhe percorreu as veias a uma velocidade alucinante. O seu corpo ossudo foi percorrido por tremores, como se estivesse febril, a respiração tornou-se ofegante. Gregorius assustou-se e amaldiçoou a sua tentativa. Mas depois as convulsões acalmaram, o corpo da velha senhora endireitou-se, o olhar trémulo fixou-se e ela avançou para a marquesa. Gregorius estava à espera que ela lhe perguntasse como é que sabia a história de Mendes. Mas Adriana há muito que já regressara ao passado.

Pousou a mão espalmada no papel. – Foi aqui mesmo. Estou a vê-lo aqui deitado, como se tudo tivesse acontecido há uns minutos.

E foi então que ela começou a contar. Os quartos daquele museu privado ganharam vida graças à força e à paixão das suas palavras; o calor e a desgraça daquele dia longínquo regressaram ao espaço do consultório em que Amadeu Inácio de Almeida Prado, amador das catedrais e inimigo implacável de toda a crueldade, fizera algo que o iria perseguir para sempre, algo que nem ele, com a inabalável clareza do seu raciocínio, conseguira superar e levar a um fim. Algo que tinha pairado como uma sombra pegajosa sobre os últimos e incandescentes anos da sua vida.

Foi num dia quente e húmido de Agosto de 1965, pouco depois do 45.º aniversário de Prado. Em Fevereiro tinha sido assassinado Humberto Delgado, o antigo candidato da oposição centro-esquerda às eleições presidenciais de 1958, quando tentara passar a fronteira, vindo do exílio argelino. A responsabilidade pelo assassinato fora atribuída às autoridades fronteiriças espanholas e portuguesas, mas toda a gente estava convencida de que o crime tinha sido obra da «secreta», a Polícia Internacional de Defesa do Estado, a PIDE., que tudo controlava, desde que a senilidade de António de Oliveira Salazar se tornara manifesta. Em Lisboa cursavam folhetos impressos na clandestinidade que atribuíam a responsabilidade pelo crime sangrento a Rui Luís Mendes, um temido oficial da polícia secreta.

Era princípio de tarde e um calor silencioso e abafado espalhava-se pela cidade. Prado deitara-se para dormir a sua sesta, uma meia hora exacta sem a qual não conseguia passar. Era o único momento no ciclo completo do dia e da noite em que não sentia qualquer dificuldade em adormecer. Nesses minutos dormia um sono profundo e sem sonhos, surdo para qualquer ruído do exterior. E quando algo o arrancava do sono demorava algum tempo a recuperar a orientação e a presença de espírito. Adriana guardava esse seu sono como quem guarda um santuário.

Amadeu tinha acabado de adormecer quando Adriana ouviu, vindos da rua, gritos agudos cortarem o silêncio. Correu para a janela. Mesmo em frente, à porta do prédio vizinho, encontrava-se um homem estendido no passeio. As pessoas que se tinham juntado à sua volta e que agora lhe tapavam a vista gritavam umas com as outras e gesticulavam como possessas. Adriana julgou mesmo ver uma mulher pontapear o prostrado. Por fim, dois homens avantajados lá conseguiram afastar as pessoas, erguer a criatura e levá-la até à entrada do consultório de Prado. Só então é que Adriana o reconheceu e o coração parou-lhe: era o Mendes, o homem dos panfletos, por baixo de cuja fotografia vinha escrito: *o carniceiro de Lisboa*.

– Nesse preciso momento eu soube o que iria acontecer. Soube-o com todos os pormenores, foi como se o futuro já tivesse sucedido, como se estivesse contido no meu próprio susto, como um facto consumado, e que agora só havia a esperar que ele se desdobrasse no tempo. Soube que a hora seguinte iria significar um golpe profundo na vida de Amadeu e representar a mais difícil provação que ele, até então, tivera de superar: até mesmo isso pude ver à minha frente com uma clareza terrível.

Os homens que carregavam Mendes desataram a tocar à campainha e para Adriana foi como se com aquele ruído agudo, constantemente repetido e que cresceu até se tornar insuportável, a violência e a brutalidade da ditadura, que ela até aí tinha conseguido manter à distância – não sem alguma má consciência – tivessem, finalmente, conseguido abrir caminho através do bem preservado e elegante silêncio da sua casa. Durante dois, três longos segundos pensou mesmo não reagir e fingir que estava morta. Mas ela sabia-o perfeitamente: Amadeu nunca lho perdoaria. Foi por isso que abriu a porta e o acordou.

– Ele não disse uma palavra, sabia que eu não o acordaria se não fosse um caso de vida ou de morte. «No consultório», disse-lhe simplesmente. Desceu as escadas vacilante, ainda descalço, e precipitou-se sobre o lavatório, para molhar a cara com água fria. Depois virou-se para esta marquesa, onde o Mendes se encontrava deitado.

No primeiro momento ficou como que petrificado, e durante dois, três segundos fitou o rosto pálido, inanimado, com a testa coberta de pequenas gotas de suor, sem conseguir acreditar no que via. Depois virou-se e olhou para mim, à procura de uma confirmação. Eu acenei-lhe e, por um instante, ele cobriu o rosto com as mãos. Depois todo o corpo do meu irmão foi percorrido por um estremecimento. Rasgou-lhe a camisa com ambas as mãos e os botões saltaram. Encostou o ouvido ao peito peludo e auscultou-o com o estetoscópio que eu entretanto lhe trouxera.

«*Digitalis*!»

Disse apenas essa palavra, e na rouquidão da sua voz notava-se todo o ódio contra o qual lutava, um ódio como aço faiscante. Enquanto eu preparei a injecção ele iniciou a massagem cardíaca e eu ouvi o quebrar surdo das costelas.

Quando lhe entreguei a seringa os nossos olhares encontraram-se por uma fracção de segundo. Como amei nesse instante o meu irmão! Com a força tremenda daquela sua vontade férrea, inflexível, lutava contra o desejo de deixar simplesmente morrer aquela criatura ali esparramada na marquesa, responsável por torturas e assassínios e cujo corpo balofo e suado personificava toda a impiedosa repressão do Estado. Como teria sido fácil, inacreditavelmente fácil! No fundo, teriam bastado uns quantos segundos de forçada indecisão. Abster-se de actuar, não fazer *nada*!

Na verdade, depois de ter desinfectado o sítio escolhido no peito de Mendes, Amadeu ainda hesitou durante um instante e fechou os olhos. Nunca, em circunstância alguma, nem antes nem depois, pude observar uma pessoa que sobre si própria exercesse um tal acto de violência. Logo a seguir, Amadeu abriu os olhos e espetou a agulha no coração de Mendes. Parecia uma estocada de morte e eu senti um arrepio de frio. Ele fê-lo com aquela absoluta segurança com que sempre injectava, nessas alturas tinha-se a sensação de que para ele o corpo humano tinha a transparência do vidro. Sem o mínimo tremor, com uma regularidade impressionante, injectou a droga no coração de Mendes, para o pôr de novo a funcionar. Quando retirou a agulha todo o ímpeto como que tinha desaparecido do seu corpo. Cobriu o sítio da picada com um adesivo e auscultou novamente Mendes com o estetoscópio. Depois virou-se para mim e fez-me um sinal. «A ambulância» disse.

Eles vieram e levaram-no dali numa maca. Quando estavam a chegar à porta ele recuperou os sentidos, abriu os olhos e o seu olhar encontrou o de Amadeu. Fiquei impressionada com o modo perfeitamente calmo, objectivo, com que o meu irmão o olhou. Talvez fosse também a exaustão; de qualquer maneira, encostou-se à porta na posição de alguém que acabava de superar uma grave crise e que esperava poder reencontrar agora a calma necessária.

Mas o que aconteceu foi o contrário. Amadeu não sabia nada das pessoas que se tinham aglomerado à volta de Mendes quando ele desmaiara. Eu própria me tinha esquecido delas. Por isso não estávamos preparados quando, subitamente, se ouviram as primeiras vozes histéricas a gritarem: «Traidor! Traidor!» Deviam-no ter visto vivo quando estava a ser transportado de maca para a ambulância e agora berravam toda a sua fúria contra aquele que o arrancara à morte merecida e que agora consideravam como traidor, por não o ter entregue ao justo castigo.

Tal como ainda há momentos atrás, quando reconheceu Mendes, Amadeu levou as mãos ao rosto. Mas agora fê-lo devagar, e se ainda há pouco ele mantivera a cabeça altiva, como sempre, agora deixou-a pender. E nada poderia ter exprimido melhor todo o desalento e tristeza com que ele enfrentava o que lhe iria acontecer do que esse baixar da cabeça.

Mas nem o desalento nem a tristeza conseguiam turvar o seu espírito. Com um gesto firme tirou do cabide a bata que momentos antes não tivera tempo de pôr e vestiu-a. Só mais tarde compreendi a segurança quase instintiva que o levou a optar por esse gesto: sem sequer parar para pensar ele sabia que tinha de enfrentar as pessoas como médico e que estas o veriam mais facilmente como tal se ele se apresentasse com a tradicional indumentária branca.

Quando saiu para a rua a gritaria acabou. Durante algum tempo deixou-se ficar assim, de cabeça caída, as mãos nos bolsos. Todos esperavam que ele se justificasse. Amadeu ergueu a cabeça e olhou à sua volta. Eu tive a sensação que os seus pés descalços não pisavam nesse momento a calçada, era como se os tivesse enterrado no chão.

«*Sou médico*» disse, e repetiu-o numa espécie de exortação: «*Sou médico.*»

Reconheci três ou quatro dos nossos pacientes que moravam na vizinhança e que agora olhavam para o chão, envergonhados.

«*É um assassino*!» exclamou alguém.

«*Um carniceiro*!» acrescentou outro.

Vi os ombros de Amadeu erguerem-se e baixarem-se e percebi que respirava com dificuldade.

«*É um ser humano, uma pessoa*» disse em voz alta e com toda a clareza. Provavelmente, fui eu, que conhecia a mais subtil modulação da sua voz, a única a reparar no ligeiro tremor que se apoderou dela quando ele repetiu a palavra «*pessoa*»

Logo a seguir, rebentou um tomate na bata branca. Se bem me lembro, foi a primeira e única vez que alguém agrediu fisicamente o meu irmão. Não posso dizer em que medida é que esse ataque contribuiu para o que depois aconteceu, em que medida é que contribuiu para o profundo abalo que aquela cena à porta de casa desencadeou nele. Mas calculo que tenha sido relativamente insignificante, em comparação com o que se lhe seguiu: uma mulher saiu da multidão, aproximou-se e cuspiu-lhe na cara.

Se tivesse sido um único escarro ele talvez o pudesse ter considerado como um acto irreflectido, instintivo, comparável a uma súbita e incontrolável contracção de raiva. Mas a mulher cuspiu várias vezes, era como se tentasse escarrar a própria alma do corpo, como se tentasse afogar o meu irmão na viscosidade de um nojo que agora lhe escorria lentamente pela cara.

Suportei aquele segundo ataque de olhos fechados. Mas, tal como eu, ele não pôde deixar de reconhecer a agressora: era a mulher de um paciente canceroso que ele, ao longo de vários anos e constantes visitas a casa, pelas quais não exigira nem um centavo, acompanhara até à morte. Que ingratidão, pensei primeiro. Mas depois vi nos seus olhos a dor e o desespero que se manifestavam por detrás de toda aquela raiva e compreendi: ela cuspira-lhe na cara precisamente porque lhe estava grata por tudo aquilo que ele tinha feito. Ele fora um herói, um anjo da guarda, um mensageiro dos deuses que os tinha acompanhado através da escuridão e da doença em que ela se teria irremediavelmente perdido se a tivessem deixado sozinha. E fora ele, ninguém mais do que ele, que se opusera a que a justiça fosse feita, a justiça que exigia que o Mendes não continuasse a viver. A simples constatação desse facto desencadeara uma tal revolta na alma daquela mulher disforme e limitada que ela só conseguira reagir com aquele acesso de fúria cega que, à medida que durava, atingia um nível quase mítico, um significado que ultrapassava em muito o Amadeu.

Como se o grupo tivesse sentido que um limite tinha sido transposto, as pessoas dispersaram-se, começaram a ir-se embora, cabisbaixas e desorientadas. Amadeu virou-se e veio ter comigo. Eu limpei-lhe com o meu próprio lenço a maior parte dos escarros que lhe escorriam pelas faces. Depois ele foi até ali, ao lavatório, pôs a cabeça por baixo da torneira e abriu-a tanto quanto pôde. A água espirrou para o chão em todas as direcções. O rosto que depois secou estava lívido. Acho que nesse momento ele teria dado tudo para conseguir chorar. Estava ali imóvel, à espera das lágrimas, mas elas não queriam vir. Desde a morte da Fátima, quatro anos antes, nunca mais chorara. Deu alguns passos desajeitados na minha direcção e foi como se estivesse a aprender novamente a andar. Depois vi-o ali à minha frente, no olhar todas aquelas lágrimas por chorar, e ele agarrou-me pelos ombros com ambas as mãos e encostou a sua testa molhada à minha. Ficámos assim talvez três, quatro minutos, mas hoje sei que foram dos minutos mais preciosos da minha vida.

Adriana calou-se. Estava a vivê-los novamente, aqueles minutos. O seu rosto estremecia, mas também ela não conseguia chorar. Foi então até ao lavatório, deixou escorrer a água para a concavidade das mãos e mergulhou lá dentro o rosto. Lentamente, passou a toalha pelos olhos, as faces, a boca. E como se a história que tinha para contar exigisse uma posição inalterável da narradora, regressou ao mesmo sítio, antes de prosseguir. Até voltou a apoiar a mão na marquesa.

O Amadeu, continuou, pôs-se debaixo do duche e lavou-se, lavou-

-se. Por fim, sentou-se na sua cadeira, puxou de uma folha de papel limpa e desatarraxou a caneta.

Nada aconteceu. Nem uma única palavra conseguiu escrever.

– E isso foi o pior de tudo – disse Adriana: – Estar ali e ter de ver como o que tinha acontecido o deixara mudo, tão mudo que ameaçava asfixiá-lo.

Quando lhe perguntei se queria comer alguma coisa ele anuiu, com uma expressão ausente. Depois foi para a casa de banho e pôs-se a lavar a nódoa do tomate na bata. Sentou-se à mesa com a bata vestida, o que nunca tinha acontecido, e não parou de passar com a mão pelo tecido molhado. Ela sentiu que aquele gesto vinha de muito fundo, e pareceu-lhe também que aqueles movimentos involuntários dos dedos quase que se lhe impunham, em vez de representarem o resultado de um intenção consciente. Sentiu então medo que ele perdesse a razão ali mesmo, à sua frente, e que por ali ficasse para sempre, dia e noite, um homem de olhar perdido, a tentar limpar-se da sujidade que as mesmas pessoas a quem ele dedicara toda sua capacidade e toda a sua força vital lhe tinham lançado à cara.

De repente, a meio do mastigar, correu para a casa de banho e desatou a vomitar numa interminável série de convulsões. Quando tudo aquilo acabou disse com um voz inexpressiva que queria ir descansar um pouco.

– Na altura, eu bem gostaria de tê-lo abraçado – confessou Adriana – mas era impossível, era como se ele estivesse a arder e pudesse queimar todos aqueles que se aproximassem demasiado.

Nos dois dias seguintes foi quase como se nada tivesse acontecido. Prado mostrava-se apenas um tudo nada mais tenso do que o habitual e a sua amabilidade para com os pacientes tinha qualquer coisa de etéreo e irreal. De vez em quando, imobilizava-se a meio de um gesto e o seu olhar perdia-se no vazio, como o de um epiléptico durante uma ausência. E quando se dirigia para a porta da sala de espera notava-se-lhe uma hesitação nos movimentos, como se temesse vir a encontrar novamente alguém que o acusasse de traição.

Ao terceiro dia adoeceu. Adriana foi encontrá-lo de madrugada, sentado à mesa da cozinha, encolhido e sacudido de tremores. Parecia ter envelhecido anos e não queria ver ninguém. Mostrou-se grato por lhe poder delegar tudo o que havia a organizar e caiu numa profunda apatia que tinha qualquer coisa de fantasmagórico. Deixou de se barbear e não se vestia. A única visita que recebeu foi Jorge, o farmacêutico. Mas mesmo com ele pouco falou e Jorge conhecia-o suficientemente bem para não tentar forçá-lo. Adriana explicara-lhe o que acontecera e ele limitara-se a abanar a cabeça, em silêncio.

– Passada uma semana, recebeu uma carta de Mendes. Amadeu deixou-a por abrir em cima da mesinha-de-cabeceira. Aí ficou durante dois dias. Nas primeiras horas da manhã do terceiro dia agarrou nela, meteu-a, assim como estava, por abrir, num envelope e endereçou-a ao remetente. Depois insistiu em levá-la ele próprio ao correio. Eu lembrei-lhe que o correio só abria às nove horas, mas ele saiu para a viela deserta com o grande envelope na mão. Fiquei à janela, a vê-lo ir-se embora, e quando voltou, horas mais tarde, eu ainda lá estava. Parecia mais direito do que quando saíra. Na cozinha provou um café. Não lhe caiu mal. Depois barbeou-se, vestiu-se e sentou-se à secretária.

Adriana calou-se e o seu rosto como que definhou. Olhava perdida para o sítio, em frente à marquesa, onde o seu irmão tinha estado quando, com um movimento que se assemelhou a um golpe mortal, espetou a agulha salvadora no coração de Mendes. O final da história tinha feito com que o tempo também acabasse para ela.

Ao princípio, Gregorius também achou que lhe tinham cortado o tempo mesmo à frente do nariz e por momentos julgou poder entrever a carga de sofrimento que pesava sobre Adriana há mais de trinta anos: o sofrimento de ter de viver num tempo que há muito caducara.

Viu-a então tirar a mão de cima da marquesa e ao eliminar esse contacto pareceu perder também a ligação com aquele passado que era todo o seu presente. Primeiro não sabia o que fazer com a mão, até que, finalmente, a enfiou no bolso da bata branca. O movimento fez com que a bata adquirisse uma particularidade especial, a Gregorius, ela parecia-lhe agora um invólucro mágico, para dentro do qual Adriana tinha fugido, na tentativa de escapar ao seu presente silencioso e vazio e ressuscitar num passado distante e intenso. E agora, que esse passado se extinguira, a bata que vestia parecia tão fictícia como um traje perdido no armazém de acessórios de um teatro abandonado.

Gregorius não conseguiu suportar durante mais tempo a imagem daquele abandono inerte. O que lhe apetecia era desatar a correr, fugir para a cidade, esconder-se num sítio com muitas vozes, com gargalhadas e música. Num daqueles sítios que ele costumava evitar.

– O Amadeu senta-se à secretária – insistiu. – E o que é que ele escreve?

O fulgor da vida passada regressou ao rosto de Adriana. Mas com o entusiasmo de poder continuar a falar do irmão misturava-se agora algo distinto, algo que Gregorius só pouco a pouco conseguiu definir. Era irritação. Não uma irritação que subitamente se inflama numa qualquer minudência, para logo se extinguir, mas um despeito profundo e latente, semelhante a uma combustão lenta.

– Quem me dera que ele não o tivesse escrito. Ou nem sequer pensado. Foi como um veneno insidioso que, a partir daquele dia, começou a pulsar nas suas veias. Mudou-o. Destruiu-o. Não mo quis mostrar, mas transformou-se, ficou completamente diferente. Acabei por ir buscá-lo à gaveta e li-o, enquanto ele dormia. Foi a primeira e última vez que fiz algo semelhante. Porque agora também eu tinha um veneno dentro de mim. O veneno do respeito ferido, da confiança destruída. Depois disso a nossa relação nunca mais voltou a ser o que foi.

Se ao menos ele não fosse tão fanaticamente sincero consigo próprio! Tão possuído por aquela luta contra todas as ilusões! Ele, que costumava sempre dizer: *O ser humano pode suportar a verdade sobre si próprio!* Era como um credo religioso. Um juramento que o ligava ao Jorge. Uma crença inabalável que, por fim, acabou mesmo por consumir aquela amizade sagrada, aquela sua maldita amizade sagrada. Ao certo não sei o que aconteceu. Só sei que tinha a ver com aquele ideal fanático do autoconhecimento que aqueles dois sacerdotes da verdade ergueram bem alto, já desde os tempos do liceu, como se do estandarte dos cruzados se tratasse.

Adriana caminhou até à parede, junto à porta, e encostou contra ela a testa, as mãos cruzadas atrás das costas, como se alguém a tivesse acorrentado. Manteve-se ali num combate mudo contra Amadeu, contra Jorge e contra si própria. Debatia-se contra o facto irrevogável de que o drama do salvamento de Mendes, que lhe tinha proporcionado aqueles preciosos momentos de intimidade com o irmão, também desencadeara, pouco depois, um processo que acabara por transformar tudo. Adriana empurrava todo o peso do seu corpo contra a parede, a pressão na testa tinha de a magoar. E então, subitamente, abriu as mãos, ergueu-as e começou a bater com os punhos contra a parede, uma e outra vez, uma anciã desesperada por fazer regredir a roda do tempo. Foi uma metralha de golpes surdos, uma erupção de fúria impotente, um debater-se em vão contra a perda de um tempo feliz.

Os golpes tornaram-se cada vez mais fracos e lentos, a exaltação esvaziou-se. Esgotada, deixou-se ficar ainda durante algum tempo encostada à parede. Por fim, voltou para trás, sem se voltar, e foi sentar-se numa cadeira. A sua testa estava coberta por partículas brancas do estuque, de quando em quando um desses minúsculos grãos soltava-se e rolava-lhe pelas faces abaixo. Olhou de novo para a parede, Gregorius seguiu-lhe o olhar e só então viu: no sítio onde ela estivera via-se um grande rectângulo mais claro que o resto da parede. Os vestígios de um quadro que ali devia ter estado pendurado.

– Durante muito tempo não percebi porque é que ele tinha tirado o mapa dali – confessou Adriana. – Um mapa do cérebro. Esteve ali pendurado durante onze anos, desde que montámos o consultório. Coberto de nomes em latim. Nunca ousei perguntar-lhe o motivo, ele perde a cabeça quando lhe fazemos a pergunta errada. Também nunca soube do aneurisma, ele omitiu-mo sempre. Com uma bomba-relógio na cabeça é difícil de suportar um mapa como aquele.

Gregorius ficou surpreendido com aquilo que se viu a si próprio fazer. Foi até ao lavatório, agarrou na toalha e aproximou-se de Adriana para lhe limpar os restos de estuque da testa. Primeiro ela ainda se retraiu numa atitude de defesa, mas depois deixou cair a cabeça, exausta e grata, para cima da toalha.

– Gostaria de levar para ler aquilo que ele escreveu na altura? – perguntou, enquanto se endireitava. – Já não quero ter aquilo cá em casa.

Enquanto ela subia ao andar de cima para ir buscar as folhas a que atribuía tanta culpa, Gregorius deixou-se ficar à janela a olhar para a viela, tentando descobrir o sítio onde Mendes tinha desfalecido. Imaginou-se à entrada da casa, com uma pequena multidão enfurecida à sua frente. Uma massa humana, da qual se separou uma mulher que lhe cuspiu não uma, mas várias vezes. Uma mulher que o acusava de traição, a ele, que sempre se tivera em tão alta consideração.

Adriana tinha enfiado as folhas num envelope.

– Já pensei muitas vezes em queimá-las – disse quando lhe entregou o envelope.

Acompanhou-o até à porta em silêncio, ainda com a bata vestida. E então, de repente, já ele estava com um pé fora da porta, voltou a ouvir a voz assustada da menina que ela nunca deixara de ser: – Não se esqueça de me trazer as folhas de volta, está bem? Por favor, é que são dele, sabe?!

Enquanto se afastava pela viela Gregorius imaginou-a a despir a bata branca e a pendurá-la ao lado da que pertencera a Amadeu. Depois apagaria a luz e fecharia a porta. Lá em cima, Clotilde estaria à sua espera.

21

Gregorius leu aquilo que Prado tinha escrito quase sem se lembrar de respirar. Primeiro sobrevoou as frases, desejoso de descobrir o motivo porque Adriana considerara aqueles pensamentos como uma maldição que se abatera sobre os anos seguintes. Depois procurou no dicionário cada uma das palavras. Por fim, copiou o texto, para melhor compreender como é que tinha sido para Prado escrevê-lo.

Fi-lo por ele? Será que eu quis que ele continuasse a viver no seu próprio interesse? Posso afirmar verdadeiramente que foi essa a minha vontade? Em relação aos meus doentes isso é sem dúvida válido, mesmo para aqueles de quem eu não gosto. Pelo menos espero que assim o seja, e não quero ter de pensar que os meus actos possam ser, por detrás das minhas costas, influenciados por motivos alheios àqueles que eu julgo conhecer. Mas em relação a ele?

A minha mão parece possuir a sua própria memória, e quase chego a acreditar que essa memória é mais fiável do que qualquer outra fonte da auto-investigação. E essa memória da mão, que espetou a agulha no coração do Mendes, diz: foi a mão do assassino de um tirano, que, num gesto paradoxal, devolveu à vida um tirano já morto.

(Também aqui se confirma o que a experiência não pára de me ensinar, muito contra o temperamento original do meu pensamento: que o corpo é menos corruptível do que o espírito. O espírito não passa de um cenário sedutor para um desfile de auto-ilusões, entretecido de belas palavras apaziguadoras que nos impingem a transparência de uma contínua intimidade connosco próprios, uma proximidade do conhecimento que nos livra de sermos por nós próprios surpreendidos. Mas como seria entediante viver numa tal certeza isenta de dúvidas e esforço!)

Uma vez mais: será que o fiz então por mim? Para me aceitar como bom médico e ser humano corajoso, que tem a força de sublimar o seu ódio? Para celebrar um triunfo do autodomínio e poder embriagar-me na orgia da auto-superação? Por uma espécie de vaidade moral portanto, ou ainda pior: por uma simples e comezinha forma de vaidade? Quanto à experiência daqueles segundos – não se tratou da experiência da fruição da vaidade, disso estou seguro; pelo contrário, foi a experiência de agir contra mim próprio e de me frustrar as naturais sensações de desagravo e satisfação vingativa. Mas talvez isso não constitua uma prova. Talvez exista uma vaidade que não somos capazes de sentir porque se esconde por detrás de sensações contraditórias?

Sou médico – foi com esse argumento que enfrentei a indignação da multidão. Também poderia ter dito: fiz o juramento de Hipócrates, que é um juramento sagrado, e nunca, por razão alguma, o quebrarei, qualquer que seja a situação. E sinto: satisfaz-me dizer isso, compraz-me, são palavras que me entusiasmam, embriagam. Será que isso tem a ver com o facto de serem palavras de um voto sacerdotal? Ter-se-á então tratado de um acto religioso, através do qual lhe devolvi – a ele, ao carrasco – a vida que ele já tinha perdido? O acto de alguém que secretamente lamenta não poder já sentir-se protegido no dogma e na liturgia? Que continua a sentir a nostalgia do brilho irreal das velas do altar? O contrário, portanto, de um acto esclarecido? Terá então havido, sem que eu de tal me tenha apercebido, uma luta breve mas tenaz e rancorosa entre o aprendiz de sacerdote e o assassino do tirano, que até agora nunca ousou partir para a acção? Cravar-lhe a agulha com o veneno salvador em pleno coração: terá sido esse um acto em que o sacerdote e o assassino se uniram num mesmo esforço? Um impulso em que ambos conseguiram alcançar o que desejavam?

Se em vez da Inês Salomão fosse eu próprio a cuspir-me, o que poderia ter-me dito a mim?

«Não foi um assassínio que exigimos de ti», teria podido dizer, «não se tratava, portanto, de um crime, nem à luz da Lei, nem à luz da Moral. Se o tivesses entregue à sua morte nenhum juiz te poderia perseguir e ninguém te poderia colocar perante a pedra judaica onde está escrito "Não matarás!" Não, tudo o que poderíamos esperar era algo muito simples, quase banal e evidente: que não tentasses com todas as tuas forças manter vivo um homem que nos acossou com a tortura e a morte, que lançou sobre nós a infelicidade e de que a Natureza misericordiosa nos queria, finalmente, livrar, só para que ele possa prosseguir com o seu ofício sangrento.»

Como é que me poderia defender?

«Todas as pessoas merecem que as ajudem a manterem-se vivas, independentemente do que possam ter feito. Merecem-no como pessoas e merecem-no como seres humanos. Não nos compete julgar sobre a vida e a morte.»

«E se isso implica a morte de outros? Não disparamos contra aqueles que vemos disparar contra alguém? Não tentarias impedir o Mendes, se o surpreendesses a matar, mesmo que para isso tivesses de o matar? E um tal acto não iria muito para além daquilo que poderias ter feito – simplesmente nada?»

Como é que me sentiria agora se o tivesse deixado morrer? Se os outros, em vez de me cuspirem, me tivessem festejado pela minha negligência fatal? Se das vielas viesse até mim um suspiro de alívio, em vez daquela frustração enfurecida? Tenho a certeza de que me perseguiria até nos sonhos. Mas porquê? Porque sou incapaz de viver sem algo de peremptório e absoluto? Ou simplesmente porque representaria uma alienação em relação a mim próprio deixá-lo morrer friamente? Porém, aquilo que sou, sou-o por acaso.

Imagino-me a ir ter com a Inês. Bato-lhe à porta e digo:

«Não podia agir de outra maneira, é assim que eu sou. Tudo poderia ter acontecido de outra maneira, mas, de facto, não aconteceu e agora eu sou o que sou e nunca poderia ter agido de um modo diferente.»

«Não se trata do modo como tu te relacionas contigo próprio», poder-me-ia ela contrapor, «isso é completamente insignificante. Imagina simplesmente: o Mendes recupera a saúde, veste o seu uniforme e dá as suas ordens assassinas. Imagina isso com todo o rigor. E agora julga tu próprio.»

O que é que eu lhe poderia contrapor? O quê? O QUÊ?

«Quero fazer alguma coisa», tinha dito Prado a João Eça, *«percebes?!»* Fazer. *«Diz-me o que posso fazer.»* Mas afinal o que era, exactamente, aquilo que ele queria reparar a todo o custo? *«Tu não fizeste nada de mal»*, dissera-lhe Eça, *«és um médico»*. Ele próprio o dissera à multidão acusadora, e reiterara-o perante si próprio, sem dúvida centenas de vezes. No entanto, isso não o conseguira sossegar. Parecera-lhe demasiado fácil, demasiado correcto. Prado era um homem que cultivava uma profunda desconfiança em relação a tudo o que fosse correcto, superficial e isento de contradições, um desdenhoso inimigo de frases feitas como aquela: *eu sou médico*. Caminhara pela praia e desejara ventanias geladas que pudessem varrer tudo o que soasse a mera acomodação linguística, uma espécie de acomodação particularmente insidiosa que impedia a reflexão ao produzir a ilusão, como se o acto de reflectir já tivesse ocorrido e se concretizasse no palavreado vazio.

Quando vira o corpo de Mendes à sua frente, vira-o como esse ser humano especial e único, cuja vida havia que salvar. Apenas e só como esse ser humano único. Ele não conseguira ver aquela vida como algo com que temos de contar em função dos outros, como um factor num cálculo mais vasto. E foi precisamente disso que a mulher o acusou no seu solilóquio escrito: que ele não pensara nas consequências que também envolviam outras vidas, muitas outras vidas individuais. Que ele não se mostrara disposto a sacrificar aquele indivíduo em troca de muitos outros indivíduos.

Ao juntar-se à resistência antifascista, pensou Gregorius, ele também tentara interiorizar esse tipo de pensamento. E falhara. *Uma vida contra muitas vidas. Isso não são contas que se façam, não acha?!*, dissera anos depois ao padre Bartolomeu. Tinha ido visitar o seu antigo mentor para que este aprovasse o seu sentir. De qualquer forma, nunca poderia ter reagido de outra maneira. Tomada a decisão, fugira com a tal Estefânia Espinhosa pela fronteira, para a pôr fora do alcance daqueles que acreditavam ter de a sacrificar para impedir um mal maior.

A sua gravitação interna, que fazia dele aquilo que ele era, não teria admitido outro tipo de acção. No entanto, isso não impedira que uma dúvida persistisse, pois a hipótese da presunção moral não podia ser excluída, um pesado ónus para um homem que, acima de tudo, odiava a vaidade.

Fora essa dúvida que Adriana amaldiçoara. Ela quisera ter o irmão só para si e sentira que não é possível possuir alguém que em si próprio se encontra dividido.

22

– Não acredito! – disse Natalie Rubin ao telefone. – Não posso acreditar! Diga lá onde está?

Estava em Lisboa, repetiu Gregorius, e precisava de livros. Livros em alemão.

– Livros! – disse ela com uma gargalhada –, só podia ser isso!

Ele pôs-se a enumerá-los: o maior dicionário alemão-português que houvesse; uma gramática portuguesa detalhada, árida como um livro de latim, nada de tolices para um pretenso facilitar da aprendizagem; uma História de Portugal.

– E depois algo que talvez nem sequer exista: uma história do movimento português de resistência antifascista sob o regime de Salazar.

– Soa a aventura – disse Natalie.

– E não deixa de o ser – confirmou Gregorius. – À sua maneira.

– *Faço o que posso* – disse a rapariga em português.

Ao princípio, Gregorius não respondeu, mas depois estremeceu. O facto de uma das suas alunas saber falar português era algo que ele não podia aceitar. Destruía a distância entre Berna e Lisboa. Destruía a magia, toda a desvairada magia daquela sua viagem. Amaldiçoou o telefonema.

– Alô, ainda está aí? É que a minha mãe é portuguesa, para o caso de ter ficado espantado.

Depois também precisava de uma Gramática de Persa moderno, prosseguiu Gregorius, e disse-lhe o título do livro que, na altura, há quarenta anos, tinha custado treze francos e trinta. Se ainda o pudesse encontrar, senão outro. Disse-o como um rapazinho obstinado, que não quer que lhe roubem os sonhos.

Finalmente, pediu-lhe o endereço e revelou-lhe o nome do seu hotel. O dinheiro seguia ainda hoje pelo correio, disse. Se sobrasse algum – bem, talvez voltasse a precisar ainda de alguma coisa, mais tarde.

– Não me diga que vai abrir uma conta bancária à minha ordem? Gosto da ideia.

E Gregorius gostava de a ouvir falar. Se ao menos não soubesse falar Português.

– Não calcula a confusão que causou por cá – disse a rapariga quando se instalou um silêncio na linha.

Gregorius não queria saber disso. Precisava de um muro de desconhecimento entre Berna e Lisboa.

– O que é que aconteceu?– acabou por perguntar.

Ele já não volta – tinha dito Lucien von Graffenried no meio de todo aquele silêncio espantado, quando Gregorius fechara a porta da sala de aulas atrás de si.

– Estás doido – tinham dito outros – O *Mundus* não se põe a andar assim, sem mais nem menos. E logo ele, nunca na vida.

– O que acontece é que vocês não sabem ler os rostos – replicara von Graffenried.

Gregorius não o julgara capaz de uma tal afirmação.

– Fomos até à sua casa e tocámos à campainha – disse Natalie. – Podia jurar que estava lá dentro.

A carta que escrevera a Kägi só chegara na quarta-feira. O reitor passara todo a terça-feira a telefonar à polícia e aos hospitais. Não tinha havido aulas de Latim e de Grego, os alunos tinham ficado por ali, desorientados, sentados nos degraus das escadas. Tudo parecia destabilizado.

Natalie hesitou. – Aquilo da mulher… pois… achámos aquilo intrigante. Desculpe – acrescentou quando reparou que ele continuava calado.

E na quarta-feira?

– No intervalo grande encontrámos um comunicado no quadro negro. Estava escrito que não ia poder leccionar por tempo indeterminado, o próprio Kägi encarregar-se-ia de o substituir. Uma delegação foi ter com ele para saber o que se passava. Encontraram-no sentado à secretária, com a carta que lhe escreveu à frente. Estava muito diferente, mais humilde, suave, não teve de se armar logo em reitor e isso… «Não sei se o deva fazer», disse, mas depois acabou por ler a passagem de Marco Aurélio que o professor tinha citado. Perguntámos-lhe se achava que estava doente. Ele ficou muito tempo calado, a olhar lá para fora, pela janela. «Não o posso saber», acabou por dizer, «mas, no fundo, acho que não. Acho antes que ele, de repente, sentiu qualquer coisa, algo de novo. Algo quase imperceptível e no entanto revolucionário. Imagino que tenha sido como uma explosão silenciosa que modificou tudo.» Contámos-lhe a… a cena da mulher. «Pois», limitou-se a dizer o Kägi. «Pois, pois!» Fiquei com a sensação de que, de certa forma, ele o invejava. «O Kägi é *cool*», disse o Lucien depois, «não o julgava capaz disto.» E é verdade. Só que é um chato nas aulas. Nós… gostávamos que o professor voltasse.

Gregorius sentiu um ardor nos olhos e tirou os óculos. Engoliu em seco. – Eu… agora não me posso manifestar acerca disso – disse por fim.

– Mas, Professor, não… não está doente, pois não?! Quero dizer,…

Não, confirmou, não estava doente. – Um bocadinho maluco, mas doente não.

Ela riu-se como ele nunca a tinha ouvido rir-se, completamente destituída daqueles ademanes de donzela palaciana. Era um riso contagiante e ele teve também de rir, surpreendido pela inacreditável e desconhecida leveza da sua gargalhada. Durante algum tempo riram ambos, cada um provocando o riso do outro, e continuaram a rir, mesmo quando o motivo deixara, há muito, de ter importância, apenas e só já pelo rir em si, era como andar de comboio, como aquela sensação da cadência deslizante sobre os carris, um ruído ameno e cheio de futuro que ele desejou que nunca mais acabasse.

– Hoje é sábado – disse rapidamente Natalie quando aquilo terminou. – As livrarias só estão abertas até às quatro. O melhor é pôr-me a andar.

– Natalie? Gostaria que esta conversa ficasse entre nós. Como se não tivesse ocorrido.

Ela riu-se. – De que conversa é que está falar? *Até logo.*

Gregorius observou o papel do bombom que ele, na noite passada, tinha voltado a meter no bolso do sobretudo e hoje de manhã sentira quando enfiara a mão no bolso. Ergueu o auscultador e voltou a colocá-lo correctamente – ao contrário – no suporte. As informações tinham-lhe dado três números para o apelido Rubin. À segunda, acertara. Ao marcar, tivera a sensação de se atirar de uma falésia para o vazio. Não podia dizer que o tivesse feito precipitadamente, ou que tivesse obedecido a um impulso cego. Tinha ficado ali muito tempo, com o telefone na mão, voltara a desligar e fora até à janela. Segunda-feira era o primeiro dia de Março e hoje de manhã a luz já era diferente: agora, pela primeira vez, podia ver a luz que imaginara quando o comboio partira da Estação de Berna com a neve a cair.

Não havia qualquer motivo para telefonar à rapariga, um papel de bombom amarrotado no bolso do sobretudo não era uma razão para ligar assim, sem mais nem menos, a uma aluna com a qual nunca tinha trocado uma opinião pessoal. E muito menos depois de ter fugido e quando um telefonema podia desencadear um pequeno drama. Teria sido então isso que determinara a sua decisão: o facto de não haver prós, mas apenas contras?

E o que acontecera é que tinham rido juntos, durante vários minutos. Tinha sido como um contacto. Um contacto leve, diáfano, sem resistência, em comparação com o qual qualquer outro contacto físico teria parecido uma manobra boçal, ridícula. Uma vez tinha lido no jornal o relato de um polícia que deixara fugir um ladrão que tivera à sua guarda durante um transporte. *Rimo-nos juntos*, apresentara o polícia como desculpa, *depois disso senti que já não o podia prender. Simplesmente já não o podia fazer.*

Gregorius telefonou a Mariana Eça e a Mélodie. Ninguém atendeu. Pôs-se então a caminho da Baixa, de uma tal Rua dos Sapateiros, onde, de acordo com o que lhe dissera o padre Bartolomeu, Jorge

O'Kelly ainda atendia ao balcão da sua farmácia. Era a primeira vez, desde a sua chegada, que se podia andar com o sobretudo aberto. Sentiu no rosto o ar ameno e apercebeu-se do quanto o alegrava o facto de não ter conseguido falar com as duas mulheres. Não fazia a menor ideia do que lhes teria querido dizer.

No hotel tinham-lhe perguntado quanto tempo é que tencionava ainda ficar. *Não faço ideia*, dissera, e apressara-se a pagar a conta pendente. A mulher da recepção seguira-o com o olhar até à saída, ele vira-o no espelho da coluna. Agora caminhava devagar em direcção à Praça do Rossio. Viu à sua frente Natalie Rubin dirigir-se à livraria Stauffacher. Saberia ela que para a Gramática Persa teria de ir à Haupt, no Falkenplatz?

Num quiosque viu exposto um mapa de Lisboa, onde se encontravam desenhadas todas as igrejas com as suas silhuetas. Comprou-o. O padre Bartolomeu dissera-lhe que Prado conhecera todas as igrejas e soubera tudo sobre elas. Algumas tinha-as mesmo visitado na companhia do sacerdote. *Deviam era ser arrancados!*, tinha comentado ao passar pelos confessionários. *Que humilhação!*

A farmácia de O'Kelly tinha uma porta e os caixilhos das montras verde-escuros e dourados. Por cima da porta um bastão de Esculápio, na montra uma balança antiga. Quando Gregorius entrou tilintaram vários sinos, que juntos produziram uma melodia suave e metálica. Sentiu-se aliviado por poder esconder-se por detrás dos muitos clientes. E então viu algo que julgaria não ser possível: um farmacêutico *a fumar* atrás do balcão. Todo o interior da farmácia cheirava a fumo e a medicamentos e O'Kelly acabava de acender um cigarro na brasa do anterior. Depois bebeu um gole de café de uma chávena que se encontrava em cima do balcão. Ninguém parecia incomodado. Com a sua voz rouca explicava aos clientes algo ou dizia uma piada. Gregorius teve a sensação de que os tratava a todos por tu.

Era então aquele o Jorge, o ateu empedernido e romântico sem ilusões de que Prado precisara para ser totalmente ele próprio. O homem cuja superioridade no xadrez tão importante fora para ele, o superior. O companheiro que tinha sido o primeiro a desatar a rir quando o discurso blasfémico de Prado culminara no prolongado uivo de um cão. O homem que podia maltratar um contrabaixo até partir o arco, só porque sentia que não havia esperança para a sua falta de talento. E, finalmente, o homem que Prado enfrentara quando se apercebera de que o amigo tinha condenado à morte Estefânia Espinhosa, a mulher que também ele – a crer na suposição do padre Bartolomeu – acabara por enfrentar, anos depois, no cemitério, sem que os seus olhares se encontrassem.

Gregorius saiu da farmácia e foi sentar-se na esplanada do café da frente. Sabia que no livro de Prado havia um apontamento que começava com um telefonema de Jorge. E quando ele agora, no meio do ruído da rua e rodeado por pessoas que conversavam, ou se dedicavam simplesmente a gozar o sol, com os olhos fechados, começou a traduzir o texto e a desfolhar o dicionário, sentiu que algo de grande e, no fundo, inacreditável estava a acontecer com ele: ocupava-se com a palavra escrita no meio de vozes, de música, de vapor de café. *Mas tu também lês às vezes o jornal no café*, argumentara Florence quando ele lhe explicara que os textos exigiam muros protectores que afastassem o ruído do mundo, de preferência os muros grossos e maciços de um arquivo subterrâneo. *Ah, sim, o jornal*, replicara, *estou a referir-me a textos*. E agora, de repente, já não sentia a falta dos muros, as palavras portuguesas à sua frente fundiam-se com as palavras portuguesas que ouvia à sua volta, podia até imaginá-los, a Prado e a O'Kelly, sentados à mesa do lado, a serem interrompidos pelo empregado, sem que isso prejudicasse o fluir das palavras.

As sombras desconcertantes da morte. *«Acordei sobressaltado com medo da morte», disse-me o Jorge ao telefone, «e ainda agora me sinto invadido pelo pânico.» Faltava pouco para as três da madrugada. A sua voz soava de uma maneira diferente daquela com que eu o ouvia falar com os clientes da farmácia, ou quando me oferecia algo para beber, ou dizia: é a tua vez.» Não se poderia dizer que a sua voz tremesse, mas estava velada como uma voz por detrás da qual poderosos sentimentos, controlados a custo, ameaçam irromper.*

Tinha sonhado que estava sentado em frente ao seu novo piano Steinway, num palco, e não sabia tocar. Ainda não há muito tempo, ele, o obcecado racionalista, tinha feito algo de perfeitamente insensato. Com o dinheiro que o irmão que morrera de acidente lhe deixara comprara um piano de cauda Steinway, sem sequer ter tocado nele uma única nota. O vendedor espantara-se por ele ter simplesmente apontado para o grande piano reluzente, sem fazer tenção de levantar a tampa do teclado. Desde então, o Steinway reluzente ocupava espaço na sua casa cada vez mais solitária e parecia uma sepultura monumental. «Acordei e de repente sabia: tocar naquele piano como ele o merece já não está ao meu alcance na vida que me resta.» Vi-o ali sentado à minha frente, com o seu roupão, e parecia ter-se afundado no sofá ainda mais do que o usual. Embaraçado, esfregava as mãos eternamente frias. «Agora vais pensar: de certeza, que isso era evidente desde o princípio. E, de certo modo, é claro que também eu o sabia. Mas é como vês: quando acordei soube-o, verdadeiramente, pela primeira vez. E agora já não consigo controlar o medo.»

«Medo de quê?», quis eu saber, e tive de esperar até que ele, o mestre do olhar directo, audaz, conseguisse olhar para mim. «Medo de quê, ao certo?»

O rosto de Jorge contraiu-se num sorriso fugaz. Normalmente, é sempre ele que apela ao rigor no meu pensamento, que opõe a sua racionalidade analítica, a sua compreensão objectiva treinada no estudo da Química à minha tendência natural para deixar as coisas derradeiras a pairar num limbo de incerteza.

Medo da dor física e da agonia terminal era impossível que fosse no caso de um farmacêutico, disse eu, e quanto à experiência humilhante da decadência física e psíquica, bem, sobre isso já tínhamos falado mais do que uma vez e sempre havia meios e vias para o caso dos limites do suportável serem ultrapassados. Em que é que consistia então o seu medo?

«O piano – desde hoje à noite ele tornou-me consciente de que existem coisas que eu já não vou a tempo de fazer.» Depois fechou os olhos, como sempre que pretende antecipar-se a um reparo mudo da minha parte. «Não se trata de pequenas alegrias insignificantes, ou de prazeres passageiros, como quando engolimos de um só trago um copo de água num dia de calor e pó. Trata-se de coisas que desejamos fazer e experimentar porque só elas podem dar um sentido completo a esta nossa vida individual, e porque sem elas a existência ficaria incompleta, um torso e um mero fragmento.»

Eu contestei que, partindo do instante da morte, ele já não estaria cá para sofrer e lamentar essa sensação de imperfeição ao não alcançar a totalidade.

Sim, claro, admitiu o Jorge – parecia irritado, como sempre que ouvia algo que lhe parecia supérfluo – mas tratava-se da consciência actual e viva de que a vida se manterá irremediavelmente inacabada, fragmentada e sem a desejada coerência. Essa consciência é que era dolorosa – o medo da morte, precisamente.

Mas não era verdade que a infelicidade não consistia no facto de que a sua vida agora, no preciso momento em que falávamos, não atingira ainda essa coerência interna?

Jorge abanou a cabeça. Ele não estava a referir-se a um lamentar por não ter ainda feito, agora, todas as experiências que teriam de fazer parte da sua vida para que esta fosse um todo. Se a consciência da actual insuficiência da própria existência representasse, por si só, já uma infelicidade, então todos teriam, forçosamente, que ser sempre infelizes com as suas vidas. Pelo contrário, a consciência da abertura seria uma condição necessária para que se tratasse de uma vida viva e não já de uma vida morta. Portanto, a infelicidade teria de consistir em qualquer outra coisa: no saber que também no futuro não iria ser possível concretizar essas tais experiências que conduziam ao arredondar e completar da existência.

Eu contestei então que se não era válido para nenhum momento que a insuficiência nele latente o pudesse transformar, irremediavelmente, num momento infeliz, então porque é que isso também não poderia ser válido para todos aqueles momentos que se encontram penetrados pela consciência de que a totalidade já não poderá vir a ser alcançada? Tudo levava a crer que a totalidade desejada só seria desejável enquanto totalidade futura, como algo em direcção ao qual nos movemos, e não como algo a que chegamos. «Deixa-me exprimi-lo de outra maneira», acrescentei: «A partir de que ponto de vista é que a inalcançável totalidade pode ser lamentada, tornando-se num possível objecto do medo? Não será precisamente o ponto de vista dos momentos em constante fluir, para o qual a totalidade que falta não representa em si nenhum mal, mas apenas um estímulo e um sinal da própria «vivacidade»?

Jorge disse que, de facto, havia que admitir que para poder sentir a espécie de medo com que ele acordara, ter-se-ia de assumir um ponto de vista diferente daqueles momentos normais, projectados e abertos para a frente: para poder reconhecer a sua falta de totalidade havia que encarar a vida no seu todo, contemplando-a, por assim dizer, a partir do seu fim – precisamente como costumamos fazê-lo quando pensamos na morte.

«Mas porque é que esse olhar teria de dar azo ao pânico?», insisti. «Enquanto vivência, a actual insuficiência da tua vida não é um mal em si, nesse ponto já nós chegámos a acordo. Quase me quer parecer que ela só é um mal enquanto insuficiência que tu já não irás experimentar, enquanto lacuna que só pode ser constatada, por assim dizer, para além do túmulo. E isso porque, como sujeito da vivência, não podes antecipar-te ao futuro para, partindo de um fim que ainda não ocorreu, poderes desesperar sobre uma insuficiência da tua vida, insuficiência essa que ainda teria de se arrastar até esse ponto final antecipado. E assim o teu medo de morte parece fixar-se num objecto bem estranho: numa insuficiência existencial que nunca irás conseguir viver.»

«Podes crer que eu bem gostaria de ser capaz de tocar naquele piano», disse Jorge. «De ser alguém que, digamos, fosse capaz de tocar nele as variações Goldberg *de Bach. A Estefânia, por exemplo, consegue-o: tocou-as só para mim e desde então trago comigo o desejo de também as conseguir tocar. Pelos vistos, até há cerca de uma hora vivi com o sentimento indefinido e nunca verdadeiramente compreendido de que ainda teria tempo para as aprender. Só aquele sonho em que me vi no palco é que fez com que eu acordasse com a certeza de que a minha vida irá chegar ao fim sem que eu possa vir a tocar as* Variações*.»*

Está bem, concordei, mas porquê medo? Porquê não simplesmente dor, desilusão, luto? Ou raiva? «Medo tem-se de algo que ainda está para vir, que ainda temos de enfrentar; mas a consciência que tens do silêncio a que o piano ficou condenado já existe agora, estamos a falar nela como algo presente. Esse mal pode perdurar, mas não pode tornar-se maior, de modo a que pudesse haver um receio lógico do seu agravamento. Por isso, a tua nova certeza pode oprimir-te e asfixiar-te, mas não há motivo para que sintas pânico».

Havia ali um mal-entendido, contrapôs o Jorge: o medo não se referia à recém-adquirida certeza, mas sim àquilo de que nele era certeza: precisamente da insuficiência da sua vida, a qual, embora fosse ainda futura, já agora podia ser constatada; e que pela sua dimensão transformava interiormente essa certeza em medo.

Então essa pretensa plenitude da vida, cuja antecipada falta deixa uma pessoa alagada em suores, o que é que ela poderá ser? Em que poderá ela consistir, tendo em conta o modo como a nossa existência decorre, sempre rapsódico, alternado e inconstante, tanto no que diz respeito ao exterior como ao interior? No que a nós diz respeito, não se pode falar de homogeneidade, nem pouco mais ou menos. Estamos então a referir-nos simplesmente ao desejo de satisfação da vivência? Será que o que fez sofrer o Jorge foi o sentimento tornado inalcançável de se sentar perante um Steinway reluzente e apropriar-se da música de Bach como só seria possível se esta tivesse brotado das suas próprias mãos? Ou trata-se antes da necessidade de experimentar coisas suficientes para podermos relatar uma vida no seu todo?

Tratar-se-á, afinal, de uma questão da imagem que constituímos de nós próprios, da noção determinante que elaborámos há muito tempo sobre tudo o que teríamos de alcançar e experimentar para que a vida se tornasse em algo com que pudéssemos concordar? Nesse caso, o medo da morte enquanto medo perante o não alcançado dependeria totalmente de mim, pois eu sou aquele que forja a imagem da minha própria vida, tal como ela se devia concretizar. Então parece-me evidente a conclusão de que bastaria mudar a imagem, de modo a que a minha vida pudesse já coincidir com ela, para que o medo da morte desaparecesse imediatamente. Se, não obstante, ele continuar colado a mim, então é só por um motivo: apesar de ter sido forjada por mim e por mais ninguém, essa imagem não resulta de uma qualquer arbitrariedade caprichosa e não está disponível para quaisquer mudanças aleatórias – pelo contrário, ela está enraizada em mim e cresce a partir da dinâmica específica do meu sentir e do meu pensar, que, afinal, constitui aquilo que eu sou. E assim pode-

ríamos descrever o medo da morte como o medo de podermos não vir a ser aquele que aspirámos ser, ou para o qual nos projectámos.

A consciência nítida da própria finitude, como aquela que assaltou o Jorge a meio da noite e como a que, por vezes, me vejo obrigado a provocar em alguns dos meus doentes, através das palavras com que lhes transmito o diagnóstico mortal, atinge-nos e transtorna-nos como nenhuma outra coisa. E isso porque, muitas vezes sem o sabermos, todos nós vivemos em função de uma tal totalidade, e porque cada instante que logramos experimentar como algo de vivo extrai a sua vivacidade do facto de representar uma parte no puzzle *daquela totalidade não reconhecida. Quando a certeza de que essa totalidade-plenitude não poderá vir a ser alcançada se abate sobre nós, deixamos também de saber, repentinamente, como é que devemos viver uma vida que agora já não pode ser vivida em função, ou orientada para essa totalidade. É essa a razão para uma experiência estranha e perturbadora que alguns dos meus pacientes condenados à morte fazem: a experiência de não saberem o que fazer com o pouco tempo que lhes resta.*

Quando saí para a rua, depois daquela conversa com o Jorge, o Sol estava a nascer, e as poucas pessoas que vinham ao meu encontro pareciam silhuetas em contraluz, simples mortais sem rosto. Sentei-me então no parapeito da janela de um rés-do-chão e esperei que os seus rostos se me revelassem, ao aproximarem-se. A primeira foi uma mulher de andar elástico. O seu rosto, agora podia vê-lo, ainda estava meio velado pelo sono, mas era fácil imaginá-lo a abrir-se à luz do Sol, cheio de esperança e expectativa perante os acontecimentos do dia, os olhos cheios de futuro. O segundo que passou por mim foi um velhote com um cão. Vi-o parar, acender um cigarro e soltar o cão, para que ele pudesse correr para o parque. Amava aquele cão e a sua vida com o cão, isso via-se na expressão do seu rosto. Também a velhota com o xaile de croché que surgiu passado algum tempo gostava da sua vida, apesar das dificuldades que sentia em andar com as pernas inchadas. Agarrava com força a mão do rapazinho da mochila, talvez um neto que ela pretendia levar a tempo à escola, pois era o seu primeiro dia e ela não queria, de maneira nenhuma, que ele faltasse nesse importante início do seu novo futuro.

Todos eles iriam morrer, e todos sentiam medo quando pensavam nisso. Um dia há-de acontecer, só não agora. Tentei lembrar-me do labirinto de perguntas e argumentos através do qual errámos – eu e o Jorge – durante uma boa parte da noite. Tentei recuperar aquela claridade, que por instantes parecera tão próxima, para no momento seguinte se afastar. Voltei a olhar para a mulher jovem que naquele momento se espreguiçou, para o velho, que brincava todo satisfeito com a trela do cão, e para a avozinha coxa que, nesse momento, passava a mão pelo cabelo do neto. Não era então evidente, simples e claro em que consistiria o seu pânico se, nesse momento, recebessem a notícia da sua morte eminente? Virei o rosto cansado para o sol matinal e pensei: eles querem simplesmente mais da substância da vida, por mais leve ou pesada, por mais parca ou farta que essa vida possa ser para cada um deles. Não querem que ela tenha chegado ao fim, mesmo que, depois do fim, já não possam sentir-lhe a falta – e o saibam.

Fui para casa. O que é que uma reflexão complexa e analítica tem a ver com as certezas pragmáticas? Em qual das duas devemos confiar mais?

No consultório, abri a janela e olhei para o azul pálido do céu sobre os telhados, as chaminés e a roupa nos estendais: como é que a minha relação com o Jorge iria continuar, depois desta noite? Voltaríamos a sentar-nos um em frente ao outro, à mesa do xadrez, como sempre? Ou de outra maneira? O que é que a intimidade da morte faz connosco?

Anoitecia quando Jorge saiu da farmácia e a fechou. Há já cerca de uma hora que Gregorius sentia o frio invadi-lo e bebia um café atrás do outro. Ao vê-lo sair, entalou uma nota por baixo da chávena e levantou-se para seguir O'Kelly. Quando passou pela farmácia reparou que lá dentro a luz ainda estava acesa. Espreitou pela janela: já lá não estava ninguém, a antediluviana caixa registadora encontrava-se coberta por um oleado sujo.

O farmacêutico virou a esquina, Gregorius teve de se apressar. Atravessaram a Baixa, caminhando pela Rua da Conceição, e chegaram a Alfama. Passaram por três igrejas, cujos sinos deram as horas, uns a seguir aos outros. Na Rua da Saudade, Jorge deteve-se para pisar o terceiro cigarro, antes de desaparecer na entrada de um prédio.

Gregorius atravessou a rua. Nenhuma luz se acendeu no prédio. Hesitante, voltou a atravessar a rua e entrou no átrio às escuras. Jorge devia ter desaparecido por detrás daquela pesada porta de madeira, lá ao fundo. Não parecia a porta de uma casa particular, mas antes a de um qualquer espaço público. No entanto, não havia sinais de uma tasca. Um qualquer antro de jogo? Podia imaginar-se isso em relação a Jorge, depois de tudo o que ele soubera dele? Gregorius ficou parado à porta, as mãos enfiadas nos bolsos, até que decidiu bater. Nada. Quando, finalmente, tocou à campainha, foi como nessa mesma manhã, quando marcara o número de Natalie Rubin: um salto no vazio.

Era um clube de xadrez. Numa sala de tecto baixo, coberta de fumo e mal iluminada, jogava-se numa dúzia de mesinhas. Tudo homens. A um canto via-se um pequeno balcão com bebidas. Aquecimento não havia, os jogadores tinham sobretudos e casacos quentes, alguns usavam boinas bascas. O'Kelly tinha sido esperado, e quando Gregorius o reconheceu, por detrás de uma nuvem de fumo, o seu adversário estendia-lhe as mãos para escolher as figuras. Na mesa ao lado viu um homem sozinho olhar para o relógio e depois começar a tamborilar com os dedos na mesa.

Gregorius assustou-se. O homem parecia-se com aquele outro, no Jura, contra o qual ele jogara durante dez longas horas, só para no final acabar derrotado. Tinha sido num torneio em Moutier, num fim-de-semana frio de Dezembro, em que o dia nunca chegara verdadeiramente a clarear e as montanhas pareciam erguer-se sobre a população como um baluarte alpino. O homem, um natural da região, que falava francês como um débil mental, tinha a mesma carantonha quadrada daquele português que ali estava sentado à mesa de jogo, o mesmo cabelo cortado à escovinha como que com uma cortadora de relva, a mesma testa inclinada e as mesmas orelhas salientes. Só o nariz do português era diferente. Bem como o olhar. Negro, negro asa de corvo, por baixo de sobrancelhas espessas, um olhar como o muro de um cemitério.

Foi com esse olhar que ele se pôs a observar Gregorius. *Não contra este gajo*, pensou Gregorius, *todos menos este*. O homem fez-lhe um sinal. Ele aproximou-se. Assim podia observar o jogo de O'Kelly na mesa do lado. Podia acompanhá-lo discretamente. Era o preço que tinha a pagar. *Aquela maldita amizade sagrada*, ouviu Adriana dizer. E sentou-se.

– *Novato?* – perguntou o homem.

Gregorius não sabia: quereria a palavra dizer simplesmente «novo aqui», ou significava «principiante». Optou pelo primeiro significado e fez que sim com a cabeça.

– Pedro – disse o português.

– Raimundo – disse Gregorius.

O homem ainda conseguia jogar mais devagar do que o sujeito do Jura. E a lentidão começou logo com o primeiro lance. Uma lentidão plúmbea, paralisante. Gregorius olhou à sua volta. Ninguém jogava com relógio. Os relógios eram descabidos naquele local. Para além dos tabuleiros de xadrez, tudo era descabido naquele local. Até o falar.

Pedro pousou os antebraços na mesa, apoiou o queixo nas mãos e ficou a olhar para o tabuleiro. Gregorius não sabia o que mais o incomodava: se aquele olhar esforçado e epiléptico, com a íris levantada sobre um fundo amarelado, se o morder obsessivo dos lábios, que no jogo com o aldeão do Jura o deixara à beira de um ataque de nervos. Seria uma luta contra a impaciência. Contra o tipo do Jura tinha perdido essa luta. Amaldiçoou o muito café que bebera.

Trocou então o primeiro olhar com Jorge, que estava sentado ao seu lado. Jorge, que acordara um dia transtornado pelo medo da morte, e que, até agora, já sobrevivia a Prado há trinta e um anos.

– *Atenção!* – avisou O'Kelly, apontando com o queixo na direcção de Pedro. – *Adversário desagradável!*

Pedro sorriu sem levantar a cabeça, e agora parecia mesmo um débil mental. – *Justo, muito justo* – murmurou, e nos cantos da sua boca constituíram-se pequenas bolhas.

Após uma hora, Gregorius percebeu que enquanto se tratasse de simples cálculos dos lances, o seu adversário não cometeria nenhum erro. Ele não se devia deixar enganar pela testa inclinada e pelo olhar epiléptico: o homem calculava tudo, dez vezes, se necessário fosse, e calculava todas as hipóteses para, pelo menos, os próximos dez lances. A questão que se colocava era saber o que aconteceria se ele optasse por uma jogada surpreendente. Uma jogada que não só parecesse não fazer sentido como também não fizesse, realmente, qualquer sentido. Já por várias vezes conseguira descontrolar adversários fortes com essa táctica. Só com Doxiades é que a estratégia não resultava. «Parvoíce» limitava-se o grego a dizer, e não mais deixava escapar a vantagem alcançada.

Decorreu mais uma hora até Gregorius se decidir a lançar a confusão sacrificando um peão, sem que com isso alcançasse a mínima vantagem posicional.

Pedro esticou e encolheu várias vezes os lábios, até que ergueu a cabeça e fitou Gregorius. Este desejou ter ali os seus velhos óculos, que até contra aquele género de olhares conseguiam funcionar como um baluarte. Pedro piscou os olhos, esfregou a testa, passou os dedos curtos e grossos pelo cabelo cortado rente. Depois deixou ficar o peão. – *Novato* – murmurou. – *És um novato.* – Agora Gregorius sabia que ele quisera dizer «principiante».

O facto de Pedro não ter tomado o peão, porque encarara o sacrifício como uma armadilha, tinha deixado Gregorius numa posição a partir da qual ele podia, finalmente, atacar. Lance após lance, empurrou a sua armada para a frente, cerceando ao adversário todas as possibilidades de se defender. O português começou a assoar-se estrondosamente de dois em dois minutos. Gregorius não sabia se era intenção ou simples desleixo. Jorge sorriu quando se apercebeu como o asqueroso ruído incomodava Gregorius. Os outros pareciam já conhecer esse hábito de Pedro. Cada vez que Gregorius conseguia frustrar-lhe um plano, antes mesmo que este começasse a delinear-se, o seu olhar tornava-se um tudo nada mais duro, os olhos tinham, entretanto, adquirido a cor de uma ardósia brilhante. Gregorius recostou-se e lançou um olhar tranquilo sobre a partida: podia ainda durar horas, mas nada mais poderia acontecer.

Com o olhar aparentemente dirigido para a janela, em frente à qual oscilava suavemente uma lanterna de rua mal atarraxada, Gregorius pôs-se então a observar o rosto de Jorge O'Kelly. No relato do padre Bartolomeu ele não tinha passado, ao princípio, de uma imagem luminosa; uma imagem luminosa sem brilho próprio, tudo menos uma luminária, mas ainda assim um rapaz íntegro, destemido, que sabia dar os nomes às coisas. Mas depois, no final do relato, acontecera a visita nocturna de Prado ao padre. *Ela. Ela tornou-se um perigo. Não aguentaria. Acabaria por falar. É o que os outros pensam. O Jorge também? Sobre isso não quero falar.*

O'Kelly travou o fumo do cigarro, antes de atravessar com o Bispo o campo do adversário para lhe capturar a Torre. Os dedos estavam amarelos da nicotina e as unhas sujas. O seu nariz grande e carnudo com os poros abertos incomodou Gregorius, pareceu-lhe uma excrescência despudorada. No fundo, condizia com o sorrisinho desdenhoso de ainda há pouco. Mas tudo o que pudesse exercer sobre uma pessoa qualquer tipo de rejeição era contrabalançado pelo olhar fatigado e bondoso daqueles olhos castanhos.

Estefânia. Gregorius estremeceu e sentiu uma súbita onda de calor. Tinha lido nessa mesma tarde o nome no texto de Prado, mas não estabelecera a ligação. As Variações Goldberg... *Estefânia – tocou-as só para mim, e desde então trago comigo o desejo de também as conseguir tocar.* Podia ter sido a mesma Estefânia? A mulher que Prado teve de salvar de O'Kelly? A mulher que se intrometeu entre os dois e provocou o fim da sua amizade, da maldita sagrada amizade?

Gregorius começou a fazer as contas febrilmente. Sim, podia ser. Nesse caso tinha sucedido o acaso mais cruel que imaginar se pode: que um deles se tivesse declarado disposto a sacrificar à resistência antifascista a mulher que com o som de Bach o havia encorajado naquela sua maravilhosa e sedutora «ilusão Steinway», que alimentava já desde os tempos do liceu.

O que é que teria acontecido no cemitério entre os dois, depois do padre se ter ido embora? Ela tinha de ser mais nova do que O'Kelly, suficientemente jovem para que Prado se tivesse apaixonado por ela, dez anos depois da morte de Fátima. Se assim fosse, então o drama entre Prado e O'Kelly não tinha sido apenas um drama entre morais opostas, mas também um drama amoroso.

O que sabia Adriana deste drama? Tê-lo-ia admitido nos seus pensamentos? Ou vira-se obrigada a selá-lo no seu espírito, como tantas outras coisas? E O'Kelly teria ainda em sua casa aquele Steinway intocável e louco?

Gregorius tinha jogado os últimos lances com a mesma concentração fugaz com que costumava defrontar os alunos nos torneios de simultâneas em Kirchenfeld. De repente, apercebeu-se do sorrisinho traiçoeiro de Pedro e depois de um olhar mais cuidadoso para o tabuleiro assustou-se. Tinha desperdiçado a vantagem e o português lançara um perigoso ataque.

Gregorius fechou os olhos. De repente, sentiu-se invadido pelo peso de um grande cansaço. Porque é que não se levantava simplesmente e saía dali? Como tinha sido possível que tivesse ido parar àquela sala insuportavelmente acanhada e perdida em Lisboa, e estivesse agora ali sentado, no meio de toda aquela fumarada asfixiante, a jogar contra aquele estranho repulsivo, que nada lhe dizia e com o qual não podia trocar uma única palavra?

Sacrificou o último peão, iniciando com isso o final do jogo. Agora já não podia ganhar, mas para um empate ainda devia chegar. Pedro foi à casa de banho. Gregorius olhou à sua volta. A sala esvaziara-se. Os poucos homens que tinham ficado rodeavam a sua mesa. Pedro voltou, sentou-se e fungou, puxando o ranho. O adversário de Jorge tinha-se ido embora, ele próprio posicionara-se de modo a poder acompanhar sentado o final da partida na mesa do lado. Gregorius podia ouvir a sua respiração arquejante. Se não quisesse perder, tinha de esquecer aquele homem ao seu lado.

Alekhine tinha ganho uma vez um final de jogo, apesar de ter menos três peças. Incrédulo, Gregorius, então ainda estudante, acompanhara o final da partida. E depois, durante meses a fio, jogara todos os finais que encontrara anotados. Desde então, bastava-lhe um olhar para saber o que fazer. Foi o que aconteceu.

Pedro reflectiu durante meia hora e acabou por cair na armadilha. Apercebeu-se disso assim que moveu a peça. Já não podia ganhar. Esticou e encolheu os lábios, uma e outra vez. Fixou Gregorius com o seu olhar petrificado. – *Novato* – disse. – *Novato*. – De repente, levantou-se e foi-se embora.

– *Donde és?* – perguntou um dos homens que ali estavam à sua volta.

– *De Berna, na Suíça* – disse Gregorius, e acrescentou: – *Gente lenta.*

Eles riram-se e ofereceram-lhe uma cerveja. Ele que aparecesse lá mais vezes.

Já na rua O'Kelly aproximou-se.

– Porque é que me seguiu? – perguntou-lhe em inglês.

Quando viu o espanto no rosto de Gregorius soltou uma gargalhada rouca.

– Houve tempos em que a minha vida dependia de eu reparar quando alguém me seguia.

Gregorius hesitou. O que é que iria acontecer quando ele visse, de repente, o retrato de Prado à sua frente? Trinta anos depois de se ter ido despedir dele ao túmulo? Lentamente, tirou o livro do bolso do sobretudo, abriu-o e mostrou-lhe a fotografia. Jorge pestanejou, tirou-lhe o livro da mão, aproximou-se de uma lanterna de rua e quase encostou o livro ao nariz. Gregorius nunca mais iria esquecer a cena: O'Kelly a olhar para o retrato do amigo perdido à luz de uma lanterna oscilante, incrédulo, assustado, um rosto que ameaçava ruir.

– Venha daí – disse Jorge com uma voz rouca que só pareceu autoritária porque procurava esconder a sua perturbação. – Moro aqui perto.

A sua passada, quando se lhe adiantou, era agora mais rígida e insegura. Transformara-se num homem velho.

O apartamento era uma caverna, uma caverna cheia de fumo com as paredes ladrilhadas de fotografias de pianistas. Rubinstein, Richter, Horowitz, Dinu Lipati. Murray Perahia. Um retrato gigantesco de Maria João Pires, a pianista preferida de João Eça.

O'Kelly atravessou a sala e acendeu uma quantidade de lâmpadas, parecia haver sempre mais um projector para uma fotografia que surgia do escuro. Um único canto da sala manteve-se na penumbra. Era ali que se encontrava o piano, cujo negro silencioso reflectia, obscurecidas e pálidas, as luzes dos vários focos. *Podes crer que eu bem gostaria de ser capaz de tocar naquele piano... A minha vida irá chegar ao fim sem que eu possa tocar as* Variações. Há já décadas que aquele piano de cauda ali estava, uma escura miragem de polida elegância, um monumento negro ao irrealizável sonho da plenitude da vida. Gregorius pensou nos objectos intocáveis que povoavam o quarto de Prado, pois também o piano de O'Kelly parecia não ter uma única partícula de pó.

A vida não é aquilo que vivemos; é aquilo que imaginamos viver, podia ler-se algures no livro de Prado.

O'Kelly estava sentado no sofá onde parecia sentar-se sempre. Observava o retrato de Amadeu. O seu olhar, esporadicamente interrompido por um pestanejar, aplacava os planetas. O mutismo negro do piano enchia a sala. O acelerar das motorizadas lá fora, na rua, embatia naquele bloco de silêncio. *As pessoas não suportam o silêncio*, podia ler-se num dos breves apontamentos de Prado, *isso implicaria que se suportassem a si próprias*.

Onde é que descobrira o livro, perguntou então Jorge, e Gregorius contou-lhe. *Cedros Vermelhos*, leu Jorge em voz alta.

– Soa a Adriana, ao seu estilo melodramático. Ele não gostava desse estilo, mas fazia tudo para que ela não se apercebesse disso. «É a minha irmã, e ajuda-me a viver a minha vida», dizia.

Perguntou então a Gregorius se sabia o que queria dizer aquilo dos cedros vermelhos. A Mélodie, disse Gregorius, ele tinha a sensação que ela o sabia. De onde é que ele conhecia a Mélodie e porque é que tudo aquilo o interessava, quis saber O'Kelly. No fundo, a maneira como a pergunta fora feita não tinha sido dura, mas Gregorius julgou sentir o eco de uma dureza que aquela voz tivera em tempos, numa época em que fora decisivo manter-se alerta e sempre atento a algo que parecesse estranho.

– Quero saber como é que foi ter sido ele – explicou.

Jorge olhou espantado para ele, voltou a olhar para baixo, para o retrato e fechou os olhos.

– Será possível? Saber como é ser um outro? Sem *ser* o outro?

Pelo menos, podia descobrir-se como é que imaginamos ser um outro, disse Gregorius.

Jorge soltou uma gargalhada. Devia ter sido assim que ele se rira com os uivos do cão na cerimónia dos finalistas do liceu.

– E porque é que fugiu? Uma decisão meio estapafúrdia. Agrada-me. A *imaginação, o nosso último santuário*, costumava Amadeu dizer.

Ao pronunciar o nome próprio de Prado algo começara a transformar-se em O'Kelly. *Há décadas que ele não o pronuncia*, pensou Gregorius. Os dedos de Jorge tremiam quando acendeu um cigarro.

Tossiu e abriu o livro no sítio onde Gregorius entalara, nessa tarde, o talão da caixa registadora do café. O seu tórax magro enchia-se e esvaziava-se, respirava com dificuldade. Gregorius desejou poder deixá-lo ali sozinho.

– E eu continuo vivo – disse, pondo o livro de parte. – E mesmo o medo, o medo não compreendido de então, continuo a senti-lo. E o piano permanece no mesmo sítio. Agora já não é um monumento evocativo, é apenas ele, o piano, apenas e só ele próprio, sem qualquer mensagem, um camarada mudo. A conversa que o Amadeu relata ocorreu nos finais de 1970. Por essa altura, bem, teria jurado que nunca nos iríamos perder de vista, ele e eu. Éramos como irmãos. Mais do que irmãos.

Ainda me lembro da primeira vez que o vi. Foi na primeira semana da escola, ele faltou no primeiro dia, já não sei porquê. E depois ainda chegou tarde à primeira aula. Já nessa altura usava aquela sobrecasaca que fazia dele um menino de boas famílias, até porque uma peça daquelas não era coisa que se comprasse numa loja. Era também o único que não trouxera uma pasta, como se quisesse dizer: *tenho tudo aqui na cabeça*. Foi sentar-se no lugar livre e logo ali revelou aquela sua inimitável auto-segurança. Não havia ali uma sombra de arrogância ou de peneiras. Tinha simplesmente a certeza de que não havia nada que ele não pudesse aprender com a maior das facilidades. E, para ser sincero, acredito que ele não *sabia* dessa certeza, isso tê-la-ia minimizado, não, de facto ele *era* aquela certeza. O modo como se levantou, como disse o seu nome e voltou a sentar-se: parecia que estava no teatro, não, qual quê, o rapaz não queria ser teatral, não precisava de teatro para nada, era uma espécie de graciosidade, de pura graça que fluía dos seus movimentos. O padre Bartolomeu calou-se quando se apercebeu disso, por uns momentos ficou sem saber o que dizer.

Ele também já tinha lido o seu discurso de finalista, disse Gregorius, quando O'Kelly mergulhou num longo silêncio. Jorge levantou-se e, foi até à cozinha e voltou com uma garrafa de vinho tinto. Serviu-o e bebeu dois copos, não precipitadamente, mas como alguém que simplesmente estava a precisar de beber.

– Passámos noites e noites à volta daquilo. Houve alturas em que a coragem o abandonou. Mas depois vinha a raiva. «Deus castiga o Egipto com as pragas, só porque o faraó se mostra inflexível», disse então, «mas foi o próprio Deus que o fez assim! E fê-lo assim para depois poder demonstrar o seu poder! Que Deus vaidoso e presumido! Que gabarola insuportável!» Amei-o quando o vi assim enfrentar Deus, possuído por aquele fúria sagrada.

Ele queria que o título fosse: «Reverência e Aversão perante a Palavra *Moribunda* de Deus.» Eu achei que era patético, uma metafísica patética, e ele acabou por abdicar do adjectivo. Tinha uma certa tendência para o *pathos*, não o queria admitir, mas sabia-o, e por isso insurgia-se contra o *kitsch*, combatia-o sempre que surgisse uma oportunidade de o fazer, e então podia ser injusto, horrivelmente injusto.

A única que ele sempre poupou com o seu anátema foi a Fátima. Essa podia fazer tudo. Levou-a ao colo durante os oito anos que durou o casamento. Precisava de alguém que pudesse levar ao colo, ele era mesmo assim. Mas também não foi isso que a fez feliz. Nunca falámos sobre isso, ela e eu, aliás ela não gostava lá muito de mim, talvez porque sentisse ciúmes da nossa intimidade. Mas uma vez encontrei-a na cidade, num café, estava a ler os anúncios de empregos num jornal e tinha assinalado alguns. Assim que me viu escondeu a folha na carteira, mas eu tinha vindo por trás e pudera observá-la. «Gostava que ele acreditasse mais em mim», disse-me na conversa que então tivemos. Mas a única mulher em quem ele acreditou foi a Maria João. A Maria, meu Deus, a Maria.

O'Kelly levantou-se para ir buscar uma nova garrafa. As palavras começavam a sair-lhe entarameladas. Bebeu e calou-se.

Gregorius quis saber o apelido de Maria João.

– Ávila. Como a Santa Teresa. Por isso na escola chamavam-lhe *a santa*. Quando ouvia a alcunha, ela não se ensaiava nada e atirava com o que encontrase mais à mão à cabeça do engraçadinho. Mais tarde, com o casamento, mudou de apelido, um nome perfeitamente banal, já me esqueci dele.

O'Kelly bebeu e calou-se.

– A sério que acreditei que nunca nos poderíamos perder de vista – disse, interrompendo o silêncio. – Achava que era simplesmente impossível. Uma vez, li algures a frase As *amizades têm o seu tempo para acabar*. No nosso caso não, pensei na altura, no nosso caso nunca.

O'Kelly começou a beber cada vez mais depressa e a boca deixou de lhe obedecer. Levantou-se a custo e saiu da sala com passos vacilantes. Passado algum tempo, regressou com uma folha de papel.

– Isto aqui escrevemos os dois juntos. Em Coimbra, quando parecia que o mundo nos pertencia.

Era uma lista, e em cima estava escrito: LEALDADE POR. Em baixo, Prado e O'Kelly tinham apontado todos os motivos pelos quais a lealdade pode desenvolver-se.

Culpa em relação a alguém; etapas de uma evolução em comum; sofrimento partilhado; alegria partilhada; solidariedade dos mortais; comunhão de convicções; luta comum contra o exterior; forças e fraquezas comuns; mútua necessidade de proximidade; semelhança de gostos; ódio comum; segredos partilhados; fantasias e sonhos partilhados; entusiasmo partilhado; humor partilhado; heróis partilhados; decisões tomadas em comum; sucessos, insucessos, vitórias e derrotas comuns; decepções partilhadas; erros comuns.

Reparara que na lista faltava o amor, disse Gregorius. O corpo de O'Kelly contraiu-se, e por um instante, pareceu recuperar a lucidez.

– Não era algo em que ele acreditasse. Até evitava a palavra. Achava que era *kitsch*. Costumava dizer que havia três coisas, e apenas essas três: o *desejo*, o *agrado* e a *segurança*. E todas eram efémeras. A mais fugaz era o desejo, depois vinha o agrado, e infelizmente acontecia também que a segurança, a sensação de se sentir protegido junto de alguém, também acabava por se desmoronar. As exigências da vida, todas as coisas com que temos que nos confrontar e ultrapassar acabam sempre por ser demasiadas e demasiado poderosas para que os nossos sentimentos consigam sair incólumes desses confrontos. Era por isso que a lealdade se tornava tão vital. Para ele não se tratava de um sentimento, mas de uma manifestação da vontade, de uma decisão, de uma opção da alma. Algo capaz de transformar a imprevisibilidade dos encontros e a casualidade dos sentimentos numa necessidade. *Um sopro de eternidade*, dizia, *apenas um sopro, mas ainda assim um soporo.*

Mas enganou-se. Aliás, ambos nos enganámos.

Mais tarde, quando voltámos para Lisboa, ele ocupou-se frequentemente com a questão sobre se haveria algo como uma lealdade para consigo próprio. A obrigação de não fugir de si próprio. Nem na imaginação nem nos actos. A disponibilidade para se assumir, mesmo quando já não se gosta de si próprio. Ele teria gostado de se transformar pela criatividade e cuidar, depois, que a ficção se tornasse realidade. *Só me suporto quando estou a trabalhar*, confessou-me uma vez.

O'Kelly caiu num novo poço de silêncio, o seu corpo distendeu-se, o olhar turvou-se, a respiração tornou-se lenta como a de alguém que adormecera. Era impossível sair agora dali.

Gregorius levantou-se e foi ver as estantes dos livros. Uma estante completa cheia de obras sobre o anarquismo, o russo, o andaluz e o catalão. Muitos livros com a palavra «Justiça» no título. Dostoievski e mais Dostoievski. Eça de Queiroz, O CRIME DO PADRE AMARO, a obra que ele comprara aquando da sua primeira visita à livraria de Júlio Simões. Sigmund Freud. Biografias de pianistas. Literatura técnica. E finalmente, num nicho, uma estante estreita com os livros do liceu, alguns já quase com setenta anos em cima. Gregorius retirou as gramáticas de Latim e de Grego dos seus respectivos sítios e começou a folhear as páginas amarelecidas e cheias de borrões de tinta. Os dicionários, os textos para exercitar. Cícero, Livius, Xenofonte, Sófocles. A Bíblia, gasta de tantas leituras e coberta de anotações.

O'Kelly acordou, mas quando começou a falar foi como se prosseguisse com o sonho que acabara de sonhar.

– Foi ele que me comprou a farmácia. Uma farmácia inteira que não podia estar mais bem situada. Assim, simplesmente. Encontràmo-nos no café e falamos disto e daquilo. Nem uma palavra sobre a farmácia. Ele tinha a mania dos segredos, era um filho da mãe de um segredeiro e ainda por cima generoso como só ele. Nunca conheci ninguém que dominasse como ele a arte de manter um segredo. Era uma forma de vaidade, mesmo que ele não quisesse ouvir isso. À volta, pára, de repente. «Estás a ver aquela farmácia ali?» «Sim, claro», digo eu, «e depois?» «É tua», e começa-me a abanar o molho de chaves em frente ao nariz. «Tu sempre quiseste uma farmácia só tua, não é verdade? Pois ali a tens!» Não contente com isso, ainda comprou todo o mobiliário. E sabe uma coisa? Não me senti minimamente constrangido. Senti-me felicíssimo e nos primeiros tempos esfregava os olhos todas as manhãs, sem conseguir acreditar. Às vezes telefonava-lhe e dizia: «Imagina só que estou aqui na minha farmácia!» E ele ria-se, um riso fácil e feliz, que de ano para ano se foi tornando cada vez mais raro.

Ele tinha uma relação conturbada e complicada com o muito dinheiro da sua família. Acontecia-lhe por vezes esbanjar dinheiro com grandes gestos senhoriais, ao contrário do juiz, o seu pai, que era um forreta. Mas depois via um pedinte e ficava completamente perturbado. Era sempre a mesma coisa. «Porque é que só lhe dou um par de moedas?», perguntava. «Porque não um maço de notas? E porque não tudo? E porquê a ele e não a todos os outros também? O facto de termos passado por ele, e não por qualquer outro mendigo, não passa de um puro e cego acaso. E depois, como é que podemos comprar um gelado e uns passos mais à frente alguém tem de suportar esta humilhação? Não é possível! Estás a ouvir o que te digo: *Simplesmente não é possível!*» Uma vez ficou tão furioso com essa confusão – *essa confusão maldita e pegajosa*, como ele lhe chamava –, que bateu com o pé no chão, voltou para trás e atirou uma nota das gordas para o chapéu do pedinte.

O rosto de O'Kelly, que na recordação se aclarara como o de alguém que se tivesse libertado de uma prolongada dor, voltou a ensombrar-se e envelheceu.

– Quando nos perdemos, eu ao princípio quis vender a farmácia e devolver-lhe o dinheiro. Mas depois apercebi-me de que teria sido como se negasse tudo aquilo que tinha acontecido entre nós, todo aquele período longo e feliz da nossa amizade. Como se envenenasse, de uma forma reactiva e definitiva, toda a intimidade e toda a confiança que nos tinham unido. Acabei por ficar com a farmácia. E poucos dias depois de ter tomado essa decisão aconteceu algo estranho: de repente, a farmácia tornou-se muito mais minha do que antes. Não consegui compreender o que aconteceu. Ainda hoje não consigo.

Ao despedir-se, Gregorius lembrou-lhe que tinha deixado ficar a luz acesa.

O'Kelly riu-se. – É de propósito. A luz fica sempre acesa. *Sempre.* O puro desperdício. Para me vingar da pobreza em que cresci. Só havia luz numa divisão, ia-se para a cama às escuras. Os poucos centavos de mesada que recebia gastava-os em pilhas, para uma lanterna de bolso. Assim podia ler na cama. Os livros, roubava-os. Livros não devem custar nada, era o que achava então e ainda hoje penso o mesmo. Passavam a vida a cortar-nos a electricidade por não pagarmos as facturas. *Cortar a luz* – nunca me hei-de esquecer da ameaça. São sempre aquelas coisas simples que nunca conseguimos ultrapassar. Como aquilo cheirava; o ardor depois da bofetada; o modo súbito como a escuridão inundava a casa; a grosseria do praguejar do pai. Ao princípio, a polícia aparecia sempre na farmácia por causa da luz. Agora já toda a gente sabe e deixam-me em paz.

23

Natalie Rubin tinha tentado três vezes. Gregorius telefonou-lhe. O dicionário e a gramática portuguesa não tinham constituído qualquer problema, disse. – Vai ver que vai *adorar* esta gramática! Parece um código de leis, cheia de listas com excepções, o homem é maluquinho pelas excepções. Tal e qual o Professor, desculpe lá...

Quanto à História de Portugal, isso já tinha sido mais complicado; havia várias e ela acabara por se decidir pela mais compacta. Ia já tudo a caminho. A gramática persa que ele lhe tinha indicado ainda estava disponível no mercado, na Haupt tinham-lhe dito que a podia arranjar até meio da semana. Quanto à história da resistência portuguesa, isso já tinha constituído um verdadeiro desafio. Quando ela chegara as bibliotecas já estavam fechadas, já só lá podia ir na segunda-feira. Na Haupt tinham-na aconselhado a procurar no Instituto de Romanística, e também já sabia a quem devia dirigir-se na segunda-feira.

Gregorius assustou-se com o seu fervor, apesar de o já ter pressentido. O que lhe apetecia era vir a Lisboa, para o ajudar nas investigações, ouviu-a dizer.

A meio da noite, Gregorius acordou e, de repente, não sabia se ela tinha dito aquilo apenas no sonho, ou também na realidade. *Cool,* tinham repetido em coro Kägi e Lucien von Graffenried durante todo o tempo, enquanto ele defrontava Pedro, o gajo do Jura, que empurrava as suas peças no tabuleiro com a testa e que se punha às marradas à mesa sempre que ele o conseguia ludibriar. Jogar contra a Natalie tinha sido uma experiência estranha e inquietante, pois ela jogava sem figuras e sem luz. «Eu sei português e posso apoiar-te!», disse-lhe. Ele tentou responder-lhe em português e sentiu-se como num exame em que as palavras não queriam vir. *Minha Senhora*, titubeava uma e outra vez, *Minha Senhora*, e ficava-se por aí, sem saber o que dizer.

Telefonou a Doxiades. Não, não o tinha acordado, sossegou-o o grego. Com o sono andava outra vez de candeias às avessas. E não só com o sono.

Gregorius nunca o tinha ouvido dizer uma frase daquelas, e assustou-se. O que é que tinha acontecido, quis saber.

– Oh, nada – disse o grego –, estou simplesmente cansado. No consultório cometo erros, quero acabar, ver-me livre daquilo.

Acabar? Ele *acabar*? E depois?

– Sei lá, viajar para Lisboa, por exemplo – disse com uma gargalhada.

Gregorius falou-lhe de Pedro, da sua testa inclinada e do olhar epiléptico. Doxiades ainda se lembrava do sujeito do Jura.

– Depois desse encontro andou a jogar miseravelmente durante algum tempo – disse. – Para aquilo que costuma jogar.

Amanhecia quando Gregorius conseguiu novamente adormecer. Quando acordou, duas horas mais tarde, o céu sobre Lisboa estava limpo e na rua as pessoas andavam sem sobretudo. Tomou o barco, decidido a ir visitar João Eça em Cacilhas.

– Estava-me cá a parecer que hoje vinha cá – disse-lhe este, e vindas da sua boca fina, as palavras soaram como um entusiástico fogo-de-artifício.

Beberam chá e jogaram xadrez. A mão de Eça tremia cada vez que ele deslocava as peças e ouvia-se um «clac» sempre que as pousava no tabuleiro. A cada lance Gregorius assustava-se com as cicatrizes das queimaduras nas costas das mãos.

– O pior não são as dores e a ferida – disse Eça a uma certa altura. – O pior é a humilhação. A humilhação quando se sente que está a mijar nas calças. Quando saí de lá ardia de desejo de vingança. Fiquei em brasa. Esperava-os na sombra, ficava a vê-los sair do serviço. Com os seus sobretudos manhosos e as suas pastas, como pessoas que vão para o escritório. Seguia-os até casa. Olho por olho, dente por dente. O que me salvou foi o nojo de lhes pôr as mãos em cima. E acredite que tinha mesmo de lhes pôr as mãos em cima, um tiro teria sido demasiado misericordioso. A Mariana achou que eu tinha atravessado um processo de amadurecimento moral. Nem por sombras. Sempre rejeitei esse «amadurecimento», como lhe chamam. Não gosto dos maduros. Considero que essa pseudomaturidade não passa de oportunismo, ou puro esgotamento.

Gregorius perdeu. Decorridos poucos lances, apercebeu-se de que não *queria* ganhar contra aquele homem. A arte consistia em não lho fazer notar, e decidiu-se por uma série de manobras ousadas, que um jogador como Eça, mas só um jogador como Eça, conseguiria desmontar.

– Da próxima vez não me deixa ganhar – avisou-o Eça, quando tocou a sineta para o almoço. – Senão fico zangado.

Comeram o almoço seco do lar que não sabia a nada. Pois, era todos os dias assim, disse Eça, e ao ver a cara de Gregorius riu-se, pela primeira vez, a sério. Falou-se sobre o irmão, o pai da Mariana, que casara rico, e sobre o casamento falhado da médica.

Desta vez não lhe perguntava nada sobre o Amadeu, constatou Eça.

– Vim cá por sua causa, não por causa dele – disse Gregorius.

– Mesmo que não tenha vindo por causa dele – disse João Eça ao fim da tarde – tenho ali guardada uma coisa que lhe quero mostrar. Foi ele que ma deu, quando um dia lhe perguntei o que andava a escrever. Li aquilo tantas vezes que já quase o sei de cor. – E pôs-se então a traduzir o conteúdo das duas folhas para Gregorius.

O BÁLSAMO DA DESILUSÃO. *A desilusão é considerada um mal. Que preconceito irreflectido. Através do quê, senão através da desilusão, poderíamos descobrir o que esperámos e o que desejámos? E onde encontrar um momento de autoconhecimento, senão precisamente nessa descoberta? E se as coisas se processam assim, então como é que poderíamos adquirir clareza sobre nós próprios sem a desilusão?*

Não devíamos suportar a desilusão com suspiros de desânimo, como algo sem o qual a nossa vida seria melhor. Devíamos procurá-la, persegui-la, coleccioná-la. Porque é que me sinto desiludido ao constatar que os admirados actores da minha juventude apresentam hoje, todos eles, sinais da velhice e da decrepitude? O que é que a desilusão me ensina sobre a perenidade e o pouco valor que o sucesso tem? Há pessoas que precisam de uma vida inteira para admitirem o desapontamento que sentem em relação aos seus pais. Mas no fundo o que é que esperámos deles? Pessoas obrigadas a viverem a sua vida sob o jugo inclemente das dores sentem-se frequentemente desiludidas com o comportamento dos outros, mesmo daqueles que persistem junto deles e lhes ministram os medicamentos. É sempre demasiado pouco aquilo que fazem e dizem, e também demasiado pouco aquilo que sentem. O que esperam então, pergunto. Eles não o sabem dizer e ficam siderados com a expectativa que carregaram consigo durante anos a fio, expectativa essa que pode ser frustrada sem que eles a conheçam verdadeiramente.

Alguém apostado em conhecer-se verdadeiramente teria de ser um coleccionador obcecado e fanático de desilusões, e a procura de experiências decepcionantes deveria ser para ele como um vício, na verdade como o vício dominante da sua vida, pois então ele compreenderia, com grande clareza, que a desilusão não é afinal o veneno ardente e destruidor por que é tomada, mas um bálsamo fresco e tranquilizante que nos abre os olhos para os verdadeiros contornos do nosso eu mais íntimo.

E no fundo ele não deveria procurar apenas as desilusões relacionadas com os outros ou com as circunstâncias exteriores. Quando descobrimos e assumimos a desilusão como um método para nos aproximarmos de nós próprios, tornamo-nos desejosos por experimentar até que ponto estamos desiludidos connosco próprios: desiludidos com a falta de coragem e de honestidade intelectual, por exemplo, ou com os limites terrivelmente estreitos impostos ao próprio sentir, agir e falar. O que é que esperámos e desejámos então de e para nós próprios? Que não admitíssemos limites, ou que, pelo menos, fôssemos completamente diferentes daquilo que somos?

Poder-se-ia alimentar a esperança de que, através de uma redução das expectativas, nos tornássemos mais reais, no sentido de nos reduzirmos a um núcleo duro e fiável, de modo a ficarmos imunes contra a dor da desilusão. No entanto, como é que seria viver uma vida destituída de qualquer esperança verdadeiramente ousada e exigente, uma vida em que apenas haveria expectativas banais, como a espera da chegada do autocarro?

– Nunca conheci ninguém que conseguisse perder-se de uma maneira tão absoluta e desenfreada nos seus próprios devaneios como ele – disse Eça. – E que odiasse tanto ver-se desiludido. Aquilo que ele aí escreve, escreve-o *contra si próprio*. Assim como muitas vezes *viveu* contra si próprio. O Jorge negaria isso. Conhece o Jorge? Jorge O'Kelly, o farmacêutico em cuja farmácia a luz fica acesa de dia e de noite? Ele conhecia o Amadeu há muito mais tempo do que eu, muitíssimo mais tempo. Mesmo assim…

O Jorge e eu… bem. Uma vez, jogámos uma partida de xadrez. Uma única. Deu empate. Mas quando se tratava de planear operações, e especialmente de complicadas manobras de simulação, éramos uma equipa invencível, como gémeos que adivinham às cegas o pensamento um do outro.

O Amadeu tinha ciúmes dessa sintonia absoluta, sentia, no fundo, que não podia competir com a nossa astúcia e falta de escrúpulos. A *vossa falange*, como ele chamava àquela nossa aliança, que por vezes era também uma aliança do silêncio, mesmo para com ele. Nessas alturas sentíamos que ele bem gostaria de a quebrar, a nossa falange. Apresentava suposições. Às vezes, acertava em cheio. Outras, enganava-se redondamente. Especialmente quando se tratava de algo que tinha a ver com ele próprio.

Gregorius susteve a respiração. Iria ele agora recolher alguma informação sobre a Estefânia Espinhosa? Estava fora de questão perguntar directamente por ela a Eça ou a O'Kelly. Ter-se-ia Prado afinal enganado? Teria ele tentado proteger a mulher de um perigo que afinal ela não corria? Ou teria a hesitação de Eça a ver com uma qualquer outra recordação, completamente diferente?

– Sempre odiei os domingos aqui – disse Eça à despedida. – Bolos insonsos, natas insonsas, presentes insonsos, floreados insonsos.

O inferno convencional. Mas agora… estas tardes consigo… olhe que até me habituava.

Tirou então a mão do bolso e estendeu-a a Gregorius. Era a mão à qual tinham sido arrancadas as unhas. Gregorius sentiu a sua forte pressão durante toda a viagem de barco.

TERCEIRA PARTE

A Tentativa

24 Na segunda-feira de manhã Gregorius tomou um avião para Zurique. Tinha acordado de madrugada e pensara: *estou prestes a perder-me*. Não tinha acordado primeiro e reflectido depois sobre aquele pensamento, a partir de um estado neutral de lucidez, uma lucidez com existência e cabimento, para além dele próprio. Não, as coisas não se haviam passado desse modo, mas precisamente ao contrário: primeiro surgira o pensamento e só depois a lucidez. De modo que aquela estranha lucidez cristalina – que para ele era algo de novo e também diferente daquela outra lucidez que o preenchera por completo, como algo de novo, durante a viagem para Paris –, de certo modo não tinha sido outra coisa senão o próprio pensamento. Ele não tinha a certeza de perceber o que esse pensamento pensava através dele ou dentro dele, mas apesar de toda a incerteza, ele possuíra uma determinação imperiosa. Sentira-se possuído pelo pânico e começara a fazer a mala com mãos trémulas, misturando livros e roupa numa completa confusão. Quando acabou, obrigou-se a si próprio a acalmar e pôs-se à janela durante algum tempo.

Iria ser um dia luminoso. No salão da casa de Adriana o sol faria brilhar o parqué. Sob a luz matinal, a secretária de Prado iria parecer ainda mais abandonada do que habitualmente. Afixadas na parede, por cima do móvel, viam-se pequenas folhas de blocos de notas, preenchidas com palavras desbotadas e já quase ilegíveis, perceptíveis à distância apenas devido a alguns poucos pontos em que a pressão do aparo sobre o papel fora maior. Teria gostado de saber de que é que elas deveriam ter lembrado o médico.

Amanhã ou depois de amanhã, ou talvez já hoje, apareceria Clotilde no hotel com um novo convite de Adriana. João Eça contava que ele aparecesse no domingo para uma partida de xadrez. O'Kelly e Mélodie iriam ficar admirados por nunca mais terem ouvido falar dele, o homem que surgira do nada e perguntara por Amadeu, como se a sua felicidade dependesse da compreensão que pudesse alcançar sobre a pessoa que ele fora. E o padre Bartolomeu acharia estranho que ele lhe enviasse o discurso do finalista pelo correio. Também Mariana Eça não iria perceber porque é que ele desaparecera assim, sem dar explicações. E Silveira. E Coutinho.

Só esperava que o motivo da sua súbita partida não fosse algo de mau, disse a empregada da recepção, quando ele desceu para liquidar a conta do quarto. Do português do taxista não percebeu uma única palavra. Quando pagou, no aeroporto, encontrou no bolso do sobretudo a folha onde Júlio Simões, o alfarrabista, lhe havia apontado o endereço de uma escola de línguas. Ficou a olhar para ela durante algum tempo e depois atirou-a para o cesto dos papéis, junto à entrada das partidas. O avião das dez estava quase vazio, informaram-no na bilheteira, e deram-lhe um lugar à janela.

Na sala de espera da gare de embarque só ouviu português. Uma vez chegou mesmo a ouvir a palavra *português*. Agora era uma palavra que lhe metia medo, sem que ele soubesse dizer de quê. Queria dormir na sua cama na Länggasse, queria andar pela Bundesterrasse e atravessar a ponte de Kirchenfeld, queria falar sobre o *ablativus absolutus* e sobre a Ilíada, queria estar na Bubenberplatz que ele tão bem conhecia. Queria ir para casa.

Durante os preparativos para a aterragem em Kloten, acordou com a pergunta em português da hospedeira. Era uma pergunta longa, mas ele não teve dificuldade em percebê-la e respondeu também em português. Olhou para o lago de Zurique que se estendia lá em baixo. Vastas partes da paisagem encontravam-se cobertas por uma neve já suja. A chuva batia nas asas.

Pensou então que não era Zurique o sítio para onde ele queria ir, mas sim Berna. Sentiu-se contente por ter ali consigo o livro de Prado. Quando o aparelho iniciou a manobra de aterragem e todos os outros passageiros puseram de parte os seus livros e jornais, ele tirou-o do bolso e começou a ler.

> JUVENTUDE IMORTAL. *Na juventude vivemos como se fôssemos imortais. O conhecimento da mortalidade rodeia-nos como uma fita*

de papel áspero que mal toca a nossa pele. Quando é que isso muda na vida? Quando é que começamos a sentir a fita a apertar-nos, até que, por fim, nos asfixia? Quando é que, pela primeira vez, nos apercebemos daquela sua pressão suave mas inflexível, que nos indica que nunca mais abrandará? Como é que o reconhecemos nos outros? E em nós próprios?

Gregorius desejou que o avião fosse um autocarro em que, chegado à estação terminal, pudesse simplesmente ficar sentado a ler, para depois empreender a viagem de regresso. Foi o último a sair do aparelho.

Na bilheteira hesitou, o que fez com que a mulher rodasse a pulseira, impaciente.

– Segunda classe – disse, por fim.

Quando o comboio abandonou a estação de Zurique e adquiriu a velocidade máxima ele lembrou-se de que Natalie Rubin ia hoje procurar nas bibliotecas uma obra sobre a resistência antifascista portuguesa e que os outros livros iam já a caminho de Lisboa. A meio da semana, quando ele já estivesse há muito instalado na Länggasse, ela iria à livraria Haupt, à distância de apenas algumas, poucas, fachadas de prédios, para depois seguir para o correio, a fim de lhe enviar a gramática persa. O que é que lhe poderia dizer quando a encontrasse? O que é que poderia dizer aos outros? A Kägi e aos restantes colegas? Aos seus alunos? Com Doxiades já seria mais fácil, mas mesmo assim: quais seriam as palavras adequadas, as que acertavam. Quando viu surgir o mosteiro de Berna teve a sensação de estar prestes a entrar numa cidade proibida.

O apartamento estava gelado. Na cozinha subiu as persianas que há duas semanas atrás tinha baixado para se esconder. O disco do curso de línguas ainda se encontrava no prato do gira-discos, a capa em cima da mesa. O telefone estava pousado ao contrário no suporte e fez-lhe lembrar a sua conversa nocturna com Doxiades. *Porque é que os vestígios do passado me entristecem, mesmo quando são vestígios de algo alegre*, questionara-se Prado numa das suas notas lacónicas.

Gregorius desfez a mala e pôs os livros em cima da mesa. O GRANDE TERRAMOTO. A MORTE NEGRA. Depois rodou o manípulo do aquecimento em todos os quartos, ligou a máquina de lavar e começou a ler sobre a epidemia de peste que assolou Portugal nos séculos XIV e XV. Não era um português difícil e ele pôde avançar a bom ritmo. Passado algum tempo, acendeu o último cigarro do maço que comprara no café perto da casa de Mélodie. Há cinquenta anos que aqui morava e esta era a primeira vez que o ar se enchia de fumo de cigarro. De vez em quando, sempre que um capítulo chegava ao fim, pensava na sua primeira visita a João Eça e era como se sentisse na garganta o chá escaldante que engolira de uma só vez para aliviar o confronto com as mãos trémulas de Eça.

Quando se dirigiu ao armário para ir buscar uma camisola mais quente lembrou-se da camisola em que embrulhara a Bíblia hebraica no liceu abandonado. Tinha sido bom sentar-se no escritório do Sr. Cortês a ler o *Livro de Job*, enquanto o cone da luz do Sol viajava pelo quarto. Gregorius pensou em Elifas e Teman, em Bildad de Shuah e em Zofar de Naama. Viu à sua frente a placa da estação de Salamanca e reviu-se a escrever as primeiras palavras persas no quadro de parede do seu minúsculo quarto, a poucas centenas de metros dali. Foi buscar uma folha de papel e pôs-se à procura da memória da sua mão. Ainda surgiram uns quantos traços e curvas, alguns pontinhos para as vogais. Depois a fita rasgou-se.

Estremeceu quando a campainha da porta tocou. Era a Sr.ª Loosli, a sua vizinha. Pela posição diferente do capacho, em frente à porta, percebera que ele voltara, explicou, e entregou-lhe a correspondência e a chave da caixa do correio. E então as férias tinham sido boas? E agora as férias escolares iam passar a ser assim sempre tão cedo?

Na correspondência, a única coisa que lhe interessou foi uma carta de Kägi. Contra o que era seu hábito, não recorreu à faca e rasgou precipitadamente o envelope.

Meu caro Gregorius,

Não queria deixar sem resposta o eco da sua carta, até pelo muito que ela me tocou. E parto do princípio que, por mais longe que a sua viagem o leve, há-de haver uma altura em que acabará por pedir que lhe reenviem a correspondência.

O mais importante que eu lhe quero dizer é isto: o Gregorius deixou um estranho vazio no nosso Liceu. Até que ponto esse vazio é grande, poder-lhe-á revelar o facto de, ainda hoje, Virginie Ledoyen ter dito, de repente, na sala dos professores: «Por vezes, odiei-o por causa daqueles seus modos bruscos e grosseiros; e também não lhe faria mal nenhum se se vestisse um bocadinho melhor. Sempre aquelas coisas gastas e deformadas. Mas tenho de dizer que, de algum modo, até sinto a sua falta. Étonnant.*» E o que a respeitável colega francesa afirma não é nada em comparação com o que ouvimos da parte dos alunos. E, se me é permitido acrescentar, de algumas alunas. Quando me vejo agora perante as suas classes, sinto a sua ausência como uma grande sombra escura. E o que será agora do torneio de xadrez?*

Marco Aurélio: *de facto. Se me permite a confidência, nos últimos tempos, nós, a minha mulher e eu, temos sentido, cada vez mais, que estamos a perder os nossos dois filhos. Não se trata de uma perda devido a uma qualquer doença ou acidente, é pior: eles rejeitam todo o nosso modo de vida e, claro, não são particularmente delicados na forma como o exprimem. Há momentos em que a minha mulher parece deteriorar-se. Neste contexto, a sua evocação do sábio imperador veio mesmo a propósito. E deixe-me acrescentar algo que só espero que não lhe pareça inconveniente: sempre que vejo o envelope com a sua carta, que não quer desaparecer da minha secretária, sinto uma pontada de inveja. Simplesmente levantar-se e ir-se embora: que coragem! «Ele levantou-se, simplesmente, e foi-se embora», não se cansam de repetir os alunos. «Simplesmente levantou-se e foi-se embora!»*

Quero que saiba que, por enquanto, o seu lugar continuará disponível. Eu próprio assumi uma parte das aulas, para as outras encontrámos estudantes que o substituem. Também para o Hebraico. No que ao aspecto financeiro diz respeito, a direcção da escola encarregar-se-á de lhe enviar os necessários formulários.

O que lhe hei-de então dizer no final desta carta, meu querido Gregorius? Talvez apenas isto: todos nós lhe desejamos que essa sua viagem, seja ela qual for e para onde for, o leve para onde deseja realmente ir, tanto a nível exterior como interior.

O seu Werner Kägi

PS: Os seus livros estão no nosso armário. Nada lhes pode acontecer. E no que ao aspecto prático diz respeito, tenho ainda um pedido: quando tiver tempo não se importava de me enviar a sua chave? Não há pressa.

No final, Kägi ainda acrescentara à mão: *Ou talvez a queira manter? Pelo sim, pelo não?*

Gregorius deixou-se ficar sentado durante muito tempo. Lá fora escureceu. Nunca teria pensado que Kägi lhe escrevesse uma carta como aquela. Há muito tempo, tinha-o visto uma vez com os dois filhos na cidade, lembrava-se de os ter visto rir, parecia tudo em ordem. E o que Virginie Ledoyen dissera sobre a sua maneira de se vestir agradava-lhe e sentiu-se quase um pouco infeliz quando olhou para as calças do fato novo que usara durante a viagem. Modos *bruscos* sim, mas *grosseiros*? E quais seriam, para além da Natalie Rubin, e talvez um pouco também a Ruth Gautschi, as alunas que sentiam a sua falta?

Ele tinha regressado porque quisera estar de novo no sítio que conhecia. Onde não precisava de falar Português, ou Francês, ou Inglês. Porque é que a carta de Kägi fizera com que, de repente, essa intenção, a mais evidente de todas as intenções, parecesse difícil? Porque é que para ele agora ainda era mais importante do que há pouco, no comboio, que fosse noite quando descesse até à Bubenbergplatz?

Quando, decorrida uma hora, chegou à Praça, teve a sensação de já não a poder tocar. Sim, a palavra era mesmo essa, apesar de soar estranha: ele já não podia *tocar* na Bubenbergplatz. Já tinha dado três voltas à praça, esperara em frente aos semáforos e olhara em todas as direcções: para o cinema, para o correio, para o monumento, para a livraria espanhola onde encontrara o livro de Prado; em frente, para a paragem do eléctrico, para a igreja do Espírito Santo e para o edifício dos armazéns comerciais LOEB. Tinha-se posto de lado, fechado os olhos e concentrado na pressão que o seu corpo pesado exercia sobre o pavimento. As solas dos pés tinham ficado quentes, a rua parecia vir ao seu encontro, mas a impressão perdurara: já não conseguia *tocar* na praça. E não era apenas a rua, no fundo toda a praça, com aquela intimidade que se desenvolvera ao longo de décadas, que crescera ao seu encontro – também as ruas e os edifícios e as luzes e os ruídos não conseguiam alcançá-lo completamente, não logravam transpor o derradeiro e finíssimo hiato para chegarem inteiramente até ele e se manifestarem como uma recordação que ele não só *conhecia*, e conhecia de uma forma excelente, mas como algo que ele próprio *era*, tal como antes sempre tinha sido, de um modo que só agora, ao fracassar, se lhe tornara consciente.

O persistente e inexplicável hiato não o protegia, não era como um amortecedor que tivesse podido significar distância e serenidade. Pelo contrário, ele fez com que o pânico crescesse dentro dele, o medo de que, juntamente com todas aquelas coisas conhecidas que ele quisera convocar à sua volta, também ele próprio se perdesse e experimentasse aqui o mesmo que experimentara na madrugada de Lisboa, só que desta vez de uma forma bem mais insidiosa e muito, mas mesmo muito mais alarmante e perigosa, porque enquanto por detrás de Lisboa existira sempre Berna, por detrás da Berna perdida não havia nenhuma outra. Quando, ao caminhar com o olhar fixado no chão duro mas que, no entanto, se retraía, acabou por chocar com um transeunte, decorridos alguns instantes, sentiu vertigens; durante um momento tudo girou à sua volta e agarrou-se à cabeça com ambas as mãos, como se a quisesse segurar. E quando voltou a acalmar e a sentir-se seguro viu que uma mulher ficara a olhar para ele, e pela sua expressão percebeu que ela se interrogava sobre se ele não precisaria de ajuda.

O relógio na igreja do Espírito Santo marcava quase as oito horas, o trânsito acalmou. O manto de nuvens tinha-se rasgado, podiam ver-se as estrelas. Fazia frio. Gregorius atravessou a Kleine Schanze e seguiu pela Bundesterrasse. Ansioso, esperou pelo momento em que iria poder virar para a ponte de Kirchenfeld, como o fizera durante décadas, sempre às oito menos um quarto da manhã.

A ponte estava vedada ao trânsito. Durante a noite e até às primeiras horas da manhã seguinte iriam ser reparados os carris do eléctrico. «Um acidente grave», explicou alguém que o viu fitar atónito o sinal.

Dominado pela sensação de que aquilo que lhe era estranho se lhe estava a tornar um hábito, entrou no Hotel Bellevue e dirigiu-se ao restaurante. A música abafada, o casaco beige-claro do empregado de mesa, a prata. Mandou vir algo para comer. O *Bálsamo da Desilusão*. «Ele costumava gozar com o facto de nós, humanos, encararmos o mundo como um palco onde se desenrola um espectáculo que tem a ver connosco e com os nossos desejos», dissera João Eça, referindo-se a Prado. E considerava que essa ilusão era a origem de toda a religião. «E, no entanto, não há qualquer verdade nisso», costumava dizer, «o Universo existe simplesmente, e para ele é completamente indiferente, mas mesmo completamente indiferente o que acontece connosco.»

Gregorius tirou o livro do bolso e procurou um título onde surgia a palavra «cena». Quando a comida chegou já tinha descoberto o que procurava:

> CENA CARICATA. *O mundo como um palco que espera que nós encenemos o drama importante e triste, cómico e absurdo das nossas fantasias. Que ideia mais comovente e* charmant! *E como é inevitável.*

Gregorius caminhou lentamente em direcção ao Monbijou e, a partir daí, através da ponte, para o Liceu Humanista. Há muitos anos que não via o edifício vindo daquela direcção e pareceu-lhe estranhamente desconhecido. Entrara sempre pela porta das traseiras e agora tinha a entrada principal à sua frente. Estava tudo às escuras. Vindas da torre de uma qualquer igreja, ouviram-se tocar as nove e meia.

O homem que agora estacionava a bicicleta, se dirigia para o portão, o abria e desaparecia no interior do edifício era Burri, o major. Aparecia às vezes à noite, para preparar uma experiência física ou química para o dia seguinte. Lá ao fundo acendeu-se a luz no laboratório.

Silenciosamente, Gregorius esgueirou-se para dentro do edifício. Não tinha a menor ideia sacerca do que queria fazer ali dentro. Em bicos de pés, subiu ao primeiro andar. As portas das salas de aulas estavam fechadas, e também não conseguiu abrir a grande porta que dava para o salão nobre. Sentia-se excluído, apesar de, naturalmente, isso não fazer o mínimo sentido. As suas solas de borracha chiavam baixinho no linóleo do chão. A lua brilhava através da janela. Sob aquela luz pálida, pôs-se então a observar tudo aquilo que nunca antes observara, nem como professor nem como aluno. As maçanetas das portas, os corrimãos das escadarias, os cacifos para os alunos. Agora todas aquelas coisas lhe retribuíam os milhares de olhares passados e surgiam projectados como objectos diferentes, que ele nunca tinha visto. Pousou a mão nos puxadores, sentiu a sua resistência fresca e continuou o seu périplo pelos corredores como uma grande e indolente sombra deslizante.

Uma das portas cedeu. Encontrava-se na sala onde, criança ainda, tinha visto as primeiras palavras gregas escritas no quadro da parede. Há já quarenta e três anos. Sentara-se sempre ao fundo, do lado esquerdo, e também agora foi sentar-se nesse mesmo lugar. Na altura, Eva, a «Incrível», que se sentava duas filas mais à frente, usava o cabelo ruivo apanhado num rabo-de-cavalo, e ele podia ficar horas a vê-lo varrer as costas de ombro a ombro, por cima da blusa e da camisola. Beat Zurbriggen, que durante todos esses anos estivera sentado ao seu lado, adormecia com frequência durante as aulas, e costumava ser gozado por isso. Mais tarde, veio a descobrir-se que isso devia-se a uma perturbação do metabolismo, que acabou por lhe causar a morte ainda na juventude.

Quando saiu da sala Gregorius soube porque era tão estranho estar ali: vagueava pelos corredores e por dentro de si próprio, como antigo aluno, e esquecia-se que durante dezenas de anos tinha percorrido esses mesmos corredores como professor. Poder-se-ia esquecer, no papel do anterior, o posterior, apesar do posterior constituir o palco onde se exibiam os dramas do anterior? E se aquilo não era esquecimento, então o que seria?

Lá em baixo Burri atravessou o corredor a praguejar. A porta que fechou com estrondo só podia ser a porta da sala dos professores. Gregorius ouviu então o bater da porta da entrada. O rodar da chave. Estava fechado dentro da escola.

Foi como se acordasse. Mas não foi um acordar como professor, não se tratou de um regresso ao velho *Mundus* que tinha passado a sua vida neste edifício. Foi a lucidez do visitante furtivo que nessa mesma tarde não tinha conseguido tocar na Bubenbergplatz. Gregorius desceu e dirigiu-se à sala dos professores que Burri, na sua irritação, se esquecera de fechar à chave. Observou o sofá onde

Virginie Ledoyen se sentava sempre. *Tenho de dizer, tenho de o dizer: de algum modo, até sinto a sua falta.*

Deixou-se ficar à janela a olhar para a noite lá fora. Viu à sua frente a farmácia de Jorge O'Kelly. Na vidraça da porta verde e dourada estava escrito IRISH GATE. Foi até ao telefone, e pediu às informações que o ligassem com a farmácia. Sentiu vontade de deixar o telefone tocar durante toda a noite, na farmácia vazia e iluminada, até que Jorge entrasse, arrastando a sua ressaca, e fosse acender o primeiro cigarro atrás do balcão. Mas, decorrido algum tempo, ouviu-se o sinal de impedido e Gregorius pousou o auscultador. Quando voltou a ligar para as informações pediu que lhe dessem o número da embaixada suíça em Isfahan. Apresentou-se uma voz estrangeira e rouca de homem. Gregorius voltou a pousar o auscultador no apoio. *Hans Gmür*, pensou, *Hans Gmür*.

Junto à porta das traseiras, saiu pela janela e deixou-se cair. Quando viu tudo negro à sua volta agarrou-se ao ferro do suporte para as bicicletas. Dirigiu-se então para o «barracão» e aproximou-se da janela por onde, na altura, tinha saltado durante a aula de Grego. Viu como a «Incrível» se virou para a sua colega, para lhe chamar a atenção para o inacreditável acontecimento da sua fuga. A sua respiração fez mover o cabelo da colega. As sardas fizeram com que o seu espanto parecesse ainda maior e os olhos com o brilho prateado como que se dilataram. Gregorius virou-se e caminhou na direcção da ponte de Kirchenfeld.

Tinha-se esquecido que a ponte estava vedada. Irritado, tomou o caminho pelo Monbijou. Quando chegou à Bärenplatz deu a meia-noite. Amanhã de manhã havia mercado; mercado com vendedoras e caixas com dinheiro. Os livros, roubei-os. Os livros não devem custar nada, era o que pensava na altura e ainda hoje penso assim, ouviu O'Kelly dizer. Continuou na direcção da Gerechtigkeitsgasse.

No apartamento de Florence não havia luz. Ela nunca se deitava antes da uma hora. Nunca se deitara. Gregorius atravessou a rua para o outro passeio e pôs-se à espera, por detrás de uma coluna. A última vez que o fizera fora há mais de dez anos. Na altura, ela chegara sozinha a casa, e os seus passos tinham-lhe parecido fatigados, sem vigor. Quando agora a viu surgir, vinha acompanhada de um homem.

Podias comprar qualquer coisa nova para vestir. Afinal de contas, não vives sozinho. E o Grego só não chega. Gregorius olhou para o seu fato novo: estava mais bem vestido do que o sujeito. Quando Florence deu um passo para dentro da viela e a luz de uma lanterna iluminou o seu cabelo, ele assustou-se: nos últimos dez anos o seu cabelo tinha ficado grisalho. E com os seus quarenta e tal anos vestia-se como se já tivesse, pelo menos, cinquenta. Gregorius sentiu a indignação crescer dentro de si: então já não ia a Paris? Teria o tipo que agora andava com ela, e que se parecia com um funcionário das Finanças meio abandalhado, liquidado o seu gosto pela elegância? Quando, pouco depois, Florence abriu lá em cima a janela e se debruçou para fora, ele sentiu-se tentado a sair da protecção da coluna para lhe acenar.

Mais tarde, foi ver a etiqueta da campainha. O seu nome de solteira tinha sido Florence de l'Arronge. Agora, se a sua interpretação da disposição das campainhas estava certa, chamava-se Meier. Com um *i*, nem sequer tinha chegado para um *y*. Como a jovem doutoranda de então parecera elegante quando se sentara no Coupole! E como aquela mulher que acabara de ver lhe parecera pindérica e acabada! Durante a caminhada até à Estação, e depois para casa, em direcção à Länggasse, envolveu-se em fantasias cada vez mais furiosas, cada vez mais incompreensíveis. A raiva só amainou quando se viu perante a espelunca onde tinha crescido.

A porta da entrada estava fechada, mas no postigo de vidro baço faltava uma parte. Gregorius aproximou o nariz do orifício: ainda hoje cheirava a couve. Procurou a janela do cubículo onde escrevera as palavras persas no quadro. Tinha sido alargada e o caixilho era diferente. Ficava a ferver quando a mãe o chamava para comer, enquanto ele estudava, alvoraçado, a gramática persa. Viu os romances populares de Ludwig Ganghofer amontoados em cima da sua mesinha-de-cabeceira. O kitsch *é a mais traiçoeira de todas as prisões*, anotara Prado. *As grades são revestidas com o ouro de sentimentos simplórios e falsos, para que as pessoas nelas vejam as colunas de um palácio.*

Nessa noite Gregorius dormiu pouco, e quando acordou, no primeiro instante, não soube onde estava. Viu-se a tentar forçar as portas do liceu e a saltar por uma série de janelas. Quando, de madrugada, acompanhou, à janela, o acordar da cidade, já não tinha a certeza de ter estado, na realidade, em Kirchenfeld.

Na redacção do grande diário de Berna as pessoas não foram particularmente simpáticas para com ele, e Gregorius sentiu a falta de Agostinha, do Diário de Notícias, em Lisboa. Um anúncio de Abril de 1966? Sem grande vontade, lá o deixaram sozinho no arquivo, e por volta do meio-dia tinha o nome do industrial que, na altura, procurara um professor particular para os seus filhos. Na lista telefónica havia três Hannes Schnyder, mas apenas um *Eng.* Um endereço em Elfenau.

Gregorius foi até lá e tocou à campainha com a sensação de estar a fazer algo completamente disparatado. Pelos vistos, o casal Schnyder encarou como uma bem-vinda distracção a visita do homem que quase tinha sido professor dos seus filhos, e com quem bebeu chá e conversou amenamente na sua imaculada *villa*. Ambos andavam pelos oitenta e falaram dos tempos maravilhosos do xá, em que haviam enriquecido. Mas afinal, porque é que ele desistira da sua candidatura? Um jovem com a *Maturität* em línguas clássicas – tinha sido exactamente isso que eles haviam procurado. Gregorius falou-lhes da doença da mãe e durante algum tempo desviou a conversa num outro sentido.

Como é que tinha sido com o clima em Isfahan, quis saber por fim. Calor? Tempestades de areia? Nada que fosse de recear, contestaram a rir; pelo menos se se vivesse com as condições de que eles tinham desfrutado. E foram buscar fotografias. Gregorius ficou até ao anoitecer e os Schnyder mostraram-se surpreendidos e felizes pelo interesse que ele revelou pelas suas recordações. No final, ofereceram-lhe um volume ilustrado sobre Isfahan.

Antes de se ir deitar, Gregorius ficou a ver as mesquitas de Isfahan, enquanto ouvia o disco do curso de língua portuguesa. Adormeceu com a sensação de que falhara tanto Lisboa como Berna. E de que já não sabia como era não falhar um sítio.

Quando acordou, por volta das quatro, sentiu vontade de telefonar a Doxiades. Mas o que é que tinha para lhe dizer? Que estava cá sem estar mesmo cá? Que havia utilizado abusivamente a sala dos professores do liceu como central telefónica para os seus confusos desejos?

E que nem sequer tinha a certeza de que tudo aquilo acontecera de facto?

Mas a quem, a quem senão ao grego poderia ele contar tudo aquilo? Gregorius lembrou-se da estranha noite em que ambos haviam experimentado tratarem-se por tu.

– Chamo-me Konstantin – dissera o grego de repente, a meio de um jogo de xadrez.

– Raimund – dissera ele.

Não tinha havido qualquer ritual de confirmação, nenhum copo, nenhum aperto de mão, nem sequer haviam olhado um para o outro.

– És um belo sacana – disse o grego quando ele o apanhou numa armadilha.

Não tinha soado bem, e Gregorius ficara com a sensação de que ambos o tinham sentido.

– Nunca devias menosprezar a minha sacanice – respondeu.

Passaram o resto da noite a tentar evitar o vocativo.

– Boa noite, Gregorius – disse o grego quando se despediram. – Durma bem.

– Igualmente, doutor – dissera ele.

E tudo tinha ficado na mesma.

Mas constituía isso uma razão para não contar ao grego nada acerca da vacilante desordem em que vagueara por Berna? Ou seria a distante proximidade que cultivavam precisamente aquilo de que ele precisava para falar? Marcou o número, deixou tocar duas vezes e desligou. Por vezes, o grego tinha aqueles modos brutos que deviam ser normais entre os taxistas de Tessalonica.

Foi então buscar o livro de Prado. Enquanto ia lendo à mesa da cozinha, com as persianas baixadas, como há duas semanas atrás, teve a sensação de que as frases que o aristocrata português escrevera no quarto do sótão da casa azul o ajudavam a estar no sítio certo: nem em Berna nem em Lisboa.

AMPLIDÃO INTERIOR. *Vivemos aqui e agora, tudo o que ocorreu antes, e noutros locais, é passado, em grande parte esquecido e acessível já só como pequeno resíduo em estilhaços desordenados da memória, que lampejam num rapsódico acaso, para logo se extin-*

guirem. É assim que estamos habituados a pensar sobre nós próprios. E é essa a maneira natural de pensar quando são os outros sobre quem dirigimos o olhar: de facto, eles encontram-se aqui e agora perante nós, e em mais nenhuma parte, e em nenhuma outra altura; assim, como é que poderíamos imaginar a relação com o passado, senão sob a forma de episódios interiores da recordação, cuja exclusiva realidade consiste no seu acontecer imediato?

Porém, sob o ponto de vista da própria interioridade, o caso muda completamente de figura. Aí não estamos limitados ao presente, já que nos ampliamos até aos confins do passado. Isso ocorre através dos nossos sentimentos, particularmente dos mais profundos, daqueles que determinam quem somos e o que é ser quem somos. E isso porque esses sentimentos não conhecem o tempo, não o conhecem nem o reconhecem. Naturalmente, seria errado se eu dissesse: continuo a ser o rapazinho sentado nas escadarias da escola, o miúdo com o boné na mão, cujo olhar vagueia pela escola das raparigas, à procura de ver surgir a Maria João. Naturalmente, isso é errado, já que passaram entretanto mais de trinta anos. E, no entanto, há também algo de verdadeiro nisso. O acelerar das batidas do coração perante tarefas difíceis corresponde precisamente às mesmas palpitações que sentia quando o Sr. Lanções, o professor de Matemática, entrava na sala de aulas; na angústia com que enfrento todas as autoridades vibram ainda as palavras irrevogáveis do meu pai curvado; e se o olhar luminoso de uma mulher me encontra, sustenho a respiração, como sempre que de janela a janela o meu olhar parecia cruzar-se com o de Maria João. Ainda lá estou, nesse remoto lugar sedeado no tempo, e de algum modo nunca de lá saí, mas continuo a viver ampliado no passado, ou a partir dele. Esse passado permanece presente, e não apenas sob a forma de breves episódios de uns quantos lampejos da memória. As milhares de transformações que impulsionaram o tempo – elas são, comparadas com esse presente intemporal do sentir, voláteis e irreais como um sonho, e também enganadoras como imagens oníricas: elas insinuam-me que eu sou alguém que, como médico, com quem as pessoas vêm ter, com as suas dores e preocupações, possui uma auto-segurança e coragem fabulosas. E a frágil confiança nos olhares dos que procuram ajuda obriga-me a acreditar nisso, enquanto os tenho à minha frente. Porém, logo que saem sinto vontade de lhes gritar: continuo a ser aquele miúdo cheio de medo sentado nos degraus da escola, é completamente irrelevante, e no fundo uma mentira, que eu esteja aqui sentado com uma bata branca, atrás de uma imponente secretária, a debitar conselhos. Não se deixem enganar por aquilo a que num acesso de ridícula superficialidade, chamamos de presente.

E não é só no tempo que nos ampliamos. Também no espaço nos projectamos para bem mais longe do que é visível. Quando abandonamos um sítio deixamos lá algo de nós próprios, permanecemos lá, apesar de partirmos. E há coisas em nós que só podemos recuperar se lá regressarmos. Aproximamo-nos portanto de nós, viajamos para dentro de nós próprios quando o matraquear monótono das rodas nos transporta em direcção a um sítio por onde percorremos uma etapa da nossa vida, por mais breve que esta tenha sido. Assim que colocamos pela segunda vez o pé na gare da estação estranha, ouvimos as vozes dos altifalantes, cheiramos os cheiros inconfundíveis, não chegamos apenas a um qualquer destino distante, mas atingimos a distância da própria interioridade, talvez num remoto canto do nosso eu, que quando estamos num outro sítio permanece oculto e completamente entregue à invisibilidade. Se não for por isso, porque será que ficamos tão excitados, tão fora de nós quando o revisor anuncia o nome do local, quando ouvimos o chiar dos travões e somos engolidos pela súbita sombra da entrada da Estação? Se não for por isso, por que razão é que o momento em que o comboio se imobiliza definitivamente, após um derradeiro solavanco, se transforma num momento mágico, num instante de silencioso dramatismo? Se isso acontece, é porque a partir do primeiro passo que damos na gare estranha – mas no fundo não tão estranha – retomamos o contacto com uma vida que interrompemos e abandonámos quando, na altura, sentimos o primeiro solavanco do comboio a partir. Haverá algo mais excitante do que recuperar uma vida interrompida com todas as suas promessas?

É um erro, um acto de violência absurdo concentrarmo-nos no aqui e agora, só porque nos convencemos de que com isso alcançamos o essencial. O interessante seria conseguirmos mover-nos, com segu-

rança e serenidade, com o devido humor e a devida melancolia, no âmbito temporal e espacial da vasta paisagem interior que constitui tudo aquilo que nós somos. Porque é que lamentamos as pessoas que não podem viajar? Porque ao não poderem expandir-se exteriormente também não conseguem ampliar-se interiormente; ao não poderem multiplicar-se, vêem-se também privadas de empreender alargadas digressões para dentro de si próprias e de descobrir quem ou o que poderiam também ter sido.

Quando amanheceu Gregorius desceu até à estação e tomou o primeiro comboio para Moutier, no Jura. Havia, de facto, pessoas que queriam ir para Moutier. De facto. Moutier não era apenas a cidade em que ele perdera contra o homem com a cara quadrada, a testa inclinada e o cabelo cortado rente, só porque não suportara a lentidão com que ele jogara. Moutier era uma cidade verdadeira, com uma câmara municipal, supermercados e *tea rooms*. Durante duas horas Gregorius procurou em vão o sítio onde decorrera o torneio de xadrez. Mas não se podia procurar algo de que já nada se sabia. A empregada de mesa do *tea room* espantou-se com as suas perguntas confusas e desconexas e mais tarde pôs-se a bichanar com a colega.

No início da tarde estava de novo em Berna e tomou o teleférico para a universidade. Eram férias semestrais. Sentou-se num anfiteatro vazio e pensou no jovem Prado nos anfiteatros de Coimbra. Segundo as palavras do padre Bartolomeu, ele podia ser impiedoso, sempre que se deparava com a vaidade alheia. *Sem misericórdia. Quando a pressentia, era só cortar a direito.* E depois também puxava do seu próprio pedaço de giz, quando o chamavam ao quadro para o testarem. Há já muitos anos que Gregorius se sentara, sob o olhar espantado dos estudantes, neste mesmo anfiteatro, para acompanhar uma aula sobre Eurípedes. Ficara surpreendido com o palavreado hermético que então ouvira. «Porque é que não volta a ler o texto?», teria gostado de perguntar ao jovem docente. «Ler! Simplesmente *ler*!» Quando o sujeito começara a introduzir cada vez mais conceitos em francês, que pareciam ter sido inventados para condizer com a sua camisa cor-de-rosa, levantara-se e fora-se embora. Que pena, pensou, que na altura não tivesse mesmo interpelado aquele doutorzinho impertinente.

Lá fora parou, depois de ter dado alguns passos, e susteve a respiração. Ali mesmo à frente Natalie Rubin acabava de sair da livraria Haupt. Devia trazer no saco a gramática persa. Dirigia-se agora ao correio para lha mandar para Lisboa.

Mais tarde achou que isso, por si só, não tinha sido suficiente. Talvez acabasse por ficar e andasse às voltas pela Bubenbergplatz, até ter de novo a sensação de poder tocar-lhe. Mas, depois, com o crepúsculo prematuro desse dia cinzento acenderam-se as luzes de todas as farmácias. *Cortar a luz*, ouviu então O'Kelly dizer, e uma vez que o som das palavras não se dissipou, foi até ao seu banco e transferiu uma soma considerável para a sua conta-corrente. – Até que enfim que decide gastar algum dinheiro! – disse a senhora que administrava as suas poupanças.

À Sr.ª Loosli, a sua vizinha, explicou que ia ter de viajar por um longo período de tempo. Se não se importasse, continuava a recolher-lhe a correspondência e enviava-lha depois, para a morada que ele lhe indicaria pelo telefone. Reparou que ela teria querido saber mais, mas não se atreveu a perguntar. – Está tudo bem – disse Gregorius, estendendo-lhe a mão.

Telefonou depois para o hotel de Lisboa e pediu para que lhe reservassem por tempo indeterminado o mesmo quarto onde tinha ficado. Ainda bem que telefonava, disseram-lhe, pois tinham vindo trazer um pacote para ele, e a velha senhora, de há uns dias atrás, viera também deixar uma cartinha. Também tinham telefonado a perguntar por ele, tinham apontado todos os números. Além disso, tinha sido encontrado um jogo de xadrez no armário e presumiam que lhe pertencesse.

À noite Gregorius foi jantar ao Bellevue, era o sítio mais seguro para não encontrar ninguém. O empregado de mesa mostrou-se atencioso como para um velho conhecido. Depois foi até à ponte de Kirchenfeld, que estava novamente aberta ao trânsito. Foi até ao sítio onde a portuguesa lera a carta. Quando olhou para baixo sentiu uma vertigem. Em casa leu pela noite dentro o livro sobre a epidemia da peste em Portugal. Virou as páginas com a sensação de ser alguém que dominava o Português.

No dia seguinte tomou o comboio para Zurique. O avião para Lisboa partia pouco antes das onze. Quando aterrou, ao princípio da tarde, o sol brilhava num céu sem nuvens. Fez o percurso de táxi com as janelas abertas. O empregado do hotel que lhe levou ao quarto a mala e o pacote com os livros de Natalie Rubin reconheceu-o e não parou de falar. Gregorius não percebeu uma única palavra.

25

Quer vir cá tomar alguma coisa? – podia ler-se na carta que Clotilde viera entregar na terça-feira. Desta vez, a assinatura era bem mais simples e familiar: *Adriana*.

Gregorius pôs-se a estudar as três folhas com os números de telefone. Na segunda à tarde telefonara Natalie Rubin e mostrara-se surpreendida quando lhe disseram que ele já tinha partido. Então talvez não tivesse ido levar ao correio a gramática persa, com a qual ele a vira a sair da livraria.

Telefonou-lhe. Um mal-entendido, explicou, só tinha feito uma pequena viagem e estava a morar de novo no hotel. Ela falou-lhe da sua mal-sucedida procura de literatura sobre a resistência portuguesa.

– Se eu estivesse em Lisboa tenho a certeza que iria encontrar qualquer coisa – acrescentou.

Gregorius não disse nada.

E tinha-lhe mandado dinheiro a mais, disse a rapariga, quebrando o silêncio. E logo a seguir: quanto ao exemplar da gramática persa, ia hoje levá-lo ao correio.

Gregorius manteve-se calado.

– De certeza que não se importa que eu comece também a estudar? – perguntou. E, de repente, notou-se na sua voz um receio que nada tinha a ver com a menina cortês, e muito menos com a gargalhada com que ela, há uns dias atrás, o surpreendera.

Não, não, assegurou Gregorius, esforçando-se por manter um tom alegre, porque é que se havia de importar?!

– Então até logo – disse ela.

– Até logo.

Na terça-feira à noite o Doxiades e agora a miúda: porque é que ele se tornara, de repente, um analfabeto, no que à proximidade e à distância dizia respeito? Ou teria sido sempre assim, sem que se tivesse apercebido disso? E porque é que nunca tinha tido um amigo, como Jorge O'Kelly o fora para Prado? Um amigo com o qual tivesse podido falar de coisas como a lealdade e o amor, ou sobre a morte?

Mariana Eça tinha telefonado sem deixar recado. José António da Silveira, pelo contrário, mandara transmitir-lhe que gostaria de o convidar para jantar em sua casa, caso regressasse a Lisboa.

Gregorius desembrulhou os livros. A gramática portuguesa era tão parecida com um livro de Latim que ele desatou a rir. Leu-a até escurecer. Depois abriu a História de Portugal e constatou que a vida de Prado correspondia, quase inteiramente, ao período do Estado Novo. Leu artigos sobre o fascismo português e a polícia secreta, PIDE., a que pertencera Rui Luís Mendes, o «Carniceiro» de Lisboa. Veio também a saber que o mais temido campo de concentração para presos políticos portugueses se chamara Tarrafal. Ficava em Santiago, numa das ilhas do arquipélago de Cabo Verde, e para as pessoas o nome tornara-se num símbolo de uma impiedosa perseguição política. Mas o que mais lhe interessou foi um artigo sobre a Mocidade Portuguesa, uma organização paramilitar baseada nos modelos italiano e alemão, que adoptou a saudação romana do modelo fascista. Todos os jovens tinham de se alistar nela, desde a escola primária até à universidade. Tudo começou em 1936, durante a Guerra Civil de Espanha, e Amadeu de Prado tinha, na altura, dezasseis anos. Teria ele também usado a obrigatória camisa verde? E erguido o braço, como acontecera na Alemanha? Gregorius observou o retrato: impensável. Mas como conseguira então livrar-se? Teria o pai feito valer a sua influência? O juiz, que apesar do Tarrafal continuava a exigir que o *chauffeur* o fosse buscar a casa às dez para as seis da manhã, para que pudesse ser o primeiro a chegar ao Palácio da Justiça?

Ia já longa a noite quando Gregorius se viu a andar pela Praça do Rossio. Conseguiria alguma vez tocar naquela praça como conseguira antes tocar no Bubenbergplatz?

Antes de regressar ao hotel, passou ainda pela Rua dos Sapateiros. Na farmácia de O'Kelly a luz estava acesa e em cima do balcão viu o telefone antediluviano para o qual ele ligara do escritório de Kägi.

26 Na sexta-feira de manhã Gregorius telefonou a Júlio Simões, o alfarrabista, e pediu-lhe novamente o endereço da escola de línguas que ele deitara fora antes da partida para Zurique. A direcção da escola ficou surpreendida com a sua impaciência, quando ele disse que não podia esperar até segunda-feira e que, se possível, queria começar imediatamente.

A mulher que pouco depois entrou na sala destinada às aulas individuais estava completamente vestida de verde e até a sombra dos olhos combinava no tom. Sentou-se atrás da secretária, no quarto bem aquecido, e com um arrepio de frio tirou a estola que lhe protegia os ombros. Chamava-se Cecília, disse com uma voz clara e melodiosa que não condizia com o rosto casmurro e ensonado. Pediu-lhe então que lhe dissesse quem era e porque é que pretendia aprender a língua. Em Português, naturalmente, acrescentou com uma expressão que parecia transmitir um tédio abissal.

Só quando, três horas mais tarde, saiu para a rua, exausto e vacilante, é que percebeu o que acontecera com ele naquele momento: aceitara o desafio impertinente daquela mulher renitente como se de uma inesperada abertura num tabuleiro de xadrez se tratasse. *Porque é que não lutas na vida, se sabes lutar tão bem no xadrez?!*, perguntara-lhe Florence uma vez. *Porque acho ridículo lutar na vida*, respondera, *já basta o termos de lutar connosco próprios*. E agora aceitara o repto e pusera-se a lutar com a mulher verde. Teria ele, num momento de inacreditável clarividência, sentido que, naquele momento da sua vida, o tivera de abordar daquela maneira? Houvera alturas em que lhe parecera que sim, principalmente quando por detrás da fachada teimosa surgira uma espécie de sorriso triunfal, com o qual ela demonstrara alegrar-se com os seus progressos. «*Não, não!*», protestara, quando ele quisera ir buscar a gramática, «*Tem de aprender falando*.»

Assim que chegou ao hotel, foi logo deitar-se. Cecília não o deixara consultar a gramática. Proibira-lho, a ele, ao *Mundus*. Os lábios da professora moviam-se constantemente, e os seus lábios acompanhavam-na, e ele não fazia ideia de onde as palavras vinham. *Mais doce, mais suave*, insistia ela, e quando levava o finíssimo lencinho verde do pescoço aos lábios e o tecido se enfunava quando ela falava, então ele ficava à espera do momento em que podia ver novamente os seus lábios.

Quando acordou começava a escurecer, e quando tocou à porta da casa de Adriana já era noite. Clotilde conduziu-o ao salão.

– Então onde é que se meteu? – quis saber a velha senhora, assim que o viu aparecer.

– Trago-lhe de volta os apontamentos do seu irmão – disse Gregorius, entregando-lhe o envelope com as folhas.

A sua expressão endureceu, as mãos permaneceram no colo.

– De que é que estava à espera? – perguntou Gregorius, e de repente sentiu-se como se tivesse ousado lançar no tabuleiro um ataque inesperado, de consequências imprevisíveis. – Que um homem como ele não fosse reflectir sobre o que estava certo? Depois de um abalo daqueles? Depois de uma acusação que questionava tudo aquilo com que ele se identificava? Que se virasse simplesmente para a rotina diária e esquecesse o resto? Não me venha com essa!

E assustou-se com a dureza das suas últimas palavras. Ficou à espera que ela o mandasse embora.

Mas os traços de Adriana alisaram-se e por instantes um espanto quase feliz iluminou-lhe o rosto. Estendeu-lhe as mãos e Gregorius entregou-lhe o envelope. Durante algum tempo passou com as costas das mãos pelo papel, como o fizera com os móveis de Amadeu durante a sua primeira visita.

– Desde então tem ido visitar o homem que conheceu há muito tempo em Inglaterra, numa viagem que fez com a Fátima. Na altura falou-me dele, quando... digamos que regressou antecipadamente. Chama-se João, João qualquer coisa. Agora costuma ir visitá-lo muitas vezes. À noite não vem para casa e eu tenho de mandar embora os doentes. Outras vezes dou com ele lá em cima, deitado no chão, a estudar as linhas-férreas. Sempre foi um maluquinho pelos comboios, mas não como agora. Não lhe faz bem, isso pode ver-se: emagreceu, tem as faces cavadas, não se barbeia, ainda vai acabar mal, eu pressinto isso.

Dissera as últimas frases num tom lamuriento, numa rejeição bem perceptível de alguém que era incapaz de aceitar o passado como algo irrevogável. Mas ainda há pouco, quando ele a atacara, transparecera no seu rosto algo que podia ser interpretado como uma disponibilidade interior, ou até como um desejo premente de sacudir a tirania da recordação, para se poder libertar do cárcere do passado. E assim arriscou novamente.

– Há muito tempo que ele não estuda as linhas do caminho-de-ferro, Adriana. Há muito que não vai visitar o João e há muito que não exerce no consultório. O Amadeu morreu, Adriana. E a senhora sabe-o. Morreu de um aneurisma. Há trinta e um anos, metade de uma vida humana. De madrugada. Na Rua Augusta. Até lhe telefonaram. – Gregorius apontou para o relógio de caixa. – Foi às seis horas e vinte e três, não é verdade?

Gregorius sentiu novamente as vertigens e recostou-se no sofá. Sentiu que não teria forças para suportar um novo ataque da velha senhora, como aquele a que assistira no consultório, na semana anterior. Assim que as vertigens desaparecessem, ir-se-ia dali embora e nunca mais voltaria. Mas por que raio é que tinha pensado que era sua obrigação libertar aquela mulher, com a qual, no fundo, nada tinha a ver, de um passado paralisado, para a reconduzir a uma vida actual e fluente? Por que é que se encarara a si próprio como aquele a quem estava destinada a missão de quebrar o selo do seu espírito? Como é que se tinha deixado dominar por aquela ideia disparatada?

O salão manteve-se mergulhado no silêncio. As vertigens começaram a passar e Gregorius abriu os olhos. Adriana estava dobrada sobre si mesma, as mãos tapando o rosto, a chorar. O corpo magro estremecia com os soluços, as mãos com as veias escuras tremiam. Gregorius sentou-se ao seu lado e pousou o braço sobre os seus ombros. Uma vez mais, as lágrimas brotaram com violência de dentro de si e Adriana agarrou-se a ele. Por fim, lentamente, o soluçar diminuiu de intensidade, e o sossego do esgotamento instalou-se.

Quando ela se endireitou e procurou o lenço, Gregorius levantou-se e dirigiu-se ao relógio. Calmamente, como em câmara lenta, abriu o vidro em frente ao mostrador e acertou os ponteiros pela hora actual. Não ousou sequer virar-se, um movimento em falso, um olhar errado podia fazer com que tudo ruísse. Com um ligeiro estalido o vidro voltou a fechar-se. Gregorius abriu a caixa e pôs o pêndulo em movimento. O som era mais alto do que imaginara. Nos primeiros segundos foi como se no salão só existisse aquele tiquetaque. Uma nova era tinha começado.

O olhar de Adriana deteve-se no relógio e era como o de uma criança incrédula. A mão com o lenço parara, suspensa, a meio do movimento e parecia ter sido recortada do tempo. E foi então que aconteceu algo que foi sentido por Gregorius como um terramoto imóvel: o olhar de Adriana vacilou, consumiu-se, extinguiu-se, regressou e recuperou, de repente, a segurança e a clareza de um olhar completamente mergulhado no presente. Os seus olhares encontraram-se e Gregorius colocou no seu toda a segurança que possuía, para que pudesse suster e aguentar o dela, caso começasse de novo a desligar-se.

Clotilde apareceu e deixou-se ficar à porta com o tabuleiro do chá, o olhar preso ao relógio. – Graças a Deus! – murmurou. Depois olhou para a patroa e quando colocou o tabuleiro com o chá em cima da mesa os seus olhos brilhavam.

Qual era a música que Amadeu gostava de ouvir, perguntou Gregorius, decorrido algum tempo. Ao princípio, Adriana pareceu não ter percebido a pergunta. Pelos vistos, a sua atenção tinha de percorrer um longo caminho, até poder chegar ao presente. Ouvia-se o tiquetaque do relógio e cada batida parecia espalhar a notícia de que tudo passara a ser diferente. De repente, sem dizer uma palavra, a velha senhora levantou-se e foi pôr um disco de Hector Berlioz: *Les Nuits d'Été, La Belle Voyageuse, La Captive, La Mort d'Ophélie*.

– Podia ficar a ouvi-lo durante horas a fio – disse. – Qual horas, dias inteiros. – E voltou a sentar-se no sofá.

Gregorius tinha a certeza de que ela ainda queria acrescentar algo ao que dissera. Apertava a capa do disco com tanta força que os nós dos dedos ficaram brancos. Engoliu em seco. Nos cantos da boca constituíram-se pequenas bolhas. Passou com a língua pelos lábios e encostou a cabeça para trás, como alguém que se entrega à sonolência. A fita de veludo negro escorregou para cima e deixou ver uma pequena parte de uma cicatriz.

– Era a música preferida da Fátima.

Quando a música acabou e o som do relógio voltou a ouvir-se no silêncio, Adriana endireitou-se e ajeitou a fita negra. A sua voz possuía agora a serenidade espantada e a segurança aliviada de alguém que acabara de transpor um obstáculo interior que julgara intransponível.

– Um ataque de coração. Quando mal acabara de fazer trinta e cinco anos. Ele não quis aceitar. O meu irmão, que conseguia adaptar-se a todas as novidades com uma inacreditável rapidez – uma rapidez quase inumana – e cuja presença de espírito costumava crescer instantaneamente, à medida que os desafios iam surgindo, aquele homem, que sempre enfrentou a realidade com uma curiosidade insaciável, ele, pura e simplesmente, não quis acreditar, não conseguiu aceitar que aquela lividez e quietude no rosto da sua mulher não fosse apenas a calma de um sono passageiro. Proibiu a autópsia – pensar no bisturi era-lhe insuportável –, protelou a data do funeral, gritou com as pessoas que o quiseram chamar para a realidade. Perdeu por completo o controlo da situação: encomendou uma missa de corpo presente, anulou-a, esqueceu-se de que a tinha anulado e disparatou com o padre, ao ver que nada acontecia. *Eu tinha obrigação de saber, Adriana*, disse-me a mim, *ela tinha arritmias, mas eu não as levei a sério, sou médico e não levei aquilo a sério. Em qualquer outro paciente teria levado a sério, mas no caso dela atribuí a culpa aos nervos, havia problemas com as colegas no jardim-escola, ela não tinha tirado o curso de educadora, diziam, era apenas uma menina «bem», uma mimada e a mulher de um médico rico, que não sabia como passar o tempo. Aquilo magoou-a, magoou-a terrivelmente, porque era competente no seu trabalho, um verdadeiro talento natural; as crianças vinham-lhe comer à mão, as outras eram umas invejosas, ela conseguiu sublimar a tristeza pela falta dos próprios filhos, conseguiu tão bem, a sério que conseguiu, e foi também por isso que se sentiu magoada, não conseguia defender-se, interiorizou tudo e a uma certa altura o coração começou a dar de si, às vezes parecia que estava com taquicardia, mas eu devia ter levado aquilo a sério, Adriana, porque é que não a mandei a um especialista, se até conhecia um, com quem estudei em Coimbra, tornou-se famoso, um homem competentíssimo, teria bastado um telefonema, porque é que não o fiz, meu Deus, porque é que não lhe telefonei, imagina só tu que nem sequer a auscultei, imagina só...*

Um ano depois da morte da mamã vimo-nos, portanto, novamente numa missa de corpo presente. *Ela teria querido uma cerimónia*, disse ele, *e além disso há que dar à morte uma forma, pelo menos é o que dizem as religiões, não é, eu sei lá?* De repente, sentia-se abalado e inseguro nas suas convicções, *não sei, não sei*, repetia constantemente. Durante a missa pela mamã ele sentara-se a um canto escuro, para que não se notasse que não acompanhava a liturgia. A Rita não conseguiu compreender, *são só gestos, um enquadramento formal*, insistiu, *e tu foste sacristão, com o papá não te opuseste*. Mas agora, na missa da Fátima, estava tão desorientado que num momento participava e no momento seguinte deixava-se ficar sentado, imóvel, como que petrificado, em vez de rezar; e o pior foi que chegou mesmo a cometer erros no texto em Latim. *Ele! Erros!*

O meu irmão nunca chorou em público, e também desta vez conseguiu conter-se durante o funeral. Foi no dia 3 de Fevereiro, um dia inesperadamente ameno, mas ele não parava de esfregar as mãos, sentia frio nas mãos, e quando o caixão começou a descer na cova ele enterrou-as nos bolsos e seguiu-o com um olhar que eu nunca vi nele, nem antes nem depois: era o olhar de alguém que tem de enterrar tudo o que possui, simplesmente tudo. Completamente diferente do que acontecera nos funerais da mamã e do papá. Nessas alturas senti-o compenetrado, como alguém que se preparara longamente para a despedida e estava consciente de que essa despedida representava também um passo para dentro da sua própria vida.

Todos sentiram que ele ainda queria ficar sozinho ao pé da sepultura e por isso fomo-nos embora. Quando olhei para trás vi-o ao lado do pai da Fátima, que também tinha ficado. Era um velho amigo do papá, Amadeu conhecera a Fátima em sua casa e voltara como que hipnotizado. Amadeu abraçou aquele homenzarrão, que passou com a manga do casaco pelos olhos e depois se afastou com uns passos exageradamente enérgicos. E o meu irmão ficou ali sozinho, cabisbaixo, de olhos fechados e mãos postas, em frente à cova aberta, certamente mais do que um quarto de hora. Podia jurar que ele nessa altura rezou. Quero pensar que o fez.

Preciso das pessoas que rezam. Preciso da sua imagem. Preciso delas contra o veneno insidioso do superficial e do supérfluo. Gregorius viu à sua frente o aluno que Prado fora, como ele discursara no salão nobre, assumindo o seu amor pelas catedrais. *O sacerdote ateu*, ouviu João Eça dizer.

Gregorius teria esperado que, pela primeira vez, se despedissem com um aperto de mão. Mas o que aconteceu foi que a velha senhora, a quem agora pendia uma madeixa de cabelos brancos para o rosto, se aproximou lentamente dele, até se encontrar tão próxima que ele pôde sentir perfeitamente a estranha mistura de perfume e medicamentos que ela exalava. Sentiu vontade de recuar, mas no modo como ela então fechou os olhos e levou as mãos às suas faces havia uma estranha autoridade. Como uma cega, acompanhou os seus traços com uns dedos frios e trémulos que procuravam apenas o mais ténue dos contactos. Ao sentir a armação dos óculos imobilizou-se. Prado usara uns óculos redondos com aros de ouro. Ele, Gregorius, era o estranho que pusera cobro à imobilidade do tempo e selara a morte do irmão. E de alguma maneira era também aquele irmão que através da narrativa recuperara a vida. O irmão – e nesse preciso momento Gregorius teve disso a certeza – que também tivera qualquer coisa a ver com a cicatriz por baixo da fita de veludo e com os cedros vermelhos.

Adriana continuava à sua frente, embaraçada, os braços caídos, a olhar para o chão. Gregorius pousou ambas as mãos nos seus ombros. – Eu volto – disse.

27

Ainda não se tinha deitado há meia hora quando lhe anunciaram da recepção uma visita. Não quis acreditar no que os seus olhos viam: era Adriana, apoiada numa bengala, envolta num grande sobretudo negro e com a cabeça coberta pelo xaile de croché. Assim, de pé, no meio do átrio do hotel, ele viu nela a imagem, simultaneamente comovedora e patética, de uma mulher que saíra pela primeira vez da sua casa desde há muitos anos e que, de repente, se deparava com um mundo que já não conhecia, pelo que nem sequer se atrevia a sentar-se.

Mas nesse momento ela desabotoou o sobretudo e tirou lá de dentro dois envelopes.

– Eu... eu quero que leia isto – disse num tom de voz rígido e inseguro, como se o falar lá fora, no mundo, fosse mais difícil, ou pelo menos diferente do que no seu ambiente privado. – Uma das cartas encontrei-a quando andámos a arrumar a casa, depois da morte da mamã. O Amadeu não a descobriu por um triz, mas eu tive um pressentimento quando a tirei da gaveta secreta da secretária do papá, escondi-a logo. A outra fui dar com ela, entre uma quantidade de outros papéis, na escrivaninha do Amadeu, já depois da sua morte. Olhou então timidamente para Gregorius, baixou o olhar e voltou a olhar para ele. – Eu... não quero ser a única a conhecer as cartas. A Rita, bem, a Rita não as iria compreender. E não tenho mais ninguém.

Gregorius passou os envelopes de uma mão para a outra. Procurou as palavras adequadas e não as encontrou. – Como é que veio até cá? – quis saber, por fim.

Lá fora esperava Clotilde num táxi. Quando Adriana se recostou no assento traseiro foi como se aquele passeio pelo mundo real tivesse esgotado todas as suas forças. – Adeus – dissera-lhe, antes de entrar no carro, e estendera-lhe a mão. Ele sentira os ossos e as veias nas costas da mão a cederem sob a pressão dos seus dedos. Espantado, constatara o vigor e a firmeza do aperto daquela mão, quase como o gesto de alguém que passa os dias de manhã à noite lá fora, no mundo, e cumprimenta diariamente dezenas de outras pessoas.

Aquele aperto de mão surpreendentemente enérgico e quase rotineiro deu-lhe que pensar, enquanto o táxi se afastava. Em pensamento, transformou Adriana novamente na mulher de quarenta anos que o velho Coutinho descrevera quando mencionara os modos autoritários com que lidava com os doentes. Se não tivesse havido o choque do aborto e ela tivesse depois podido viver a sua própria vida, em vez da vida do irmão, que outra pessoa, completamente diferente, ela poderia ser hoje!

De volta ao quarto, abriu primeiro o envelope mais grosso. Era uma carta que Amadeu dirigira ao pai, o juiz. Uma carta nunca enviada, que ao longo dos anos tinha sido várias vezes reformulada, como se podia ver pelas muitas correcções, em que, para além dos vários tons de tinta, se podia também constatar a evolução da própria caligrafia.

Prezado Pai, começara por escrever, e depois *Prezado e temido Pai*; mais tarde, Amadeu optara por *querido Papá*, para, finalmente, acrescentar *secretamente querido Papá*.

Quando o chauffeur *do pai me levou, hoje de manhã, à estação, e eu me vi sentado naqueles estofos em que o pai costuma sentar-se todas as manhãs, soube que iria ter de dar expressão a todas as sensações contraditórias que ameaçam despedaçar-me, para não continuar a ser a sua vítima.* Creio que exprimir uma coisa significa preservar a sua força e livrá-la do susto, *como Pessoa escreve. No final desta carta ficarei a saber se ele tem ou não razão. No entanto, muito terei de esperar por esse pedaço de conhecimento, pois já agora, quando ainda mal comecei, sinto que será um longo e pedregoso caminho, até que encontre a clareza que busco escrevendo. E sinto-me tomado pelo medo quando penso em algo que Pessoa se esqueceu de mencionar: O que é que acontece então com a sua força e o seu susto?*

«Desejo-te um semestre de sucesso», disse-me o pai como sempre que regresso a Coimbra. E nunca – nem nesta despedida, nem noutras ocasiões – o Senhor utilizou palavras que exprimissem o desejo de que o semestre que começa me pudesse trazer satisfação ou mesmo prazer. Quando, no carro, passei a mão pelo delicado cabedal dos estofos, perguntei-me: será que ele conhece a palavra prazer? Será que já foi jovem? Terá havido um dia em que encontrou a mamã. Um dia distante.

Mas apesar de ter sido como sempre, desta vez foi também diferente, Papá. «Mais um ano, e esperemos que possas voltar» disseste, quando eu já estava lá fora. A frase estrangulou-me e tive a sensação de que ia tropeçar. Foi uma frase que veio do homem torturado com as costas vergadas e não uma frase pronunciada por um juiz. Sentado no carro, tentei ouvi-la como a expressão de um afecto simples e puro. Mas o tom falhou, pois eu sabia perfeitamente: o que ele quer, acima de tudo, é que o seu filho, o médico, fique por perto e o possa ajudar na luta contra as dores. «Ele fala às vezes sobre mim?», perguntei ao Henrique, que conduzia. Durante muito tempo ele não respondeu, fingindo-se ocupado com o trânsito. «Acho que ele tem muito orgulho em si», disse finalmente.

Gregorius sabia, porque Cecília lho dissera, que, até aos anos 50, as crianças portuguesas só muito raramente tratavam os pais por *tu*; na maioria das vezes utilizavam a forma indirecta *o pai* ou *a mãe*. A própria Cecília tratara-o primeiro por *você*, para depois se interromper e lhe propor que passassem a tratar-se por tu, já que a outra forma lhe parecia demasiado formal, até por ser a abreviação de *Vossa Mercê*. Com o *tu* e o *você* o jovem Prado tinha, portanto, dado um passo para além do usual, tanto na forma mais íntima com na mais formal, acabando por decidir variar entre os dois extremos. Ou talvez não se tratasse de uma decisão consciente, mas apenas da expressão espontânea da indecisão do seu sentir?

Com a pergunta ao *chauffeur* terminava uma das folhas da carta. Prado não as numerara. A continuação era abrupta e tinha sido escrita com outra tinta. Seria aquela a própria ordem de Prado ou fora Adriana que determinara a sequência?

O pai é juiz – uma pessoa, portanto, que julga, condena e pune. «Já não sei como é que aconteceu», disse-me uma vez o tio Ernesto, «às vezes, parece-me que isso já estava decidido quando ele nasceu.» Pois, pensei, exactamente.

Tenho de reconhecer: em casa o pai não se comportou como um juiz; não terá julgado mais vezes do que outros pais, possivelmente até menos. E, no entanto, pai, não foram poucas as vezes em que senti o seu laconismo, a sua presença muda como ajuizadora, judicial e até sentenciadora.

Imagino que o pai seja um juiz justo, guiado pela benevolência e não um magistrado cujas sentenças duras e intransigentes se devem à amargura motivada pelas muitas privações e pelo fracasso do próprio projecto de vida, ou a uma nunca assumida má consciência, motivada por secretas e mal tomadas decisões. Parto portanto do princípio que o pai esgota as possibilidades de condescendência e tolerância que a Lei lhe concede. No entanto, sempre sofri com o facto de tu seres alguém que julga os outros a partir de uma posição inatacável. «Os juízes são pessoas que mandam os outros para a prisão?», perguntei-te depois do primeiro dia da escola, onde tive de responder a uma pergunta sobre a profissão do pai. Porque foi isso que os outros disseram no recreio. E no que eles disseram até nem soou desprezo ou acusação; tratava-se mais de uma certa curiosidade e mesmo excita-

ção que pouco se distinguia do interesse que um outro aluno suscitou quando disse que o seu pai trabalhava no matadouro. A partir daí, fiz tudo o que estava ao meu alcance para não passar perto da prisão.

Tinha eu doze anos quando me esgueirei por entre os guardas na sala do tribunal, para ver o pai com a toga, por detrás da mesa elevada do juiz. Nessa altura o pai era um simples juiz, que ainda não ocupava o seu actual cargo no Supremo Tribunal. O que senti foi orgulho e, simultaneamente, um profundo susto. Lembro-me que se tratava da leitura de uma sentença, e que essa sentença condenou uma ladra a uma determinada pena de prisão, efectiva, devido ao facto dos furtos se terem repetido. Era uma mulher de meia-idade, feia, com um aspecto desleixado, não havia naquele rosto nada de simpático. E, no entanto, quando ela foi levada e desapareceu nas catacumbas do tribunal, que imaginei tenebrosas, frias e húmidas, todo eu me encolhi, não deve ter havido uma única célula que tenha escapado a essa cãibra, a essa paralisação.

Achei que o advogado de defesa, provavelmente um delegado do Ministério Público, não desempenhou bem as suas funções. Limitou-se a debitar, sem qualquer convicção, as suas frases, não se soube nada acerca dos motivos que levaram a mulher a agir daquela maneira, ela também não se soube explicar, não me espantaria nada se fosse analfabeta. Mais tarde, fiquei acordado, às escuras, a defendê-la, e foi menos uma defesa contra o Procurador da República do que uma defesa contra o pai. Argumentei até ficar rouco, até que a voz me faltou e a torrente das palavras se esgotou. No final, vi-me perante o pai, completamente esgotado e vazio, paralisado por uma incapacidade de expressão que senti como uma perda de sentidos consciente. Quando acordei apercebi-me de que, no final, eu me defendera a mim próprio de uma acusação que o pai nem sequer havia pronunciado. Na verdade, o pai nunca me acusou, a mim, o seu adorado filho, de algo grave. Nem uma única vez, e por vezes eu penso que tudo aquilo que eu fiz, o fiz por uma única razão: para prevenir uma possível acusação que eu parecia conhecer, sem que nada dela soubesse. E não será esse, ao fim e ao cabo, o motivo pelo qual me tornei médico? Para fazer os possíveis e os impossíveis contra essa doença diabólica das articulações da coluna? Para me proteger contra a acusação de não participar suficientemente no teu sofrimento estóico? Contra a mesma censura muda com que afastaste de ti a Adriana e a Rita, até que ela, por fim, se confirmou?

Mas regressando ao tribunal. Nunca me hei-de esquecer da perplexidade e do pavor que se apoderaram de mim quando, depois da leitura da sentença, vi o Procurador da República e o advogado de defesa juntos, a conversarem e a rirem. Pensava que isso seria impossível e até ao dia de hoje não o consigo compreender. E em relação ao pai, tenho de ter em consideração que quando abandonou a sala, com os livros debaixo do braço, tinha um ar sério, podia até sentir-se uma certa pena. E como desejei que essa pena fosse genuína, que o pai se sentisse triste por, nesse preciso momento, a pesada porta de uma cela se estar a fechar atrás da ladra, e uma série de gigantescas chaves, todas elas insuportavelmente ruidosas, rodarem nas suas fechaduras!

Nunca mais consegui esquecer aquela ladra. Anos mais tarde, pude observar uma outra ladra em acção nuns armazéns comerciais. Uma rapariga nova, de uma beleza sedutora, fazia desaparecer, com uma perícia artística, uma quantidade de objectos cintilantes nos bolsos do sobretudo. Confuso com a sensação de alegria que a cena despertou em mim, seguia-a, testemunhando a sua ousada pilhagem por todos os andares. Só muito lentamente é que compreendi que na minha imaginação aquela artista vingava uma outra ladra que o pai havia mandado para a prisão há muito tempo. Quando reparei que um sujeito se aproximava com um andar sorrateiro, apressei-me a ir ter com ela e segredei-lhe: «Cuidado!» A sua presença de espírito deixou-me boquiaberto. «Vem, amor!», disse, e agarrou-se ao meu braço, a cabeça encostada ao meu ombro. Já na rua olhou para mim, e, de repente, podia ver-se no seu olhar um medo que, surpreendentemente, se opunha à descontracção e frieza daquela sua intervenção de há pouco.

«Porquê?» O vento soprava-lhe o cabelo espesso para o rosto, escondendo, por um momento, o olhar. Eu afastei-lhe uma madeixa da testa.

«É uma longa história», disse, «mas, para ser sucinto: adoro ladras. Desde que lhes conheça o nome, claro!»

Ela fez beicinho e reflectiu durante um instante: «Diamantina Esmeralda Ermelinda.»

Depois sorriu, espetou-me um beijo nos lábios e desapareceu. Mais tarde, à mesa, sentado à sua frente, «enfrentei» o pai com uma sensação de triunfo e a benevolência de um secreto vencedor. Nesse momento todas as ladras do mundo troçavam de todos os códigos penais do mundo.

Os seus códigos, meu pai: desde que me conheço, aqueles grandes volumes todos iguais, encadernados a negro, sempre me encheram de respeito, uma espécie de reverência religiosa. Não eram livros como os outros, e o que continham possuía um nível muito especial e uma particular dignidade. E pareciam tão exclusivos e despojados de tudo quanto é banal que fiquei surpreendido quando encontrei neles palavras portuguesas, se bem que se tratasse de palavras pomposas, barrocas e cheias de arabescos, inventadas, como na altura me quis parecer, por habitantes de um outro astro, bem mais frio. Essa impressão de estranheza e distância ainda foi mais acentuada pelo cheiro acre do pó que vinha da estante, e que me fez pensar vagamente que fazia parte da essência daqueles livros que nunca ninguém os tirasse da estante, e que eram eles próprios que preservavam e guardavam para si o seu solene conteúdo.

Muito mais tarde, quando comecei a perceber em que consistia a arbitrariedade de uma ditadura, via, por vezes, à minha frente, os códigos nunca consultados da minha infância, e em fantasias infantis acusei-o a si, pai, de os não ter tirado da estante para os lançar à cara dos esbirros de Salazar.

O pai nunca proibiu ninguém de os tirar das estantes, não, não foi o pai que o proibiu, mas sim os próprios volumes, o seu peso majestoso, foram eles que com uma austeridade draconiana me impediram de tentar sequer tirá-los da posição em que se encontravam. Quantas vezes me esgueirei – na altura não passava de um miudinho – para dentro do teu escritório e lutei, com o coração aos saltos, contra o desejo de agarrar, com as minhas próprias mãos, num daqueles tomos e lançar um olhar sobre o seu conteúdo sagrado! Tinha dez anos quando, finalmente, o fiz, com os dedos a tremer e depois de me assegurar várias vezes, com olhadelas na direcção do hall, *que não seria descoberto. Queria desvendar os mistérios da sua profissão, pai, queria perceber quem tu eras para além da família, lá fora, no mundo. O constatar que aquela linguagem árida e formal que reinava entre o caourol das capas nada tinha de revelação, nada havia ali que pudesse suscitar aquele estremecimento ao mesmo tempo desejado e temido, constituiu para mim uma profunda desilusão.*

Naquele dia, depois da condenação da ladra, e antes que o pai se levantasse, os nossos olhares encontraram-se. Pelo menos, foi o que me pareceu. Eu esperei – e essa esperança manteve-se durante semanas – que tu, por iniciativa própria, falasses do assunto. Por fim, a esperança tingiu-se num desapontamento que continuou a tingir-se, até quase chegar à revolta e à raiva: ter-me-á o pai considerado demasiado novo, demasiado limitado? Mas isso não condizia com a constante exigência que o pai, com toda a naturalidade, demonstrou para comigo, sempre e em todos os domínios. Ter-se-á sentido envergonhado por o filho o ter visto com a toga? Mas nunca tive a sensação de que o pai se envergonhava pela profissão que exercia. Terá então acabado por ter medo das minhas dúvidas? Eu teria tido, mesmo que, na altura, não passasse de um miúdo, quase uma criança; mas o pai sabia-o, conhecia-me o suficiente para o saber, pelo menos espero que sim. Tratava-se então de cobardia – uma espécie de fraqueza que eu, de resto, nunca teria associado a si?

E eu? Porque é que não abordei eu o assunto? A resposta é simples e clara: interrogá-lo, a si, era algo que, simplesmente, não se podia fazer. Algo capaz de fazer ruir toda a estrutura e toda a arquitectura da família. E não era apenas algo impossível – no fundo, nem sequer podíamos pensar em fazê-lo. Em vez de o pensar e fazer, limitei-me então a sobrepor na imaginação aquelas duas imagens: a do pai privado, meu bem conhecido e mestre do silêncio, e a do homem da toga, que com palavras calculadas e uma voz sonora e inatingível, saturada de uma eloquência formal, ecoava pela sala do tribunal, causando-me calafrios. E sempre que passei por esse exercício da fantasia não pude deixar de me assustar, pois não se manifestava aí nenhuma contradição que me pudesse consolar; pelo contrário, o resultado dessa fusão pareceu-me uma figura coerente e concordante. Para mim foi duro, pai, que tudo se fundisse desse modo inexorável, e quando eu já não conseguia suportar que o pai se mantivesse presente em mim como um monumento de pedra, socorria-me de uma ideia que, de resto, nunca ousei admitir, porque devassava o santuário da intimidade: o pressuposto que, de quando em quando, também tu terás abraçado a mamã.

Porque é que te tornaste juiz, papá, e não advogado de defesa? Porque é que te puseste do lado dos que punem? Tem de haver juízes, terias provavelmente dito, e, naturalmente, eu sei que contra essa frase pouco há a dizer. Mas porque é que tinha o meu pai que tornar-se forçosamente num deles?

Até ali tinha sido uma carta dirigida ao pai ainda vivo, uma carta que o estudante Prado escrevera em Coimbra, podia imaginar-se que a começara logo após o regresso mencionado. Com a folha seguinte mudavam tanto a tinta como a caligrafia. O traço era agora mais seguro, fluente e como que apurado pela rotina profissional dos apontamentos médicos. E as formas verbais revelavam uma época posterior à morte do juiz.

Gregorius fez as contas: entre o final do curso de Prado e a morte do pai distavam dez anos. Teria o diálogo surdo que ele iniciara com o juiz sofrido uma tão longa interrupção? No mais fundo estrato do sentir dez anos eram como um segundo, ninguém sabia isso melhor do que Prado.

Teria o filho tido que esperar até à morte do pai para poder continuar a escrever a sua carta? Gregorius sabia, porque Mélodie lho dissera, que depois de concluir o curso Prado regressara a Lisboa e trabalhara na clínica de Neurologia.

«Fiquei contentíssima por tê-lo de novo cá; mas hoje diria que foi um erro», dissera. «Mas o facto é que ele tinha saudades de Lisboa, tinha sempre saudades, mal punha um pé fora da sua cidade já queria voltar; havia nele tanto aquela paixão doida pelos comboios como essa saudade. Era um homem cheio de contradições, o meu grande e brilhante irmão, havia nele o viajante, o homem mordido pela nostalgia da distância, o Transiberiano fascinava-o, na sua boca Vladivostoque era um nome sagrado; e depois havia também nele o outro, aquele que a saudade consumia, *«é como uma sede»*, costumava dizer, *«quando a saudade me assalta, então é como se sentisse uma sede insuportável. Talvez tenha de conhecer todos os trajectos e todas as vias férreas para a qualquer altura poder regressar a casa. Não aguentava na Sibéria, imagina só: sempre o mesmo matraquear das rodas, dia e noite, e saber que me estava a afastar cada vez mais de Lisboa.»*

Já estava a amanhecer quando Gregorius pôs de parte o dicionário e esfregou os olhos inflamados. Levantou-se para correr as cortinas e deitou-se vestido debaixo da coberta. *Estou a começar a perder-me*, fora o pensamento que o fizera regressar à Bubenbergplatz, a praça que depois não conseguira «tocar». O que é que tinha sido aquilo?

E se eu me quiser perder?

Gregorius deslizou para um sonho leve, sacudido por um ciclone de estilhaços de pensamentos. A verde Cecília dirigia-se constantemente ao juiz, tratando-o por *Vossa Mercê*: ela roubava objectos preciosos e brilhantes, diamantes e outras pedras preciosas, mas acima de tudo roubava nomes, nomes e beijos, transportados por rodas barulhentas através da Sibéria até Vladivostoque, de onde se tornava demasiado longe para serem expedidos para Lisboa, a cidade dos tribunais e da dor.

Uma aragem quente fustigou-o quando, por volta do meio-dia, correu a cortina para abrir a janela. Deixou-se ficar ali vários minutos, a sentir como o rosto ficava seco e quente sob o efeito do ar do deserto. Pela segunda vez na sua vida, telefonou a pedir que lhe trouxessem ao quarto algo de comer; e quando viu o tabuleiro à sua frente, pensou na outra vez, em Paris, durante aquela viagem doida que Florence propusera depois do primeiro pequeno-almoço na sua cozinha. *Desejos, satisfação e segurança.* Os mais fugazes eram os desejos, dissera Prado; depois vinha a satisfação, e, por fim, também a segurança se desintegrava. Por isso, o importante era a lealdade, o assumir de uma posição da alma, para além dos sentimentos. Um sopro de eternidade. *Tu nunca me quiseste verdadeiramente a mim*, dissera ele no final a Florence, e ela não o contradissera.

Telefonou a Silveira, que o convidou para jantar. Depois agarrou no livro ilustrado sobre Isfahan, que os Schnyder de Elfenau lhe tinham oferecido, e perguntou ao empregado onde podia comprar uma tesoura, *punaises* e fita-cola. No momento em que ia sair do quarto telefonou Natalie Rubin. Ficou desapontada por a gramática persa ainda não ter chegado, apesar dela a ter enviado por expresso.

– O que eu devia era ter-lha ido levar aí pessoalmente! – disse, e logo a seguir, um pouco embaraçada com as próprias palavras, perguntou-lhe o que ia fazer no fim-de-semana.

Gregorius não conseguiu resistir. «Sento-me numa sala de uma escola sem luz e infestada de ratazanas, a ler sobre o difícil amor de um filho pelo seu pai, que se suicidou devido às dores ou à culpa, ninguém sabe ao certo.

– Não me esteja a... – disse Natalie.

– Não, não – interrompeu-a Gregorius. – Não estou a gozar consigo. É exactamente como lhe digo. Só que é impossível explicar, simplesmente impossível, e depois ainda há aquele vento do deserto o...

– O professor... o professor está irreconhecível. Se é que eu...

– Sim, com certeza que pode dizer isso, Natalie, às vezes nem eu próprio acredito.

Sim, telefonava-lhe assim que a gramática chegasse.

– E também vai aprender Persa nessa mítica escola das ratazanas? – E riu-se do seu próprio atrevimento.

– Naturalmente. É lá que é a Pérsia.

– Desisto.

E riram-se ambos.

28 *Porquê, Papá, porque é que nunca falaste comigo sobre as tuas dúvidas, as tuas lutas interiores? Porque é que nunca me mostraste as cartas que escreveste ao ministro da Justiça, o teu pedido de demissão? Porque é que destruíste todos os documentos, de modo que agora é como se nunca tivesses tentado nada? Porque é que só através da mamã vim a saber dos teus esforços para que te libertassem? Contou-mo ela cheia de vergonha, apesar de haver motivo para se sentir orgulhosa?*

Se foram mesmo as dores que te levaram ao suicídio, bom, contra isso eu também nada teria podido fazer. Perante a dor, a força das palavras esgota-se rapidamente. Mas se o aspecto decisivo não foram as dores, mas sim o sentimento de culpa e de falhanço pessoal, porque no final não conseguiste encontrar a força suficiente para te afastares do Salazar, sem que te fosse possível continuar a fechar os olhos perante o sangue e a tortura, então porque é que não vieste falar comigo? Com o teu filho, que uma vez quis ser padre?

Gregorius olhou para a frente. O ar quente de África entrava pela janela aberta do escritório do Sr. Cortês. O cone de luz errante sobre as tábuas do soalho apodrecido era hoje de um amarelo mais intenso do que na última vez. Nas paredes viam-se as imagens de Isfahan que ele tinha recortado do livro. Ultramarino e dourado, dourado e ultramarino, numa longa declinação dessas duas cores: cúpulas, minaretes, mercados, bazares, rostos de mulheres cobertos com olhos muito negros, famintos de vida. Elifas de Teman, Bildad de Shuach e Zofar de Naama.

A primeira coisa que fizera fora tirar da gaveta a Bíblia que já cheirava a mofo e a bolor. *Deus castiga o Egipto com pragas, só porque o Faraó se mostra obstinado,* dissera Prado a O'Kelly, *mas foi o próprio Deus que o fez assim! E fê-lo assim para depois poder demonstrar o seu poder! Que Deus vaidoso e presumido! Que gabarola insuportável!* Gregorius leu a história: era verdade.

Durante meio dia, contara O'Kelly, tinham discutido sobre se ele devia mesmo chamar a Deus gabarola ou fanfarrão. Se não seria demadiado colocar o SENHOR – se bem que apenas pelo ínfimo período de tempo que demorava a pronunciar essa palavra atrevida – ao mesmo nível de um qualquer garoto da rua cheio de prosápias. Jorge vencera a disputa e Amadeu deixara ficar a palavra. Durante um momento, Gregorius sentira-se desapontado com O'Kelly.

Gregorius errou pelo edifício, evitou as ratazanas, sentou-se na carteira que ele, da última vez, imaginara ter sido o lugar de Prado, com contacto visual com Maria João, e acabou por encontrar, no piso térreo, a antiga biblioteca, em que, segundo o padre Bartolomeu, o jovem Amadeu se deixara fechar à chave, para poder passar a noite inteira a ler. *Quando o Amadeu lê um livro, depois já não ficam palavras.* As estantes estavam vazias, empoeiradas e sujas. O único livro que ainda lá estava ficara como cunha por baixo de uma estante, para que ela não caísse. Gregorius quebrou o canto de uma prancha apodrecida e entalou-o a substituir o livro. Depois sacudiu-lhe a poeira e começou a folheá-lo. Era a biografia de Joana, *a Louca*. Levou-a para o escritório do Sr. Cortês.

Deixares-te levar por António de Oliveira Salazar, o professor aristocrático, terá sido bem mais fácil do que ser enganado por Hitler, Estaline ou Franco. Com essa escumalha nunca te terias conformado, a tua inteligência e o teu infalível sentido de estilo ter-te-iam imunizado. E tenho a certezade que também nunca ergueste o braço, aí ponho a minha mão no fogo. Mas aquele homem vestido de negro, com a expressão inteligente e esforçada, sob o chapéu de coco, por vezes penso que talvez tenhas encontrado uma certa familiaridade entre ti e ele. Não na sua ambição impiedosa e na sua cegueira ideológica, mas mais na austeridade que ambos haveis cultivado perante vós próprios. Mas pai: ele pactuou com os outros! E assistiu, impávido e sereno, a todos aqueles crimes, para os quais não existirão palavras adequadas, enquanto os homens viverem sobre a Terra! E houve o Tarrafal, pai! O TARRAFAL! *Onde é que estava na altura a sua fantasia? O pai só teria precisado de ver uma única vez mãos como as que eu vi, mãos como as do João Eça, queimadas, cobertas de cicatrizes, mutiladas. Mãos que um dia tocaram Schubert. Porque é que o pai nunca viu mãos daquelas?*

Terá sido o medo de um doente que temeu enfrentar o poder do Estado devido à sua debilidade física? E que por isso mesmo virou a cara? Foram as tuas costas vergadas que te proibiram de assumir a tua dignidade? Mas não, recuso-me a aceitar uma tal interpretação, até porque seria injusto, pois iria privar-te da honra quando ela mais necessária se torna, uma honra e uma dignidade de que sempre deste mostra: refiro-me à força, pai, a essa força que nunca permitiu que te submetesses à doença. Nem em pensamentos nem em acções.

Tenho de admitir que por uma vez, por uma única vez, fiquei contente por o pai pertencer ao pequeno grupo daqueles cavalheiros bem vestidos que usavam chapéu de coco e mexiam os cordelinhos do crime: foi quando conseguiu libertar-me da Mocidade. *De certeza que o pai se apercebeu do meu pânico quando me imaginei de camisa verde, a erguer o braço. «Isso não vai acontecer», disse o pai simplesmente, e senti-me feliz por aquela espécie de carinho implacável que vi brilhar no seu olhar. Nesse momento não teria gostado de ser seu adversário. É claro que tu próprio não deves ter gostado de imaginar o teu filho de cócoras junto à fogueira de um acampamento, armado em pseudoproletário de meia-tigela. Não obstante, interpretei a tua intervenção – e nem quero saber em que é que ela consistiu – como a expressão de uma profunda afeição da tua parte, e na noite em que soube que tinha sido dispensado creio que te dei mostras dos mais intensos afectos.*

Já deve ter sido bem mais complicado para si impedir que eu fosse acusado de infligir danos físicos à Adriana. O filho do juiz: não sei que cordelinhos puxou, nem que conversas teve que ter. E digo-lhe agora o seguinte: eu teria preferido enfrentar o juiz e lutar pelo direito moral de fazer prevalecer a vida perante a lei. Mesmo assim, comoveu-me muito aquilo que fizeste, mesmo sem o saber. Nunca o consegui explicar, mas sempre tive a certeza de que não tinhas sido movido por nenhum daqueles dois factores que eu não teria podido aceitar: o medo da vergonha e a satisfação de ver reconhecida a tua influência. Agiste simplesmente para me proteger. Sinto-me orgulhoso de ti, disseste, quando te expliquei a situação clínica e te mostrei o parágrafo no manual. E abraçaste-me, pela primeira e única vez depois do fim da infância. Senti o cheiro do tabaco na tua roupa e do sabonete no teu rosto. Ainda o sinto, assim como ainda agora sinto a pressão dos teus braços, que durou um tudo nada mais de tempo que eu previra. Sonhei com esses braços e vi-os estendidos e implorantes, estendidos na súplica desesperada ao filho, para que o libertasse das dores, como se eu fosse um feiticeiro benévolo.

Nesse sonho manifestou-se aquela extraordinária expectativa e esperança que eu sempre vi surgir no teu rosto quando me esforçava por te explicar o mecanismo da tua doença, daquela irreversível deformação da coluna vertebral a que foi dada o nome de Vladimir Bechterev, ou quando conversava contigo sobre o mistério da dor. Foram sempre momentos de uma grande e profunda intimidade, em que o teu olhar não se desviava nem por um instante dos meus lábios e em que parecias beber cada uma das palavras do ainda inexpe-

riente médico, como se de uma revelação se tratasse. Nessas alturas era eu o pai conhecedor e tu o filho que precisava de ajuda. Lembro--me de ter perguntado à mamã, depois de uma dessas conversas, como é que tinha sido o teu pai e que relação tivera contigo. «Um tirano orgulhoso, solitário e insuportável, que me vinha comer à mão», foi a resposta. Parece ter sido um defensor fanático do colonialismo. «Dava duas voltas no caixão se soubesse o que tu pensas hoje sobre isso.»

Gregorius tomou um táxi para o hotel e vestiu-se para o jantar em casa de Silveira, que vivia numa moradia em Belém. Uma empregada abriu-lhe a porta e Silveira veio ao seu encontro no vestíbulo imenso, que com o lustre mais parecia o *hall* de entrada de uma embaixada. O anfitrião reparou na admiração com que Gregorius olhava à sua volta.

– Depois do divórcio e dos filhos terem saído de casa tudo se tornou, de repente, demasiado grande. Mas também não me apetece mudar – disse Silveira, em cujo rosto Gregorius reencontrou o mesmo cansaço que ele já vira no seu primeiro encontro, no comboio.

Mais tarde, Gregorius não conseguiu reconstituir como é que aquilo aconteceu. Durante a sobremesa falou-lhe de Florence, de Isfahan e daquelas visitas meio desvairadas ao liceu abandonado. Foi um pouco como da outra vez, na carruagem-cama, em que lhe contara como se tinha levantado e saído da sala de aulas. «O seu sobretudo estava molhado quando o tirou do cabide. Lembro-me que chovia», dissera Silveira enquanto comiam a sopa, «e também me lembro ainda de como se diz *luz* em Hebraico: *ór.*» E ele falara-lhe do pormenor da portuguesa desconhecida que naquela noite, na carruagem-cama, havia omitido.

– Venha comigo – disse Silveira depois do café, e conduziu-o até à cave. – Isto aqui foi o equipamento de campismo dos meus filhos. Tudo quanto havia de melhor na altura. Também não serviu de nada, um belo dia puseram a tralha de parte, já não tinham interesse, nem um «obrigado», nada. Um fogão de campanha, uma lanterna de mão, uma máquina de café, tudo com acumulador eléctrico. Porque é que não os leva? Para o liceu? Falo com o *chauffeur*, ele vê se as pilhas ainda funcionam e leva-lhos lá.

Não se tratava apenas de generosidade. Era o liceu. Tinha pedido que lhe descrevesse a escola abandonada e depois quisera saber mais e mais; mas não podia ser só mera curiosidade, aquele tipo de curiosidade que a descrição de um castelo amaldiçoado suscita. Por outro lado, a oferta do equipamento de campismo revelava compreensão para com os seus actos disparatados. Ou se não se tratava de compreensão, pelo menos manifestava um certo respeito, um respeito que ele não esperara de ninguém, e muito menos de um homem de negócios, cuja vida sempre girara à volta do dinheiro.

Mais uma vez, Silveira apercebeu-se da sua surpresa. – A história do liceu com as ratazanas agrada-me simplesmente – explicou com um sorriso. – Algo completamente diferente, que não se pode calcular. Parece-me que pode ter algo a ver com Marco Aurélio.

Quando o anfitrião o deixou sozinho na sala de estar durante uns minutos, Gregorius pôs-se a ver os livros. Montes de literatura sobre porcelana. Direito comercial. Roteiros turísticos. Dicionários técnicos e comerciais ingleses e franceses. Um dicionário de psicologia infantil. Uma estante com romances variados.

Numa mesinha, a um canto, encontrava-se uma fotografia dos filhos, rapaz e rapariga. Gregorius pensou na carta de Kägi. Na conversa que tivera nessa manhã com Natalie Rubin ela contara-lhe que o reitor faltara a umas aulas porque tinha a mulher na clínica, em Waldau. *Há momentos em que a minha mulher parece estar a deteriorar-se*, confessara-lhe na carta.

– Telefonei a um colega meu que costuma ir bastantes vezes ao Irão – anunciou Silveira quando voltou. – É preciso um visto, mas de resto não é nenhum problema viajar até Isfahan.

Silveira interrompeu-se quando viu a expressão que surgiu no rosto de Gregorius.

– Ah pois... – disse devagar. – Pois. Claro. Não se trata desta Isfahan. Nem deste Irão, mas da Pérsia.

Gregorius concordou. Mariana Eça tinha-se interessado pelos seus olhos e apercebera-se das suas insónias. Mas de resto Silveira fora a única pessoa aqui que se interessara por ele. Por *ele*. O único para quem ele não era apenas um espelho compreensivo, como para os habitantes do mundo de Prado.

Quando se viram de novo no vestíbulo, à despedida, e a rapariga lhe trouxe o sobretudo, o olhar de Silveira demorou-se na galeria do primeiro andar, que dava para as restantes habitações. Depois olhou para o chão e novamente para cima.

– A parte da casa reservada aos filhos. Ou foi. Não quer ir até lá?

Duas habitações espaçosas, com muita luz e casa de banho própria. Montanhas de livros de Georges Simenon nas estantes.

Estavam agora na galeria. De repente, Silveira parecia não saber o que fazer com as mãos.

– Se quiser... olhe: pode vir cá para casa. De graça, naturalmente. Por tempo indefinido. – E riu-se. – Quando não estiver a vaguear pela Pérsia. Sempre é melhor que o hotel. Ninguém o incomoda, eu passo a maior parte do tempo fora. Tenho de sair amanhã cedinho. A Julieta, a empregada, trata de si. E depois, há-de haver um dia em que lhe ganho uma partida.

– *Chamo-me José* – disse, quando selaram o acordo com um aperto de mão. – *E tu?*

29

Gregorius fez a mala. Sentia-se excitado como se se preparasse para uma volta ao mundo. Em pensamento, viu-se a tirar da estante do quarto do rapaz alguns Simenon e a arrumar lá os seus livros: os dois sobre a peste e o terramoto, o Novo Testamento que Coutinho lhe oferecera há já uma eternidade, Pessoa, Eça de Queirós, a fotobiografia de Salazar, os livros de Natalie Rubin. De Berna tinha trazido Marco Aurélio e o seu velho Horácio, as tragédias gregas e Safo. No último momento metera também na mala as *Confissões* de Santo Agostinho. *Os livros para a próxima etapa.*

A mala ficou pesada, e quando a carregou da cama para a porta sentiu vertigens. Pousou-a. Decorridos alguns minutos, sentiu-se melhor e pôde prosseguir com a leitura da carta de Prado.

Estremeço só de pensar na força não intencional nem consciente, mas inevitável e imparável com que os pais marcam os seus filhos. São marcas que, como vestígios de um incêndio, nunca mais podem ser eliminadas. Os contornos dos seus desejos e medos inscrevem-se com um ferro incandescente na alma desde cedo. Precisamos de toda uma vida para encontrar e decifrar o texto marcado a fogo e nunca podemos saber ao certo se o compreendemos.

E como vês, Papá, aconteceu-me o mesmo que a ti. Não foi há muito tempo que comecei, finalmente, a suspeitar de que havia em mim gravado um poderoso texto; um texto que sempre dominou tudo aquilo que até hoje senti e fiz, um texto oculto e ardente, cujo poder insidioso consiste precisamente no facto de, apesar de toda a minha cultura, eu nunca ter duvidado que ele pudesse não ter a validade que lhe admiti, sem que nada soubesse dele. Esse texto é curto e inexorável como um mandamento do Velho Testamento: O TEU TRIBUNAL SÃO OS OUTROS.

Eu não posso provar a sua validade num julgamento, mas sei, pai, que sempre o soube ler nos seus olhos, desde criança, naquele seu olhar cheio de abnegação, dor e severidade que eu distinguia por detrás das lentes dos seus óculos e que me parecia perseguir para onde quer que eu fosse. O único sítio para onde ele não conseguia seguir--me era o grande sofá da biblioteca do liceu, por detrás do qual me escondi para continuar a ler à noite. A materialidade sólida daquele sofá, aliada à escuridão, resultou num muro impenetrável que me protegia de qualquer tentativa de controlo. Até lá não chegava o seu olhar, pai, e assim também não pôde haver tribunal perante o qual eu tivesse de me responsabilizar, quando lia algo sobre as mulheres com os seus membros alvos e todas as outras coisas que só se podiam fazer às escondidas.

Será que o pai pode imaginar a minha fúria quando li no Profeta Jeremias: Achas mesmo que alguém se possa esconder tão bem que eu não o veja, diz o Senhor. Não sou eu que enche o Céu e a Terra? – diz o Senhor.

«O que é que tu queres», disse o padre Bartolomeu, «se Ele é Deus.»

«Pois, e é aí que está o busílis: no facto de ser Deus», repliquei.

O padre riu-se. Não me levou a mal. Ele gostava de mim.

Como eu teria gostado, Papá, de ter um pai com quem pudesse falar sobre estas coisas! Sobre Deus e a sua presunçosa crueldade, sobre a cruz, a guilhotina e o garrote. Sobre aquela loucura de dar a outra face. Sobre a justiça e a vingança.

As tuas costas não suportavam os bancos das igrejas, pelo que só te vi ajoelhar uma única vez, durante a missa de corpo presente pelo tio Ernesto. Nunca mais me hei-de esquecer da silhueta do teu corpo torturado. Tinha qualquer coisa a ver com Dante e o Purgatório, que eu sempre imaginei como um mar de chamas da humilhação, pois o que pode haver de pior que a humilhação? Em comparação com ela, a dor mais lancinante nada é. E assim nunca pudemos falar destas coisas. Creio mesmo que só te ouvi pronunciar a palavra Deus em contextos banais, nunca a sério, não de modo a revelar uma qualquer forma de Fé. E, no entanto, nunca empreendeste nada contra a insistente sensação de que não só transportavas em ti os códigos do mundo profano, mas também os da Igreja que gerou a Inquisição. O Tarrafal, pai, o TARRAFAL*!*

30

O *chauffeur* de Silveira veio buscá-lo ao fim da manhã. Tinha recarregado as pilhas do equipamento de campismo e embrulhado recipientes com café, açúcar e bolachas em duas mantas. No hotel, os recepcionistas não gostaram de o ver partir. «Foi um grande prazer», disseram.

Durante a noite chovera e nos carros viam-se manchas de uma areia fina, transportada pelo vento do deserto. Filipe, o condutor, foi-lhe abrir a porta, para que ele se pudesse sentar no banco traseiro do grande automóvel brilhante. *Quando, no carro, passei a mão pelo delicado cabedal dos estofos* – fora assim que nascera a ideia de Prado escrever uma carta ao pai.

Gregorius só uma vez tinha andado de táxi com os pais, no regresso de umas férias no lago de Thuner, em que o pai torcera o pé, pelo que o recurso àquele tipo de transporte se tornara inevitável. Ao observar a nuca do pai apercebera-se de como ele se sentira pouco à vontade. Já a mãe sentira-se como num conto de fadas, os seus olhos brilhavam e por ela teria continuado a viagem eternamente.

Filipe conduziu-o primeiro à moradia e a seguir ao liceu. O caminho que antigamente os abastecedores do refeitório do liceu tinham tomado estava completamente coberto de ervas. O *chauffeur* desligou o motor. – Aqui? – perguntou, perplexo. Aquele homem enorme e espadaúdo como um cavalo de tiro mostrou ter medo das ratazanas. No escritório do reitor caminhou devagar ao longo das paredes, com o boné na mão, a observar as imagens de Isfahan.

– E o que é que o Sr. faz aqui dentro? – quis saber. – Desculpe, eu não tenho nada a ver com …

– É difícil explicar – interrompeu-o Gregorius. – Muito difícil mesmo. Com certeza que sabe o que é sonhar acordado. Pois isto é qualquer coisa assim parecida. Mas, por outro lado, completamente diferente. Algo mais sério. E mais doido também. Quando o tempo começa a escassear na vida de uma pessoa, as regras deixam de ter validade. E então tem-se a sensação de que perdemos o tino e estamos maduros para o manicómio. Mas no fundo é ao contrário: no manicómio deviam estar aqueles que não querem crer que o tempo escasseia. Aqueles que continuam a viver sempre da mesma maneira, como se nada tivesse acontecido. Não sei se me está a perceber?!

– Há dois anos tive um enfarte – disse Filipe. – Achei esquisito quando depois voltei para o trabalho. Estou agora a lembrar-me disso, já me tinha esquecido.

– Pois – disse Gregorius.

Depois de Filipe se ter ido embora, o céu cobriu-se, e à medida que escurecia a temperatura arrefeceu. Gregorius pôs a funcionar o fogão de campanha, acendeu a luz e preparou um café. Os cigarros. Tirou o maço do bolso. De que marca tinham sido os cigarros que ele fumara pela primeira vez na sua vida, quisera saber Silveira. Depois levantara-se e regressara com um maço daquela marca. *Aqui tem. Era a marca da minha mulher. Há anos que tinha isto guardado na gaveta da mesinha-de-cabeceira. Do seu lado da cama. Não consegui deitá-los fora. O tabaco já deve estar sequíssimo*. Gregorius rasgou a embalagem e acendeu um cigarro. Entretanto, já conseguia inalar sem desatar logo a tossir. O fumo era acre e sabia a madeira queimada. De repente, sentiu-se arrastado pela onda de uma vertigem e o coração pareceu vacilar.

Leu a passagem do profeta Jeremias sobre a qual Prado escrevera e voltou para trás, para Isaías. *Pois os meus pensamentos não são os vos-*

sos pensamentos, e os vossos caminhos não são os meus caminhos, diz o Senhor; pois assim como o Céu é mais elevado do que a Terra, assim os meus caminhos são mais elevados do que os vossos caminhos, e os meus pensamentos mais elevados do que os vossos pensamentos.

Prado tinha acreditado que Deus era uma pessoa capaz de pensar, querer e sentir. Depois ouvira aquilo que ele tinha para dizer, como o poderia ter feito com qualquer outra pessoa, e chegara à conclusão: com um carácter de tal modo arrogante não quero ter nada a ver. Mas teria Deus um *carácter*? Gregorius pensou em Ruth Gautschi, em David Lehmann e nas suas próprias palavras sobre a seriedade poética, para além da qual não existia outra forma mais profunda de seriedade. Berna estava já bem longe.

A sua inacessibilidade, pai. A mamã como intérprete encarregada de nos traduzir o seu mutismo. Porque é que o pai não aprendeu a falar sobre si e os seus sentimentos? Vou dizer-lhe: porque foi tão comodista, tudo foi para si tão maravilhosamente cómodo que não lhe custou nada esconder-se por detrás do papel do chefe de família aristocrático. E a acrescentar a isso veio o papel do sofredor taciturno, em que o laconismo se transforma numa virtude, na grandeza estóica que o impediu de se queixar das dores. E assim a sua doença tornou-se a absolvição para a sua falta de vontade de aprender a exprimir-se. Foi essa a sua arrogância, pai, exigir que fossem sempre os outros a adivinhar as suas dores.

Nunca pensou no que perdeu em autodeterminação, nessa capacidade de que só dispomos na medida em que conseguimos comunicar-nos?

Nunca pensaste, pai, que para todos nós o facto de nunca te queixares das tuas dores e da humilhação das tuas costas vergadas poderia representar também um peso? Que o teu estoicismo mudo e heróico e não isento de vaidade poderia tornar-se mais inquietante do que se tivesses, por vezes, desabafado e derramado lágrimas de autocomiseração que, ao menos, poderíamos ter ajudado a limpar? Não terá tudo isso significado para nós, filhos – e, sobretudo para mim, o filho –, que não tínhamos direito a lamentar-nos, já que nos sentíamos reféns na esfera da tua coragem? Não terão sido todos esses direitos asfixiados e engolidos e aniquilados pela tua valentia e pela coragem com que suportaste a tua dor, antes mesmo que eles pudessem ser reclamados – sim, antes mesmo que pudéssemos pensar em reclamá-los?

Recusaste tomar analgésicos, quiseste manter a cabeça limpa, e nisso foste apodíctico. Uma vez, quando pensavas que ninguém te estava a ver, observei-te através da porta entreaberta. Tomaste um comprimido, e depois de uma breve luta, meteste na boca um segundo. Quando, decorrido algum tempo, voltei a olhar, estavas recostado no sofá, a cabeça de lado, apoiada na almofada, os óculos no colo, a boca entreaberta. Claro que era impensável, mas como desejei ir ter contigo e acariciar-te!

Nem uma única vez te vi chorar. Lembro-me ainda de te ver com uma expressão imperturbável quando enterrámos o Carlos, *o cão de que todos nós tanto gostávamos, até tu. Não era que fosses insensível, uma criatura sem alma, longe disso. Mas porque é que durante toda a tua vida agiste como se a alma fosse algo de que temos que nos envergonhar, algo impróprio, um sítio da fraqueza que temos de manter escondido, quase a todo o custo?*

Através de ti, todos nós aprendemos, desde a infância, que em primeiro lugar somos corpo e que não há nada nos nossos pensamentos que anteriormente não tenha estado no corpo. E depois – que paradoxo! – negaste-nos de tal modo a cultura do carinho e da proximidade que quase nos foi impossível imaginar que te pudesses ter aproximado suficientemente da mamã para nos gerar. Não foi ele, disse uma vez a Mélodie, *foi o* Amazonas. *Só uma vez senti que tu sabias o que é uma mulher: foi quando a* Fátima *apareceu. Nada mudou em ti, e tudo mudou. Foi então que percebi, pela primeira vez, o que é um campo magnético.*

A carta acabava ali. Gregorius voltou a pôr a folha no envelope. Foi então que reparou numa nota escrita a lápis na parte detrás da última folha. *O que é que eu soube das tuas fantasias? Porque é que sabemos tão pouco das fantasias dos nossos pais? O que é que sabemos de alguém quando desconhecemos as imagens que a sua fantasia lhe apresenta?* Gregorius meteu o envelope no bolso e decidiu ir visitar João Eça.

31 Eça tinha as brancas, mas não começou. Gregorius preparara um chá e servira meia chávena a cada um. Acendeu um dos cigarros de que a mulher de Silveira se esquecera no quarto. João Eça também fumava. Fumava, e bebia, e não dizia nada. A penumbra caiu sobre a cidade, não tardariam a chamá-lo para o jantar.

– Não – disse Eça, quando Gregorius se levantou para ir acender a luz. – Mas feche-me essa porta.

Escureceu rapidamente. A brasa do cigarro de Eça cresceu e encolheu. Quando, finalmente, começou a falar, foi como se um atenuador tivesse sido colocado na sua voz, que, como um instrumento, passou a soar num registo não só mais suave e profundo, mas também mais áspero.

– Não sei o que sabe sobre a rapariga, a Estefânia Espinhosa. Mas tenho a certeza de que já ouviu falar nela. Há muito que me quer fazer perguntas sobre ela. Sinto-o. Mas não se atreve. Tenho andado a pensar nisso desde o último domingo. O melhor é contar-lhe a minha história. Penso que será apenas uma parte da verdade. Se é que há uma verdade em tudo isto. Mas pelo menos esta versão quero que a conheça. O que os outros depois possam dizer já não me diz respeito.

Gregorius voltou a servir chá. As mãos de Eça tremiam quando ele levou a chávena à boca.

– Ela trabalhava no correios. O correio é importante para a Resistência. O correio e os caminhos-de-ferro. Era ainda muito nova quando o O'Kelly a conheceu. Vinte e três ou vinte e quatro. Foi na Primavera de 1970. Tinha aquela memória assombrosa. Não se esquecia de nada, nem do que vira, nem do que ouvira. Moradas, números de telefone, rostos. Havia até aquela piada da lista telefónica que ela sabia de cor e salteado. Era uma espécie de capricho. «Por que é que vocês não conseguem?», perguntava. «Não percebo, como é que se pode ser tão esquecido.» A mãe desaparecera ou morrera cedo, já não sei ao certo, e ao pai tinham vindo buscá-lo uma bela manhã. Trabalhava nos caminhos-de-ferro e foi acusado de sabotagem.

Ela tornou-se a amante do Jorge. Ele andava perdido de amores, todos nos apercebíamos disso e ficámos preocupados, é sempre perigoso. Ela gostava dele, mas não era uma paixão. Isso começou a mexer com ele, tornou-o irritadiço e doentiamente ciumento. «Não te preocupes», dizia-me, quando me apanhava a olhar para ele com um ar pensativo. «Não és o único experiente nestas andanças.»

Foi ela que teve a ideia da escola de alfabetização. Brilhante. Salazar iniciara uma campanha contra o analfabetismo. Aprender a ler como obrigação patriótica. Nós organizámos uma sala, pusemos bancos velhos e uma secretária. Quadros de ardósia gigantescos. A rapariga arranjou o que havia de materiais para as aulas, imagens para as letras e coisas do género. Numa aula para analfabetos pode-se encontrar todo o tipo de pessoas, de todas as idades. E era esse o truque: ninguém precisava de justificar a sua presença, e além disso podia exigir-se discrição dos bufos, não saber ler sempre é uma vergonha. Era a Estefânia que enviava os convites, certificava-se de que não eram abertos, apesar de só lá estar escrito: *Vemo-nos na sexta-feira? Um beijo, Noélia.* O nome inventado como senha.

Encontrávamo-nos. Discutíamos acções. Para o caso de alguém da PIDE. poder aparecer, ou simplesmente um rosto desconhecido, já estava tudo combinado: a rapariga agarrava no giz e dirigia-se ao quadro. Tinha tudo preparado, como se estivéssemos a meio de uma aula. Também isso fazia parte do esquema: podíamos encontrar-nos num espaço público, não precisávamos de nos esconder. Gozávamos com os sabujos mesmo nas suas trombas. A resistência antifascista não é propriamente uma brincadeira, mas às vezes até dá para rir.

A memória da Estefânia foi-se tornando cada vez mais importante. Já não precisávamos de escrever nada, já não deixávamos indícios escritos. Ela tinha toda a rede na cabeça. Às vezes, eu pensava: o que é que nos acontece se ela tem um acidente? Mas ela era tão nova e tão bonita e cheia de vida, era impensável que lhe pudesse acontecer alguma coisa. Afastávamos a ideia e continuávamos. Foi uma época profícua, tudo nos saía bem.

Num fim de tarde do Outono de 1971, Amadeu entrou na sala. Olhou para ela e ficou enfeitiçado. Quando o encontro acabou ele foi ter com ela e ficaram os dois a conversar. O Jorge ficou à porta, à espera. Ela quase que nem olhou para o Amadeu, baixou imediatamente o olhar. Fiquei logo com um mau pressentimento.

Não aconteceu nada. O Jorge e a Estefânia continuaram juntos.

O Amadeu nunca mais apareceu. Mais tarde, vim a saber que ela foi ter com ele ao consultório. Estava doida por ele. Amadeu rejeitou-a, manteve-se leal ao O'Kelly. Leal até à total abnegação. O Inverno passou nesse estado de calma aparente. Às vezes víamo-los juntos, ao Jorge e ao Amadeu. Qualquer coisa tinha acontecido, algo intangível. Quando caminhavam, um ao lado do outro, era como se os seus passos já não coincidissem. Como se a sintonia se tivesse tornado cansativa. A relação entre o O'Kelly e a rapariga também se modificara. Ele tentava dominar-se, mas de vez em quando explodia. Irritava-se, corrigia-a e era logo posto em sentido pela sua memória. Quando isso acontecia, saía da sala. Assim como a situação estava, o drama talvez tivesse acontecido de qualquer maneira. Só que seria bem mais inofensivo, comparado com o que veio depois.

Nos finais de Fevereiro apareceu de repente um dos esbirros do Mendes numa das nossas reuniões. Entrou de mansinho e, quase sem que déssemos por ele, já lá estava dentro, um tipo inteligente e perigoso, conhecíamo-lo de ginjeira. A Estefânia foi incrível. Mal o viu, interrompeu a frase que tratava de uma operação de alto risco, agarrou no giz e no ponteiro e pôs-se a explicar o ç, ainda me lembro que era o ç de cedilha. O Badajoz – era assim que o gajo se chamava, exactamente como a cidade espanhola – sentou-se, ainda hoje consigo ouvir o ranger do banco naquele silêncio onde ninguém parecia ousar respirar. A Estefânia despiu o casaco, apesar de fazer frio lá dentro. Costumava vestir-se com umas roupas ousadas, para o que desse e viesse. Com os braços à mostra e a blusa transparente ela era... bem, era de perder a cabeça. O O'Kelly devia odiar aquilo. O Badajoz limitou-se a cruzar as pernas.

A Estefânia terminou a pretensa aula com uma rotação do corpo provocadora. «Até à próxima», disse. Os camaradas levantaram-se, o esforço de autocontrolo era palpável. O professor de Música que dava aulas à Estefânia e que tinha estado sentado ao meu lado levantou-se e o Badajoz foi ter com ele.

Eu soube-o instantaneamente, percebi logo que aquilo era a catástrofe.

– Com que então um professor analfabeto – disse o Badajoz, e a sua cara contraiu-se num esgar mau e asqueroso. – Estamos sempre a aprender, não é?! Parabéns, espero que tenha ficado satisfeito com o banho de cultura.

O professor empalideceu e passou com a língua pelos lábios secos, mas lá se aguentou.

– Conheci há pouco tempo uma pessoa que nunca aprendeu a ler. Ouvi falar nos cursos da D. Espinhosa, que aliás é minha aluna, e quis assistir pessoalmente a uma aula, antes de a poder recomendar.

– Aah – disse Badajoz. – E como é que ele se chama?

Senti-me aliviado por os outros terem desaparecido. Não tinha comigo a faca. Amaldiçoei-me por isso.

– João Pinto – disse o professor.

– Que original – troçou Badajoz. – E a morada?

O endereço que o professor lhe deu não existia. Eles intimaram-no a comparecer e prenderam-no. A Estefânia já não foi para casa. Eu proibi-a de ir para a casa do O'Kelly. «Vê se tens juízo», aconselhei-o, «Se ela é apanhada, tu também és logo tramado. É demasiado perigoso.» Levei-a para casa de uma tia velha.

O Amadeu pediu-me para ir ter com ele ao consultório. Já tinha falado com o Jorge. Estava completamente transtornado. Completamente fora de si. Daquela maneira silenciosa e pálida que era a sua.

«Ele quer matá-la», disse num sopro de voz, «não o disse com estas palavras, mas é claro: ele quer matar a Estefânia. Para que a sua memória seja apagada antes que eles a apanhem. Imagina só: o Jorge, o meu velho amigo Jorge, o meu melhor amigo, o meu único verdadeiro amigo. Enlouqueceu, quer sacrificar a amante. *Há muitas vidas em jogo*, não se cansou de repetir. Uma vida contra muitas outras, é esse o seu cálculo. Ajuda-me, tens de me ajudar, aquilo não pode acontecer.

Se eu não o tivesse sabido desde sempre, o mais tardar durante aquela conversa teria ficado a saber: o Amadeu amava-a. É claro que eu não podia saber como é que tinha sido com a Fátima, apenas os vira juntos daquela vez, em Brighton, e no entanto tinha a certeza absoluta: isto aqui era completamente diferente, algo muito mais selvagem, lava a arder pouco antes da erupção. O Amadeu era um paradoxo ambulante: autoconfiante e destemido, mas lá no fundo também alguém que sentia permanentemente pousados sobre si os olhares críticos dos outros. E sofria com isso. Foi por isso que ele se juntou a nós, queria defender-se da acusação de ter salvo o Mendes. Creio que a Estefânia foi a oportunidade que ele teve de sair do tribunal, sair definitivamente cá para fora, para o calor da vida, e pelo menos uma vez viver inteiramente de acordo com os seus desejos e as suas paixões. E mandar tudo o resto para o Inferno.

Ele estava consciente dessa oportunidade, disso tenho eu a certeza. Ele conhecia-se bastante bem, melhor do que a maior parte dos outros, mas havia aquela barreira, o tabu da lealdade perante o Jorge. O Amadeu era a pessoa mais leal que existia no Universo, a lealdade era a sua religião. Para ele era a lealdade contra a liberdade e um pouco de felicidade, nada mais, nada menos. Até ali, tinha-se oposto à avalanche do desejo e desviava logo o olhar faminto assim que via a rapariga. Queria continuar a olhar o amigo de olhos nos olhos, não queria aceitar que uma amizade de quarenta anos pudesse ser destruída por uma fantasia, por mais tórrida que esta fosse.

E agora o Jorge queria levar-lhe a rapariga que nunca lhe pertencera. Queria destruir o frágil equilíbrio interior que tinha havido entre a lealdade e a esperança renegada. Isso foi demasiado.

Fui falar com o O'Kelly. Ele negou ter dito, ou apenas insinuado algo do género. Tinha umas manchas vermelhas no rosto não barbeado e era difícil saber se elas tinham mais a ver com a Estefânia, se com o Amadeu.

Estava a mentir. Eu sabia-o e ele sabia que eu o sabia.

Tinha começado a beber, sentia que estava a perder o controlo, que a Estefânia se lhe escapava, com ou sem o Amadeu, e não conseguia suportar aquilo.

«Podemos pô-la fora do país», propus.

«Eles caçam-na», disse, «o professor é bem intencionado, mas não tem força suficiente, eles quebram-no e ficam a saber que está lá tudo, por detrás daquela testa. E depois caçam-na, metem no terreno tudo o que têm, temos que ver que é demasiado importante, imagina só, *toda a rede de Lisboa*, ninguém prega olho enquanto não a apanharem, e eles são um exército.»

As enfermeiras tinham-no chamado e batido repetidamente à porta, por causa do jantar. Eça ignorara-as e continuara a falar. Escurecera no quarto e a voz de João Eça soou a Gregorius como vinda de um outro mundo.

– O que lhe vou dizer agora vai chocá-lo: eu compreendi o O'Kelly. Compreendi-o, tanto a ele como aos seus argumentos, pois eram duas coisas diferentes. Se eles lhe injectassem uma droga e lhe conseguissem quebrar a memória estávamos todos tramados. Todos nós, cerca de duzentas pessoas, e seriam ainda muitas mais, quando começassem a apanhar cada um de nós. Era impensável. Era só preciso imaginar uma pequena parte das consequências para concluir: dê por onde der, ela *tem de desaparecer*.

Nesse sentido eu percebi o O'Kelly. Ainda hoje penso que era um assassínio defensável. Quem diz o contrário está a levar as coisas com uma grande leveza. Falta de fantasia, diria eu. O desejo de, acima de tudo, manter as mãos limpas. Um nojo.

O que eu acho é que naquele assunto o Amadeu não conseguia pensar com clareza. Via à sua frente os olhos brilhantes, aquele tom de pele estranho, quase asiático, a gargalhada fácil, contagiante, aqueles requebros no andar, e simplesmente não queria que tudo aquilo se extinguisse, *não o podia querer*, e ainda bem que não podia, pois tudo o resto transformá-lo-ia num monstro, num monstro da renúncia.

Pelo contrário, o O'Kelly... desconfiei que ele visse naquilo uma espécie de redenção, uma redenção da tortura de já não conseguir segurá-la, sabendo que a paixão a atraía na direcção do Amadeu. E também aí o compreendi, embora num sentido completamente diferente, sem aprovação. Compreendi-o porque me reconheci nos seus sentimentos. Já fora há muito tempo, mas também eu perdera uma mulher para um outro homem, e também ela trouxera a música para dentro da minha vida. Não o Bach, como no caso do O'Kelly, mas Schubert. Eu sabia o que significava sonhar com uma tal redenção, e sabia o quanto procuramos um pretexto que justifique um tal plano.

E precisamente por isso decidi agir contra ele. Fui buscar a rapariga ao esconderijo e levei-a para o consultório da casa azul. A Adriana odiou-me por causa disso, mas, no fundo, ela já antes me odiava, eu era o homem que lhe tinha raptado o irmão e o levara para a resistência antifascista.

Falei com pessoas que conheciam as montanhas na zona da fronteira e instruí o Amadeu. Esteve uma semana fora. Quando voltou adoeceu. Nunca mais vi a Estefânia.

A mim apanharam-me pouco depois, mas isso não teve nada a ver com ela. Parece que esteve no funeral de Amadeu. Muito mais tarde, ouvi dizer que trabalhava em Salamanca, como docente de História.

Com o O'Kelly não troquei uma palavra durante dez anos. Agora já vamos falando, mas nenhum de nós procura o outro. Ele sabe o que eu na altura pensei e isso não torna as coisas mais fáceis.

Eça travou intensamente o cigarro, a brasa consumiu o papel que brilhava na escuridão. Tossiu.

– Sempre que Amadeu me ia visitar à choça sentia-me tentado a perguntar-lhe pelo O'Kelly e pelo que acontecera à sua amizade. Não ousei fazê-lo. Amadeu nunca ameaçou ninguém, isso não fazia parte do seu credo. Só que, sem o saber, todo ele podia transformar-se numa ameaça. A ameaça de explodir perante os nossos olhos. É claro que ao Jorge também não podia perguntar. Talvez agora, passados mais de trinta anos, não sei. Será que uma amizade pode sobreviver a algo assim?

Quando saí ainda investiguei o que acontecera ao professor. Depois do dia da detenção ninguém mais soube nada dele. Aqueles malditos porcos. O Tarrafal. Já ouviu falar do Tarrafal? Eu estava à espera de ir lá parar. O Salazar estava senil e a PIDE. fazia o que lhe dava na real gana. Acho que foi por acaso que isso não aconteceu, o acaso é o irmão do despotismo. Se tivesse acontecido já me tinha mentalizado para marrar contra a parede da cela até fracturar a crânio.

Ficaram calados. Gregorius não sabia o que dizer.

Por fim, Eça levantou-se e acendeu a luz. Esfregou os olhos e decidiu-se pela abertura que sempre fazia. Depois de concluído o quarto lance, Eça afastou o tabuleiro para o lado. Levantaram-se. João Eça enfiou as mãos nos bolsos do casaco de lã. Depois aproximaram-se um do outro e abraçaram-se. Todo o corpo de Eça tremia. Um som cavo de força animal e desespero soltou-se da sua garganta. Logo a seguir, a tensão esmoreceu e ele agarrou-se com força a Gregorius, que lhe passou a mão pela cabeça. Quando Gregorius abriu silenciosamente a porta, Eça estava à janela, virado para a noite.

32 Gregorius estava no salão da vivenda de Silveira a observar uma série de fotografias, instantâneos de uma grande festa. A maioria dos homens usava fraque, as senhoras vestidos compridos, cujas abas roçavam o chão de tacos brilhantes. José António da Silveira encontrava-se também entre os presentes, muitos anos mais novo e acompanhado pela mulher, uma loura opulenta que lhe fez lembrar Anita Ekberg na *Fontana di Trevi*. As crianças, talvez sete ou oito, perseguiam-se por baixo das inúmeras mesas do *buffet*. Por cima de uma das mesas o brasão da família, um urso prateado com uma faixa vermelha. Numa outra imagem estavam todos sentados num salão a escutar uma jovem a tocar piano, uma beleza de alabastro, vagamente parecida com a portuguesa sem nome da ponte de Kirchenfeld.

Depois de ter chegado a casa, Gregorius ficara sentado na cama durante muito tempo, até que a comoção provocada pela despedida de João Eça se desvanecera. Aquele estertor vindo do fundo da garganta, um soluçar seco, um pedido de ajuda, uma recordação da tortura, tudo isso junto, ele sabia que ficaria para sempre gravado na sua memória. Desejou poder beber suficiente chá quente que pudesse lavar toda aquela dor do peito de Eça.

Depois, pouco a pouco, começara a lembrar-se novamente dos pormenores da história de Estefânia Espinhosa. Salamanca, tinha-se tornado professora em Salamanca. A placa da estação com aquele nome sombrio e medieval surgiu novamente perante os seus olhos. Depois a placa desapareceu e ele pôs-se a pensar na cena que o padre Bartolomeu lhe descrevera: o modo como O'Kelly e a desconhecida, sem olharem um para o outro, se tinham aproximado, até ficarem um em frente ao outro, separados apenas pela sepultura de Prado. *O facto de terem evitado olharem-se nos olhos criou, entre eles, uma proximidade maior do que qualquer troca de olhares poderia ter gerado.*

Por fim, Gregorius começara a desfazer a mala e a arrumar os livros na estante. A casa estava mergulhada em silêncio. Julieta, a empregada, saíra e deixara-lhe uma nota em cima da mesa da cozinha, para lhe explicar onde poderia encontrar a comida. Gregorius nunca tinha estado numa casa como aquela e tudo lhe parecia agora proibido, até mesmo o som dos seus próprios passos. Pusera-se então a acender as luzes, uma a uma. A sala de jantar, onde tinham comido juntos. A casa de banho. Lançara mesmo uma rápida olhadela ao escritório de Silveira, só para voltar a fechar a porta imediatamente a seguir.

E agora encontrava-se no salão, onde tinham bebido o café, e dizia em voz alta a palavra *nobreza*. O som agradou-lhe, agradou-lhe tanto que não se cansou de o repetir. Lembrou-se então que a palavra alemã *Adel*, que agora lhe vinha à consciência, também sempre lhe agradara. Era uma palavra para dentro da qual a substância fluía, ou inversamente. De l'Arronge, o apelido de solteira de Florence, nunca o fizera pensar em nobreza, e ela também não o achara importante. Lucien von Graffenried – isso já era diferente. Velha aristocracia de Berna, associava-o a estruturas nobres e impecáveis de calcário, à curva da Gerechtigkeitsgasse e ao facto de em Beirute ter havido um von Graffenried que desempenhara um papel obscuro.

E, naturalmente, Eva von Muralt, a «Incrível.» Tinha sido apenas uma festa de estudantes, em nada comparável com as fotografias de Silveira, e no entanto ele suara de excitação sob aqueles tectos alto. «Incrível!» exclamara Eva, quando um rapaz lhe perguntara se era possível comprar um título nobiliário. «Incrível!» voltara a exclamar, quando ele, no final, se dispusera a lavar a louça.

A colecção de discos de Silveira tinha um aspecto empoeirado, como se o período da sua vida em que a música desempenhara um papel importante já tivesse passado há muito. Gregorius encontrou Berlioz, *Les Nuits d'Été*, *La Belle Voyageuse* e *La Mort d'Ophélie*, a música que Prado amara porque lhe fazia lembrar Fátima. A *Estefânia foi a sua oportunidade, com ela teve, por fim, a ocasião de sair do tribunal, cá para fora, para o cenário livre e tórrido da vida*.

Maria João. Tinha de encontrar finalmente a Maria João. Se alguém soubesse o que acontecera durante a fuga e porque é que Prado adoecera depois do regresso, esse alguém só podia ser a Maria João.

Gregorius passou uma noite inquieta, atento aos mínimos ruídos. As imagens dispersas dos sonhos assemelhavam-se entre si: mulheres aristocráticas, limusinas e *chauffeurs* por todo o lado. E todos eles perseguiam Estefânia. Perseguiam-na, embora ele não tivesse conseguido ver nem uma única imagem dela. Acordou com vertigens e o coração a bater descompassadamente. Às cinco da madrugada foi sentar-se na mesa da cozinha com a outra carta que Adriana lhe trouxera.

Meu estimado, meu querido filho,

Ao longo de todos estes anos já tentei escrever-te e deitei fora tantas cartas que nem sequer sei o seu número. Porque será que é assim tão difícil?

Poderás imaginar o que significa ter um filho abençoado com tantos talentos e uma tão grande lucidez? Um filho de uma tão brilhante eloquência que ao pai só lhe resta a mudez para não soar como um ignorante? Nos meus tempos de estudante de Direito gozei da fama de saber lidar com palavras. Na família Reis, a família da tua mãe, fui introduzido como um jovem e brilhante advogado. Os meus discursos contra o Sidónio Pais, o vigarista galante de uniforme, e a favor de Teófilo Braga, o homem do chapéu-de-chuva no eléctrico, causaram sensação. Se é assim, então porque é que acabei por emudecer?

Tinhas quatro anos quando vieste ter comigo com um livro, para me ler duas frases: «Lisboa é a nossa capital. É uma cidade lindíssima.» Era uma tarde de domingo, depois de um aguaceiro. O ar estava pesado, saturado do perfume das flores molhadas. Bateste à porta, espreitaste e perguntaste: «Tens um minutinho?» Como o filho adulto de uma casa aristocrática, que se aproxima respeitosamente do chefe da família para lhe pedir uma audiência. O comportamento precoce agradou-me, mas, simultaneamente, também me assustei. O que é que tínhamos feito de errado para que tu não tivesses entrado de rompante, como as outras crianças? A tua mãe não me tinha dito nada sobre o livro e eu caí das nuvens quando começaste a ler as frases sem a mínima hesitação e com a voz clara de um recitador. E não era só clara, aquela voz, mas também cheia de um amor tão grande pelas palavras que transformou as duas frases banais em poesia. (Pode parecer estúpido, mas por vezes penso que foi nelas que teve origem a tua nostalgia, a tua famosa saudade em que te deleitavas, sem que, por isso, ela fosse menos genuína; embora nunca tivesses estado fora de Lisboa, pelo que era impossível que pudesses saber o que é a saudade. Nesse caso, tê-la-ás sentido antes que a pudesses sentir; mas quem sabe, de ti pode-se esperar tudo, mesmo algo impensável.)

Uma inteligência cintilante enchia o quarto e lembro-me de ter pensado que a simplicidade das palavras pouco tinha a ver com a tua esperteza. Mais tarde, quando me vi de novo sozinho, um outro pensamento sobrepôs-se ao orgulho: a partir de agora, o seu espírito vai ser como um intenso projector que passará a iluminar impiedosamente todas as minhas fraquezas. Creio que começou aí o meu temor perante ti. Sim, porque eu temi-te.

Como é difícil para um pai impor-se perante os seus filhos! E como é difícil suportar a consciência de que, invariavelmente, acabamos por nos inscrever nas suas almas, com todas as nossas fraquezas, a nossa cegueira, os nossos erros e a nossa cobardia! Inicialmente, vinha-me esse pensamento quando pensava na transmissão hereditária da mórbida síndrome de Bechterev, de que, graças a Deus, todos vós haveis sido poupados. Mais tarde, comecei a pensar mais na alma, no nosso lado interior, sempre tão receptivo a impressões como uma placa de cera, capaz de apontar tudo com um rigor sismográfico. Punha-me em frente ao espelho e pensava: até que ponto é que este rosto austero os vai lesar?

Mas que culpa é que temos de ter a cara que temos? Não me atrevo a dizer «nenhuma», pois não me refiro apenas à simples fisionomia. Porém, não será grande, essa culpa. Nós não somos os escultores das nossas expressões, assim como não somos os encenadores da nossa rigidez, do nosso riso e do nosso choro.

Daquelas duas primeira frases nasceram centenas, milhares, milhões de outras frases. Por vezes, parecia que os livros te pertenciam como as mãos que os seguravam. Às vezes, quando estavas a ler lá fora, nos degraus da entrada, vinha parar ao pé de ti uma bola com que as outras crianças brincavam na rua. A tua mão soltava-se do livro e atirava-lhes a bola. Que estranho movimento aquele!

Amei o teu talento de leitor, amei-te muito enquanto lias. Mesmo quando aquela tua obsessão pela leitura, que te parecia consumir, me assustava.

Ainda mais assustador me pareceste quando te via levar as velas para o altar. Ao contrário da tua mãe, nunca acreditei que pudesses vir a ser padre. Tu tens o carácter de um rebelde, e os rebeldes não se tornam padres. Qual seria então o alvo de toda aquela paixão, que objecto iria ela escolher? Para mim era perfeitamente perceptível que se tratava de uma paixão explosiva, e eu temia as explosões que ela pudesse provocar.

Senti esse medo quando te vi entrar na sala do tribunal. Tinha de condenar a ladra e mandá-la para a prisão, pois a lei assim o exigia. Porque é que depois, à mesa, me olhaste como se eu fosse um algoz? O teu olhar paralisou-me, nem consegui falar naquilo. Será que tens uma ideia melhor sobre o que devemos fazer com os ladrões? Queres transmitir-ma?

Assisti ao teu crescimento, admirei o brilho do teu espírito, escutei as tuas blasfémias contra Deus! Nunca gostei do teu amigo Jorge – os anarquistas metem-me medo – mas fiquei contente por teres finalmente um amigo, um rapaz como tu; podia ter sido pior, em sonhos a tua mãe via-te pálido e apático, atrás dos muros de um hospício. Ela assustou-se profundamente com o teu discurso de finalista. «O que é que eu fiz para ter um filho blasfemo?», dizia.

Também eu li o texto. E senti-me orgulhoso! E invejoso! Invejoso por causa da independência do pensamento e da integridade manifestada em cada uma das suas linhas. Aqueles pensamentos eram como um horizonte luminoso que eu também teria querido alcançar, mas a que nunca iria poder chegar, tamanho era o peso da minha educação. Como é que poderia eu ter-te explicado a minha orgulhosa inveja? Sem tornar-me ainda mais pequeno, mais pequeno e vergado do que aquilo que já era?

Que loucura, pensou Gregorius: dois homens, pai e filho, tinham morado em encostas sobranceiras da mesma cidade, como adversários numa tragédia antiga, ligados um ao outro por um temor arcaico e por uma afeição para a qual não haviam conseguido encontrar palavras, e tinham-se escrito cartas que não tinham ousado enviar. Encravados num silêncio ininteligível para cada um deles, e cegos perante o facto de que o silêncio de um provocava o silêncio do outro.

– A senhora às vezes também comia aqui – disse Julieta quando voltou ao fim da manhã e o encontrou à mesa da cozinha. – Mas ela não lia livros, só revistas.

A rapariga olhou-o atentamente. Teria dormido mal? A cama não era boa?

Não, estava tudo bem, sossegou-a Gregorius, para dizer a verdade, há muito que não se sentia tão bem.

Que bom que era ter outra pessoa em casa, confessou Julieta, o Sr. Silveira tornara-se tão calado e fechado. – Odeio hotéis – dissera ainda há poucos dias, quando ela o ajudara a fazer as malas. – Porque é que eu insisto nesta vida? Podes explicar-me, Julieta?

33

Ele era o aluno mais estranho que ela tinha tido até agora, disse Cecília.

– Conhece mais palavras literárias do que a maioria das pessoas que andam no eléctrico, mas quando se trata de praguejar, ir às compras ou reservar um bilhete para uma viagem, não faz a menor ideia. Para já não falar em fazer uso do encanto que tem. Ou será que sabe o que teria de me dizer?

A professora aconchegou-se com um arrepio de frio, cingindo a estola verde contra o peito.

– E depois o sujeitinho possui ainda a mais lenta prontidão na resposta que me foi dada a conhecer. Lento e de resposta pronta – nunca pensei que isso pudesse existir. Mas no seu caso ...

Sob o seu olhar reprovador, Gregorius agarrou na gramática e mostrou-lhe um erro que ela cometera.

– Pois – admitiu Cecília, e o lencinho verde colado aos seus lábios insuflou-se novamente. – Só que, por vezes, a opção desleixada é a mais adequada. E de certeza que já deve ter sido assim entre os gregos.

A caminho da casa do Silveira, Gregorius parou depois para tomar um café na pastelaria em frente à farmácia de O'Kelly. De vez em quando, via o farmacêutico a fumar através do vidro da montra. *Estava perdido por ela*, ouviu dizer João Eça. *Ela gostava dele, mas não era uma paixão. Isso irritava-o e tornava-o doentiamente ciumento...*

Amadeu entrou na sala, olhou para ela e ficou enfeitiçado. Gregorius abriu livro de Prado e procurou uma passagem.

Mas quando iniciamos uma viagem, tentando compreender uma pessoa na sua interioridade, será que chegamos a um qualquer fim? Será que a alma é um local habitado por factos? Ou será que os pretensos factos não passam das sombras falseadas das nossas histórias?

No eléctrico, a caminho de Belém, sentiu de repente que a sua relação com a cidade estava prestes a modificar-se. Até aí, Lisboa tinha sido, única e exclusivamente, o palco das suas investigações, e o tempo que a atravessara ficara marcado pela sua pretensão de vir a saber cada vez mais acerca de Prado. Mas quando agora olhava lá para fora, através da janela do eléctrico, o tempo em que ele se arrastava, rangendo e chiando, pertencia-lhe por inteiro a ele, e passara a ser, simplesmente, o tempo em que Raimund Gregorius vivia a sua nova vida. Viu-se de novo no estaleiro de Berna a perguntar pelos velhos eléctricos. Há três semanas atrás tinha tido aqui a sensação de viajar pela Berna da sua infância. Agora viajava por Lisboa, apenas e só por Lisboa. Sentiu como no fundo de si os sedimentos da memória se alteravam.

Quando chegou a casa telefonou à Sr.ª Loosli para lhe dar a nova morada. A seguir, ligou para o hotel e ficou a saber que a gramática persa já tinha chegado. A varanda estava iluminada pela luz quente do sol primaveril. Pôs-se a ouvir as conversas das pessoas na rua e espantou-se com o muito que já conseguia perceber. De um sítio qualquer vinha um cheiro a comida. Pensou na minúscula varanda da sua infância, perpetuamente atravessada pelos mais variados e repugnantes cheiros de cozinha. Quando, mais tarde, se deitou sob a coberta na cama do filho de Silveira, adormeceu instantes depois e viu-se transportado para um concurso de prontidão nas respostas, em que o mais lento vencia. Viu-se com a Eva von Muralt, a «Incrível», a lavar a loiça da festa. Por fim, deu por si sentado no escritório de Kägi, a telefonar, durante horas a fio, para países estranhos, sem que ninguém atendesse.

Na vivenda de Silveira o tempo também começava a ser o seu próprio tempo. Pela primeira vez, desde que estava em Lisboa, acendeu a televisão e viu o noticiário da noite. Aproximou-se muito do aparelho, para reduzir o mais possível o espaço que distava entre ele e as palavras. Ficou espantado com tudo o que acontecera entretanto e com a diferença do fragmento do mundo que aqui era considerado relevante. Por outro lado, espantava-o também o facto de o conhecido aqui ser idêntico ao que ele conhecia de casa. Pensou então: vivo aqui. Não conseguiu acompanhar o filme que se seguiu. No salão pôs a tocar o disco com a música de Berlioz que Prado ouvira durante dias e dias depois da morte de Fátima. O som ecoou por toda a casa. Decorrido algum tempo, sentou-se à mesa da cozinha e acabou de ler a carta que o juiz escrevera ao filho que temia.

Por vezes, meu filho, e cada vez mais, surges-me como um juiz arrogante que me acusa de não conseguir despir a toga. De fechar os olhos perante a crueldade do regime. Nessas alturas, sinto o teu olhar como uma luz incandescente e sinto vontade de rezar a Deus, para que Ele te dê mais compreensão e te livre desse brilho de carrasco fanático que te incendeia os olhos. Porque é que não lhe concedeste um pouco mais de fantasia, meu Deus, quando se trata de me compreender a mim, o seu pai, gostaria de Lhe gritar, e seria um grito cheio de raiva.

Porque vê bem uma coisa: por mais transbordante que a tua fantasia seja, tu não fazes a mínima ideia daquilo que as dores e umas costas vergadas podem fazer de uma pessoa. É normal, ninguém o consegue imaginar, a não ser as próprias vítimas. Ninguém. E assim tu podes explicar-me maravilhosamente aquilo que Vladimir Bechterev descobriu. E eu não quero perder uma única dessas conversas, são horas preciosas, em que te sinto próximo e me sinto protegido pelo teu saber. Mas depois tudo passa e eu regresso ao inferno de ter de suportar a prostração. E há uma coisa que tu nunca pareces levar em linha de conta: que dos escravos da deformação humilhante e da dor constante não se pode esperar o mesmo que daqueles que se conseguem esquecer do próprio corpo, para depois, quando a ele regressam, o desfrutar com todo o prazer. Não, não se pode esperar o mesmo deles! E que não lhes compete a eles dizerem-no e terem de se justificar continuamente, pois isso não passaria de uma nova humilhação!

A verdade – pois, a Verdade – é muito simples: eu não sei como poderia suportar a vida se o Henrique não me viesse buscar todas as manhãs às dez para as seis. Os domingos – tu não fazes a mínima ideia da tortura que eles constituem. Por vezes, não consigo dormir no sábado à noite, porque me ponho a prever como é que o domingo irá decorrer. Eu bem sei que no tribunal gozam por eu entrar todos os sábados às seis e um quarto no edifício vazio. Por vezes, acho que a leviandade é capaz de provocar danos mais cruéis do que qualquer outro defeito humano. Fartei-me de requerer uma chave pessoal, eles recusaram. Às vezes desejo que, por um único dia, eles sentissem as minhas dores: só para perceberem.

Quando entro no escritório as dores diminuem um pouco, é como se o espaço à minha volta se transformasse numa base de apoio no interior do corpo. Até pouco antes das oito reina o silêncio no edifício. Na maior parte das vezes, tenho tempo para estudar os casos do dia. Tenho de ter a certeza de que não vai haver surpresas, porque uma pessoa como eu teme as surpresas. De vez em quando, leio alguma poesia. A respiração torna-se então mais calma, é como se estivesse a olhar para o mar, e já tem acontecido que isso me alivie as dores. Estás agora a perceber?

Mas o Tarrafal, dirás. Pois, o Tarrafal, eu bem sei. Será que devo entregar as chaves por isso? Já o tentei, e não foi só uma vez. Tirei-a do molho e pu-la em cima da secretária. Depois saí do edifício e pus-me a andar pelas ruas, como se o tivesse realmente feito. Respirei para dentro das costas, como o médico me aconselha, e a respiração tornou-se cada vez mais ruidosa e ofegante, andei a soprar pelas ruas, febril e dominado pelo medo de que aquele acto imaginário pudesse, um dia, tornar-se realidade. Mais tarde, quando me sentava na cadeira de juiz, tinha a camisa banhada em suor. Será que agora começas a perceber?

Não foste o único a quem escrevi inúmeras cartas que depois desapareceram. Também escrevi ao ministro, uma e outra vez. E uma das cartas entreguei-a ao estafeta que faz a distribuição interna no Ministério. Fui apanhá-lo já na rua. O homem ficou irritadíssimo por ter de remexer no saco, à procura da carta, e olhou-me com a curiosidade cheia de desprezo com que algumas pessoas observam um louco. A carta foi parar ao mesmo sítio que todas as outras: ao rio. Para que a tinta reveladora se diluísse. Será que percebes agora?

A Maria João Flores, a tua fiel amiga desde os tempos do liceu, percebeu. Um dia, quando já não conseguia suportar o modo como tu olhavas para mim, encontrei-me com ela.

«Ele quer venerá-lo», disse-me, pousando a sua mão na minha. «Venerá-lo e amá-lo como quem venera e ama um modelo ideal. "Não o quero ver como um doente a quem se perdoa tudo", diz. "Seria como se já não tivesse pai." Ele atribui aos outros um determinado papel na sua alma e é impiedoso quando eles não o cumprem. Uma requintada forma de egocentrismo.»

Depois ficou a olhar para mim e ofereceu-me um sorriso que parecia vir dos confins do grande território de uma vida profundamente vivida.

«Porque é que não experimenta mostrar-lhe a sua ira?»

Gregorius agarrou na última folha. As poucas frases que continha tinham sido escritas com uma tinta diferente, e o juiz datara-a: 8 de Junho de 1954, um dia antes da sua morte.

A luta acabou. O que é que posso então dizer-te, meu filho, na despedida?

Tornaste-te médico por minha causa. O que teria acontecido se não tivesse havido a sombra do meu sofrimento a pairar sobre ti, sobre o teu crescimento? Sinto-me em dívida para contigo. Tu não és responsável pela permanência das dores e pelo facto de elas terem, finalmente, quebrado a minha resistência.

Deixei as chaves no escritório. Vão atribuir a culpa de tudo às dores. Não conseguem imaginar que um fracasso também pode matar.

Será que a minha morte te basta?

Gregorius sentiu frio e ligou o aquecimento. *Por um triz o Amadeu tinha-a lido, mas tive um pressentimento e consegui escondê-la,* lembrou-se de ter ouvido dizer a Adriana. O aquecimento não lhe serviu de nada. Acendeu a televisão e ficou a ver uma telenovela. Não conseguiu perceber uma única palavra, podia ser chinês. Na casa de banho encontrou um soporífero. Quando o comprimido começou a fazer efeito já amanhecia lá fora.

34

Havia duas Maria João Flores que moravam em Campo de Ourique. No dia seguinte, a seguir ao curso de Português, Gregorius tomou um táxi para lá. Por detrás da primeira porta a que tocou morava uma jovem com duas crianças que o observaram, agarradas às pernas da mãe. No outro prédio deram-lhe a informação de que a D. Flores só voltava dali a dois dias.

Gregorius foi buscar ao hotel a gramática persa e seguiu depois para o liceu. Bandos de aves de arribação sobrevoaram ruidosamente o edifício abandonado. Ele esperara que o vento quente de África regressasse, mas o ar ameno de Março, onde ainda se notava um sopro do rigor invernal, manteve-se.

Entre as folhas da gramática encontrava-se uma folha com uma nota de Natalie Rubin: *Já consegui chegar até aqui!* A caligrafia tem que se lhe diga, dissera-lhe ela quando ele lhe telefonara para dizer que o livro já chegara. Há já vários dias que não fazia outra coisa, os pais até já estavam impressionados com a sua aplicação. E para quando é que ele planeava a sua viagem ao Irão? E hoje em dia isso não era um bocadinho perigoso?

No ano anterior Gregorius tinha lido no jornal um artigo acerca de um homem que começara a aprender Chinês aos noventa anos. O autor divertira-se à custa do ancião. *Você não faz a mínima ideia* – fora com esta frase que Gregorius começara o rascunho de uma carta do leitor. «Porque é que estraga o seu dia com uma bagatela dessas?», perguntara-lhe Doxiades, ao perceber como aquilo o irritava. Acabara por não enviar a carta. Mas a indiferença de Doxiades tinha-o incomodado.

Quando, há um par de dias, em Berna, tentara perceber até que ponto se lembrava ainda dos caracteres persas, fora bem pouco o que a sua memória conseguira resgatar. Mas agora, com o livro à sua frente, conseguia avançar bem mais depressa. *Ainda lá estou, num sítio distante no tempo, nunca de lá saí, pois continuo a viver disperso no passado, ou a partir dele*, anotara Prado. *As milhares de transformações que impeliram o tempo para a frente são, comparadas com esta presença intemporal do sentir, voláteis e irreais como um sonho.*

O cone de luz no escritório do Sr. Cortês deslocou-se. Gregorius pensou no rosto irremediavelmente imóvel do seu defunto pai. Gostaria de lhe ter contado o seu medo da tempestade de areia persa. Mas ele não era um pai a quem se contassem tais coisas.

Percorreu a pé o longo caminho até Belém e fê-lo de modo a passar pela casa onde o juiz vivera com o seu mutismo, as suas dores e o seu medo perante a reprovação do filho. Os cedros sobressaíam no céu nocturno. Gregorius pensou na cicatriz que a fita de veludo escondia no pescoço de Adriana. Por detrás das janelas iluminadas Mélodie ia e vinha. Ela devia saber se estes eram os cedros vermelhos. E o que é que eles tinham a ver com aquele acto, devido ao qual Amadeu poderia ter sido acusado em tribunal de danos físicos.

Era já a terceira noite que ele passava em casa de Silveira. *Vivo aqui*. Gregorius atravessou a casa, o quintal escuro, e saiu para a rua. Deu um passeio pelo bairro e viu as pessoas a cozinharem, a comerem, a verem televisão. Quando regressou ao ponto de partida ficou a observar a fachada de um amarelo pálido com o pórtico iluminado. Uma moradia elegante num bairro de gente rica. *É aqui que eu agora vivo*. No salão sentou-se num sofá. O que é que poderia significar tudo aquilo? Na Bubenbergplatz já não conseguira tocar. Conseguiria, com o tempo, tocar no chão de Lisboa? E que espécie de contacto seria esse? Como é que soariam os seus passos naquele chão?

Viver o instante: soa tão certo e tão belo, escrevera Prado num dos seus breves apontamentos, *mas quanto mais o desejo, tanto menos percebo o que isso significa*.

Gregorius nunca se entediara em toda a sua vida. Havia poucas coisas que ele achara mais incompreensíveis do que a incapacidade de saber o que fazer com o tempo disponível. Mesmo agora, não era tédio o que sentia. O que sentia naquela casa silenciosa e demasiado grande era algo bem diferente: o tempo parara, não, o tempo não parara, mas não o arrastava consigo, não o levava ao encontro de um qualquer futuro. Passava por ele, indiferente e intangível.

Subiu ao quarto do rapaz e pôs-se a ler os títulos dos romances de Simenon. *O Homem Que Via Passar os Comboios*. Era o romance do qual vira imagens afixadas na montra do cinema de Bubenberg. Fotografias a preto-e-branco com a Jeanne Moreau. Tinha feito ontem, segunda-feira, três semanas que ele tinha fugido. O filme devia ter sido realizado nos anos 60. Há quarenta anos. Há quanto tempo?

Gregorius hesitou em abrir o livro de Prado. A leitura das cartas havia modificado algo. A carta do pai ainda mais que a do filho. Por fim, lá começou a folheá-lo. Já não havia muitas páginas que ele não conhecesse. O que é que sentiria depois de ler a última frase? Ele sempre temera a última frase, e a partir do meio do livro afligia-o periodicamente a consciência de que iria haver, inevitavelmente, uma última frase. Só que, desta vez, ler a última frase ainda seria mais difícil. Seria como se o fio invisível que até agora o ligara à livraria espanhola do Hirschengraben se rompesse. Iria protelar o virar da derradeira página e adiar o último olhar tanto quanto possível, já que não o podia evitar completamente. A última consulta do dicionário mais minuciosa do que o necessário. A última palavra. O último ponto. Só então chegaria a Lisboa. A Lisboa, Portugal.

TEMPO ENIGMÁTICO. *Precisei de um ano para descobrir a duração de um mês. Foi em Outubro do ano passado, no último dia do mês. Aconteceu aquilo que todos os anos acontece e que, não obstante, me deixa sempre confuso, como se nunca o tivesse experimentado: a nova luz desbotada da manhã anunciava o Inverno. Já não era o brilho ardente, o encadear doloroso, o sopro da brasa que nos faz procurar a sombra. Uma luz suave e conciliadora que continha em si a brevidade próxima dos dias. Não é que eu enfrentasse a nova luz como um inimigo, como alguém que a recusasse e combatesse numa pantomina vã. Poupamos forças quando o mundo perde os contornos acerados do Verão e nos mostra limites mais difusos, que apelam a menos empenho.*

Não, não foi o véu pálido e leitoso da nova luz que me fez estremecer. Foi antes o facto de que aquela luz desmaiada e esvaída anunciava, uma vez mais, o fim irrevogável de um ciclo da Natureza e de um período temporal da minha vida. O que é que eu tinha feito desde os finais de Março, desde o dia em que a chávena pousada na mesa do café, ao sol, aquecera novamente, surpreendendo-me quando lhe tocara na asa? Teria decorrido muito tempo, desde então, ou pouco? Sete meses – o que é que isso significava?

Normalmente, evito a cozinha, é o reino da Ana, e há algo naquele seu enérgico manusear de tachos e frigideiras que me incomoda. Mas naquele dia precisava de alguém perante o qual pudesse exprimir o meu silencioso susto, mesmo que só o pudesse fazer sem o enunciar.

«Quanto tempo é um mês?», perguntei, sem qualquer introdução.

Ana, que se preparava para acender o gás, soprou o fósforo.

«O que é que o senhor quer dizer?»

Tinha a testa enrugada, como alguém que enfrenta um enigma insolúvel.

«Simplesmente o que disse: quanto tempo é um mês?»

Ela começou a esfregar as mãos, embaraçada e cabisbaixa.

«Bem, às vezes são trinta dias, outras vezes...»

«Isso já eu sei», insisti impaciente, «a questão é: quanto tempo é isso?»

Ana deitou a mão a uma colher de pau, para ter qualquer coisa a que se agarrar.

«Uma vez tive de tratar da minha filha durante quase um mês», disse, hesitante e cuidadosa como um psicoterapeuta que receia que as suas palavras possam desencadear uma qualquer crise irremediável. «Subir e descer as escadas muitas vezes ao dia com a sopa que não podia ser entornada. Foi muito tempo.»

«E como é que foi depois, olhando par atrás?»

Ana arriscou um sorriso em que exprimia o alívio por, pelos vistos, não ter falhado completamente a resposta. «Continuou a ser muito tempo. Mas, a partir de uma certa altura, começou a encurtar cada vez mais, eu sei lá...»

«O tempo, a subir as escadas com toda aquela sopa – sentes a sua falta agora?»

Ana virou a colher de um lado para o outro, depois tirou um lenço do avental e assoou-se. «Claro que gostei de tratar da menina, nessa altura ainda não era nada teimosa. Mesmo assim, não quero voltar a passar por aquele mau bocado. Estava sempre com medo, porque não sabíamos o que aquilo era e se era perigoso.»

«Estou a referir-me a algo diferente: se tens pena que aquele mês tenha passado; que o tempo se tenha esgotado; que já não possas fazer nada dele.»

«Pois, lá passar passou», constatou Ana, e, de repente, já não parecia um psicanalista pensativo, mas sim um aluno aflito em pleno exame.

«Está bem», sosseguei-a, virando-me para a porta. Ao sair, ouvia-a acender um novo fósforo. Porque é que eu era sempre tão breve, tão brusco, tão ingrato para as palavras dos outros quando se tratava de assuntos que para mim eram verdadeiramente importantes? De onde é que vinha aquela necessidade de defender com toda a fúria o que para mim era relevante, se os outros não mo queriam tirar?

No dia seguinte, o primeiro de Novembro, fui de madrugada até ao arco no final da Rua Augusta, a mais bela rua do mundo. Sob a luz desmaiada do amanhecer o rio era uma superfície lisa de prata baça. Viver com uma atenção especial a duração de um mês – era essa a ideia que me tinha feito saltar da cama. No café fui o primeiro a chegar. Quando já havia pouco líquido na chávena retardei o ritmo habitual do beber. Não sabia o que fazer quando o café acabasse. Mas se ficasse simplesmente ali sentado aquele primeiro dia iria ser muito longo. E o que eu queria saber não era o tempo que durava um mês para alguém que se mantivesse completamente imóvel. Mas afinal o que é que eu queria saber?

Por vezes, sou tão lento. Só hoje, quando a luz do princípio de Novembro irrompe novamente, é que me apercebo de que a pergunta que coloquei à Ana – e que tinha a ver com a irrevogabilidade, a perenidade, o pesar e a dor – não era, no fundo, a pergunta que me interessava. A questão que eu quisera colocar era completamente diferente: quais são os factores que contribuem para que sintamos um determinado espaço de tempo – no caso um mês – como um período que nos encheu e satisfez, como o nosso tempo, em vez de ser apenas um tempo que decorreu perante a nossa indiferença, um tempo que sofremos, que nos escorreu por entre os dedos, pelo que nos pareceu um tempo perdido, falhado, que nos deixa tristes não por ter passado, mas simplesmente por não termos conseguido fazer nada dele? Por isso, a pergunta não era: «quanto tempo é um mês?», mas antes: o que é que podemos fazer por e para nós durante o espaço de tempo de um mês? Quando é que fico com a impressão de que este mês foi inteiramente meu?

Estou portanto a exprimir-me erradamente quando digo: precisei de um ano para descobrir a duração de um mês. Foi diferente: precisei de um ano para descobrir o que queria saber quando coloquei a pergunta enganadora sobre a duração de um mês.

No princípio da tarde do dia seguinte, quando voltou das aulas de Português, Gregorius encontrou-se por acaso com Mariana Eça. Quando a viu dobrar a esquina e avançar na sua direcção, percebeu, de repente, porque é que tinha evitado telefonar-lhe: iria falar-lhe das vertigens, ela iria reflectir em voz alta sobre o que aqueles sintomas pudessem significar e isso era algo que ele não queria ouvir.

Mariana propôs-lhe irem beber um café e falou-lhe do tio João. «Fico à espera dele durante toda a manhã de domingo», confessara-lhe ele, referindo-se a Gregorius. «Não sei porquê, mas com ele posso desabafar. Não é que todas essas coisas que me pesam na alma desapareçam, mas por um par de horas sinto-me aliviado.» Gregorius falou-lhe de Adriana e do relógio, de Jorge, do clube de xadrez e da vivenda de Silveira. Esteve também quase a mencionar a viagem a Berna, mas acabou por desistir. Não era coisa que se devesse contar.

Quando acabou, Mariana perguntou-lhe pelos óculos novos e os seus olhos contraíram-se num olhar inquiridor. – Anda a dormir pouco – constatou. Gregorius pensou na manhã em que ela o examinara e em que ele não quisera levantar-se da cadeira em frente à sua secretária. Naquele exame rigoroso. Na viagem de barco a Cacilhas e no *Assam* vermelho-dourado que tomara, mais tarde, em sua casa.

– Nos últimos tempos tenho tido vertigens – confessou. E passados alguns instantes: – Tenho medo.

Uma hora mais tarde, saiu do consultório. Ela controlara-lhe novamente a acuidade visual e medira-lhe a pressão arterial, obrigara-o a fazer flexões e exercícios de equilíbrio e pedira-lhe para descrever com exactidão os ataques de vertigens. Depois apontara-lhe num papel o endereço de um neurologista.

– Não me parece nada de grave – dissera-lhe. – E também não é de espantar, se atendermos a tudo aquilo que mudou na sua vida nos últimos tempos. Mas os exames de rotina têm de ser feitos.

Ele tinha visto à sua frente o rectângulo vazio na parede do consultório de Prado, no sítio onde antes tinha estado pendurado um mapa do cérebro. Ela apercebeu-se logo do seu pânico.

– Um tumor provocaria outras perturbações completamente diferentes – explicou-lhe, passando-lhe a mão levemente pelo braço.

A casa de Mélodie não ficava muito longe.

– Eu sabia que havia de voltar – disse-lhe ela quando abriu a porta. – Depois da sua visita pensei muito no Amadeu durante alguns dias.

Gregorius deu-lhe a ler as cartas do pai e do filho.

– É injusto – disse ela, depois de ler as últimas palavras na carta do pai. – Injusto. Imerecido. Como se o Amadeu o tivesse levado ao suicídio. O seu médico era um homem clarividente. Receitava-lhe os comprimidos para dormir sempre em doses reduzidas. Mas o papá sabia esperar. A paciência era o seu ponto forte. Como uma pedra muda. A mamã pressentiu. Ela pressentia sempre tudo. E não fez nada para o impedir. «Agora já não lhe dói nada», disse, durante o velório. Senti um imenso carinho por ela. «E já não precisa de se atormentar», acrescentei eu. «Pois não», concordou ela.

Gregorius falou-lhe da visita que fizera a Adriana. Mélodie disse-lhe que já não ia à casa azul desde que Amadeu morrera, mas não lhe espantava nada que Adriana a tivesse transformado num museu e num templo em que o tempo parara.

– Ela admirava-o já desde pequenina. Era o irmão mais velho que sabia tudo. Que se atrevia a contestar o papá. O papá! Um ano depois dele ter ido estudar para Coimbra ela foi para o colégio feminino, aquele que fica em frente ao liceu. A mesma escola que a Maria João tinha frequentado. Havia ainda um culto do Amadeu e ela desfrutou do facto de ser a irmã do herói. Apesar de tudo, creio que as coisas teriam evoluído noutro sentido, mais normal, se não tivesse acontecido o drama em que ele lhe salvou a vida.

O acidente ocorreu quando Adriana tinha dezanove anos. Amadeu, que se preparava para a licenciatura, estava em casa, debruçado sobre os livros de dia e de noite. Só descia para as refeições. Foi durante uma dessas refeições familiares que a Adriana se engasgou.

– Já todos nos tínhamos servido e ao princípio não notámos nada. De repente, ouviu-se um ruído esquisito, um estertor horrível. Adriana agarrou-se ao pescoço com as mãos e começou a bater desesperadamente com os pés no chão. O Amadeu estava sentado ao meu lado, absorto na preparação do exame, já nos tínhamos habituado a vê-lo assim sentado, como um fantasma mudo que nem sequer se apercebia do que comia. Eu dei-lhe uma cotovelada e apontei para a Adriana. Ele pareceu confundido. O rosto da Adriana estava violeta, não conseguia respirar e virara-se para o irmão à procura de ajuda. Todos nós conhecíamos a expressão que então surgiu no seu rosto: era a expressão de uma concentração furiosa com que ele sempre ficava quando se deparava com algo difícil, que não conseguia compreender instantaneamente. Ele estava habituado a compreender tudo instantaneamente.

Foi então que o Amadeu se levantou de um salto. A cadeira tombou para trás, no momento seguinte já ele estava atrás dela. Agarrou-a por baixo dos braços e pô-la de pé. Virou-a, de modo a ela ficar com as costas viradas para ele, depois agarrou-a pelos ombros, respirou fundo e com um tremendo esticão, puxou-lhe o tronco para trás. Só se ouviu um estertor abafado vindo da garganta da nossa irmã, de resto, nada mudou. Amadeu ainda repetiu duas vezes o mesmo gesto, mas o pedaço de carne que se lhe entalara na traqueia não se moveu.

O que depois aconteceu gravou-se para sempre na memória de cada um de nós, segundo a segundo, gesto a gesto. O Amadeu voltou a sentá-la na cadeira e ordenou-me que viesse ter com ele, enquanto lhe dobrava a cabeça para trás.

– Agarra-a bem – disse, com voz rouca. – Com toda a força!

A seguir, agarrou na faca afiada da carne e limpou-a com um guardanapo. Ficámos todos sem respirar.

– Não! – gritou a mamã. – Não!

Acho que ele nem sequer a ouviu. Sentou-se no seu colo com uma perna de cada lado e olhou-a bem nos olhos.

– Tenho de fazer isto! – disse, e ainda hoje me espanto com a calma da sua voz. – De contrário morres. Tira as mãos do pescoço. Confia em mim.

A Adriana tirou as mãos do pescoço. Ele apalpou com o dedo indicador até encontrar o intervalo entre a cartilagem tiróide e a cartilagem cricóide. Depois encostou a ponta da faca à fenda. Um inspirar e expirar fundo, um curto fechar dos olhos, e espetou.

Eu concentrei-me em manter-lhe a cabeça presa como num torno. Não vi o sangue espirrar, só o vi depois na sua camisa. O corpo da Adriana contorceu-se todo. Percebi logo que ele tinha encontrado o caminho para a traqueia quando ouvi o silvo com que ela inspirava o ar através da nova abertura. Abri os olhos e vi, apavorada, como Amadeu rodava a lâmina na ferida. Parecia um acto de uma brutalidade de inaudita, só mais tarde é que compreendi que ele tinha de manter o canal do ar aberto. Foi então que Amadeu tirou do bolso da camisa uma esferográfica, segurou-a com os dentes, desatarraxou com a mão livre a parte de cima, arrancou-lhe a mina e introduziu a parte inferior na ferida, como cânula. Lentamente, retirou a faca, mantendo fixa a esferográfica. A respiração da Adriana era intermitente e silvava, mas ela estava viva e os sinais de asfixia desapareciam do seu rosto.

– A ambulância! – ordenou Amadeu.

O papá como que acordou do seu transe e correu para o telefone. Levámos a Adriana, de cujo pescoço saía o tubo da esferográfica, para o sofá. Amadeu passou-lhe a mão pelos cabelos.

– Foi a única solução – disse.

O médico que apareceu uns minutos mais tarde pousou a mão no ombro de Amadeu. – Foi por pouco – disse. – Mas que presença de espírito. Que coragem. E na sua idade.

Quando a levaram na ambulância o meu irmão foi sentar-se com a camisa salpicada de sangue no seu lugar, à mesa. Ninguém disse uma palavra. Acho que isso é que foi terrível para ele – que ninguém dissesse uma palavra. Com o pouco que dissera, o médico constatara que Amadeu procedera da maneira certa e salvara a vida a Adriana. E no entanto, ninguém disse uma palavra, e o silêncio que enchia a sala de jantar estava repleto de um espanto horrorizado pelo seu sangue-frio. «O silêncio fez com que eu me sentisse um carniceiro», confessou, anos mais tarde, na única vez em que falámos sobre o assunto.

No fundo, ele nunca conseguiu ultrapassar o facto de o termos deixado naquele momento tão completamente sozinho. Acho que isso acabou por transformar para sempre a sua relação com a família. A partir daí, passou a vir cada vez menos a casa, e quando aparecia era no papel de uma visita cortês.

De repente, o silêncio estilhaçou-se e Amadeu começou a tremer. Levou as mãos à cara e ainda hoje consigo ouvir aquele soluçar seco que lhe sacudiu o corpo. E voltámos a deixá-lo sozinho. Eu ainda lhe fiz umas festas no braço, mas isso quase que não foi nada, era apenas a irmãzinha de oito anos. Na altura ele teria precisado de algo completamente diferente.

Toda aquela contenção fez transbordar o copo. De repente, Amadeu ergueu-se de um salto, subiu as escadas a correr, e voltou do quarto com um manual de medicina. Atirou o livro com toda a força para cima da mesa, afastou os talheres que bateram contra os pratos, os copos tilintaram. «Aqui!», gritou. «Está aqui tudo explicado! Traqueotomia através da membrana cricotiróideia é o nome que se dá à intervenção! Porque é que estão aí pasmados a olhar para mim? Ficaram aí sentados como uns basbaques! Se não fosse eu, teríamos que levá-la daqui para fora num caixão!»

Operaram a Adriana e depois ela teve de ficar duas semanas no hospital. O Amadeu foi visitá-la todos os dias, sempre sozinho, não quis ir connosco. A gratidão da nossa irmã adquiriu contornos quase religiosos. Muito pálida, o rosto imóvel na almofada, com o pescoço ligado, viveu repetidamente os momentos dramáticos. Uma vez falou-me disso, quando estava sozinha com ela.

«Momentos antes dele espetar a faca, os cedros lá fora ficaram vermelhos. Vermelhos de sangue», disse. «Depois desmaiei.»

Mélodie contou ainda que ela tinha saído do hospital com a convicção de que iria ter de dedicar a sua vida ao irmão que a salvara. Amadeu assustara-se e tentara tudo para a afastar daquelas ideias. Durante algum tempo, até parecera que o conseguira. Ela conhecera um francês, apaixonara-se por ele e o episódio dramático parecia ter sido esquecido. Mas a paixão terminara quando Adriana engravidara. E novamente Amadeu fora chamado para acompanhar uma intervenção no seu corpo. Ele interrompera uma viagem com a Fátima e regressara precipitadamente de Inglaterra. Depois do liceu ela estudara enfermagem e quando, três anos mais tarde, ele abrira o consultório na casa azul, era evidente que ela o iria assistir. A Fátima recusou-se a deixá-la morar lá em casa. Houve cenas dramáticas quando ela teve de sair. Depois da morte da Fátima, não demorou uma semana até ela se mudar para lá. O Amadeu estava completamente desnorteado com a perda e incapaz de opor resistência. A Adriana tinha, finalmente, vencido.

35 «Por vezes, cheguei a pensar que o espírito do Amadeu consistia, essencialmente, em linguagem», dissera-lhe Mélodie lá para o fim da conversa. «Que a sua alma era feita de palavras, como nunca vi em nenhuma outra pessoa.»

Gregorius mostrara-lhe o texto sobre o aneurisma. Ela também não soubera nada do assunto. Mas tinha havido uma coisa de que agora se lembrava.

«Ele estremecia quando alguém utilizava palavras que tivessem a ver com o correr, fluir, o esvair-se, esgotar-se. Lembro-me, sobretudo, dos verbos *correr* e *passar*. Aliás, ele era alguém que reagia com uma enorme intensidade às palavras, como se elas fossem mais importantes do que as coisas. Se alguém quisesse compreender o meu irmão, o mais importante era o que se tinha de saber. Ele não se cansava de falar da ditadura das palavras erradas e da liberdade das certas, dos calabouços invisíveis do *kitsch* linguístico e da luz da poesia. Ele era alguém possuído pela linguagem, enfeitiçado pelo seu poder, e uma palavra falsa podia feri-lo mais do que uma punhalada. E depois aquela sua reacção intensa e emocional às palavras que tinham a ver com transitoriedade e efemeridade. Depois de uma das suas visitas, em que ele, uma vez mais, revelara essa sua nova sensibilidade, eu e o meu marido passámos metade da noite acordados, a tentar adivinhar o que estava por detrás daquilo. "Não utilizes essas palavras, por favor, não utilizes essas palavras!", dissera ele. Claro que nós não ousámos perguntar porquê. O meu irmão podia explodir como um vulcão.»

Gregorius sentou-se num sofá do salão da casa de Silveira e começou a ler o texto que Mélodie lhe dera.

«Ele tinha pânico que isto fosse parar às mãos erradas», dissera-lhe ainda a irmã mais nova de Prado. «O melhor talvez fosse destruí-lo», chegou a dizer. Mas depois acabou por entregar-mo, para que eu o guardasse. Tive de lhe prometer que só abriria o envelope depois da sua morte. De repente, percebi tudo.»

Prado redigira o texto nos meses de Inverno que tinham precedido a morte da mãe e entregara-o a Mélodie pouco antes do falecimento de Fátima, na Primavera. Consistia em três partes diferentes, começadas em folhas separadas e que diferiam também nas tonalidades da tinta. Apesar de se completarem numa longa despedida à mãe, não havia qualquer alocução. Em vez disso, tinha um título em letras de imprensa, como a maior parte dos seus apontamentos no livro.

DESPEDIDA FALHADA À MAMÃ. *A minha despedida de ti tem, forçosamente, que falhar, mamã. Já cá não estás e uma verdadeira despedida teria de ser também um encontro. Esperei demasiado tempo e, evidentemente, isso não foi um acaso. O que é que distingue uma despedida leal de uma cobarde? Uma despedida honesta e leal teria de consistir na tentativa de chegarmos comummente a um acordo sobre aquilo que connosco aconteceu, contigo e comigo. Sim, porque esse é, no fundo e na verdadeira acepção da palavra, o sentido da despedida: uma autêntica despedida permite que duas pessoas, antes de seguirem cada uma o seu caminho, se entendam acerca do modo como se viram e das imagens que cultivaram uma da outra. O que entre elas resultou, e o que falhou. Para isso é necessária uma certa ousadia: precisamos de suportar a dor inerente às dissonâncias. Trata-se de aceitar tudo aquilo que se revelou impossível. Despedir-se é também algo que se faz consigo próprio: assumirmo-nos perante o olhar do outro. Pelo contrário, a cobardia de uma despedida consiste na idealização: na tentativa de mergulhar o passado numa luz dourada e de excluir a escuridão. O que então se perde é, nem mais nem menos, do que o reconhecimento de si próprio, naquelas precisas características que geraram a escuridão.*

Tu conseguiste realizar comigo uma obra de arte, mamã, e eu vou agora escrever aquilo que há muito te devia ter dito: tratou-se de uma obra de arte pérfida, que sobrecarregou a minha vida como nenhuma outra coisa. Tu deste-me, no fundo, a entender – e era impossível duvidar minimamente do conteúdo dessa mensagem – que de mim, o teu filho – o teu *filho – não esperavas outra coisa senão que fosse simplesmente o melhor. Em quê, isso até nem era importante, mas as minhas prestações tinham de superar as de todos os outros, e não apenas superá-las de certa forma, mas de uma forma absoluta e esmagadora. A perfídia consiste em que nunca me disseste isso. A tua expectativa nunca assumiu uma expressão que me tivesse permitido tomar posição, reflectir sobre todas essas exigências subentendidas e rebatê-las também ao nível emocional. E, no entanto, eu sabia-o, pois existe algo como isso: um conhecimento que se inocula a uma criança indefesa, gota a gota, dia-a-dia, sem que ela se aperceba minimamente desse saber que vai crescendo silenciosamente dentro dela. O discreto conhecimento propaga-se dentro dela como um veneno insidioso, infiltra-se nos tecidos do corpo e da alma e passa a determinar a coloração e a variação de tonalidades da sua vida. A partir desse conhecimento de profundas e desconhecidas repercussões, cujo poder consistia precisamente no facto de se manter oculto, desenvolveu-se em mim uma teia invisível e impossível de descobrir de expectativas inflexíveis e impiedosas perante mim próprio, entretecidas pela aranha cruel de uma ambição parida pelo medo. Quantas vezes, com que desespero e em que grotesca precariedade esbracejei à minha volta, mais tarde, na tentativa de me libertar – só para me enredar cada vez mais?! Foi-me impossível defender-me contra a tua presença dentro de mim: demasiado perfeita era a tua obra de arte, absolutamente inatacável, uma obra-prima de uma perfeição subjugante e empolgante.*

Fazia parte dessa perfeição que tu não só omitisses as tuas expectativas asfixiantes, mas também as escondesses sob palavras e gestos que pretendiam transmitir precisamente o contrário. Não quero com isto dizer que se tratou de um plano consciente, astucioso e traiçoeiro. Não, tu própria acreditaste nas tuas palavras enganadoras e tornaste-te na vítima de uma camuflagem cuja inteligência em muito superava a tua. Desde então, fiquei a saber como as pessoas podem ficar entrelaçadas e unidas na sua mais profunda substância e perpetuamente presentes, uma para a outra, sem que disso tenham a mínima noção.

E algo mais encaixava ainda na estratégia com que tu – escultora criminosa de uma alma alheia – me moldaste de acordo com a tua vontade: refiro-me ao nome próprio que me deste: Amadeu Inácio. A maior parte das pessoas nem sequer pensa nisso. De vez em quando alguém diz alguma coisa sobre a melodia das palavras. Só eu percebi, pois tenho ainda no ouvido o som da tua voz, um som cheio de uma vaidosa devoção. Querias que eu fosse um génio. Foi-me destinado possuir uma leveza divina. E simultaneamente – simultaneamente! – devia encarnar o rigor assassino de Santo Inácio e exercer as suas capacidades de general do sacerdócio.

Pode parecer cruel, mas não deixa de corresponder à verdade: a minha vida foi determinada por uma intoxicação maternal.

Haveria também dentro dele uma presença dissimulada e determinante dos pais, talvez camuflada e transvertida no seu oposto, questionou-se Gregorius, enquanto caminhava pelas ruas sossegadas de Belém. Viu à sua frente o livrinho onde a mãe apontava o dinheiro que ganhava com as limpezas. Os óculos miseráveis com os aros pagos pela Caixa e as lentes perpetuamente sujas, através das quais ela o olhava com aquela expressão de fadiga. *Se eu pudesse voltar a ver o mar, mas não nos podemos permitir uma viagem dessas*. Tinha havido qualquer coisa nela, qualquer coisa bela, radiosa até, em que ele há muito tempo não pensava: a dignidade com que a sua mãe se relacionava na rua com as pessoas com cuja porcaria se tinha de ocupar no dia-a-dia. Não havia ali o mínimo vestígio de submissão, o seu olhar mantinha-se ao mesmo nível dos daqueles que lhe pagavam para que trabalhasse ajoelhada. *Será que ela pode mesmo*, perguntara-se quando rapazito, para depois se encher de orgulho, sempre que voltava a testemunhar a cena. Se não fossem os romances regionais do Ludwig Ganghofer a que ela recorria nas poucas alturas de leitura. *Agora também tu te escondes atrás dos livros*. Não, ela nunca fora uma leitora. Doía-lhe constatar isso, mas a sua mãe nunca fora uma leitora.

Qual é o banco que me concede um crédito, ouviu Gregorius o pai dizer, *ainda por cima por uma coisa destas*. Viu a sua grande mão com as unhas cortadas rente quando lhe pôs na mão, moeda a moeda, os treze francos e trinta para a gramática persa. *Tens a certeza de que queres ir mesmo para lá*, perguntara-lhe, *é tão longe, tão longe de tudo aquilo a que estamos habituados. Já só as letras, são tão diferentes, nem parecem letras. Ficamos sem saber de ti*. Quando ele lhe devolvera o dinheiro o pai passara a grande mão pelo cabelo, uma mão que poucas vezes ousara perder-se num gesto de ternura.

O pai da Eva, a «Incrível», o velho von Muralt, tinha sido juiz, na festa da filha surgira por momentos, um gigante. Como é que teria sido, pensou Gregorius, se tivesse crescido como filho de um juiz austero e perpetuamente acossado pelas dores e de uma mãe ambiciosa, que vivia a sua vida através da vida do filho divinizado? Ter-se-ia, apesar de tudo, tornado no velho *Mundus*? No *Mundus*, o Papiro? Seria possível saber isso?

Quando Gregorius entrou na casa aquecida, vindo do ar frio da noite, sentiu vertigens. Sentou-se no sofá de há pouco e esperou que passassem. *Não é de espantar, se atendermos a tudo aquilo que mudou na sua vida nos últimos tempos*, dissera Mariana Eça. *Um tumor provocaria outras perturbações, completamente diferentes*. Expulsou a voz da médica da sua cabeça e continuou a ler.

A *primeira grande desilusão que tive contigo teve a ver com o facto de não quereres ouvir nenhuma daquelas perguntas que tanto me incomodaram em relação à profissão do papá. Perguntei-me se te sentirias incapaz, como mulher subalterna num país atrasado, de reflectir sobre o assunto. Porque o Direito e os Tribunais eram coisas que só aos homens competiam? Ou seria pior ainda: que simplesmente não tivesses nenhumas perguntas nem alimentasses nenhumas dúvidas em relação à profissão do papá? Que o destino das pessoas no Tarrafal não te dissesse respeito?*

Porque é que não obrigaste o papá a falar connosco, em vez de ser apenas um monumento? Ter-te-á agradado o poder que assim ganhaste? Tu sempre foste uma virtuosa da cumplicidade muda e nunca assumida com os teus filhos. E virtuosa foste também como mediadora diplomática entre nós e o papá. O papel agradava-te e não foi sem vaidade que o cumpriste. Terá sido essa a tua vingança para o reduzido espaço de manobra que o casamento te permitiu? A recompensa para a falta de reconhecimento social e para a carga que as dores do pai representaram?

Porque é que deste o braço a torcer sempre que eu te confrontei com uma contradição? Porque é que não aguentaste, ensinando-me com o teu exemplo, a suportar os conflitos? Assim, em vez de o aprender de um modo fácil, quase lúdico, com um piscar de olhos, tive de adquirir dolorosamente essa capacidade, aprendendo-a como que através de um manual, com uma minúcia rancorosa, que muitas vezes fez com que exagerasse em acusações disparatadas e cegas.

Porque é que me sobrecarregaste com a hipoteca da tua preferência? Tanto tu como o papá, porque é que acreditaram tão pouco na Adriana e na Mélodie? Será que vocês não sentiram a humilhação subjacente a essa falta de confiança?

No entanto, mamã, seria injusto se isto fosse tudo aquilo que eu tivesse para te dizer na despedida. Durante os últimos seis anos, depois da morte do papá, consegui relacionar-me contigo de outra maneira, e senti-me feliz ao constatar esses sentimentos novos para mim. O ver-te completamente perdida junto à sua sepultura foi algo que me comoveu profundamente, e fiquei aliviado e grato por existirem hábitos religiosos em que te pudeste apoiar. Verdadeiramente feliz fiquei quando se fizeram notar os primeiros sinais de libertação, que aliás surgiram bem mais rapidamente do que esperado. Foi como se, pela primeira vez, acordasses para uma vida própria. No primeiro ano vieste visitar-nos bastantes vezes à casa azul e a Fátima temeu que te pudesses colar a mim, a nós. Mas não: a partir do momento em que a estrutura mestra da tua vida ruíra, aquela mesma estrutura que definira o jogo de forças interior, tu pareceste descobrir algo que o casamento prematuro impedira: uma vida própria, para além do papel que te estava reservado na família. Começaste então a mostrar interesse pelos livros e lembro-me de te ter visto folheá-los como uma estudante curiosa, desajeitada, inexperiente, mas com um brilho nos olhos. Uma vez, e sem que o notasses, vi-te em frente a uma estante, na livraria, com um livro aberto na mão. Nesse instante, mamã, amei-te, e senti-me tentado a ir ter contigo. Mas essa teria sido a decisão errada, pois ter-te-ia transportado novamente para a vida antiga.

36 Gregorius andou de um lado para o outro no escritório do reitor, chamando cada coisa pelo seu nome no dialecto alemão de Berna. Depois percorreu os corredores escuros e frios do liceu e fez o mesmo com todos os objectos que ali encontrou. Fê-lo em voz alta e com uma agitação crescente, e as palavras, proferidas naquele tom gutural, ecoaram através das salas. Um observador incauto teria achado que alguém profundamente perturbado se tinha perdido no edifício abandonado.

Tudo tinha começado nessa manhã, na escola de línguas. De repente, deixara de saber as coisas mais banais em Português. Coisas que já conhecia da primeira lição no primeiro disco do curso; coisas que ele ouvira antes da partida. Cecília, que apareceu atrasada devido a uma enxaqueca, esboçou um aparte irónico, conteve-se, contraiu os olhos e fez um gesto tranquilizador com a mão.

– *Sossegue* – disse. – Acontece com todos aqueles que aprendem uma língua nova. De repente, some-se tudo. Mas isso passa. Amanhã já está outra vez em plena forma.

Depois a memória falhara-lhe novamente no Persa, uma memória linguística em que sempre pudera confiar. Dominado pelo pânico, pusera-se a recitar versos de Horácio e Safo, resgatara palavras raras de Homero e folheara, nervosíssimo, o *Cântico dos Cânticos* de Salomão. Conseguiu recuperar tudo, como habitualmente, nada faltava, não havia ali nenhuns abismos causados por uma qualquer súbita perda da memória. E, no entanto, sentia-se como depois de um tremor de terra. Vertigens. Vertigens e perda da memória. Uma coisa condizia com a outra.

Deixara-se ficar em silêncio à janela do escritório do reitor. Hoje não havia nenhum cone de luz. Chovia. De repente, de uma forma completamente imprevista, sentira-se furioso. Era uma fúria violenta e escaldante, misturada com o desespero por não ter um motivo perceptível que a justificasse. Só muito lentamente é que compreendeu que estava a experimentar uma revolta, uma sublevação contra toda a estranheza linguística que se tinha imposto. Ao princípio, parecia só ter a ver com o Português, e talvez também com o Francês e com o Inglês que ele aqui era obrigado a falar. Mas depois, pouco a pouco e contrariado, teve de admitir perante si próprio que a ressaca da sua fúria abrangia também as línguas antigas, nas quais vivia há mais de quarenta anos.

Assustou-se quando tomou consciência da dimensão daquela desordem interior. O chão abanou. Tinha de fazer qualquer coisa, agarrar-se a qualquer coisa, fechou os olhos, imaginou-se na Bubenbergplatz e nomeou as coisas que via pelo seu nome em Alemão de Berna. Dirigiu-se às coisas, falou com elas e consigo próprio em frases lentas e claras do dialecto. O tremor de terra passou, sentiu de novo o chão debaixo dos pés. Mas o susto teve uma réplica, e ele enfrentou-a com a fúria de alguém que tinha sido exposto a um grande perigo. Fora então que se pusera a andar como um louco pelos corredores do edifício vazio, como se tratasse de subjugar os espíritos daqueles espaços escuros com a força do seu dialecto de Berna.

Duas horas mais tarde, já sentado no salão da vivenda de Silveira, tudo lhe pareceu uma quimera, como algo que ele talvez apenas tivesse sonhado. A leitura do Latim e do Grego era igual à de sempre, e quando abriu a gramática portuguesa constatou que tudo surgia imediatamente. E os progressos com as regras para o conjuntivo eram evidentes. Só as imagens oníricas lhe recordaram que algo dentro dele se havia quebrado.

Quando, por um instante, adormeceu no sofá viu-se como único aluno numa enorme sala de aulas, a defender-se com frases em calão contra exigências e perguntas que lhe eram colocadas em línguas estrangeiras por alguém que estava lá ao fundo, à sua frente, mas que ele não conseguia ver. Acordou com a camisa encharcada, tomou um duche e pôs-se a caminho da casa de Adriana.

Clotilde tinha-lhe contado que Adriana estava a mudar desde que o tempo e o presente haviam regressado à casa azul com o bater dos ponteiros do relógio. Gregorius encontrara-a no eléctrico quando voltara do liceu.

– Às vezes, acontece – dissera, e repetira pacientemente as palavras, sempre que ele não percebia – pôr-se diante do relógio, como se quisesse pará-lo de novo. Mas depois lá vai à sua vida, e o andar tornou-se mais ligeiro e afoito. Também se levanta mais cedo. É como se... bem, como se já não tivesse apenas de suportar o dia.

Também comia com mais apetite e uma vez pedira a Clotilde que fosse dar um passeio com ela.

Quando a porta da casa azul se abriu, Gregorius teve uma surpresa. Adriana não estava vestida de preto. Restava apenas a fita de veludo negro que lhe tapava a cicatriz do pescoço. A saia e o casaco eram de um cinzento claro, com finas listas azuis, e por baixo vestia uma camisa de um branco resplandecente. O esboçar de um sorriso revelou-lhe que ela apreciava o espanto que se espelhou no seu rosto.

Gregorius devolveu-lhe as cartas do pai e do filho.

– Não é uma loucura? – disse a velha senhora. – Aquela falta de comunicação. O Amadeu costumava dizer que, acima de tudo, a *éducation sentimentale* devia iniciar-nos na arte de manifestar os nossos sentimentos. E na experiência de que, através das palavras, esses sentimentos se tornam mais ricos. É confrangedor como falhou nesse esforço, em relação ao papá! – Adriana olhou para o chão. – E também em relação a mim!

Gregorius disse que gostaria de ler os apontamentos escritos nas folhas que estavam na secretária. Quando entraram no quarto da cave Gregorius teve a segunda surpresa: a cadeira já não estava de lado. Após trinta longos anos, Adriana conseguira libertá-la do passado petrificado e endireitá-la, pelo que já não parecia que o irmão tinha acabado de se levantar uns momentos antes. Quando olhou para ela, viu-a a olhar para o chão, as mãos nos bolsos do casaco, uma velha senhora conformada que parecia, simultaneamente, uma menina em idade escolar, que acabara de resolver uma tarefa complicada e que agora esperava o elogio com uma espécie de orgulho envergonhado. Gregorius pousou-lhe, por um momento, a mão no ombro.

A chávena de porcelana azul no tabuleiro de cobre tinha sido lavada, o cinzeiro esvaziado. Só o açúcar cristalizado continuava no açucareiro. Adriana tinha atarraxado a tampa da velha caneta e agora inclinava-se para acender a luz do candeeiro com o quebra-luz verde-esmeralda.

Puxou para si a cadeira e, com um gesto em que se notou um resto de hesitação, convidou Gregorius a sentar-se.

O enorme livro ainda se encontrava aberto ao meio na peanha de leitura. A resma de folhas também estava exactamente no mesmo lugar. Após um breve olhar inquiridor na direcção de Adriana, Gregorius agarrou no livro para ler o nome do autor e o título. JOÃO DE LOUSADA DE LEDESMA, O MAR TENEBROSO. Tipos de letra grandes, caligráficos; gravuras de paisagens costeiras, desenhos de navegadores a tinta-da-china. Gregorius voltou a olhar para Adriana.

– Não sei – disse ela. – Não faço ideia porque é que começou a interessar-se por isso; mas, de repente, ficou obcecado por livros que relatavam o pavor que as pessoas sentiam, na Idade Média, quando pensavam que estavam no ponto mais ocidental da Europa e se questionavam sobre o que poderia encontrar-se para além daquele mar que julgavam infinito.

Gregorius puxou o livro para si e leu uma citação em espanhol: *Más allá no hay nada más que las aguas del mar, cuyo término nadie más que Dios conoce.*

– Cabo Finisterra – disse Adriana. – Lá em cima, na Galiza. O ponto mais ocidental de Espanha. Fascinava-o. O fim do mundo conhecido à altura. Eu cheguei a perguntar-lhe porquê, se cá em Portugal existe um outro cabo, ainda mais a oeste. E apontei-lho no mapa. Mas ele não queria ouvir falar nisso e passava o tempo a falar no Finisterra. Era uma *idée fixe*. Quando falava nisso ficava logo com aquele olhar acossado, febril.

SOLIDÃO, podia ler-se no topo da última folha que Prado redigira. Adriana seguira o olhar de Gregorius.

– No seu último ano de vida, ele queixou-se muitas vezes de que não compreendia, no fundo, em que é que essa solidão, que todos nós tanto tememos, consistia. *Mas afinal o que é isso a que chamamos solidão*, dizia, *não pode tratar-se simplesmente da ausência dos outros; podemos estar sozinhos e não nos sentirmos solitários, assim como podemos estar com outras pessoas e sentirmo-nos sós. Então o que é?* O podermos sentir-nos sós no meio da multidão foi algo com que sempre se ocupou. *Bom*, costumava dizer, *não tem apenas a ver com o facto de outros lá estarem também, de ocuparem o espaço ao nosso lado.*

Mas mesmo que eles nos aprovem ou nos dêem um bom conselho numa conversa amigável, um conselho inteligente e sensível – mesmo então pode acontecer que nos sintamos sós. A solidão, portanto, não é algo que tenha a ver com a presença dos outros, nem com aquilo que eles fazem. Com o quê, então? Com o quê, por amor de Deus?

Comigo ele nunca falou sobre a Fátima e os seus sentimentos para com ela, *a intimidade é o nosso último santuário*, costumava dizer. Uma única vez descaiu-se num comentário. *Estou deitado ao lado dela, oiço a sua respiração, sinto o seu calor – e sinto-me terrivelmente sozinho*, disse. O *que é isto?* O QUÊ?

Solidão por proscrição, anotara Prado. *Quando os outros nos negam a afeição, o respeito e o reconhecimento, porque é que não podemos simplesmente dizer-lhes: não preciso disso, basto-me a mim próprio? O não sermos capazes de o fazer não representa uma horrível forma de dependência? Não nos torna escravos dos outros? Quais são as sensações com que podemos defender-nos como barreira de protecção? Quais serão as características da solidez interior?*

Gregorius inclinou-se para a frente e leu as palavras desbotadas das folhas que estavam fixadas na parede.

Chantagem por confiança. – Os doentes confiavam-lhe as coisas mais íntimas, e também as mais perigosas – disse Adriana. – Estou-me a referir a questões políticas. E depois esperavam que também ele lhes revelasse algo. Para que não precisassem de se sentir nus. Ele odiava isso. Odiava isso do fundo do coração. *Não quero que ninguém espere seja o que for de mim*, costumava dizer, batendo com o pé no chão. *E por que raio é que sinto tantas dificuldades em demarcar-me?* Nessas alturas, só me apetecia dizer: «A mamã.» Mas claro que não dizia nada. Ele próprio o sabia.

A *perigosa virtude da paciência.* – *Paciência*: nos últimos anos de vida ele desenvolveu uma verdadeira alergia contra essa palavra. O seu rosto adquiria imediatamente uma expressão ameaçadora, assim que alguém lhe vinha com a paciência. *Não é mais do que uma estratégia consensualmente aceite para abdicarmos de nós próprios*, dizia irritadíssimo. *Medo das fontes que poderiam jorrar.* Só o compreendi verdadeiramente quando soube do aneurisma.

A última folha estava mais preenchida. *Se a ressaca da alma se mantém indisponível e consegue ser mais poderosa do que nós, então porquê o elogio e a censura? Porque não simplesmente: «Tive sorte», «Tive azar»? E não há dúvida que ela é mais poderosa do que nós, essa ressaca. Sempre o foi, sempre o será.*

– Antigamente, a parede costumava estar cheia de folhas – disse Adriana. – Ele estava constantemente a tomar notas e a fixá-las na parede. Até àquela fatal viagem a Espanha, um ano e meio antes da sua morte. Depois só esporadicamente recorreu à caneta. Vi-o muitas vezes aqui, sentado à secretária, absorto.

Gregorius esperou. De vez em quando, lançava um olhar na direcção da velha senhora. Adriana estava sentada no sofá de leitura, ao lado dos livros empilhados no chão, cuja posição ela ainda não mudara. Num dos montes podia ver-se o grande volume com a imagem do cérebro. Cruzou as mãos com as veias escuras, abriu-as, voltou a cruzá-las. Notava-se que algo trabalhava dentro dela. A resistência contra a recordação pareceu prevalecer.

– Gostaria de saber algo mais sobre esse período – disse Gregorius. – Para o tentar perceber ainda melhor.

– Não sei – limitou-se a dizer Adriana, e caiu novamente no silêncio. Quando voltou a falar, as palavras pareciam vir de muito longe.

– Eu pensava que o conhecia. Sim, teria dito: conheço-o, conheço-o por fora e por dentro. Afinal via-o todos os dias desde há muitos anos e ouvia-o falar sobre os seus pensamentos e sentimentos, e até sobre os seus sonhos. Mas então aconteceu aquele dia em que ele voltou para casa depois do encontro. Foi dois anos antes da sua morte, em Dezembro faria cinquenta e um. Foi num desses encontros secretos em que também esteve presente um tal João, João qualquer coisa. O homem que não lhe fazia bem. Parece que o Jorge também lá esteve, o O'Kelly, o seu amigo sagrado. Desejei que ele nunca tivesse ido a esses encontros, eles não lhe faziam bem.

– Eram reuniões da resistência antifascista – disse Gregorius. – O Amadeu trabalhava para a resistência, de certeza que soube disso. Ele queria fazer qualquer coisa, qualquer coisa contra as pessoas como o Mendes.

– *Resistência* – disse Adriana, e repetiu a palavra: *resistência*.

Pronunciou-a como se nunca tivesse ouvido nada sobre o assunto e se recusasse a acreditar que algo de parecido pudesse existir.

Gregorius amaldiçoou a sua obstinação em obrigá-la a aceitar a realidade, pois por um instante pareceu que ela ia calar-se definitivamente. Mas, logo a seguir, a irritação dissipou-se e ela regressou ao irmão e à noite em que ele voltara daquela nefasta reunião.

– Ele não dormira e ainda usava a roupa do dia anterior quando o encontrei na cozinha na manhã seguinte. Eu sabia como ele era quando não tinha conseguido dormir. Mas desta vez era diferente. Apesar das olheiras, não parecia consumido e atormentado, como de costume. E fez uma coisa que nunca fizera até então: inclinou-se para trás e balouçou-se sobre os pés traseiros da cadeira. Mais tarde, quando pensei no assunto, achei que era como se tivesse partido para uma viagem. No consultório resolveu tudo com uma rapidez e uma leveza incríveis, as situações resolveram-se como que por si só, e cada vez que visava o cesto dos papéis acertava no alvo.

Apaixonado, é capaz de pensar você, todos esses pormenores não são indícios de que ele estava apaixonado? Claro que também pensei nisso. Mas se esses encontros eram encontros de homens?! E depois era completamente diferente do que acontecera com a Fátima. Havia qualquer coisa de selvagem nele, estava mais descontraído, como que faminto. Aquilo surgiu sem qualquer enquadramento, se é que me entende. Fiquei com medo. Ele tornou-se-me um estranho. Principalmente depois de a ter visto. Assim que entrou na sala de espera senti logo que não era apenas mais uma doente. Novinha ainda, pouco mais de vinte anos. Uma estranha mistura de menina inocente e de *vamp*. Olhos brilhantes, um tom de pele asiático, um andar provocante. Os homens que estavam sentados na sala de espera seguiram disfarçadamente cada um dos seus gestos, os olhos das mulheres crisparam-se.

Deixei-a entrar. O Amadeu estava a lavar as mãos. Virou-se e foi como se tivesse sido atingido por um raio. O sangue subiu-lhe à cara, mas logo a seguir controlou-se.

«Adriana, esta é a Estefânia», disse, «podias, por favor, deixar-nos a sós durante um momento?! Temos de tratar de um assunto.»

Isso nunca acontecera até aí. Naquele quarto nunca houvera nada que eu não pudesse ter ouvido. *Nada*.

Voltou a aparecer umas quatro ou cinco vezes. E de cada vez ele mandou-me embora, fechou-se lá dentro a conversar com ela e acompanhou-a até à porta. O seu rosto depois estava sempre afogueado, e durante o resto do dia mostrava-se desconcentrado, parecia que já nem sabia dar injecções, ele, que os doentes adoravam pela segurança da sua mão. Da última vez ela nem sequer subiu, tocou cá para cima e ficou à espera, já era quase meia-noite. Ele agarrou no sobretudo e desceu. Ainda os vi virar à esquina. Ele falava com ela, parecia muito exaltado. Voltou uma hora mais tarde, com os cabelos desgrenhados e a cheirar a suor.

Depois nunca mais apareceu. Amadeu tinha ausências. Como se uma força oculta o estivesse a puxar para baixo. Perdia facilmente a paciência, mostrava-se intempestivo, por vezes até bruto para com os doentes. Foi a primeira vez que eu pensei: já não gosta da profissão, já não a exerce devidamente, agora só quer é fugir.

Uma vez, dei de caras com o Jorge e a rapariga. Ele agarrava-a pela cintura, ela parecia não gostar. Fiquei confusa, o Jorge fez de conta que não me reconhecera e puxou-a para uma travessa. Claro que me senti tentada a contar tudo ao Amadeu, mas não o fiz. Uma vez, numa noite particularmente difícil, ele pediu-me para lhe tocar as variações *Goldberg* de Bach. Vi-o sentado, de olhos fechados, e tive a certeza absoluta de que estava a pensar nela.

As partidas de xadrez com o Jorge, que tinham feito parte do ritmo da vida do meu irmão, deixaram de se realizar. Durante todo o Inverno o O'Kelly não apareceu cá em casa uma única vez. Nem sequer no Natal. O Amadeu deixou de falar nele.

Num dos primeiros dias de Março, ao fim da tarde, o Jorge apareceu à porta. Ouvi o meu irmão descer.

«Tu», disse.

«Sim, eu», disse o Jorge.

Foram para o consultório, ele não queria que eu ouvisse nada da conversa. Abri a porta da sala e pus-me à escuta. Nada, nem uma palavra em voz alta. Mais tarde ouvi o bater da porta da entrada. O O'Kelly, com a gola virada para cima, um cigarro entre os lábios, desapareceu à esquina. Silêncio. O Amadeu nunca mais vinha. Por fim, desci as escadas e fui ter com ele. Estava sentado às escuras, sem se mexer.

«Deixa-me» disse. «Não quero falar.»

Quando veio para cima, a altas horas da noite, estava muito pálido, silencioso e completamente transtornado. Não me atrevi a perguntar-lhe o que tinha acontecido.

No dia seguinte o consultório não abriu. O João apareceu. Também não ouvi nada dessa conversa. Desde que a rapariga aparecera o Amadeu evitava-me, parecia esconder a sua vida de mim, mesmo as horas do trabalho comum no consultório pareciam vazias. Eu odiava aquela pessoa, o cabelo comprido, negro, o andar provocante, a saia curta. Eu já não tocava piano, já não contava para nada. Era... era humilhante.

Dois ou três dias mais tarde, o João e a rapariga apareceram à porta, a meio da noite.

«Quero que a Estefânia fique aqui», disse o João.

Disse-o simplesmente assim, de uma forma que não admitia contestação. Odiei-o, a ele e aos seus modos dominadores. Amadeu levou-a para o consultório, não disse uma palavra quando a viu, mas trocou as chaves e deixou cair o molho nas escadas. Preparou-lhe uma cama na marquesa, mais tarde via-a.

De madrugada ele subiu, tomou um duche e fez o pequeno-almoço. A rapariga parecia amedrontada e via-se que não tinha dormido bem. Usava uma espécie de fato-macaco e toda a provocação tinha desaparecido. Eu controlei-me, preparei uma segunda cafeteira e ainda uma terceira para a viagem. O Amadeu não me explicou absolutamente nada.

«Não sei quando voltarei», disse apenas. «Não fiques preocupada.»

Meteu umas coisas num saco, foi buscar uns medicamentos e saíram para a rua. Para minha grande surpresa, o Amadeu tirou do bolso umas chaves e abriu a porta de um carro que ainda lá não estava no dia anterior. Mas ele não conduz, lembro-me de ter pensado, e claro, foi a rapariga que se sentou ao volante. Foi a última vez que a vi.

Adriana manteve-se calada, as mãos no regaço, a nuca apoiada nas costas da cadeira, os olhos fechados. O ritmo da sua respiração era rápido, notava-se que revivia os acontecimentos passados. A fita negra escorregara para cima e Gregorius pôde ver a cicatriz no pescoço, uma cicatriz feia, sinuosa, com uma pequena protuberância acinzentada.

Amadeu sentara-se às cavalitas nas suas coxas. «*Tenho de o fazer*, dissera, *de contrário, morres. Tira as mãos. Confia em mim.*» E espetara a faca. Meia vida mais tarde, Adriana vira-o meter-se num carro com uma rapariga e desaparecer, por tempo incerto, sem qualquer explicação.

Gregorius esperou que a respiração dela se acalmasse. Como é que tinha sido quando ele regressara, quis saber.

– Por acaso, até saiu do táxi quando eu estava à janela. Sozinho. Certamente que veio de comboio. Tinha passado uma semana. Não disse uma única palavra sobre esse período, nem na altura, nem depois. Não se barbeava há dias, a cara estava chupada, pouco deve ter comido durante aqueles dias. Voltou esfomeado e comeu tudo o que eu lhe pus à frente. Depois foi deitar-se ali na cama e dormiu durante um dia e uma noite. Tomou um remédio, mais tarde encontrei a embalagem.

Lavou os cabelos, barbeou-se e vestiu-se cuidadosamente. Entretanto, eu tinha limpo o consultório.

«Está tudo a brilhar», constatou, forçando um sorriso. «Obrigado, Adriana, se não te tivesse a ti...»

Informámos os pacientes de que o consultório estava de novo aberto e, passado uma hora, a sala de espera estava cheia. Notava-se que o meu irmão estava mais lento do que habitualmente, talvez fosse o efeito do soporífero, talvez tivesse já a ver com a doença. Os pacientes sentiam que ele não era o mesmo e observavam-no inseguros. A meio da manhã pediu um café, nunca tal tinha acontecido.

Dois dias depois adoeceu com febre e umas dores de cabeça terríveis. Nenhum medicamento ajudou.

«Não há razão para pânico», tentou acalmar-me, com as mãos nas fontes. «O corpo é sempre também o espírito.»

Mas quando o observei disfarçadamente vi o medo, já deve ter pensado no aneurisma. Pediu-me para pôr a tocar a música de Berlioz, a música da Fátima.

«Pára!», gritou logo após os primeiros compassos. «Desliga-me isso imediatamente!»

Talvez fossem as dores de cabeça, mas talvez sentisse também que, depois da rapariga, não podia regressar à Fátima assim, sem mais nem menos.

Foi por essa altura que apanharam o João, viemos a sabê-lo através de um doente. As dores tornaram-se tão violentas que ele se punha a andar de um lado para o outro, como um doido, aqui em cima, com as mãos na cabeça. Num dos olhos tinha rebentado um vaso capilar, o derrame tingiu-lhe o olho de vermelho-vivo, ficou com um aspecto horrível, desesperado e também um pouco embrutecido. Desorientada como estava, perguntei-lhe se queria que fosse chamar o Jorge.

«Livra-te disso!», gritou.

Ele e o Jorge só se voltaram a encontrar um ano mais tarde, poucos meses antes da morte do Amadeu. Ao longo desse ano o meu irmão sofreu uma transformação. Após duas, três semanas a febre e as dores de cabeça desapareceram. Deixaram-no para trás como um homem sobre o qual se abatera uma profunda melancolia. *Melancolia* – já em criança amava aquela palavra. Mais tarde, leu livros sobre esse estado de espírito. Num deles estava escrito que se tratava de um fenómeno moderno. «Parvoíce!», revoltou-se Amadeu. Ele considerava a melancolia uma experiência intemporal e achava que era das coisas mais preciosas que eram dadas a conhecer aos seres humanos.

«Porque nela se revela toda a fragilidade humana», dizia.

Mas isso não deixava de ser perigoso. Claro que ele sabia que a melancolia e a depressão crónica não são a mesma coisa. Mas quando lhe aparecia pela frente um doente depressivo hesitava demasiado tempo em encaminhá-lo para um colega psiquiatra. Conversava com ele como se se tratasse de melancolia e tendia a idealizar o estado dessas pessoas e a confundi-las com um estranho entusiasmo pela sua patologia. Depois da viagem com a rapariga essa tendência acentuou-se e, por vezes, chegou a ultrapassar os limites da negligência.

Nos seus diagnósticos físicos mostrou-se sempre certeiro até ao fim. Mas era um homem marcado, e quando tinha de se haver com um doente difícil podia acontecer que já não se mostrasse à altura da situação. Perante as mulheres, sentia-se visivelmente pouco à vontade e mandava-as consultar um especialista mais cedo do que antes.

Nunca hei-de saber o que aconteceu durante aquela viagem, mas o certo é que ela o transtornou como nada o transtornara até então, nem mesmo a morte da Fátima. Foi como se tivesse sido abalado por um sismo tectónico que deslocou as camadas mais profundas da sua alma.

Tudo aquilo que se apoiava nesses estratos perdeu consistência e estabilidade e, a partir daí, bastava a mais leve brisa para começar a abanar. Toda a atmosfera nesta casa se alterou. Eu tive de o amparar e proteger como se vivêssemos num sanatório. Foi horrível.

Adriana limpou uma lágrima que se formara ao canto do olho.

– E maravilhoso também. Ele pertencia… agora ele pertencia-me novamente. Ou ter-me-ia pertencido, se o Jorge não tivesse aparecido uma tarde.

O O'Kelly trouxe-lhe de Bali um tabuleiro com figuras esculpidas à mão.

«Há muito tempo que não jogamos», disse. «Demasiado tempo.»

Durante as primeiras partidas pouco falaram. Adriana trouxe-lhes o chá.

– Era um silêncio forçado – disse. – Não hostil, mas forçado. Andavam à procura um do outro. Procuravam, dentro de si próprios, uma possibilidade de voltarem a ser amigos.

De vez em quando, tentavam animar-se com uma piada ou uma qualquer expressão dos seus tempos de estudantes. Não conseguiam, o riso extinguia-se ainda antes de chegar aos rostos. Um mês antes de Prado morrer, desceram para o consultório depois do xadrez. A conversa prolongou-se pela noite dentro. Adriana deixou-se ficar todo o tempo à porta de casa.

– A porta do consultório abriu-se e eles saíram. Amadeu não acendeu a luz e a lâmpada do consultório deixava o corredor na penumbra. Caminharam vagarosamente, quase em câmara lenta. A distância que mantinham entre si pareceu-me estranhamente exagerada. Por fim, chegaram à porta de entrada.

«Portanto…», disse o Amadeu.

«Pois», disse o Jorge.

E então, cada um deles caiu… para dentro de si próprio. Não sei como é que poderia explicar melhor o que aconteceu. O que deve ter acontecido é que eles se quiseram abraçar, uma última vez; mas, de repente, o movimento iniciado deve-lhes ter parecido impossível e, sem que o conseguissem impedir completamente, tropeçaram um em direcção ao outro, procuraram-se com as mãos, desajeitados como cegos, as cabeças embateram nos ombros um do outro, depois voltaram a endireitar-se e recuaram num repelão, sem saber o que fazer com os braços e com as mãos. Um, dois segundos de um constrangimento horrível e o Jorge abriu repentinamente a porta e precipitou-se lá para fora. A porta fechou-se, o Amadeu virou-se para a parede, encostou contra ela a testa e começou a soluçar. Eram uns sons estranhos, profundos, roucos, quase animalescos, acompanhados por fortes convulsões que lhe sacudiram todo o corpo. Ainda me lembro do que pensei na altura: há quanto tempo é que ele estava a guardar aquilo dentro dele, uma vida inteira! E assim continuaria, mesmo depois daquela despedida. Foi a última vez que se encontraram.

Depois disso, as insónias começaram a apoquentar Prado ainda mais do que o habitual. Queixava-se de vertigens e tinha de fazer intervalos entre os doentes. Pedia à irmã que lhe tocasse as variações *Goldberg*. Foi duas vezes ao liceu e voltou com um rosto onde se notavam as marcas das lágrimas derramadas. Durante o funeral, Mélodie contou a Adriana que uma vez o vira a sair da igreja.

Por vezes – poucas vezes –, ainda recorria à caneta. Nesses dias não comia nada. Na véspera da sua morte queixou-se de dores de cabeça. Adriana ficou com ele até o remédio fazer efeito. Quando se foi embora pareceu-lhe que ele estava quase a adormecer. Mas quando o foi ver, às cinco da manhã, encontrou a cama vazia. Ia a caminho da sua amada Rua Augusta, onde sucumbiria, uma hora mais tarde. Às seis horas e vinte e três minutos Adriana foi avisada. Quando voltou para casa atrasou os ponteiros e segurou o pêndulo.

37

Solidão por proscrição. Fora esse o tema que ocupara Prado nos últimos tempos. O facto de dependermos do respeito e da afeição dos outros e o facto disso nos tornar dependentes deles. Como tinha sido longo o caminho que ele percorrera! Sentado no salão de Silveira, Gregorius releu os primeiros apontamentos sobre a solidão que Adriana integrara no livro.

SOLIDÃO FURIOSA. *Será que tudo o que fazemos é determinado pelo medo que temos da solidão? Será por isso que prescindimos de todas aquelas coisas, que cultivamos uma renúncia de que no final da vida nos arrependemos? Será esse o motivo pelo qual tão raramente dizemos o que pensamos? Se não for por isso, então porque é que nos agarramos a todos os casamentos acabados, amizades hipócritas e festas de anos enfadonhas? O que aconteceria se rompêssemos com tudo isso, se acabássemos de uma vez para sempre com a chantagem insidiosa e, finalmente, nos assumíssemos? Se deixássemos irromper como uma fonte os nossos desejos amordaçados e a raiva pela escravidão consentida? Afinal, em que consiste essa tão temida solidão? No silêncio que substitui as constantes admoestações? No simples abdicar de continuarmos a arrastar-nos sem respirar pelo campo minado das mentiras matrimoniais e das meias-verdades complacentes? Na liberdade de não termos ninguém à frente quando estamos a comer? Na densidade do tempo que se abre quando se deixa de ouvir a perpétua metralha dos convites? E tudo isso não serão coisas maravilhosas? Um estado paradisíaco do ser? Porquê então o receio? Tratar-se-á, ao fim e ao cabo, de um medo que só existe porque não o conseguimos pensar até ao fim? Um medo que nos foi impingido por pais, professores e padres levianos? E porque é que, no fundo, estamos assim tão seguros de que os outros não nos invejariam se vissem a nova amplitude da nossa liberdade? E que não se aprestariam a procurar logo a nossa companhia?*

Na altura, ele ainda não tinha experimentado o vento gélido da proscrição que mais tarde se iria abater duas vezes sobre ele: quando salvara o carrasco Mendes e quando levara Estefânia Espinhosa para fora do país. Estes primeiros apontamentos mostravam-no como um jovem iconoclasta que não permitia que lhe proibissem fosse o que fosse, alguém que se atrevia a desenvolver um pensamento até à sua última consequência e que não temera proferir um discurso blasfemo perante um grémio de professores, entre os quais se encontravam sacerdotes. Na altura escrevera escudado pela amizade de Jorge. Essa protecção, pensou Gregorius, deve tê-lo ajudado a superar a indignação do público. E, de repente, esse escudo protector da amizade ruíra. As exigências da vida eram simplesmente demasiadas e demasiado poderosas, para que os nossos sentimentos as pudessem superar sem sofrer danos, dissera já durante o estudo universitário em Coimbra. Ironicamente, dissera-o a Jorge.

Finalmente, a sua previsão clarividente concretizara-se e ele sucumbira perante o gelo de um insuportável isolamento, perante o qual nem a solicitude da irmã o conseguira salvar. Até mesmo a lealdade, que ele sempre encarara como âncora de salvação perante as atribulações dos sentimentos, se revelara demasiado frágil. Adriana contara-lhe que ele deixara de ir às reuniões da resistência. Só João Eça é que ele visitara na prisão. A autorização para o fazer fora o único sinal de gratidão que aceitara de Mendes. *Aquelas mãos, Adriana*, dissera quando voltara para casa, *aquelas mãos já tocaram Schubert*.

Ele proibira-lhe arejar o consultório para dissipar o fumo da última visita de Jorge. Os doentes queixaram-se, mas as janelas continuaram fechadas durante vários dias. Ele inspirara o ar saturado como uma droga da recordação. Quando se tornou impossível adiar ainda mais o arejamento, Amadeu deixou-se ficar sentado numa cadeira, absorto, e foi como se com o fumo também a sua força vital abandonasse aquele espaço.

«Venha comigo», propusera-lhe Adriana. «Quero mostrar-lhe uma coisa.»

Tinham descido as escadas até ao consultório. No chão, a um canto, encontrava-se um pequeno tapete. Adriana empurrara-o para o lado com o pé. O reboco tinha sido picado para arrancar um grande ladrilho. Adriana ajoelhara-se e retirara o azulejo, deixando ver uma cavidade escavada na parede. Lá dentro encontravam-se um tabuleiro dobrado e uma caixa de madeira. Adriana abrira a caixa e mostrara-lhe as figuras esculpidas.

Gregorius sentiu falta de ar, abriu uma janela e inspirou o ar fresco da noite. Sentiu-se dominado por uma vertigem e teve de se agarrar ao manípulo da janela.

«Apanhei-o de surpresa», explicara Adriana. «"Eu só queria...", tentou desculpar-se. "Não é motivo para te envergonhares", disse-lhe eu. Nessa noite vi-o indefeso e frágil como um menino. É claro que aquilo parecia uma sepultura para o jogo de xadrez, para o Jorge, para a sua amizade. Só que, como descobri mais tarde, ele não sentira as coisas assim. Era mais complexo. E, de certa forma, também continha um elemento de esperança. Ele não quisera enterrar o jogo. Pretendera apenas *empurrá-lo para além dos limites do seu mundo*, sem o destruir, e queria ter a certeza de que o poderia recuperar a qualquer altura. O seu mundo era agora um mundo sem o Jorge. Mas ainda havia o Jorge. Ela ainda existia. "Agora que ele já não existe é como se eu também já não existisse", tinha dito uma vez.

Depois, durante alguns dias, viveu praticamente sem consciência de si próprio e mostrou, em relação a mim, uma atitude que chegou a ser quase servil. "Uma parvoíce de um *kitsch* tão grande, aquilo do xadrez", acabou por dizer quando o interpelei sobre o assunto.»

Gregorius pensara nas palavras de O'Kelly: *ele tinha uma tendência para* o pathos, *nunca o quis admitir, mas sabia-o, e por isso iniciou aquela cruzada contra* o kitsch. *Sempre que tinha oportunidade atacava-o, e podia ser injusto, terrivelmente injusto.*

Agora, no salão de Silveira, voltou a ler o parágrafo sobre o *kitsch* no livro de Prado:

> O kitsch *é a mais insidiosa de todas as prisões. As grades estão revestidas com o ouro dos sentimentos simplificados e irreais, pelo que as confundimos com as colunas de um palácio.*

Adriana dera-lhe um maço de folhas escritas – um dos montes que se encontravam em cima da secretária de Prado – e que ela atara com fita vermelha. «São coisas que não estão no livro», dissera.

Gregorius desatou a fita, tirou a tampa e começou a ler.

> *O xadrez do Jorge. O modo como ele mo entregou. Só ele o consegue fazer. Não conheço ninguém que possa ser tão concludente. Uma concludência de que, por nada no mundo, quero prescindir. Como os seus lances concludentes no tabuleiro. O que é que ele quis reparar? E será mesmo correcto afirmar que ele quis reparar alguma coisa? Ele não disse: «Interpretaste mal aquilo que eu disse, na altura, acerca da Estefânia.» Não, o que ele disse foi: «Na altura pensava que podíamos falar de tudo, absolutamente tudo o que nos passava pela cabeça. Era o que costumávamos fazer, já não te lembras?» Depois daquelas palavras ainda pensei, durante uns segundos, apenas*

durante uns brevíssimos segundos, que nos poderíamos reencontrar. Foi uma sensação calorosa e estupenda. Mas acabou por se desvanecer. O seu narigão, os seus sacos lacrimais, os seus dentes amarelados. Antigamente, aquele rosto existia dentro de mim, fazia parte de mim. Agora ficou de fora, mais estranho do que o rosto de um estranho que nunca tivesse interiorizado. Não consigo descrever a dilaceração que me rasgou o peito.

Porque é que hei-de classificar de kitsch *aquilo que fiz com o jogo? No fundo, tratou-se de um gesto simples e genuíno. E não o fiz para um público, mas apenas e só para mim próprio. Se alguém fosse apanhado, sem o saber, num acto íntimo, destinado apenas e só para si próprio, e um milhão de pessoas desatasse a rir num coro de gargalhadas, porque achavam aquilo* kitsch – *como é que ajuizaríamos?*

Quando, uma hora mais tarde, Gregorius entrou no clube de xadrez, O'Kelly estava envolvido num final de jogo bastante complicado. Pedro, o tipo do olhar epiléptico que fungava, passava todo o tempo a aspirar o ranho e fizera-lhe lembrar o torneio perdido em Moutier, também lá estava. Não havia mesas livres.

– Sente-se aqui – convidou-o Jorge, puxando uma cadeira para junto de si.

Durante todo o caminho até ao clube, Gregorius perguntara-se pelo que esperava daquele encontro. O que é que ele pretendia de O'Kelly. Se era evidente que nunca lhe poderia perguntar pelo que tinha, de facto, acontecido com Estefânia Espinhosa, e se é que estivera mesmo disposto a sacrificá-la. Se bem que não tivesse encontrado resposta para aquela pergunta, também não voltara para trás.

Agora, com o fumo do cigarro do farmacêutico a dar-lhe no rosto, sabia-o de repente: tinha querido certificar-se, uma vez mais, de como era estar sentado ao lado do homem cuja imagem Prado tivera dentro de si durante toda uma vida, o homem de que ele precisara para, nas palavras do padre Bartolomeu, ser *inteiramente* ele próprio. O homem contra o qual gostara de perder e a quem oferecera uma farmácia, sem esperar qualquer sinal de gratidão. O homem que fora o primeiro a soltar uma gargalhada quando os uivos de um cão tinham interrompido o penoso silêncio que se instalara depois do discurso escandaloso.

– Quer jogar? – perguntou-lhe O'Kelly, depois de ter ganho o final e de se despedir do seu adversário.

Gregorius nunca tinha jogado assim contra alguém. Nunca jogara uma partida em que o importante não era o jogo em si, mas a presença do outro. Única e exclusivamente a sua presença. Ou a pergunta sobre o que significara ter sido alguém cuja vida havia sido preenchida por esse homem, cujos dedos manchados de nicotina com as unhas sujas posicionavam as figuras no tabuleiro com uma precisão impiedosa.

– Aquilo que lhe contei no outro dia, aquilo sobre nós, o Amadeu e eu: esqueça!

O'Kelly fitou Gregorius com um olhar onde o acanhamento se misturava com a disposição agressiva de negar tudo.

– O vinho. Foi tudo muito diferente.

Gregorius concordou com um aceno de cabeça e desejou que o seu respeito por aquela amizade profunda e complicada pudesse ser reconhecido no seu rosto. O próprio Prado, disse, perguntara-se se a alma seria um local para os factos, ou se, pelo contrário, os pretensos factos não seriam apenas as sombras enganadoras das histórias que contávamos sobre os outros e sobre nós próprios.

Sim, concordou O'Kelly, esse tinha sido, de facto, um tema com que Amadeu se ocupara durante toda a sua vida. Segundo ele, os processos que decorrem no interior de uma pessoa são bem mais complexos do que as nossas explicações esquemáticas e triviais nos querem fazer crer. *No fundo, é tudo muito mais complicado. Em cada instante é mais complicado. «Casam-se porque se amam e querem partilhar a vida»; «ela roubou porque precisava do dinheiro»; «ele mentiu porque não queria ferir»: que raio de histórias mais ridículas! Somos seres compostos de estratos, seres cheios de baixios, com uma alma de inconstante mercúrio, com um ânimo cuja cor e forma se alteram como num caleidoscópio constantemente abanado.*

Isso soava, objectara ele, Jorge, como se houvesse realmente factos da alma, só que mais complicados.

Não, não, protestara Amadeu, poderíamos diferenciar infinitamente as nossas explicações sem que conseguíssemos definir uma abordagem adequada. *E a abordagem falsa consistiria, precisamente, na assunção de que existem verdades para descobrir. A alma, Jorge, não passa de uma invenção, a nossa mais genial invenção, e a sua genialidade consiste na sugestão de que na alma existe algo a descobrir, como num pedaço do mundo real. Mas a verdade, Jorge, é completamente diferente: nós inventámos a alma para termos um assunto de conversa, algo sobre o qual podemos falar quando nos encontramos. Imagina só, se não pudéssemos falar da alma, então como é que comunicaríamos? Seria o Inferno?*

– Ele podia entusiasmar-se de tal modo que era capaz de cair num verdadeiro êxtase de eloquência. Era como se ardesse por dentro, e quando reparava como eu apreciava o seu arrebatamento, dizia: *Sabes que mais, o pensar é a segunda coisa mais bela. A mais bela é a poesia. Se existisse o pensar poético e a poesia pensante, podes crer que isso seria o Paraíso*. Quando, mais tarde, começou com os seus apontamentos, creio que o fez na tentativa de abrir um caminho em direcção a esse Paraíso.

Um brilho húmido cobria os olhos de O'Kelly. Ainda não se apercebera de que a sua rainha estava em perigo. Gregorius decidiu-se por uma jogada inofensiva. Eram os últimos na sala.

– Depois houve uma vez em que o jogo do pensamento se transformou em algo de verdadeiramente sério e grave. Mas você não tem nada a ver com isso. *Ninguém* tem nada a ver com o que aconteceu.

Jorge mordeu o lábio.

– Nem o João, lá em Cacilhas.

Travou o fumo e tossiu.

– «Estás a tentar enganar-te a ti próprio», disse-me, «quiseste fazê-lo por um outro motivo, bem diferente daquele que encenas perante ti próprio.»

Foram estas as suas malditas palavras, e pode crer que me magoaram: *daquele que encenas perante ti próprio*. Pode imaginar como é quando um amigo, O AMIGO, diz uma coisa dessas?

Como é que sabes isso, gritei-lhe, eu pensava que isso do certo e do errado não existia. Ou será que já não assumes isso?

No rosto por barbear de O'Kelly viam-se manchas vermelhas.

– É que, sabe, eu achava que podíamos simplesmente falar sobre tudo o que nos passava pela cabeça. Mas mesmo *tudo*. Romântico.

Uma parvoíce romântica, bem sei. Mas era assim que as coisas se passavam entre nós. Durante mais de quarenta anos. Desde o dia em que apareceu na sala de aula com aquela fatiota cara e sem a pasta.

Era ele quem não tinha medo de pensar as coisas até ao fim. Foi ele que quis enfrentar os padres no seu discurso sobre o Deus moribundo. E no momento em que eu que quis exprimir uma ideia ousada e, devo admiti-lo, terrível, apercebo-me de que o sobrevalorizei, tanto a ele como à nossa amizade. Olhou para mim como se eu fosse um monstro. Até então, ele sempre soubera distinguir entre uma ideia meramente «experimental» e outra que, de facto, nos impele para a acção. E foi ele que me explicou essa diferença, essa diferença libertadora. Só que, de repente, já não queria saber nada disso. O seu rosto ficou lívido. Naquele preciso segundo eu pensei que o pior, o mais terrível tinha acontecido: que aquele nosso afecto que durara toda uma vida se transformara em ódio. Esse foi o momento pavoroso em que nos perdemos.

Gregorius queria que O'Kelly ganhasse a partida. Queria que ele lhe desse mate com os seus lances concludentes. Mas Jorge mostrou-se incapaz de recuperar o seu jogo e tudo o que ele conseguiu arranjar foi um empate.

– A abertura de espírito absoluta é simplesmente impossível – disse Jorge quando apertaram as mãos, já na rua. – Ultrapassa as nossas capacidades. Solidão por obrigação de calar, também isso existe.

O farmacêutico expirou o fumo.

– Tudo aconteceu há muito tempo, há mais de trinta anos. Como se tivesse sido ontem. Mas estou contente por ter ficado com a farmácia. Ao menos assim posso continuar a viver na nossa amizade. E por vezes até consigo pensar que nunca nos perdemos. Que ele simplesmente morreu.

38

Há mais de uma hora que Gregorius rondava a casa de Maria João, perguntando-se sem parar porque é que tinha o coração aos saltos. *O grande amor intocável da sua vida*, dissera Mélodie. «Não me espantava nada se ele nem sequer lhe tivesse dado um beijo. Mas ninguém, nenhuma mulher lhe chegava aos calcanhares. Se houve alguém que conheceu todos os seus segredos, esse alguém foi a Maria João. De certa maneira, só ela, e ninguém mais do que ela, soube quem ele era. E o Jorge dissera que ela tinha sido a única mulher a quem ele reconhecera verdadeira competência. *A Maria, meu Deus, pois, a Maria...»* dissera.

Quando depois ela lhe veio abrir a porta, Gregorius percebeu instantaneamente tudo. Segurava uma chávena de café fumegante numa das mãos e aquecia nela a outra. O olhar claro dos seus olhos castanhos era inquiridor, sem ser ameaçador. Não era o que se poderia chamar uma mulher radiosa. Não era uma mulher de fazer parar o trânsito, alguém que fizesse com os homens se virassem para a ver passar. Nem certamente o tinha sido quando fora nova. Mas Gregorius nunca tinha encontrado uma mulher que irradiasse uma forma tão natural, tão discreta e, simultaneamente, tão absoluta de segurança e independência. Devia ter mais de oitenta anos, mas não lhe causaria nenhuma surpresa se ela lhe dissesse que continuava a exercer a sua profissão sem quaisquer dificuldades.

– Depende daquilo que deseja – disse ela quando Gregorius lhe perguntou se podia entrar. Ele não queria mostrar outra vez o retrato de Prado em frente à porta, como se de um documento se tratasse. O olhar calmo e franco encorajou-o a pôr as cartas na mesa.

– Ocupo-me com a vida e o legado escrito de Amadeu de Prado – explicou em francês. – Disseram-me que a senhora o conheceu. Que o conheceu melhor do que qualquer outra pessoa.

O seu olhar deixara prever que nada a conseguiria abalar, mas algo sucedeu. Não à superfície. Continuou encostada ao umbral da porta, com o seu vestido de lã azul-escuro, tão segura de si e tranquila como há instantes. Só a mão livre pareceu acariciar um pouco mais lentamente a porcelana aquecida. E o pestanejar tornara-se mais rápido, enquanto na testa se tinham formado rugas de uma concentração, como aquelas que se desenham quando nos vemos subitamente confrontados com um facto que pode ter consequências.

– Não sei se é algo que eu queira revisitar – disse. – Mas não faz sentido deixá-lo aí à chuva.

As palavras francesas fluíram naturalmente e o seu acento tinha a elegância sonolenta de uma portuguesa que se comunica em francês sem qualquer dificuldade, e sem que isso implique ter de deixar a sua língua por um instante que seja.

Mas afinal quem era ele, quis saber, depois de lhe pôr à frente uma chávena de café, não com os movimentos afectados de uma anfitriã atenta, mas com os gestos sóbrios e isentos de floreados de alguém que trata simplesmente do necessário.

Gregorius falou-lhe da livraria espanhola de Berna e das frases que o livreiro lhe traduzira. *Entre mil experiências que fazemos, transcrevemos, quando muito, uma única*, citou de memória. *Entre todas as experiências silenciosas, também se encontram escondidas aquelas que, sem que disso nos apercebamos, dão forma, cor e uma melodia própria à nossa vida.*

Maria João fechou os olhos. Os lábios fendidos, onde se notavam ainda vestígios de bolhas de febre, começaram a tremer imperceptivelmente. A velha senhora deixou-se afundar um pouco mais no sofá. As suas mãos rodearam o joelho e soltaram-no novamente. Agora não sabia o que fazer com as mãos. As pálpebras com as pequenas veias escuras estremeceram. Lentamente, a respiração normalizou-se e ela abriu os olhos.

– Não me diga que ouviu isso e saiu a correr do liceu – disse.

– Saí a correr do liceu e ouvi isso – corrigiu Gregorius.

Ela sorriu. Ela olhou para mim e ofereceu-me um sorriso que parecia vir directamente da vasta estepe de uma vida com lucidez, tinha escrito o juiz Prado.

– Bom. Mas não deixa de ser compreensível. É compreensível que você o tenha querido conhecer. Como é que chegou até mim?

Quando Gregorius acabou de lhe contar a sua história, ela olhou para ele.

– Não sabia nada do livro. Quero vê-lo.

Abriu-o, deteve-se no retrato, e foi como se uma dupla força de gravitação a empurrasse para dentro do sofá. Por detrás das pálpebras raiadas de minúsculas veias, quase transparentes, os globos oculares moviam-se freneticamente. Respirou fundo, abriu os olhos e fitou a imagem. Lentamente, passou com a mão enrugada pela superfície do papel, uma vez e depois outra. Foi então que apoiou as mãos nos joelhos, ergueu-se e saiu da sala sem dizer uma única palavra.

Gregorius agarrou no livro e observou o retrato. Pensou no momento em que o vira pela primeira vez, sentado no café da Bubenbergplatz. Pensou na voz de Prado na velha gravação de Adriana.

– Pronto, sempre tive de o revisitar – disse Maria João, depois de voltar a sentar-se no sofá. *Quando se trata da alma, há muito pouco que conseguimos controlar*. Era o que ele costumava dizer.

A expressão do seu rosto parecia mais serena e penteara as madeixas que lhe tinham caído para a cara. Pediu-lhe novamente o livro e ficou a observar a imagem.

– O Amadeu.

Pronunciada pela sua boca a palavra adquiria uma tonalidade completamente diferente. Como se fosse um outro nome, que de modo nenhum pudesse pertencer ao mesmo homem.

– Ele sempre foi tão pálido e silencioso, tão terrivelmente pálido e silencioso. Talvez o fosse por se ter identificado tão intensamente com a linguagem. Eu nunca pude nem quis admitir que nunca mais iria ouvir palavras ditas por ele. Nunca mais. O sangue daquela veia que rebentou arrastou as palavras. Todas as palavras. A rotura sangrenta de um dique de uma violência destruidora. Como enfermeira já vi muitos mortos. Mas nunca a morte me pareceu tão cruel. Como algo *que, simplesmente, não devia ter ocorrido*. Como algo absolutamente insuportável. *Insuportável*.

Apesar do ruído do trânsito, para lá da janela, a sala estava mergulhada em silêncio.

– Vejo-o à minha frente, como veio ter comigo, o relatório do hospital na mão, um daqueles envelopes pardos. Tinha ido à consulta por causa das dores de cabeça lancinantes e das vertigens. Tinha medo que fosse um tumor. Angiografia, agente de contraste, nada. Apenas um aneurisma. «Com isto pode chegar aos cem!», dissera-lhe o neurologista. Mas o Amadeu estava pálido como um cadáver. *«Pode rebentar a qualquer momento, a qualquer momento, como é que posso viver com esta bomba de retardador no cérebro»*, perguntou-me.

Gregorius contou que ele tirara da parede o mapa do cérebro.

– Eu sei, foi a primeira coisa que fez. E só se pode compreender o que isso significou se soubermos da admiração ilimitada que ele tinha pelo cérebro humano e pelas suas insondáveis capacidades. *Uma prova da existência de Deus*, costumava dizer, *é, de facto, uma prova da existência de Deus. Só que Deus não existe*. Começou então para ele uma vida em que tentava recalcar todo e qualquer pensamento que estivesse relacionado com o cérebro. Quando lhe surgia um quadro clínico que, de algum modo, por mais remoto e improvável que fosse, pudesse estar relacionado com o cérebro, ele encaminhava-o imediatamente para os colegas especialistas.

Gregorius viu à sua frente o grande atlas do cérebro que se encontrava no quarto de Prado, em cima, no monte de livros. «*O cérebro, sempre o cérebro*», ouviu Adriana dizer. «*Porque é que não disseste nada?*»

– Ninguém, a não ser eu, sabia da situação. Nem a Adriana. Nem mesmo o Jorge.

O orgulho era quase imperceptível, mas estava lá.

– Mais tarde, só muito raramente falámos do assunto, e nunca durante muito tempo. Não havia muito que dizer. Mas a ameaça de uma inundação sangrenta no interior da sua cabeça pairou como uma sombra sobre os últimos sete anos da sua vida. Houve momentos em que ele desejou que aquilo finalmente acontecesse. Só para poder ser redimido do medo.

Maria João olhou para Gregorius. – Venha comigo, por favor. – Conduziu-o até à cozinha. Da prateleira superior de um dos armários retirou uma caixa grande, achatada, de madeira lacada, com a tampa decorada com embutidos. Sentaram-se à mesa.

– Alguns dos seus textos foram escritos na minha cozinha. A cozinha era outra, mas a mesa foi esta aqui. «*As coisas que aqui escrevo são as mais perigosas*», dizia. Nunca quis falar sobre isso. «*Ou se escreve, ou se fala*», também costumava dizer. Chegou a acontecer ter ficado aqui sentado durante toda a noite e depois seguir para o consultório sem ter dormido um segundo. Sempre abusou da sua saúde. A Adriana detestava isso. Detestava tudo o que tivesse a ver comigo. «Obrigado», dizia quando se ia embora, «estar aqui é como estar num porto sossegado e protegido.» Guardei sempre as folhas na cozinha. É aqui que elas pertencem.

Maria João abriu o fecho cinzelado da caixa e tirou as três primeiras folhas. Depois de ter lido em silêncio algumas linhas, entregou os papéis a Gregorius.

Ele começou a ler. Sempre que não compreendia alguma coisa olhava para ela e ela traduzia-lha.

MEMENTO MORI. *Os muros escuros de um convento, o olhar posto no chão, um cemitério nevado. Tem de ser isso?*

Tornarmo-nos conscientes daquilo que, no fundo, queremos. A consciência do tempo limitado, que se esgota, como uma fonte de força, para podermos contrariar hábitos e expectativas próprias, mas sobretudo, as expectativas e as ameaças dos outros. Como algo, portanto, que nos abre o futuro, em vez de o fechar. Encarado desta maneira, o memento *representa um perigo para* os *poderosos,* os *opressores, que o procuram destorcer de modo a que* os *oprimidos, com* os *seus desejos, não sejam atendidos, nem mesmo perante si próprios.*

«Porque é que hei-de pensar que o fim é o fim, que vem quando vier, porque é que vocês me dizem isso, se isso não muda o que quer que seja?»

Qual é a resposta?

«Não desperdices o *teu tempo, transforma-o em algo* compensador.»

Mas o que é que isso pode significar: compensador? Começar, finalmente, a concretizar desejos há muito alimentados. Atacar o erro que consiste em acreditar que há-de sempre sobejar tempo para isso. O memento *como instrumento na luta contra o comodismo, a tendência para nos enganarmos a nós próprios e o medo que acompanha sempre a transformação necessária. Fazer a viagem há muito sonhada, aprender ainda aquela língua, ler aqueles livros, comprar esta jóia, passar uma noite naquele hotel famoso.* Não faltarmos ao encontro connosco próprios.

Também aqui pertencem as grandes decisões: desistir da profissão de que não se gosta, libertar-se de um ambiente odiado. Fazer aquilo que contribui para que nos tornemos mais genuínos, mais próximos de nós próprios.

Passar o dia deitado na praia ou sentado no café: também isso pode ser a resposta ao memento, *a resposta de alguém que, até agora, se limitou a trabalhar.*

«Lembra-te que hás-de morrer um dia, talvez já amanhã.»

«É nisso que tenho pensado durante todo o tempo. E é por isso que falto ao trabalho e me deito a apanhar sol.»

A advertência aparentemente mórbida não nos encerra forçosamente no jardim nevado do convento. Abre-nos o caminho para fora e desperta-nos para o presente.

Conscientes da morte, saibamos endireitar as relações com os outros. Pôr cobro a uma inimizade, desculparmo-nos por uma injustiça cometida, saber reconhecer aquilo que por tacanhez não estávamos dispostos a reconhecer. Não levar tão a peito coisas que nos perturbaram demasiado: as pequenas quezílias dos outros, a sua presunção, a displicência com que se julga uma pessoa. O memento *como desafio para que sintamos de uma* maneira diferente.

O perigo: as relações já não são verdadeiras nem intensas porque lhes falta a seriedade momentânea que pressupõe uma certa falta de distância. E também: em relação a muitas das vivências que fazemos torna-se decisivo que elas não estejam relacionadas com a consciência da finitude, mas antes com a sensação de que o futuro ainda será longo. A consciência da efemeridade e da morte eminente faria com que essas vivências fossem logo sufocadas à nascença.

Gregorius falou então do irlandês que ousara aparecer na conferência nocturna do All Souls College de Oxford com uma bola de futebol de um vermelho berrante.

– O Amadeu apontou: *O que é que eu não daria para ser o irlandês!*

– Pois, ele era assim – concordou Maria João –, condiz exactamente com aquilo que ele era. Sobretudo, condiz com o início, com o nosso primeiro encontro, no qual, como me vim a aperceber mais tarde, tudo já estava programado. Foi no meu primeiro ano no liceu feminino. Tínhamos todas um tremendo respeito pelos rapazes do outro lado. Latim e Grego! Um belo dia – lembro-me que foi numa manhã quente de Maio – decidi ir até lá, estava farta daquele estúpido respeito. Toda a gente a jogar, a rir, a jogar. Só ele não. Estava sentado nas escadarias, os braços em volta dos joelhos, a olhar para mim.

Como se já estivesse à minha espera há anos. Se ele não tivesse olhado daquela maneira, eu não me teria ido sentar ali, simplesmente, ao seu lado. Mas na altura pareceu-me a coisa mais natural do mundo.

«Tu não jogas?» – perguntei-lhe. Ele limitou-se a abanar um pouco a cabeça, parecia quase zangado.

«Estive a ler este livro», explicou no tom suave e irresistível de um ditador que ainda nada sabia do seu ditado e que, de certa maneira, nunca o iria saber. «Um livro sobre santas: Thérèse de Lisieux, Teresa de Ávila e por aí fora. Depois de o ler, tudo aquilo que faço me parece tão banal. Nada é suficientemente *importante*, percebes?»

Eu ri-me. «Olha que eu me chamo Ávila, Maria João Ávila», expliquei.

Ele também se riu, mas foi um riso forçado, não se sentia levado a sério.

«Não pode ser *tudo* importante, nem *sempre*» – discordei. «Seria horrível se assim fosse.»

Ele olhou para mim e, de repente, o seu sorriso deixou de ser forçado. A campainha do liceu começou a tocar e separámo-nos.

«Apareces cá amanhã?», quis saber. Não tinham passado mais de cinco minutos e já havia entre nós uma intimidade como se nos conhecêssemos há anos.

É claro que fui lá ter no dia seguinte, e é claro que ele também já sabia tudo sobre o meu apelido. Fez-me um discurso sobre o Vasco Ximeno e o conde Raimundo de Borgonha, que tinham sido enviados ao local por D. Afonso VI, rei de Castela, e sobre o Antão e o João Gonçalves de Ávila, que, no século XV, trouxeram o nome para Portugal, e por aí fora.

«Podíamos ir visitar Ávila juntos», disse.

No dia seguinte olhei para o liceu da sala da minha turma e vi dois pontos brilhantes à janela. Era o sol a reflectir-se nas lentes dos seus binóculos de ópera. Tudo estava a passar-se tão depressa, com ele era sempre assim, o tempo parecia que voava.

No intervalo mostrou-me o pequeno binóculo. «É da mamã», explicou. «Ela gosta muito de ir à ópera, mas o papá...»

Também quis fazer de mim uma boa aluna. Para que eu pudesse ser médica. Mas eu é que não queria isso, queria ser enfermeira.

«Mas tu…», começou ele.

«Enfermeira» insisti, «uma simples enfermeira.»

Precisou de um ano para aceitar que eu não abdicava do meu objectivo, nem permitia que ele me impingisse o seu. Isso marcou a nossa amizade. Porque foi isso que a nossa relação foi: uma amizade para toda a vida.

«Tens uns joelhos tão castanhos e o teu vestido cheira tão bem a sabão», disse-me ele, duas ou três semanas depois do nosso primeiro encontro.

Eu tinha-lhe oferecido uma laranja. As minhas colegas estavam doidas de inveja: o aristocrata e a saloia. *Porque é que tinha logo de ser a Maria*, perguntou uma delas, sem se aperceber de que eu estava mesmo ali ao lado. Imaginavam coisas. O padre Bartolomeu, que para o Amadeu era o professor mais importante, não gostava de mim. Sempre que me via, dava meia-volta e seguia noutra direcção.

Quando fiz anos ofereceram-me um vestido novo. Eu pedi à mamã para me subir um bocadinho a bainha. O Amadeu viu e calou-se.

Por vezes, era ele que aparecia no nosso lado e íamos passear durante o intervalo. Contava-me os problemas lá de casa, as costas do pai, as secretas expectativas da mãe. Partilhava tudo comigo. Tornei-me a sua confidente. Sim, foi isso que eu me tornei: uma confidente para toda a vida.

Ele não me convidou para o casamento. «Para ti seria uma maçada», justificou-se. Quando eles saíram da igreja eu estava atrás de uma árvore. O casamento finíssimo do aristocrata. Carros enormes, brilhantes, o vestido branco com uma longa cauda, os homens de fraque e chapéu alto.

Foi a primeira vez que eu vi a Fátima. Um rosto bonito, bem proporcionado, uma tez branca como o alabastro. Cabelo negro, comprido, figura de rapazinho. Não é que fosse uma bonequinha, mas, de certa forma… meio atrasada. Claro que não o posso provar, mas desconfio que ele a tenha tutelado. Sem o notar. Era um homem de tal maneira dominador. Não era que fosse um tirano, de maneira nenhuma, mas dominador à sua maneira, brilhante, superior. No fundo, não havia, na sua vida, lugar para uma mulher. Quando ela morreu, ele ficou devastado.

Maria João calou-se e olhou através da janela. Quando prosseguiu, fê-lo algo hesitante, como se tivesse má consciência.

– Como disse, ficou devastado, profundamente abalado. Sem dúvida. E no entanto... como é que posso dizer: não foi um abalo que tivesse atingido a região mais funda e definitiva. Nos primeiros dias visitou-me muitas vezes. Não para ser consolado. Ele sabia que... que não podia esperar isso de mim. Sim, creio que sabia isso. Aliás, *tinha de* saber. Queria simplesmente que eu estivesse ali ao pé dele. Muitas vezes, era só isso: eu tinha de estar *ali*.

Maria João levantou-se, foi até à janela e ali ficou, a olhar lá para fora, as mãos cruzadas atrás das costas. Quando voltou a falar, fê-lo com a voz baixa dos segredos.

– À quarta ou quinta visita encontrou, finalmente, coragem para mo dizer. O sofrimento deve ter sido demasiado grande. Fora ele quem quisera ser operado, pois recusava-se terminantemente a ser pai. Isso acontecera muito antes de conhecer a Fátima.

– Não quero que haja crianças indefesas que tenham de suportar o peso da minha alma – disse. – Sei como foi comigo – e continua a ser.

Os contornos das exigências e temores dos pais *inscrevem-se com um ferro incandescente na alma das crianças, perfeitamente impotentes e incapazes de compreenderem os que lhes acontece. Precisamos de toda uma vida para encontrar e decifrar o texto marcado a fogo e nunca podemos saber ao certo se o compreendemos.* Gregorius contou a Maria João o que lera na carta ao pai.

– Sim – disse ela –, sim. Mas os seus remorsos não tinham a ver com a operação, disso ele nunca se arrependeu. Foi por não ter dito nada à Fátima. Ela sofreu imenso por não ter filhos e ele quase que sufocou com os sentimentos de culpa. O Amadeu era um homem corajoso, um homem de uma coragem excepcional, mas aí foi cobarde e nunca conseguiu ultrapassar essa cobardia.

«*No que à mamã diz respeito, é um cobarde*», tinha dito Adriana. «*A única cobardia que lhe conheço. E logo nele, que de resto nunca evitou o confronto, por mais desagradável que ele fosse.*»

– Eu percebi – disse Maria João. – Sim, creio que o posso dizer: percebi. Tinha visto até que ponto o pai e a mãe estavam dentro dele. O que tinham feito com ele. E no entanto, fiquei chocada. Também pela Fátima. Mas mais ainda chocou-me o radicalismo, no fundo a brutalidade da sua decisão. Com vinte e tal anos toma uma decisão definitiva. Irrevogável. Precisei de cerca de um ano para me conformar com aquilo. E só o consegui quando disse para mim própria: ele não seria ele se não fosse capaz de fazer uma coisa daquelas.

Maria João agarrou no livro de Prado, pôs os óculos e começou a folheá-lo. Mas os seus pensamentos ainda pairavam no passado e acabou por tirar os óculos.

– Nunca falámos a fundo da Fátima, sobre aquilo que ela significava para ele. Uma vez, encontrámo-nos no café, ela e eu: ela entrou e sentiu-se na obrigação de vir ter comigo. Ainda antes do empregado de mesa aparecer soubemos ambas que tinha sido um erro. Por sorte, foi só uma bica.

Não sei se percebi tudo, ou se não percebi. Nem sequer tenho a certeza de que ele o tenha percebido. E é aqui que está a minha cobardia: nunca li aquilo que ele escreveu sobre a Fátima. «Só podes ler depois da minha morte», disse-me ele, quando me entregou o envelope lacrado. «Mas não quero que caia nas mãos da Adriana.» Mais do que uma vez, tive o envelope na mão e já não sei quando decidi para sempre: não quero saber. E assim ele ainda lá continua, na caixa.

Maria João voltou a pôr na caixa o texto da exortação da morte e empurrou-a para o lado.

– Mas há uma coisa que sei: quando aconteceu aquilo com a Estefânia eu não fiquei nem um nadinha surpreendida. Porque isso existe, de facto: o não sabermos o que nos falta, até que nos aparece pela frente. E então, subitamente, temos a certeza que era isso.

Ele mudou. Pela primeira vez em quarenta anos pareceu envergonhar-se de algo perante mim, algo que estava a tentar esconder. Só soube que havia alguém, alguém da resistência antifascista que também tinha qualquer coisa a ver com o Jorge. E que havia algo que o Amadeu não queria, não podia admitir. Mas eu conhecia-o: ele não parava de pensar nela. Pelo seu silêncio depreendi que não queria que eu a visse. Como se, ao vê-la, eu pudesse descobrir algo sobre ele que eu não devia saber. Que ninguém devia saber. Nem sequer ele próprio, por assim dizer. E eu não fiz mais nada: fui até lá, esperei em frente à casa onde eles se encontravam. Só saiu de lá uma única mulher e eu soube imediatamente que era ela.

O olhar de Maria João atravessou o espaço e deteve-se num ponto distante.

– Não lha vou descrever. Só quero dizer o seguinte: pude imediatamente imaginar o que tinha acontecido com ele. Que o mundo, de repente, passara a ser completamente diferente. Que a ordem a que ele se habituara se desmoronara. Que, subitamente, as coisas que contavam eram outras. Era esse género de mulher. E não devia ter mais de vinte e poucos anos. Ela não era só a «bola», a «bola vermelha» no College. Era muito mais do que todas as bolas vermelhas irlandesas juntas: ele deve ter sentido que ela representava para ele a oportunidade de se tornar um todo, de se conhecer completamente. Como homem.

Só assim se compreende que ele tenha posto tudo em jogo: o respeito dos outros, a amizade com o Jorge, que para ele era sagrada, até mesmo a própria vida. E que tenha regressado de Espanha como se estivesse... aniquilado. Aniquilado, sim, é a palavra certa. Tornara-se muito mais lento, sentia dificuldade em concentrar-se. Já não era aquela agitação nas veias, aquela ousadia. O seu fogo interior tinha-se extinguido. Uma vez disse que tinha de reaprender a viver desde o princípio.

«Fui até ao liceu», disse-me um dia. «Na altura tinha tudo à minha frente. Eram ainda possíveis tantas coisas. Tudo estava em aberto.»

Maria João pigarreou, e quando recomeçou a falar a sua voz estava rouca.

– Ainda disse outra coisa: «Porque é que nós não fomos juntos a Ávila?»

Pensei que se tivesse esquecido. Mas não se tinha esquecido. Chorámos. Foi a única vez que chorámos juntos.

Maria João saiu da sala. Quando voltou tinha um cachecol ao pescoço e um sobretudo pendurado no braço.

– Quero ir consigo ao liceu – disse. – Ou ao que resta dele.

Gregorius imaginou-a a contemplar as imagens de Isfahan e a fazer perguntas. Ficou espantado por não sentir nenhuma vergonha. Perante ela não.

39 Com os seus oitenta e tal anos, a velha senhora conduzia o carro com a calma e a precisão de um taxista. Gregorius observou-lhe as mãos no volante, no manípulo das mudanças. Não eram mãos elegantes, e notava-se que ela também não gastava tempo a cuidar especialmente delas. Mãos que tinham tratado de doentes, esvaziado arrastadeiras, aplicado ligaduras. Mãos que sabiam o que faziam. Porque é que Prado não a tornara sua assistente?

Estacionaram e atravessaram o parque a pé. Maria João quis ir primeiro ao edifício da escola feminina.

– Há já trinta anos que cá não venho. Desde a sua morte. Na altura vim cá quase todos os dias. Pensei que este espaço comum, o sítio do nosso primeiro encontro, me poderia ensinar a despedir-me dele. Não sabia como o fazer: despedir-me dele. Como é que nos despedimos de alguém que marcou a nossa vida mais do que qualquer pessoa? Ele ofereceu-me uma coisa que eu desconhecia e que nunca mais voltei a encontrar: uma inacreditável intuição. Era muito metido consigo e podia ser egoísta até à crueldade. Mas, ao mesmo tempo, quando se tratava das outras pessoas, possuía uma imaginação tão instantânea e precisa que uma pessoa ficava sem ar. Chegou a dizer-me como é que eu me sentia, antes mesmo de eu encontrar as palavras adequadas. Compreender os outros foi para ele uma paixão, uma verdadeira paixão. Mas também não seria quem era se não tivesse duvidado da possibilidade de uma tal compreensão. E punha em causa essa compreensão intuitiva de uma forma tão radical que também nos podia deixar sem respiração pelo motivo oposto.

Aquela sua maneira de ser criou entre nós uma proximidade incrível, impressionante mesmo. Não se pode dizer que lá em casa fôssemos uns brutos uns para os outros, mas éramos bastante prosaicos, ou práticos, se lhe quisermos chamar assim. E, de repente, aparece alguém capaz de olhar para dentro de mim. Foi como uma revelação que fez nascer uma esperança.

Encontravam-se agora na antiga sala de aulas de Maria João. Já não havia bancos, apenas o quadro negro. Janelas com os vidros estilhaçados. Maria João abriu uma e o seu ranger fez soar as décadas. A velha senhora apontou para o liceu.

– Ali. Foi ali, naquela janela do terceiro andar, que vi os pontos luminosos dos binóculos. – E engoliu em seco. – O facto de um rapaz, um rapaz de uma família aristocrática, se pôr à minha procura com uns binóculos de ópera... bem, aquilo impressionou-me. E, como disse, fez nascer uma esperança. Uma esperança que, na altura, ainda tinha uma forma infantil e, claro, não se sabia do que tratava. Mesmo assim, de uma forma muito vaga, era a esperança de uma vida partilhada.

Desceram as escadas. Nos degraus depositara-se, tal como no liceu, uma película de pó húmido e musgo apodrecido. Maria João manteve-se calada até terem atravessado o parque.

– De certa forma, até acabou por ser isso mesmo. Refiro-me à tal «vida compartilhada». Compartilhada numa distância próxima; numa proximidade distante.

A velha senhora olhou para cima, para a fachada do liceu.

– Era ali, naquela janela, que ele estava. E como já sabia tudo e se aborrecia, entretinha-se a escrever-me mensagens em folhinhas que depois me entregava no intervalo. Não eram, como hei-de dizer, não se tratava de *billets doux*. Não vinha lá escrito aquilo que eu esperava poder ler, cada vez de novo. Eram os seus pensamentos acerca de um qualquer tema. Acerca de Teresa d'Ávila e de muitos outros assuntos. Transformou-me numa habitante do mundo dos seus pensamentos. «Para além de mim, só tu lá vives», costumava dizer.

E, no entanto, entre nós manteve-se um estado que eu só pouco a pouco, e muito mais tarde, acabei por perceber: ele não queria que eu me envolvesse na sua vida. Num determinado sentido, muito difícil de explicar, ele queria que eu me mantivesse de fora. Até esperei que ele me perguntasse se queria trabalhar com ele no consultório da casa azul. Em sonhos cheguei a trabalhar, muitas vezes mesmo, e era maravilhoso, entendíamo-nos sem precisar de falar. Mas o que é certo é que ele não perguntou, nem sequer chegou a abordar vagamente a questão.

Adorava comboios, para ele eram um símbolo da vida. Eu gostaria de ter viajado no seu compartimento. Mas ele nunca me quis ali. Quis que eu ficasse na gare, o que ele verdadeiramente queria era poder baixar a janela e pedir-me, a qualquer altura, um conselho. E também queria que a gare acompanhasse o seu comboio, quando ele partisse. Eu devia ficar na plataforma em movimento como um anjo, imóvel na plataforma do anjo, que deslizava precisamente à mesma velocidade do seu comboio.

Entraram no liceu. Maria João olhou à sua volta.

– No fundo, não era permitida a entrada às raparigas. Mas ele conseguiu fazer-me entrar à socapa, depois das aulas, e mostrou-me tudo. Uma vez o padre Bartolomeu apanhou-nos. Ficou furioso, mas como era o Amadeu, acabou por não dizer nada.

Pararam em frente à porta do escritório do reitor. Gregorius reparou que afinal estava com medo. Entraram. Maria João desatou às gargalhadas. Era o riso de um jovem aluno esfuziante.

– Foi você?

– Sim.

Ela aproximou-se da parede com as imagens de Isfahan e olhou para ele com um ar inquiridor.

– Isfahan, na Pérsia. Quando era aluno quis lá ir. Conhecer o Levante.

– E agora, que fugiu, recupera o tempo perdido. Aqui.

Ele concordou com um aceno de cabeça. Nunca imaginara que havia pessoas que percebiam as coisas tão rapidamente. Podia abrir-se a janela do comboio e perguntar directamente ao anjo.

Maria João fez então algo de surpreendente: aproximou-se dele e pousou-lhe o braço em cima dos seus ombros.

– O Amadeu teria percebido. E não só percebido. Tê-lo-ia adorado por isto. A imaginação, o nosso último santuário, costumava dizer. Para além da linguagem, a imaginação e a intimidade eram os únicos santuários que ele respeitava. *E as três têm muito a ver umas com as outras*, também dizia.

Gregorius hesitou, mas depois acabou por abrir a gaveta da secretária e mostrou a Maria João a Bíblia hebraica.

– Aposto que essa camisola é sua!

Ela sentou-se num cadeirão e tapou as pernas com uma das mantas de Silveira.

– Leia-me uma passagem, por favor. Ele também costumava ler-me. Claro que não percebia nada, mas era maravilhoso.

Gregorius leu parte do *Génesis*. Ele, o *Mundus*, estava ali, num liceu português em ruínas, a ler o *Génesis* a uma senhora idosa que no dia anterior ainda não conhecera, e que não sabia uma única palavra em hebraico. Era a coisa mais louca que ele jamais fizera. E desfrutou-a como nunca tinha desfrutado nada. Era como se se desenvencilhasse de todos os grilhões interiores para, pelo menos uma vez na vida, esbracejar e desancar tudo o que surgia à sua volta. Como alguém que estivesse consciente de um fim próximo.

– E agora vamos até ao salão nobre – disse Maria João. – Na altura estava fechado.

Sentaram-se na primeira fila, em frente ao estrado com a estante elevada.

– Foi ali que ele leu o seu discurso. O seu famigerado discurso. Adorava-o. Havia tanto dele naquelas frases. Ele era o discurso. Mas houve uma coisa que me assustou. Não na versão que ele leu em público, pois acabou por cortar essa passagem. Com certeza que se lembra ainda do final, em que diz que precisa de ambos os momentos, da sacralidade das palavras e da inimizade contra tudo o que é cruel. E a seguir vem: *e que ninguém me obrigue a escolher*. Foi a última frase que ele leu. Só que, originalmente, havia ainda uma outra frase: *Seria uma corrida atrás do vento*. Isso assustou-me.

«Que imagem linda!», exclamei na altura.

E então ele agarrou na Bíblia e leu aquela passagem do rei Salomão: *olhei para tudo o que sob o sol se faz, e tudo era vaidade e uma corrida atrás do vento*[1]. Assustei-me imenso.

«Não podes fazer uma coisa dessas!», disse-lhe. «Os padres reconhecem imediatamente a citação e vão achar que és megalómano!»

O que eu não disse foi que, nesse momento, tive medo por ele, pelo seu equilíbrio psíquico.

«Mas porquê?», perguntou ele, muito espantado. «É apenas poesia.»

«Mas não te podes aproveitar da poesia bíblica! Poesia bíblica! Em teu nome!»

«A poesia supera tudo», disse ele, «anula todas as regras.»

Mas ficou inseguro e acabou por cortar a frase. Sentiu que eu estava mesmo preocupada, ele sentia sempre tudo. Nunca mais falámos do assunto.

[1] Eclesiastes, 1.14. (*N. do E.*)

Gregorius falou-lhe da discussão que Prado tivera com O'Kelly acerca da «Palavra moribunda de Deus.»

– Isso não sabia – disse Maria João, calando-se. Juntou as mãos, separou-as, voltou a juntá-las.

– O Jorge. O Jorge O'Kelly. Ainda hoje não sei se ele representou uma sorte ou um azar para o Amadeu. Um grande azar, disfarçado de grande sorte – também há disso, não é?! O Amadeu ansiava pela força do Jorge, que era uma força rude. Ansiava por toda aquela rudeza que se manifestava nas suas mãos ásperas, cheias de cortes, no cabelo desgrenhado e cerdoso, nos cigarros sem filtro que ele já na altura não parava de fumar. Não quero ser injusta para com ele, mas não gostei que o entusiasmo de Amadeu por tudo o que tivesse a ver com ele fosse tão cego, tão acrítico. Eu própria era uma campónia, portanto sabia o que era um miúdo campónio. Não havia motivos para romantismos exacerbados. Se as coisas dessem para o torto, de certeza que o Jorge iria pensar primeiro nele próprio.

O que o fascinou no O'Kelly, e que o podia quase inebriar, era que ele não tinha qualquer dificuldade em demarcar-se dos outros. Dizia simplesmente «não» e sorria placidamente com aquele seu narigão. O Amadeu, pelo contrário, lutava pelos seus limites como se daí dependesse a sua redenção.

Gregorius contou-lhe então o que lera na carta ao pai e falou-lhe da frase: *os outros são o teu tribunal*.

– Sim, era exactamente isso. Ele transformou-o numa pessoa profundamente insegura, no ser mais sensível e reactivo que imaginar se pode. Tinha aquela imensa necessidade de confiança e de ser aceite. Achava que tinha de esconder essa insegurança à viva força e muitas daquelas atitudes que pareciam corajosas e ousadas não passavam de simples fugas para a frente. Exigia enormidades de si próprio, sempre demasiado, e isso acabou por torná-lo intolerante e despótico.

Todos os que o conheceram de perto achavam que nunca poderiam satisfazer as suas expectativas, ficavam sempre aquém do esperado. E o facto dele se ter a si próprio em tão pouca consideração só acabava por tornar tudo ainda mais difícil. As pessoas nem sequer se podiam defender da acusação de presunção.

E como ele era intransigente, por exemplo, perante o *kitsch*!

Sobretudo em palavras e gestos. E o pânico que ele tinha do próprio *kitsch*! Eu dizia-lhe que temos de nos aceitar com todo o *kitsch* que há em nós, para nos podermos libertar. Durante alguns minutos, ele respirava de uma forma mais calma, mais livre. O Amadeu tinha uma memória fenomenal, mas esquecia-se rapidamente desse tipo de coisas e, passado algum tempo, lá estava ele, de novo, dominado por aquela tensão cruel que o obrigava a conter e suster a respiração.

O Amadeu sempre lutou contra o «tribunal». Meu Deus, as lutas que ele travou! E acabou por perder. Sim, creio que se pode dizer que foi vencido.

Nas fases mais calmas, quando se limitava a fazer o seu trabalho no consultório e as pessoas se mostravam gratas, parecia, por vezes, que tinha conseguido. Mas depois aconteceu aquela história com o Mendes. O escarro a escorrer-lhe pelo rosto perseguiu-o, e sei que sonhou até ao fim com aquilo. Uma autêntica execução.

Eu nunca estive de acordo que ele se alistasse no movimento clandestino da resistência. Não era homem para aquilo, não tinha os nervos necessários, se bem que, claro, não lhe faltasse inteligência. E também não percebia porque é que ele tinha, à viva força, que expiar uma qualquer falta. Mas não havia nada a fazer. *Quando se trata da alma, pouco domínio temos sobre nós*, costumava dizer, mas sobre isso já lhe falei.

E depois o Jorge estava empenhado na resistência. O Jorge, que ele acabou por perder precisamente por causa disso. Quantas vezes o vi, arrasado, na minha cozinha, a matutar naquilo, sem conseguir dizer uma palavra.

Subiram as escadas e Gregorius mostrou-lhe a carteira onde imaginara ter-se sentado Prado. Era o andar errado, mas, de resto, quase que tinha acertado. Maria João foi até à janela olhou para o seu lugar na escola das raparigas.

– «O tribunal dos outros.» Foi isso que ele sentiu também quando cortou o pescoço à Adriana. Os outros ficaram sentados à mesa, a olhar para ele, como se fosse um monstro. E, afinal, ele só fez o que tinha a fazer. Nos meus tempos de Paris fiz um curso de ajuda médica de emergência, e aí eles mostraram-nos. Traqueotomia através da membrana cricotiroideia. Há que cortar o *ligamen conicum* e manter a traqueia desimpedida com uma cânula. Senão o paciente morre, devido a asfixia por bolo alimentar. Não sei se eu seria capaz de fazer uma coisa daquelas, nem se me teria lembrado de recorrer a uma esferográfica para fazer de cânula. «Se quiser, começa já a trabalhar connosco...» – disseram-lhe os médicos que depois operaram a Adriana.

Para a vida da Adriana aquilo teve consequências irreparáveis. Quando se salva a vida a alguém, especialmente então, há que saber despedirmo-nos de uma forma rápida e leve. Um salvamento de vida representa para o outro – e através do outro também para nós próprios – um peso que ninguém pode suportar. É por isso que esse acontecimento devia ser tratado como um acaso feliz da Natureza, como uma cura espontânea, por exemplo. Algo de impessoal.

O Amadeu sofreu muito com a gratidão da Adriana, que tinha qualquer coisa de religioso, de fanático. Por vezes, sentia mesmo nojo, ela podia ser servil como uma escrava. Mas depois houve aquele amor infeliz, o aborto, o perigo do isolamento e da solidão. Por vezes, tentei convencer-me de que ele não me quis levar para o consultório por causa da irmã. Mas isso não é verdade.

Com a Mélodie, a outra irmã, a Rita, já foi tudo diferente. Uma relação leve e descontraída. Ele tinha uma fotografia em que ela aparecia com um daqueles bonés da orquestra das raparigas. Invejava-a pela coragem que tinha de assumir a instabilidade. Não era que sentisse inveja pelo facto da irmã mais nova não ter sofrido tanto com todas aquelas expectativas, por parte dos pais, que foram sempre muito mais exigentes com os dois mais velhos; mas também podia enfurecer-se, quando pensava como a sua vida de filho poderia ter sido bem mais fácil.

Só estive uma única vez em casa deles. Foi durante o período escolar e o convite foi um erro. Foram simpáticos comigo, mas todos sentimos que eu não pertencia àquele meio, que não era de uma família aristocrática e rica. Nessa tarde o Amadeu ficou triste.

«Espero que...», disse. «Eu não posso...»

«Não tem importância», disse eu.

Muito mais tarde, encontrei-me uma vez com o juiz, foi ele que me pediu. Sentia que o filho lhe levava a mal a sua actividade sob aquele governo responsável pelo Tarrafal. «*Ele despreza-me, o meu próprio filho despreza-me*», confessou, extremamente perturbado. E depois falou-me das dores que sentia e de como a profissão o ajudava a suportar a vida. Acusou o filho de falta de sensibilidade. Eu contei-lhe aquilo que o Amadeu me dissera: «*Não o quero ver como um doente, a quem tudo se desculpa. Seria como se deixasse de ter um pai.*»

O que eu não lhe contei foi como o Amadeu se sentiu infeliz em Coimbra. Porque duvidava do seu futuro como médico. Porque não tinha a certeza se não se teria simplesmente submetido ao desejo paterno, interiorizando-o e falhando assim a sua própria vocação.

Foi quase apanhado a roubar nos armazéns comerciais mais antigos da cidade e esse susto fez com que sofresse um esgotamento nervoso. Eu fui visitá-lo.

«Sabes o motivo?», perguntei-lhe. E ele disse que sim com a cabeça.

Nunca mo explicou, mas creio que teve a ver com o pai e com coisas como o tribunal e as sentenças. Uma espécie de revolta absurda e codificada. No corredor do hospital, encontrei o O'Kelly.

«Se ele, ao menos, roubasse qualquer coisa de jeito!», limitou-se a dizer. «Mas agora aquela porcaria!»

Naquele momento não consegui perceber se gostava ou não dele. No fundo, nem hoje o sei.

A acusação de falta de sensibilidade era tudo menos justificada. Quantas vezes o Amadeu se dobrou na minha presença, imitando a posição do doente que sofre da síndrome de Bechterev, até ficar com cãibras nas costas! E depois continuava a insistir, com a cabeça espetada para a frente, como um pássaro, os dentes cerrados.

«Não sei como é que ele consegue aguentar» – dizia. «Nem são só as dores. Mas a humilhação!»

Se houve alguém em relação a quem a sua fantasia tivesse falhado, então esse alguém foi a mãe. Para mim, a sua relação com ela foi sempre um mistério. Uma mulher bonita, bem cuidada, mas insignificante. «Sim», costumava ele dizer. «Pois, por isso mesmo. Ninguém acreditaria.» – Ele culpava-a de tanta coisa que, no fundo, não podia ter razão. A incapacidade de demarcação; a mania do trabalho; o excesso de exigência perante si próprio; a incapacidade de dançar e jogar. Tudo estaria pretensamente relacionado com a sua suave ditadura. Só que não se podia falar com ele acerca disso. «Não quero falar, quero continuar furioso! Simplesmente furioso! Raivoso!»

O crepúsculo caíra. Maria João já acendera as luzes do carro.

– Conhece Coimbra? – perguntou.

Gregorius abanou a cabeça.

– Ele adorava a Biblioteca Joanina da Universidade. Não passava uma semana sem lá ir. E a Sala Grande dos Actos, onde recebeu o seu diploma. Mesmo mais tarde, de vez em quando ia até lá, fazer uma visita àqueles espaços.

Ao sair do carro, Gregorius sentiu uma vertigem e teve de se agarrar ao tejadilho. Os olhos de Maria João contraíram-se.

– Costuma acontecer-lhe isso muitas vezes?

Ele hesitou. E mentiu.

– Não se deve brincar com essas coisas – disse a velha senhora. – Conhece um neurologista?

Ele acenou afirmativamente com a cabeça.

O automóvel pôs-se em movimento, devagar, como se Maria João estivesse a pensar em voltar para atrás. Só quando chegou ao cruzamento é que acelerou. Tudo girava à sua volta e Gregorius teve de se agarrar à maçaneta da porta, antes de a conseguir abrir. Bebeu um copo de leite do frigorífico de Silveira e só depois é que subiu as escadas, degrau a degrau.

40

Odeio hotéis. Porque é que não acabo com isto? Podes dizer-mo tu, Julieta? Quando no sábado, por volta do meio-dia, Gregorius ouviu Silveira a abrir a porta, lembrou-se daquilo que a rapariga lhe havia contado. Condizente com as palavras foi a atitude do dono da casa, que deixou simplesmente cair a mala e o sobretudo e se foi sentar logo ali, num dos sofás do *hall*, onde ficou, com os olhos fechados e visivelmente esgotado. Quando viu Gregorius descer as escadas a sua expressão desanuviou-se.

– Raimundo. Então não está em Isfahan? – perguntou a rir-se.

Estava constipado e espirrava. A conclusão do negócio em Biarritz não tinha corrido conforme esperado, depois perdera duas vezes ao xadrez com o empregado da carruagem-cama e Filipe, o *chauffeur*, chegara atrasado à estação. Além disso, hoje a Julieta tinha o dia livre.

O enorme cansaço estava-lhe escrito no rosto, um cansaço que ainda era maior e mais profundo do que aquele de que ele se apercebera no comboio. «*O problema*», dissera Silveira com o comboio parado na estação de Valladolid, «*é que não dispomos de uma visão geral sobre a nossa vida. Nem para a frente, nem para trás. Se algo correr bem é porque tivemos simplesmente sorte.*»

Almoçaram o que Julieta lhes havia preparado no dia anterior e depois foram para o salão beber café. Silveira reparou que o olhar de Gregorius se deteve nas fotografias das festas aristocráticas.

– Raios! – exclamou de repente –, e não é que me esqueci completamente?! A festa, a maldita festa da família!

Não ia e pronto, *simplesmente não ia à festa*, disse, batendo com o garfo no tampo da mesa. Mas algo no rosto de Gregorius pareceu surpreendê-lo.

– A não ser que venha comigo – disse. – Uma festa de família aristocrática toda cerimoniosa. A última! Mas se quiser…

Eram já quase oito horas quando Filipe os foi buscar e deparou, espantado, com os dois a rirem-se a bandeiras despregadas no *hall*. Não tinha nada a condizer para vestir, dissera Gregorius há uma hora atrás. Depois experimentara fatos de Silveira e todos lhe estavam apertados. E agora ali estava ele, a observar-se em frente ao grande espelho: umas calças demasiado compridas, que caíam em dobras sobre os sapatos toscos; um casaco de *smoking* que não conseguia apertar, uma camisa que quase o asfixiava no colarinho. Assustara-se quando se vira ao espelho, mas depois deixara-se contagiar pelo ataque de riso de Silveira, e agora começava, ele próprio, a divertir-se a sério com a palhaçada. Não o sabia explicar, mas tinha a sensação de que, com toda aquela mascarada, se podia vingar de Florence.

Mas a absurda vingança só começou verdadeiramente a funcionar quando entraram na vivenda da tia de Silveira. Este teve todo o prazer em apresentar aos seus arrogantes familiares o seu amigo suíço Raimundo Gregório, um verdadeiro erudito, que dominava inúmeras línguas. Quando Gregorius ouviu a palavra «erudito» estremeceu como um aldrabão prestes a ser desmascarado. Mas, já à mesa, sentiu-se, de repente, levado por uma onda de endiabrado sarcasmo e, como prova das suas capacidades de poliglota, desatou a misturar o Hebreu, o Grego e o dialecto alemão de Berna num discurso alucinado, transbordante de combinações de palavras cada vez mais insólitas. Gregorius desconhecia que houvesse dentro de si uma tão desconcertante criatividade linguística; era como se a fantasia o transportasse numa volta ousada e solta para dentro do espaço vazio, cada vez mais alto e cada vez mais longe, até chegar ao instante da queda. Sentiu-se atordoado, dominado por uma agradável vertigem de palavras, vinho tinto, fumo e música de fundo. Na verdade, ele desejava aquela vertigem e tudo fez para que ela perdurasse. Acabou por se tornar na estrela da noite. Os familiares de Silveira sentiram-se aliviados por não terem de se entediar consigo próprios; Silveira fumou um cigarro atrás do outro, gozando com o espectáculo. As senhoras contemplavam Gregorius com olhares a que ele não estava habituado; ele, por sua vez, não tinha a certeza de que esses olhares significassem aquilo que pareciam significar, mas também não importava – o que verdadeiramente importava é que existissem aqueles olhares meio ambíguos que lhe eram dirigidos a ele, ao *Mundus*, o homem feito do mais áspero pergaminho, a quem costumavam chamar «o Papiro.»

A uma certa altura, a meio da noite, viu-se na cozinha a lavar pratos. Era a cozinha dos parentes de Silveira, mas também era a cozinha dos von Muralt, e Eva, a «Íncrivel», observava a sua azáfama visivelmente escandalizada. Tinha esperado que as duas raparigas que serviam à mesa se fossem embora, e só então se esgueirara para dentro da cozinha. E agora ali estava ele, vertiginoso e oscilante, encostado à pedra do lava-loiça, disposto a deixar todos os pratos a brilhar. Agora não queria ter medo das vertigens, queria desfrutar da loucura daquela noite, uma loucura que consistia no simples facto de, decorridos quarenta longos anos, conseguir, finalmente, concretizar aquilo que não pudera fazer na festa de estudantes. Então era ou não possível comprar um título nobiliário em Portugal, perguntara à sobremesa, e o esperado constrangimento não se instalara, todos tinham interpretado a pergunta como o balbuciar atrapalhado de alguém que não dominava a língua. Só Silveira sorrira.

Os óculos estavam embaciados pelo vapor da água quente. Gregorius fez um gesto em falso e deixou cair um prato que se estilhaçou no chão de pedra.

– *Espere, eu ajudo!* – disse Aurora, a sobrinha de Silveira, que, de repente, aparecera na cozinha. Puseram-se os dois de cócoras a apanhar os cacos. Gregorius continuava sem ver nada e chocou com a rapariga, cujo perfume, achou mais tarde, condizia maravilhosamente com aquela sua sensação de vertigem.

– *Não faz mal* – sossegou-o ela, quando ele se desculpou, e, perplexo, aceitou o beijo que ela lhe espetou na testa. Mas afinal o que estava ali a fazer ele, quis saber Aurora quando se levantaram novamente, e, com uma risadinha, apontou para o avental que tinha posto. Ele? O convidado? O erudito poliglota? Incrível!

Dançaram. Aurora desapertara-lhe o avental, ligara o rádio da cozinha, agarrara-o pela mão e pelo ombro e revolteava agora com ele pela cozinha, ao som de uma valsa. Nos seus tempos de liceu, Gregorius abandonara em pânico o curso de dança a meio da segunda lição. Agora rodava sobre si próprio como um urso e tropeçava na bainha das calças demasiado compridas, quando foi acometido por uma nova vertigem. *Mais uma destas e caio estatelado.* Tentou então agarrar-se à rapariga, que pareceu não ter dado por nada, e continuava a assobiar a melodia, até que os seus joelhos cederam e só a mão de Silveira conseguiu impedir a queda.

Gregorius não percebeu o que Silveira disse a Aurora, mas o tom revelou que se tratava de uma descompostura. O amigo ajudou-o a sentar-se e trouxe-lhe um copo de água.

Passada uma meia hora, foram-se embora. Nunca tinha visto uma coisa assim, disse Silveira já no banco traseiro do automóvel. Gregorius tinha dado completamente a volta àquela gentinha obcecada com as formalidades. Bem, quem costumava ser assim era a Aurora… Mas os outros… Todos lhe tinham pedido para o voltar a trazer da próxima vez!

Deixaram o *chauffeur* ir para casa, depois Silveira sentou-se ao volante e seguiram para o liceu. – É o momento apropriado, não acha? – dissera Silveira, de repente.

O português observou as imagens de Isfahan à luz da lâmpada de campismo e acenou pensativamente com a cabeça. Lançou a Gregorius um olhar de soslaio e voltou a acenar com a cabeça. A manta que Maria João tinha dobrado continuava em cima do sofá.

Silveira sentou-se. Colocou-lhe então questões que ninguém, até agora, aqui lhe colocara, nem sequer Maria João. O que o tinha levado a estudar línguas antigas? Porque é que não estava na universidade? Lembrava-se ainda de tudo o que Gregorius lhe contara sobre Florence e quis saber se, depois dela, nunca mais tinha havido uma mulher.

A seguir, Gregorius falou-lhe de Prado. Era a primeira vez que falava sobre ele com alguém que não o conhecera. Admirou-se com tudo o que sabia dele e com o muito que sobre ele reflectira. Silveira aqueceu as mãos junto à chama do fogão de campismo e ouviu-o, sem o interromper uma única vez. Por fim, perguntou-lhe se podia ver o livro dos «cedros vermelhos».

O seu olhar demorou-se a observar o retrato. Leu a introdução sobre as mil experiências mudas. Voltou a lê-la uma segunda vez. Depois começou a folhear o livro. Riu-se e leu em voz alta: *contabilidade mesquinha acerca da generosidade: até há destas coisas.* Continuou a folhear, parou, voltou para trás e começou a ler em voz alta:

> AREIAS MOVEDIÇAS. *Se percebermos que, apesar de todos os nossos esforços, o facto de conseguirmos ou não alcançar algo não passa de uma mera questão de sorte; se percebermos, portanto, que em todas as nossas acções e vivências não passamos de areias movediças, perante e para nós próprios: o que é que sucede a todas aquelas nossas bem conhecidas e enaltecidas sensações, como o orgulho, a contrição ou a vergonha?*

Silveira levantou-se e começou a andar de um lado para o outro, acompanhando sempre com os olhos o texto de Prado. Como se uma febre se tivesse apoderado dele. Voltou a ler em voz alta: *Compreender-se: trata-se de uma descoberta ou de uma criação?* Voltou a folhear e leu: *Haverá alguém verdadeiramente interessado em mim, e não apenas no interesse que tem por mim?* Tinha agora chegado a um texto mais longo. Sentou-se no canto da secretária do Sr. Cortês e acendeu um cigarro.

PALAVRAS TRAIÇOEIRAS. *Quando falamos sobre nós próprios, sobre outros, ou simplesmente sobre coisas, então o que pretendemos é – poder-se-ia dizer – revelarmo-nos através das nossas palavras: queremos dar a conhecer o que pensamos e sentimos. Permitimos que os outros lancem um olhar para dentro da nossa alma. (*We give them a piece of our mind, *como dizem os ingleses. Um inglês disse-mo quando nos encontrávamos na amurada de um navio. É a única coisa boa que eu trouxe daquele país descabido. Talvez ainda a recordação do irlandês com a bola vermelha no* All Souls*). Nessa compreensão específica do assunto nós somos os soberanos realizadores, os autodeterminados dramaturgos, no que à abertura da nossa interioridade diz respeito. Mas: e se isso for completamente errado? Uma ilusão? Na verdade, nós não só nos revelamos com e através das nossas palavras, como também nos traímos. Acabamos sempre por revelar muito mais do que aquilo que queremos manifestar – e, por vezes, é precisamente o contrário. E os outros podem interpretar as nossas palavras como sintomas de algo que nós próprios talvez nem sequer conhecemos. Como sintomas da doença de sermos quem somos. Esse exercício de observar os outros dessa maneira pode ser divertido, pode tornar-nos mais tolerantes, assim como também pode fornecer-nos munições para a agressão. E se, no instante em que começamos a falar, nos tornamos conscientes de que os outros também procedem da mesma maneira, então também pode acontecer que a palavra nos fique entalada na garganta, e o susto nos faça emudecer para sempre.*

No regresso pararam em frente a um edifício com muito aço e vidro.

– É a minha firma – disse Silveira. – Quero fotocopiar o livro do Prado.

Desligou o motor e abriu a porta, mas um olhar para o rosto de Gregorius fê-lo parar.

– Ah sim, claro! Este texto não condiz com a fotocopiadora, não é?! Passou com a mão pelo volante. – E, além disso, quer manter o texto junto de si. Não só *o livro*. Mas *o texto*.

Mais tarde, já deitado, Gregorius não conseguia deixar de pensar naquela frase. Porque é que nunca tinha tido alguém que o compreendesse de uma forma tão rápida e fácil? Antes de se irem deitar, Silveira abraçara-o durante um momento. Era um homem com quem iria poder falar das vertigens. Das vertigens e do medo da visita ao neurologista.

41 Quando, no domingo à tarde, João Eça surgiu à porta do seu quarto, no lar, Gregorius apercebeu-se logo, pela expressão do rosto, de que qualquer coisa havia sucedido. Eça hesitou, antes de lhe pedir para entrar. Embora fosse um dia frio de Março, a janela estava completamente aberta. Antes de se sentar, Eça ajeitou as calças. Lutava visivelmente consigo próprio, enquanto dispunha com mãos trémulas as figuras no tabuleiro. Mais tarde, Gregorius pensou que aquela luta tinha a ver não só com os seus sentimentos, mas também com a questão sobre se devia ou não falar deles.

Eça moveu o peão. – Hoje à noite urinei na cama – disse com voz rouca. – E nem sequer notei. – Continuava a olhar para o tabuleiro.

Gregorius jogou. Sabia que não devia ficar muito tempo calado. Na noite anterior tinha andado a dançar numa cozinha estranha, cheio de vertigens, e quase caíra nos braços de uma mulher que bebera de mais. Involuntariamente, claro.

Isso era outra coisa, contrapôs Eça irritado.

Só porque não tinha a ver com as partes baixas? Questionou Gregorius. Em ambos os casos, o que acontecera fora que ambos haviam perdido o controlo habitual sobre o próprio corpo.

Eça olhou para ele. Continuava a pensar.

Gregorius preparou um chá e serviu-lhe meia chávena. Eça viu-o olhar para as suas mãos trémulas.

– A *dignidade* – disse.

– *Würde* – traduziu Gregorius. – Não faço a mínima ideia do que isso possa, no fundo, ser. Mas não creio que seja algo que se perde só porque o corpo, de repente, falha.

Eça estragou a sua abertura.

– Quando os gajos me levavam para a tortura eu mijava-me e eles riam-se. Era uma humilhação terrível, mas nunca tive a sensação de ter perdido a dignidade. Mas *então* o que será?

Gregorius perguntou-lhe se achava que teria perdido a dignidade se tivesse falado.

– Não disse uma única palavra. Todas as palavras possíveis... abati-as. Pois, foi isso: *abati-as* com tiros mentais e tranquei para sempre a porta. Assim, era impossível dar à língua, o assunto deixou de ser *negociável*. Isso teve um efeito estranho: deixei de encarar a tortura como algo que eles *faziam*, como uma *acção*. Eu estava ali presente como um mero corpo, um monte de carne, sobre o qual se precipitavam as dores como uma tempestade de granizo. Olhava para os esbirros, mas não os reconhecia como actuantes. Eles não o sabiam, mas eu tinha-os *degradado*, tinha-os degradado para o palco de um acontecimento cego. Foi isso que me ajudou a transformar a tortura numa agonia.

E se eles tivessem conseguido soltar-lhe a língua com uma droga?

De facto, tinha-se questionado muitas vezes sobre isso, confessou Eça. Até sonhara. E chegara à conclusão de que o teriam podido *destruir*, mas que, dessa maneira, não lhe teriam conseguido roubar a *dignidade*. Para que uma pessoa perdesse a dignidade, era preciso que ela própria *abdicasse* dela.

– E agora fica fora de si só por causa de uma cama molhada? – concluiu Gregorius, e levantou-se para fechar a janela. – Está frio e não cheira mal. Não cheira a nada.

Eça passou com a mão pelos olhos. – Não vou querer cá tubos nem algálias. Só para durar mais umas semanas.

O facto de haver coisas que uma pessoa, em condição alguma, queira fazer ou aceitar: talvez a dignidade consista precisamente nisso, arriscou Gregorius. Nem era necessário que fossem limites morais, acrescentou. Podia-se abdicar da dignidade de muitas outras maneiras. Um professor que, por submissão, aceitava o papel de «galo cacarejante» na *variété* da escola. Lamber botas para subir na carreira. Um oportunismo desenfreado. Falsidade e cobardia para tentar salvar um casamento. Coisas dessas.

– O pedinte? – perguntou Eça. – Será que alguém pode ser pedinte sem perder a dignidade?

– Talvez, se na sua história houver uma obrigatoriedade, algo inevitável, em que ele nada possa fazer. E se o assumir. Assumir-se a si próprio – disse Gregorius.

Assumir-se a si próprio – isso também fazia parte da dignidade pessoal. Era uma estratégia para sobreviver dignamente a um aniquilamento público. Galileu. Lutero. Mas também alguém que se torna culpado e resiste à tentação de o negar. Precisamente aquilo de que os políticos são incapazes. Sinceridade, a coragem de ser sincero. Perante os outros e perante si próprio.

Gregorius interrompeu-se. O que uma pessoa pensava só o sabia quando o dizia.

– Há um asco – disse Eça –, um asco muito específico que sentimos quando estamos perante alguém que mente a si próprio constantemente. Talvez esse asco tenha a ver com a indignidade. Na escola estive sentado ao pé de um miúdo que costumava limpar as mãos pegajosas às calças; fazia-o daquela maneira especial, ainda o estou a ver à minha frente: como se não fosse *verdade* que as limpasse às calças. Acho que ele teria gostado de ser meu amigo, mas nada feito. E não foi por causa das calças. Ele era *mesmo* assim.

Nas despedidas e nas desculpas também entrava a questão da dignidade, acrescentou. Às vezes, o Amadeu falava nisso. Interessava-se, sobretudo, pela diferença entre um desculpar que deixava ao outro a dignidade, e um outro que a retirava. *O desculpar não pode exigir submissão*, disse. *Não pode, portanto, ser como na Bíblia, em que te tens de aceitar como servo de Deus e de Jesus. Como servo! É o que lá está!*

– Até chegava a empalidecer de raiva – disse Eça. – E depois também falava muitas vezes sobre a indignidade que está subentendida no relacionamento com a morte no Novo Testamento. *Morrer dignamente significa morrer reconhecendo o facto de que a morte é o fim. E resistir a todo esse* kitsch *da imortalidade.*

Gregorius atravessou o Tejo de regresso a Lisboa. *Se percebermos que, em todas as nossas acções e vivências, não passamos de areias movediças…* O que é que isso significava para a dignidade?

42

Na segunda-feira de manhã, Gregorius estava sentado no comboio, a caminho de Coimbra, a cidade onde Amadeu de Prado tinha vivido com a pergunta dilacerante sobre se o estudo da Medicina não seria, talvez, um grande erro, já que nele se via, acima de tudo, a obedecer aos desejos do pai, contrariando a sua própria vontade. Um dia, entrara nos armazéns comerciais mais antigos da cidade e roubara coisas de que não precisava. E logo ele, que se permitira oferecer ao amigo Jorge uma farmácia completamente equipada. Gregorius pensou na carta que Prado escrevera ao pai e na bela ladra Diamantina Esmeralda Ermelinda, a quem, na sua fantasia, tinha sido atribuído o papel de vingar a ladra condenada pelo seu pai.

Antes de partir, tinha telefonado a Maria João, para lhe perguntar pela rua onde ele morara. Questionado sobre as suas vertigens, respondera de uma forma evasiva. Nessa manhã ainda não tinha tido nenhuma. Mas algo se modificara. Sentia-se como se, para poder entrar em contacto com as coisas, tivesse de transpor uma finíssima almofada de ar, que lhe opunha a mais ténue das resistências. Na verdade, ele até teria podido sentir essa camada de ar, que lhe competia perfurar, como uma capa protectora, se não sentisse também latente, dentro de si, aquele medo de que pudesse vir a perder definitivamente o contacto com o mundo que se encontrava para além dela. Na gare da estação de Lisboa, pusera-se a andar de um lado para o outro, com passadas decididas, para se assegurar da resistência do chão de pedra. Isso ajudara-o, e quando se sentara no compartimento vazio, sentira-se mais calmo.

Prado fizera inúmeras vezes aquele percurso. Maria João falara-lhe ao telefone da sua paixão pelos caminhos-de-ferro, a que João Eça também se referira quando lhe contara como os seus conhecimentos sobre esses assuntos – *o seu doido patriotismo dos comboios* – acabara por salvar a vida aos camaradas da resistência. Acima de tudo, fascinara-o a mudança de trajectória por intermédio da manipulação da agulha, explicara. Maria João realçara um outro aspecto: o andar de comboio como leito para o fluir da imaginação, como um movimento em que a fantasia se diluía, libertando imagens oriundas das câmaras seladas da alma. A conversa que com ela tivera nessa manhã durara mais tempo que o previsto, aquela intimidade estranha e preciosa que se instalara quando ele lhe lera passagens da Bíblia perdurara. Uma vez mais, Gregorius ouviu a exclamação suspirada de O'Kelly: A *Maria, meu Deus, pois, a Maria!* Não tinham passado mais do que vinte e quatro horas, desde que ela lhe abrira a porta da sua casa, e para ele era já absolutamente evidente porque é que Prado escrevera os pensamentos que considerava mais perigosos na sua cozinha, e em nenhuma outra parte. O que seria então? O seu destemor? A sensação de que ali se encontrava uma mulher que, ao longo da sua vida, havia encontrado um tal grau de demarcação interior e independência com que Prado talvez nem sequer tivesse conseguido sonhar?

Tinham conversado ao telefone como se ainda estivessem no liceu, ele à secretária do Sr. Cortês, ela no sofá, com a manta a tapar-lhe as pernas.

«No que ao viajar diz respeito, ele sentia-se estranhamente dividido», recordara Maria João. «No fundo, queria viajar, cada vez mais longe, queria perder-se nos espaços que a fantasia lhe abrisse. Mas assim que se via fora de Lisboa, era atacado pelas saudades, umas saudades insuportáveis, não se podia assistir àquilo. As pessoas diziam-lhe: está bem, pronto, Lisboa é bonita, mas...»

Elas não compreendiam que, no fundo, não se tratava de Lisboa, mas dele próprio, Amadeu. A sua saudade não era a nostalgia pela ausência do conhecido e amado. Era algo muito mais profundo, algo para ele nuclear: o desejo de se refugiar dentro dos diques estáveis e conhecidos que o protegiam da perigosa ressaca e das traiçoeiras correntes submarinas da sua alma. Ele tinha feito a experiência de que esses diques eram mais estáveis quando se encontrava em Lisboa: na casa dos pais, no liceu, mas, acima de tudo, no consultório azul. *O azul é a minha cor protectora*, dissera.

O facto de se tratar de uma protecção perante si próprio explica porque é que as suas saudades estavam sempre conotadas com o pânico e a catástrofe. Quando o assaltavam, tudo tinha de ser resolvido imediatamente; interrompia a viagem de um momento para o outro e tomava o primeiro avião para casa. Quantas desilusões a Fátima teve de encaixar, quando isso sucedia!»

E Maria João hesitara, antes de acrescentar:

«É bom que ela nunca tivesse compreendido o motivo das suas saudades. De contrário, teria de ter pensado: pelos vistos, não consigo tirar-lhe o medo de si próprio.»

Gregorius abriu o livro de Prado e leu, uma vez mais, um apontamento que, como nenhum outro, lhe parecia a chave para tudo o resto.

ESTOU A VIVER EM MIM COMO NUM COMBOIO A ANDAR.

Não entrei de livre vontade, não pude escolher, nem conheço o local de destino. Um dia, num passado remoto, acordei no meu compartimento e senti aquele rolar. Era excitante, escutei o matraquear das rodas, pus a cabeça fora da janela, senti o vento e exultei com a velocidade com que as coisas passavam por mim. Desejei que o comboio nunca mais interrompesse a sua viagem. De maneira nenhuma quis que ele ficasse parado para sempre.

Foi em Coimbra, num banco duro de um auditório, que me tornei consciente: não posso sair. Não poso mudar de linha nem de direcção. Não sou eu que determino a velocidade. Não consigo ver a locomotiva nem reconhecer quem a conduz, ou se o maquinista é ou parece ser de confiança. Não sei se ele lê bem os sinais e se se apercebe quando uma agulha é mal mudada. Não posso mudar de compartimento. Vejo pessoas a passar pelo corredor e penso: se calhar, nos seus compartimentos tudo é diferente. Mas não me posso levantar e ir ver, um revisor que eu nunca vi, nem irei ver, fechou e selou a porta do meu compartimento. Abro a janela, debruço-me o mais possível para fora e vejo que todos os outros passageiros fazem o mesmo. O comboio descreve uma curva suave. As últimas carruagens ainda estão dentro do túnel e as da frente já lá entraram novamente. Será que o comboio descreve constantemente o mesmo círculo, sem que ninguém se aperceba disso, nem mesmo o maquinista? Não faço a mínima ideia do tamanho da composição. Vejo os outros todos a esticarem o pescoço, na esperança de poderem ver e perceber alguma coisa. Saúdo-os, mas a deslocação do ar arrasta as minhas palavras.

A iluminação no compartimento muda, sem que tenha podido ser eu a determinar essa alteração. Sol e nuvens, crepúsculo e madrugada, chuva, neve, tempestades. A luz do tecto é mortiça, torna-se mais clara, um brilho ofuscante, começa a tremeluzir, apaga-se, regressa, é uma lamparina, um castiçal, um tubo de néon cintilante, tudo ao mesmo tempo. O aquecimento não é fiável. Pode acontecer que comece a aquecer quando faz calor e falhe quando está frio. Tento accio-

nar o interruptor, ouve-se o clic-clac, mas nada muda. Estranho é que também o sobretudo não me aqueça de uma forma contínua. Lá fora, as coisas parecem levar o seu rumo habitual e lógico. Talvez isso aconteça também nos compartimentos dos outros? De qualquer forma, no meu tudo se passa de um modo diferente daquele que eu poderia esperar. Completamente diferente. Estaria o construtor bêbado? Seria um louco? Um charlatão diabólico?

Nos compartimentos encontram-se disponíveis horários. Quero saber quais são as paragens. As folhas estão vazias. Nas estações onde paramos as localidades não estão sinalizados. Lá fora, as pessoas lançam olhares curiosos ao comboio. Os vidros estão sujos pelo frequente mau tempo. Penso: eles deturpam a imagem do interior. De repente, sinto necessidade de pôr ordem nas coisas. A janela está empenada. Grito até ficar rouco. Os outros passageiros batem nas paredes, indignados. Por detrás da estação surge um túnel que me corta a respiração. Quando saímos do túnel, pergunto-me se alguma vez parámos de facto.

O que é que se pode fazer durante a viagem? Arrumar o compartimento. Fixar os objectos, para que não se ponham a trepidar. É então que sonho que a pressão do ar deslocado pelo comboio aumenta e rebenta com a janela. Tudo o que eu penosamente consegui arrumar e fixar voa à minha volta. Os sonhos, aliás, são constantes durante esta viagem sem fim: sonhos em que não consigo apanhar o comboio e em que me deixo enganar por indicações falsas de horários; de estações que se esfumam num nada, assim que chegamos; de guarda-linhas e chefes de estação que surgem, de repente, com os seus bonés vermelhos, absortos, a fitarem o vazio. Por vezes, acabo por adormecer de puro tédio. Mas é perigoso adormecer, só muito raramente acordo recomposto e satisfeito com as transformações. Quase sempre, aquilo que encontro ao acordar, tanto no interior como exterior, deixa-me confundido e infeliz.

Outras vezes, assusto-me e penso: a qualquer instante o comboio pode descarrilar. Sim, é verdade, na maior parte das vezes esse pensamento assusta-me. No entanto, há instantes, raros e incandescentes, em que essa fantasia me trespassa como um raio de felicidade.

Acordo, e a paisagem dos outros voa perante o meu olhar. Por vezes, a uma tal velocidade que eu nem tenho tempo de acompanhar os seus caprichos e delirantes disparates; outras vezes, quando insistem em repetir sempre as mesmas coisas, tudo se torna de uma lentidão dolorosa. Sinto-me aliviado por haver um vidro que nos separa. Assim, consigo reconhecer os seus planos e desejos, sem que eles me possam atingir impunemente. Sinto-me contente quando o comboio atinge a sua máxima velocidade e eles desaparecem. O que é que fazemos com os desejos dos outros, quando eles nos atingem?

Pressiono a testa contra a janela do compartimento e concentro-me com toda a minha energia. Quero, pelo menos uma vez, sentir e agarrar aquilo que se passa lá fora. Apreender e compreender, com todas as fibras do meu ser, para que não me escape novamente. Mas falho. Tudo se passa demasiado depressa, mesmo quando o comboio pára em pleno campo. As impressões sobrepõem-se e apagam-se constantemente. A memória aquece, tento desesperadamente organizar as sequências das várias imagens, num esforço inútil por chegar à ilusão de algo inteligível. Mas, por mais que a luz da atenção corra atrás das coisas, chego sempre atrasado. Quando chego, já tudo passou. Acabo sempre derrotado. Nunca estou presente. Mesmo quando, durante a noite, o interior do compartimento se espelha no vidro da janela.

Amo os túneis. São para mim um símbolo da esperança: há-de chegar o momento em que a luz iria surgir. Caso não seja noite.

Por vezes, recebo visitas no compartimento. Não sei como isso é possível, com a porta trancada e selada, mas acontece. Na maior parte das vezes, a visita chega a horas impróprias. São pessoas vindas do presente e do passado. Aparecem e desaparecem como muito bem lhes apetece, não têm respeito e incomodam-me. Tenho de falar com elas. É tudo provisório, descomprometido, votado ao esquecimento; o tipo de conversas que se têm nos comboios. Alguns dos visitantes desaparecem sem deixar rasto. Outros deixam rastos pegajosos e fétidos, o arejar de nada ajuda. Nessas alturas, quero arrancar todo o equipamento do compartimento para o trocar por outro novo.

A viagem é longa. Dias há em que a desejo infinita. São dias invulgares, preciosos. Depois há outros em que fico aliviado por saber que irá surgir um derradeiro túnel em que o comboio acabará por parar para sempre.

Quando Gregorius saiu do comboio a tarde já ia a meio. Alugou um quarto num hotel da margem sul do Mondego, de onde se podia ver a cidade antiga, na colina da Alcáçova. Os últimos raios de sol banhavam os majestosos edifícios da Universidade, que tudo dominavam, numa luz quente e dourada. Lá em cima, numa das vielas íngremes e estreitas, Prado e O'Kelly tinham morado numa *República*, uma daquelas residenciais de estudantes cujas origens remontavam aos tempos medievais.

«Ele não queria viver melhor do que os outros», dissera Maria João, «apesar do barulho dos quartos vizinhos, que muitas vezes o deixava à beira do desespero, até porque não estava habituado. Mas a fortuna da família, que provinha de latifúndios herdados de gerações anteriores, representava para ele, por vezes, um enorme peso. Havia duas palavras que, como nenhumas outras, o faziam corar: *colónia* e *latifundiário*. Nessas alturas parecia capaz de puxar da pistola a qualquer momento.

Quando o fui visitar vi-o vestido de uma maneira muito informal. Perguntei-lhe porque é que não usava, como os outros estudantes de Medicina, a fita amarela da sua faculdade.

Sabes bem que eu não gosto de uniformes, já não podia com o boné do liceu, respondeu-me.

Quando depois tive de me ir embora e ele me acompanhou até à estação, vimos um estudante na gare que usava a fita azul-escura de Literatura.

Olhei para o Amadeu. *Não se trata da fita*, disse. *Trata-se da fita amarela.* A *que tu gostarias de usar era a fita azul.*

Já sabes que não gosto nada que me descubram a careca. Vê mas é se apareces mais vezes, está bem?! Por favor!

Ele tinha uma maneira de dizer "por favor" – eu daria a volta ao mundo só para o ouvir dizer aquilo.»

A viela onde Prado morara foi fácil de encontrar. Gregorius lançou um olhar ao corredor da residencial e subiu uns degraus. *Em Coimbra, onde o mundo inteiro parecia pertencer-nos*. Fora assim que Jorge descrevera aquela época. Fora então naquela casa que ele e Prado tinham anotado tudo o que pudesse promover a *lealdade* entre duas pessoas. Uma lista em que faltara o amor. *Desejo, agrado, segurança*. Tudo sentimentos que, mais tarde ou mais cedo, acabavam por se desintegrar.

A *lealdade* era o único valor estável e duradouro. Um *querer*, uma *decisão*, um *tomar partido por parte da alma*. Algo que transformava o acaso dos encontros e a casualidade dos sentimentos numa necessidade. «*Um sopro de eternidade, apenas um sopro, mas ainda assim*», dissera Prado. Gregorius viu à sua frente o rosto de O'Kelly. *Enganou-se. Ambos nos enganámos*, dissera com a lentidão de um ébrio.

Na Universidade, Gregorius teria gostado de visitar imediatamente a Biblioteca Joanina e a Sala Grande dos Actos, que por várias vezes tinham feito Prado vir de propósito a Coimbra. Mas isso só era possível a determinadas horas do dia, e por hoje já ambas estavam fechadas.

Aberta estava ainda a Capela de S. Miguel. Gregorius ficou sozinho a contemplar o órgão barroco de uma beleza deslumbrante. *Quero ouvir o som embriagante do órgão, essa inundação de tons sobrenaturais. Preciso dele contra a estridência ridícula das marchas*, dissera Prado no seu discurso. Gregorius tentou lembrar-se das ocasiões em que ele próprio estivera numa igreja. Nas aulas de catequese, nos funerais dos pais. *Pai Nosso* – como tudo aquilo lhe soara oco, triste e pacóvio! E tudo isso, pensou, nada tinha a ver com a madura poesia do texto grego e hebreu. Nada, absolutamente nada!

Gregorius estremeceu. Sem querer, dera um murro no banco, e olhou à sua volta, envergonhado, mas continuava sozinho. Ajoelhou-se então e tentou fazer aquilo que Prado fizera com as costas vergadas do pai: tentou imaginar como era aquela posição, sentida a partir do interior. *Deviam era ser arrancados*, dissera o jovem iconoclasta, quando passara pelos confessionários na companhia do padre Bartolomeu. *Uma tamanha humilhação!*

Quando se levantou a capela começou a girar à sua volta a uma velocidade vertiginosa. Gregorius agarrou-se ao banco e esperou que aquilo passasse. Depois foi-se embora, enquanto um grupo de estudantes apressados passava por ele. Vagarosamente, percorreu os corredores, até que entrou num auditório. Sentado na última fila, pensou primeiro na aula sobre Eurípedes, em que não se atrevera a dizer a sua opinião ao docente. Depois os seus pensamentos regrediram até às aulas que tivera enquanto estudante. E, finalmente, imaginou o estudante Prado a levantar-se e a colocar, alto e bom som, as suas questões críticas. Professores experientes, laureados, altas capacidades nas suas respectivas especialidades, sentiam-se – segundo o padre Bartolomeu –, postos à prova por ele. Mas Prado não estivera ali como um estudante arrogante e pretensioso. Toda a sua vida vivera-a num purgatório de dúvidas, atormentado pelo medo de falhar a sua vocação. *Foi em Coimbra, sentado no banco duro de um auditório, que me tornei consciente: já não posso sair.*

Era uma aula de ciências jurídicas, Gregorius não percebeu uma única palavra e foi-se embora. Vagueou pelo complexo da Universidade até ao anoitecer, tentando constantemente compreender as confusas sensações que o acompanhavam. Porque é que aqui, na mais famosa universidade portuguesa, tinha, de repente, a sensação de que teria talvez gostado de dar aulas numa daquelas salas e partilhado com os estudantes os seus imensos conhecimentos filológicos? Significaria isso então que acabara, também ele, por falhar uma vida possível, uma vida que, com as suas capacidades e o seu saber, teria podido facilmente viver? Nunca anteriormente, nem por um instante, considerara um erro o facto de ter abandonado as aulas após alguns semestres, para poder dedicar todo o seu tempo à leitura incansável dos velhos textos. Mas então porque é que sentia agora aquela estranha nostalgia? E seria mesmo nostalgia?

Quando lhe trouxeram a comida que mandara vir numa pequena tasca, sentiu-se agoniado e só quis sair dali e apanhar ar fresco. Sentia novamente a finíssima almofada de ar que nessa manhã o rodeara, desta vez um tudo nada mais espessa e um pouco mais resistente. Tal como na gare da estação de Lisboa, pôs-se a bater com força com os pés no chão, e também desta vez isso o ajudou.

João de Lousada de Ledesma, o mar tenebroso. O grande volume saltou-lhe aos olhos quando passou pelo expositor de um alfarrabista. O livro aberto no atril, na secretária de Prado. A sua derradeira leitura. Gregorius tirou-o da estante. Os grandes caracteres caligráficos, as gravuras com os recortes das regiões costeiras, os desenhos a tinta-da-china dos navegadores. *O Cabo Finisterra,* ouviu Adriana dizer, *lá em cima, na Galiza. Era como uma ideia fixa. Quando falava nele ficava com aquela expressão acossada, febril no rosto.*

Gregorius sentou-se a um canto e folheou o livro, até dar com as palavras do geógrafo muçulmano Edrisi, do século XII: *De Santiago viajámos para Finisterra, como os camponeses lhe chamam, uma palavra que significa o Fim do Mundo. Nada se vê para além do céu e da água, e dizem que o mar é tão tempestuoso que ninguém nele logrou navegar, pelo que não se sabe o que mais além existe. Disseram-nos que alguns houve, desejosos de o explorar, que com seus barcos desapareceram, e que nunca nenhum deles regressou.*

Gregorius deteve-se, expectante. Demorou algum tempo, até o pensamento ganhar forma. *Muito mais tarde, ouvi dizer que trabalhava em Salamanca, como docente de História*, dissera João Eça sobre Estefânia Espinhosa. Quando se empenhou na resistência trabalhava no Correio. Depois da fuga com Prado ficara em Espanha. E estudara História. Adriana não conseguira estabelecer uma relação entre a viagem do irmão para Espanha e o seu súbito e fanático interesse pelo Cabo Finisterra. E se houvesse, de facto, uma ligação? Se Prado e Estefânia Espinhosa tivessem viajado para Finisterra porque ela, desde sempre, sentira um vivo interesse pelo pavor medieval perante o mar imenso e ameaçador, um interesse que a teria conduzido ao estudo da História? E se tivesse sido durante essa viagem até ao fim do mundo que acontecera aquilo que abalara por completo Prado, forçando-o ao regresso?

Mas não, era demasiado absurdo, demasiado fantástico. E admitir que a mulher pudesse ter também escrito um livro sobre o mar tenebroso, isso então era mais do que improvável. Não era com isso que ia incomodar o pobre alfarrabista.

– Vamos lá ver – disse o antiquário. – O mesmo título é praticamente impossível. Iria contra os bons costumes académicos. Vamos experimentar com o nome.

Estefânia Espinhosa, revelou-lhes o computador, tinha escrito dois livros, ambos tinham a ver com os começos do Renascimento.

– Já não estamos longe, não é verdade?! – constatou o antiquário. – Mas espere aí, que ainda lá vamos chegar – e prosseguiu com a pesquisa na página da Faculdade de História da Universidade de Salamanca.

Estefânia Espinhosa tinha o seu próprio *website*, e logo no início da lista das publicações lá estavam eles: dois ensaios sobre Finisterra, um em português, o outro em castelhano. O antiquário sorriu de orelha a orelha.

– Não gosto desta coisa, mas de vez em quando...

Telefonou então a uma livraria especializada, que tinha disponível um dos dois livros.

As lojas estavam quase a fechar. Gregorius correu com o grande livro entalado debaixo do braço. Haveria uma fotografia da mulher na contracapa? E quase que arrancou o livro das mãos da vendedora, para o virar.

Estefânia Espinhosa, nascida em 1948, em Lisboa, é, actualmente, professora de História Espanhola e Italiana do início da Idade Moderna na Universidade de Salamanca. E um retrato que explicava tudo.

Gregorius comprou o livro e, a caminho do hotel, foi parando a cada par de metros, para observar a fotografia. *Ela não era só a bola, a bola irlandesa vermelha no College*, ouviu Maria João dizer. *Era muito mais do que todas as bolas vermelhas juntas: ele deve ter sentido que ela representava para si a oportunidade de se tornar inteiramente ele próprio. Como homem, quero dizer.* E as palavras de João Eça também não poderiam ser mais certeiras: *acho que a Estefânia representou para ele a oportunidade de sair finalmente do tribunal, cá para fora, para o espaço livre e tórrido da vida, e por uma vez na vida viver de acordo com os seus desejos, segundo os ditames da sua paixão, e quanto aos outros, o diabo que os levasse...*

Ela tinha portanto vinte e quatro anos quando se sentara ao volante, em frente à casa azul, e partira com Prado, na altura com vinte e oito, para atravessar a fronteira, fugir de O'Kelly, do perigo, e começar uma vida nova.

De regresso ao hotel, Gregorius passou pela clínica psiquiátrica. Pensou no esgotamento de Prado depois do episódio do roubo. Maria João contara-lhe que, enquanto estivera internado, ele se interessara, sobretudo, por aqueles pacientes que, cegamente enredados em si próprios, percorriam os corredores em constantes monólogos. Mais tarde, continuara a prestar-lhes atenção e mostrara-se surpreendido por ver tantos deles a vaguear pelas ruas, nos autocarros ou no Tejo, descarregando a sua ira sobre inimigos imaginários.

«Ele não seria o Amadeu se não conversasse com eles e ouvisse as suas histórias. Isso nunca lhes acontecera, e se cometia o erro de lhes dar a morada, no dia seguinte entravam-lhe pela casa adentro, e era a Adriana que os tinha de pôr na rua.»

No hotel, Gregorius leu um dos poucos apontamentos do livro de Prado que ainda não conhecia.

O VENENO ARDENTE DO DESGOSTO. *Quando os outros nos levam a irritarmo-nos com eles – com a sua insolência, injustiça, falta de escrúpulos – então o que acontece é que exercem poder sobre nós, alastram, devorando-nos a alma, pois a irritação é como um veneno ardente, que destrói todos os sentimentos brandos, nobres e equilibrados, e nos rouba o sono. Acossados pela insónia, acendemos a luz e irritamo-nos com a irritação, que se instalou dentro de nós como um parasita que nos explora e esgota. Não só nos sentimos furiosos pelo dano em si, como também pelo facto dele se desenvolver autonomamente dentro de nós, pois enquanto nós nos sentamos à beira da cama, com as fontes a latejar, o causador distante mantém-se indiferente ao poder destrutivo da irritação, cuja vítima somos nós. No palco vazio da nossa fantasia, mergulhados na luz ardente de uma fúria muda, representamos, na mais completa solidão, um drama imaginário com figuras e palavras espectrais, que com uma raiva impotente acirramos contra não menos espectrais inimigos, enquanto as labaredas geladas nos devoram as entranhas. E quanto mais desesperados nos sentirmos por tudo não passar de um teatro de sombras – em vez de uma confrontação real, em que sempre haveria a possibilidade de atacar o outro para estabelecer um equilíbrio do sofrimento –, tanto mais selvagem se torna a dança das sombras tóxicas, que nos perseguem até às mais obscuras catacumbas dos nossos sonhos. (Hás-de pagá-las, pensamos rancorosos, e passamos noites e noites a forjar palavras que possam atear-se no outro ou deflagrar como uma bomba incendiária, de modo a que seja então nele que as chamas da indignação alastrem, enquanto nós, apaziguados pelo mal alheio, bebemos tranquilamente o café matinal.)*

O que é que poderia significar agir correctamente perante a irritação? Nós não queremos ser pessoas insensíveis, perfeitamente indiferentes a tudo com que nos deparamos. Seres cujas avaliações se esgotam em juízos frios e abstractos, sem que nada os consiga perturbar, porque nada os toca verdadeiramente. É por isso que não podemos desejar honestamente desconhecer a experiência da irritação, substituindo-a por uma indiferença obstinada que em nada se distinguiria da insensibilidade. A irritação também nos ensina a ver quem somos. É por isso que o que eu quero saber é o seguinte: em que é que poderia consistir educarmo-nos na irritação, desenvolver uma cultura da irritação que nos permitisse aproveitarmos o seu momento de conhecimento, sem sucumbirmos ao seu veneno?

Podemos ter a certeza de que no leito de morte, e como parte do derradeiro balanço – uma parte tão amarga como cianeto – iremos constatar que desperdiçámos demasiada energia e tempo a curtir a irritação, obcecados em vingarmo-nos dos outros naquele solitário teatro de sombras que apenas nós, que impotentes o encenámos, conhecemos. O que é que podemos então fazer para melhorar esse balanço? Porque é que os nossos pais, professores e outros educadores nunca mencionaram isso? Porque é que nunca se chega a verbalizar um pouco dessa significativa dimensão? Porque é que nesse território não nos foi dada uma bússola que nos pudesse ajudar a evitar tamanho desgaste da alma em inúteis e autodestrutivas irritações?

Gregorius ficou muito tempo acordado. De tempos a tempos, levantava-se e ia até à janela. A cidade alta, com a Universidade e a Torre do Relógio, parecia agora, passada que era já a meia-noite, despojada, sacral e também um pouco ameaçadora. Podia imaginar um topógrafo que esperasse em vão que lhe autorizassem a entrada naquele misterioso recinto.

Com a cabeça encostada a um monte de almofadas, Gregorius voltou a ler as frases em que, a seu ver, Prado mais se abrira e revelara: *Por vezes, assusto-me e penso: a qualquer instante o comboio pode descarrilar. É verdade, na maior parte das vezes esse pensamento assusta-me. No entanto, há instantes, raros e incandescentes, em que essa fantasia me trespassa como um raio de felicidade.*

Gregorius não soube de onde lhe veio a imagem, mas de repente viu aquele médico português, que avistara o Paraíso no pensamento poético, sentado entre as colunas de um claustro, no centro de um mosteiro que se transformara num silencioso asilo para descarrilados.

No desastre do seu descarrilamento a lava ardente da sua alma torturada calcinara e inundara, com uma violência ensurdecedora, tudo aquilo que nele existira de servidão e exigência excessiva. Tinha desapontado todas as expectativas e quebrado todos os tabus, e era precisamente nisso que consistia a sua felicidade. Finalmente, lograra alcançar a paz perante a figura vergada do juiz, perante a suave ditadura da mãe ambiciosa e a gratidão perpétua e asfixiante da irmã.

E até mesmo perante si próprio conseguira, por fim encontrar a paz. A saudade terminara, já não precisava de Lisboa, nem da cor azul da protecção. Agora que se entregara inteiramente às vagas interiores e a elas se unira, já nada havia contra quem tivesse de erigir as suas barreiras de protecção. Livre de si próprio, podia, por fim, viajar até aos confins do mundo. Finalmente, poderia atravessar as estepes nevadas da Sibéria até Vladivostoque, sem que o pulsar rítmico das rodas o levasse a pensar que se estava a afastar, cada vez mais, da sua Lisboa azul.

A luz do Sol incidia agora sobre o jardim do claustro. As colunas tornaram-se cada vez mais claras, até que, por fim, se desbotaram por completo, fundindo-se numa profundidade cintilante, em que Gregorius se perdeu.

Veio a si num sobressalto, precipitou-se cambaleante para a casa de banho e lavou a cara. Depois telefonou a Doxiades. O grego quis que ele lhe descrevesse todos os pormenores da vertigem. Depois ficou em silêncio durante algum tempo. Gregorius sentiu o medo crescer dentro dele.

– Pode ser uma quantidade de coisas – disse, por fim, o grego com a sua calma voz de médico. – A maioria delas inofensivas, nada que não se possa controlar rapidamente. Mas têm de ser feitos testes, que os portugueses podem fazer aí tão bem como nós aqui. Mas, se quer que lhe diga, sinto que devia voltar para casa. Falar com os médicos na sua língua materna. Medos e línguas estrangeiras não é algo que combine bem.

Quando, finalmente, Gregorius conseguiu adormecer, o primeiro alvor da manhã surgia já por detrás da Universidade.

43 Estariam ali trezentos mil tomos, disse a guia turística, e os seus saltos finos ressoaram no chão de mármore da Biblioteca Joanina. Gregorius deixou-se ficar para trás e olhou à sua volta. Nunca tinha visto uma coisa assim. Espaços revestidos a ouro e madeiras preciosas, ligados entre si por arcos que faziam lembrar Arcos do Triunfo, encimados pelas armas do rei D. João V, que fundara a biblioteca no início do século XVIII. Estantes barrocas com empórios sobre delicadas colunas, Um retrato do monarca. Uma passadeira vermelha que potenciava ainda mais a sensação de fausto. Era como um conto de fadas.

Homero, a *Ilíada* e a *Odisseia*, várias edições em sumptuosas encadernações que as transformavam em textos sagrados. Gregorius deixou deslizar o olhar pelas lombadas.

Decorrido algum tempo, apercebeu-se de que o seu olhar se perdia, sem se fixar em nada. Os pensamentos haviam ficado com Homero. Tinham de ser pensamentos que o deixavam com o coração aos saltos, mas não conseguiu lembrar-se do que se tratava. Foi para um canto, tirou os óculos e fechou os olhos. Da sala seguinte vinha a voz estridente da guia. Tapou os ouvidos com as palmas das mãos e concentrou-se naquele silêncio surdo. Os segundos decorriam, enquanto ele sentia o pulsar do próprio sangue.

Sim. O que ele, sem disso se aperceber, procurara era uma palavra que surgia uma única vez nos textos de Homero. Era como se, por detrás das suas costas, algo escondido nos cenários da memória, quisesse testar a sua capacidade de recordar, para aferir se esta continuava tão boa como sempre. Sentiu a respiração acelerar. A palavra não lhe vinha. Simplesmente não vinha.

A guia atravessou a sala com o grupo. As pessoas sussurravam. Gregorius passou por elas, abrindo caminho até ao fundo da biblioteca. Ouviu a porta da entrada a ser fechada e a chave a rodar na fechadura.

Com o coração a bater descompassadamente correu para a estante e tirou um exemplar da *Odisseia*. O couro envelhecido e duro cortou-lhe a palma da mão com as suas arestas afiadas. Precipitadamente, foi folheando e soprando o pó para o ar. A palavra não estava onde ele pensara que estivesse. *Simplesmente não estava lá.*

Tentou acalmar-se, controlando a respiração. Sentiu então a vertigem ir e vir, como se um banco de neblina o atravessasse. Metodicamente, relembrou toda a epopeia. Não podia estar em mais nenhuma passagem. Mas o exercício teve como consequência que agora até a pretensa certeza com que iniciara a procura se desmoronava. O chão começou a oscilar, e desta vez não era a vertigem. Ter-se-ia ele enganado redondamente, ao ponto do que procurava estar na *Ilíada*? Tirou-a da estante e começou a folheá-la distraidamente. Os movimentos da sua mão tornaram-se vazios e mecânicos, o objectivo foi esquecido, cada vez mais, à medida que os instantes passavam; Gregorius sentiu como a almofada de ar o rodeava, tentou bater com os pés, começou a esbracejar, o livro soltou-se-lhe das mãos, os joelhos cederam e todo ele escorregou para o chão num movimento suave e abatido.

Quando acordou, pôs-se a procurar atabalhoadamente os óculos, que estavam ali mesmo ao alcance da mão. Olhou para o relógio. Não podia ter passado mais do que um quarto de hora. Sentou-se encostado à parede. Passaram minutos em que se limitou a respirar, feliz por não se ter aleijado e por não ter partido os óculos.

E então, subitamente, o pânico ateou-se dentro dele. Seria aquele esquecimento o começo de qualquer coisa? Uma primeira, minúscula ilha do esquecimento? Iria ela crescer, juntar-se-lhe-iam outras? *Somos lixeiras do esquecimento*, escrevera algures Prado. E se uma avalanche de entulho se precipitasse sobre ele, arrastando consigo todas as preciosas palavras? Agarrou a cabeça com as suas grandes mãos e apertou-a, como se com isso conseguisse impedir que outras palavras desaparecessem. Olhou à sua volta e nomeou pelo nome todos os objectos que via, primeiro no seu dialecto, depois em alemão, em francês, inglês e, finalmente, em português. Não falhou nenhum e, lentamente, acalmou-se.

Quando a porta foi aberta para o grupo seguinte, esperou no seu canto, misturou-se depois, por um momento, com as outras pessoas, e esgueirou-se porta fora. Um céu de um azul intenso estendia-se sobre Coimbra. Em frente a um café, bebeu, em tragos pequenos e lentos, um chá de camomila. O estômago descontraiu-se e pôde comer alguma coisa.

Os estudantes gozavam, deitados, o sol quente de Março. Um

homem e uma mulher que rebolavam pelo chão, interromperam, às gargalhadas, o seu abraço, deitaram fora os cigarros, ergueram-se com movimentos ágeis, e começaram a dançar. Fizeram-no de uma forma tão leve e descontraída que até parecia que, para eles, não existia a gravitação. Gregorius sentiu a atracção da memória e deixou-se ir. E, subitamente, lá estava ela, a cena em que ele já não pensava há décadas.

Sem erros, mas algo pesadão, dissera o professor de Latim, depois dele ter traduzido uma passagem das *Metamorfoses* de Ovídio. Uma tarde de Dezembro, flocos de neve, luz eléctrica. Raparigas a sorrirem à socapa. *Tem de aprender a dançar um bocadinho mais!*, explicara o sujeito com o laço e o lenço vermelho no bolso do casaco. Gregorius sentira todo o peso do seu corpo no banco. Sempre que ele se movia, o banco rangia. Passara o resto do tempo, em que os outros alunos tinham sido ouvidos, numa espécie de torpor surdo. E continuara a sentir o torpor quando caminhara ao longo dos pavilhões com as decorações natalícias.

Depois dos feriados não voltara a ir àquelas aulas. Evitara o homem do lenço vermelho, assim como também começara a evitar todos os outros professores. A partir daí, dedicara-se a estudar exclusivamente em casa.

Gregorius pagou e atravessou o Mondego, a que chamavam o «rio dos poetas», em direcção ao hotel. *Achas que sou um chato? O quê? Mas,* Mundus, *isso não são perguntas que se façam*! Porque é que todas aquelas coisas lhe doíam tanto, ainda hoje? Porque é que não conseguira livrar-se delas, sacudi-las da memória, ao longo dos últimos vinte, trinta anos?

Quando, duas horas mais tarde, acordou no seu quarto de hotel, o Sol estava a pôr-se. Natalie Rubin tinha atravessado as galerias de mármore da universidade de Berna com aqueles sapatos de salto finíssimo, que ecoavam pelos corredores. Lá ao fundo, no auditório vazio, ele debitara-lhe uma palestra sobre palavras que, na literatura grega, surgiam uma única vez. Quisera escrevê-las no quadro, mas este estava tão ensebado que o giz escorregara, e quando as quisera pronunciar, as palavras tinham-se-lhe varrido da memória. Também Estefânia Espinhosa vagueara pelo seu sonho confuso, uma figura com olhos brilhantes e um tom de pele azeitonado, primeiro incógnita e muda, depois como docente que leccionava sobre temas inexistentes sob uma enorme cúpula dourada. Doxiades interrompera-a. *Venha para casa*, dissera, *examinamo-la na Bubenbergplatz*.

Gregorius estava sentado no canto da cama. Continuava a não conseguir lembrar-se da palavra de Homero. E a insegurança acerca da passagem onde poderia ser encontrada começava de novo a torturá-lo. Não fazia sentido pegar sequer na *Ilíada*. Estava na *Odisseia*. *Era ali que estava. Tinha a certeza*. Mas aonde?

Na recepção tinham-lhe dito que o próximo comboio para Lisboa só partia na madrugada seguinte. Pegou no grande livro sobre o mar tenebroso e continuou a ler o que o geógrafo muçulmano Edrisi escrevera: *Ninguém sabe, dizem-nos, o que neste mar se encontra, nem é possível investigá-lo, pois muitos são os entraves que à navegação se colocam: as profundas trevas e as altas vagas, as tempestades frequentes e os inúmeros monstros que o povoam, bem como os ventos violentos*. Gregorius teria gostado de fazer fotocópias dos dois textos de Estefânia Espinhosa sobre o Cabo Finisterra, mas não conseguira fazer-se entender pelo pessoal da biblioteca.

Continuou ainda sentado durante algum tempo. *Têm de ser feitos testes*, dissera Doxiades. E voltou também a ouvir o aviso de Maria João: *Com essas coisas não se brinca*.

Tomou um duche, fez a mala e pediu à estupefacta empregada da recepção que lhe chamasse um táxi. Na estação a firma de aluguer de automóveis ainda estava aberta. Gregorius concordou quando lhe disseram que teriam de lhe incluir no preço o dia de hoje, assinou um contrato para dois dias e dirigiu-se ao parque de estacionamento.

Tirara a carta ainda estudante, com o dinheiro que ganhara a dar aulas. Tinha sido há trinta e quatro anos, e desde então nunca mais conduzira. O documento amarelecido, com a fotografia juvenil e a indicação de usar sempre óculos e não conduzir durante a noite tinha permanecido na pasta dos seus documentos de viagem, sem que nunca tivesse precisado dele. O homem do balcão enrugara a testa, comparara a fotografia com o rosto da pessoa à sua frente, mas não dissera nada.

Sentado ao volante do grande automóvel, Gregorius esperou até que a respiração se normalizasse. Lentamente, experimentou todos os botões e interruptores. Depois, com as mãos frias, ligou o motor, meteu a marcha-atrás, soltou a embraiagem e deixou o carro ir-se abaixo. Assustado com o solavanco, fechou os olhos e esperou novamente que a respiração se normalizasse. À segunda tentativa o carro deu uma guinada, mas o motor aguentou-se e Gregorius pôde sair do lugar em marcha-atrás. Percorreu as curvas da saída a uma velocidade de caracol; num semáforo, à saída da cidade, o carro voltou a ir-se abaixo, mas a partir daí as coisas começaram a melhorar.

Na auto-estrada, demorou duas horas a chegar a Viana do Castelo. Já muito mais calmo, manteve-se na faixa da direita e começou a desfrutar da viagem. Conseguiu recalcar a questão da palavra homérica, até quase lograr esquecê-la. Entusiasmado, carregou no pedal do acelerador e segurou o volante com os braços esticados.

Na faixa contrária surgiu um automóvel com os máximos acesos. Tudo começou a girar à sua volta, Gregorius tirou o pé do acelerador, desviou-se para a direita, rolou para além da berma e parou a centímetros da barreira de protecção. Cones de luz passavam por ele a uma velocidade alucinante. Mais tarde, no parque de estacionamento, saiu do carro e respirou cautelosamente o ar fresco da noite. *Devia vir para casa. Falar com os médicos na sua língua materna*.

Uma hora depois, a seguir a Valença do Minho, chegou à fronteira. Dois homens da Guardia Civil fizeram-lhe sinal para passar. Em Tui tomou a auto-estrada para Vigo, Pontevedra, e depois sempre para norte, em direcção a Santiago. Um pouco antes da meia-noite fez uma paragem para estudar o mapa, enquanto comia alguma coisa. Não havia outra solução: se não quisesse fazer o enorme desvio pela península de Santa Eugenia, tinha mesmo que tomar em Padrón a estrada de montanha, em direcção a Noia; depois só precisava de acompanhar a linha da costa, até Finisterra. Nunca conduzira na montanha e, de repente, surgiram-lhe imagens dos desfiladeiros alpinos da Suíça, onde o condutor do carro do correio passara todo o tempo a rodar o volante de um lado para o outro.

À sua volta, as pessoas falavam agora galego. Não percebia uma única palavra. Estava exausto. Tinha-se esquecido da palavra. Ele, o *Mundus*, tinha-se esquecido de uma palavra de Homero. Por baixo da mesa, premiu os pés contra o chão, para afastar a almofada de ar. Estava com medo. *Medo e línguas estrangeiras, são duas coisas que não condizem.*

Acabou por ser mais fácil do que imaginara. Nas curvas mais apertadas e sem visibilidade reduzia ao mínimo a velocidade, mas de noite os faróis também o avisavam. Cada vez havia menos carros, já passavam das duas horas da madrugada. Quando pensava que, naquela estrada estreita, se a vertigem voltasse, não poderia parar assim, sem mais nem menos, sentia-se dominado pelo pânico. Mas depois surgiu o sinal que indicava a proximidade de Noia e o entusiasmo levou-o a cortar as curvas. *Um pouco pesadão. Mas,* Mundus, *isso não são perguntas que se façam!* Porque é que a Florence não tinha simplesmente mentido? *Tu, um chato? De modo nenhum!*

Seria isso possível, sacudir simplesmente as ofensas, as pequenas frases que magoavam? *Estendemo-nos longamente no passado*, notara Prado. *Isso tem a ver com os nossos sentimentos, nomeadamente com os profundos, aqueles portanto que determinam sobre o que somos e como é sermos o que somos. E isso porque esses sentimentos não conhecem o tempo, não o conhecem nem o reconhecem.*

De Noia a Finisterra eram cento e cinquenta quilómetros de boa estrada. Não se via o mar, mas adivinhava-se. Eram quase quatro horas. Gregorius parou mais do que uma vez. Não eram vertigens, decidiu, o que se passava era que o cansaço fazia com que o cérebro parecesse andar-lhe a boiar no crânio. Depois de muitas bombas de gasolina fechadas, encontrou finalmente uma aberta. Como é que era Finisterra, perguntou ao empregado ensonado. *Pues, el fin del mundo!*, respondeu-lhe o homem com uma gargalhada.

Quando virou para o cabo começava a amanhecer num céu carregado de nuvens. Foi o primeiro cliente a beber um café num bar. Pisou o chão de pedra e sentiu-se completamente desperto e lúcido. A palavra voltaria a aparecer quando ele menos esperasse, era assim que a memória funcionava, toda a gente o sabia. Sentia-se satisfeito por ter feito toda aquela louca viagem e estar agora ali, e aceitou o cigarro que o dono do bar lhe ofereceu. Depois de travar o fumo pela segunda vez foi acometido por uma leve vertigem. – Vértigo – explicou. – Sou um especialista em vertigens. Há muitas espécies e eu conheço-as a todas. – O homem não percebeu e pôs-se a esfregar energicamente o balcão.

Gregorius fez os últimos quilómetros até ao cabo com a janela aberta. O ar salgado do mar era maravilhoso, e ele conduziu o mais lentamente possível, como alguém que saboreia uma alegria antecipada. A estrada desembocou num porto com barcos de pesca. Os pescadores tinham acabado de chegar e fumavam em grupo. Mais tarde não soube como aquilo aconteceu, mas, de repente, viu-se no meio dos pescadores, a fumar os seus cigarros; era como uma reunião de amigos numa taberna, só que ao ar livre.

Perguntou-lhes se estavam satisfeitos com a sua vida. O *Mundus*, um filólogo clássico de Berna, a perguntar aos pescadores galegos do fim do mundo o que é que achavam das suas vidas. Gregorius gozou com aquela situação, desfrutou ao máximo daquela alegria misturada com cansaço, em que a euforia surgia como que tocada por um sentimento desconhecido de abertura redentora.

Os pescadores não perceberam a pergunta, e Gregorius teve de a repetir duas vezes num espanhol macarrónico. – *Contento*? – exclamou finalmente um deles. – Não conhecemos outra coisa! – E desataram a rir, cada vez mais, até que tudo se transformou numa salva de gargalhadas em que Gregorius participou, até que as lágrimas lhe saltaram dos olhos.

Pousou a mão no ombro de um dos homens e virou-o para o mar.

– *Siempre derecho, más y más – nada!* – exclamou, enquanto as suas palavras eram arrastadas por uma rajada de vento.

– *America!* – corrigiu-o o pescador. – *America!*

O homem tirou do bolso interior do casaco a fotografia de uma rapariga em *blue jeans*, botas e chapéu de *cowboy*.

– *Mi hija!* A minha filha! – explicou, gesticulando na direcção do mar.

Os outros tiraram-lhe a fotografia da mão.

– *Qué guapa es!* Que bonita! – acharam numa confusão de vozes.

Gregorius riu-se, e gesticulou, e riu-se novamente. Os outros davam-lhe palmadas nos ombros, à direita, e à esquerda, e à direita; eram pancadas rudes, Gregorius vacilou, os pescadores giravam, o mar girava, o sibilar do vento transformou-se num zumbido ensurdecedor que não parou de crescer, até desaparecer subitamente num silêncio que tudo engoliu.

Quando voltou a si estava deitado no banco de um barco, rodeado por rostos assustados. Ergueu-se, a cabeça doía-lhe. Recusou a garrafa de aguardente. Já estava bom, assegurou, e acrescentou: *El fin del mundo!* Os homens riram aliviados. Apertou mãos calejadas e cheias de cortes, balançou-se cuidadosamente para fora do barco e foi sentar-se ao volante do automóvel. Sentiu-se aliviado por o motor pegar imediatamente. Os pescadores ficaram a vê-lo partir com as mãos enterradas nos bolsos dos seus oleados.

Na povoação, alugou um quarto de pensão e dormiu até meio da tarde. O tempo melhorara e estava mais quente. Apesar disso, sentiu frio quando se pôs a caminho do cabo, já ao escurecer. Sentou-se num rochedo e ficou a ver a luz desmaiar no ocidente, até que, por fim, se extinguiu completamente. *O mar tenebroso*. As ondas negras rebentavam com estrondo, a espuma clara era arrastada pelo areal com um silvar ameaçador. E a palavra não veio. *Simplesmente não veio*.

Mas existiria ela, de facto? E se não tivesse sido a memória, mas sim a própria razão que tivesse sofrido uma ínfima fractura? Como era possível que um homem perdesse quase a razão, só porque não se lembrava de uma palavra, uma única palavra solitária? Podia torturar-se se estivesse numa sala de aulas, num teste, num exame. Mas perante o mar tumultuoso? Todas aquelas ondas, que mesmo ali à sua frente se confundiam com a negrura do céu, não teriam elas que dissipar simplesmente tais preocupações, reduzindo-as a algo de completamente insignificante, algo de ridículo, com que só alguém que tivesse perdido por completo a noção das relações pudesse ainda preocupar-se?

Sentia saudades. Fechou os olhos. Entrou às oito menos um quarto na ponte de Kirchenfeld, vindo da Bundesterrasse. Desceu até ao Bärengraben, passando por baixo das estruturas natalícias montadas na Spitalgasse, na Marktgasse e na Kramgasse. Ouviu no mosteiro o oratório de Natal. Saiu do comboio em Berna e entrou na sua casa. Tirou do prato o disco do curso de Português e foi escondê-lo na arrecadação. Deitou-se na cama e sentiu-se aliviado por saber que tudo era como dantes.

Era absolutamente improvável que Prado e Estefânia Espinhosa tivessem vindo ali parar. Mais do que improvável. Não havia o menor indício de que o tivessem feito.

A tiritar de frio e com o casaco húmido, Gregorius regressou ao carro. Na escuridão o automóvel parecia gigantesco. Um monstro que ninguém conseguiria conduzir até Coimbra. Muito menos ele.

Mais tarde, tentou comer alguma coisa numa tasca em frente à pensão, mas não conseguiu. Na recepção pediu que lhe arranjassem umas folhas de papel. Depois foi sentar-se no quarto, a uma minúscula mesa, e traduziu aquilo que o geógrafo muçulmano escrevera para o Latim, para o Grego e para o Hebreu. Esperara que o acto de redigir os caracteres gregos lhe restituísse a palavra perdida. Mas nada aconteceu, o espaço da recordação manteve-se mudo e vazio.

Não, as coisas não se passavam assim. Não era a imensidão rumorosa do mar que tornava insignificantes o lembrar ou esquecer de uma palavra e do seu significado. Nem o lembrar e esquecer das meras palavras. Não era assim, de modo nenhum era assim. Uma única mensagem codificada em palavras, uma única palavra entre palavras: elas eram intocáveis, absolutamente intocáveis para as massas da água cegas e vazias de palavras, e isso manter-se-ia assim, mesmo que todo o Universo, de um dia para o outro, se transformasse num mundo de infindáveis dilúvios, em que ininterruptamente chovesse de todos os cantos dos céus. Se no Universo existisse apenas uma palavra, o *logos* de uma única palavra, então não seria uma *Palavra*, mas se o fosse, seria mais poderosa e brilhante do que todos os dilúvios, por detrás de todos os horizontes.

A pouco e pouco, Gregorius conseguiu acalmar-se. Antes de se ir deitar, ainda foi à janela ver o carro estacionado lá em baixo. Amanhã, de dia, iria conseguir.

E conseguiu. Exausto e receoso, depois de umas horas inquietas de sono, meteu-se à estrada, conduzindo em pequenas etapas. Durante os intervalos acossaram-no as imagens do sonho dessa noite. Tinha estado deitado numa praia, em Isfahan. A cidade com os seus minaretes e cúpulas, com o azul ultramarino intenso e o ouro cintilante recortara-se contra um céu claro, e por isso ele assustara-se quando, ao olhar para o mar, vira uma tempestade negra avançar para a cidade do deserto. Um vento escaldante e seco lançava-lhe à cara um ar húmido e pesado. Pela primeira vez sonhara com Prado. O ourives das palavras nada fez, limitou-se a estar presente na vasta arena onírica, silencioso e distinto, enquanto ele, Gregorius, tentara captar o som da sua voz, com o ouvido colado ao enorme gravador da sua irmã Adriana.

Ao chegar a Viana do Castelo, pouco antes da auto-estrada para o Porto e Coimbra, Gregorius sentiu que tinha a palavra perdida da *Odisseia* mesmo debaixo da língua. Involuntariamente, fechou os olhos ao volante e tentou impedir, com todas as suas forças, que ela caísse novamente no esquecimento. Uma desesperada buzinadela fê--lo estremecer. No último segundo ainda conseguiu virar o carro e impedir o choque frontal. Tinha ido parar à faixa contrária. Quando lhe apareceu um desvio para estacionamento parou e esperou que o doloroso pulsar do sangue no cérebro abrandasse. Depois disso, colou--se a um camião lento até ao Porto. A empregada da firma de aluguer de veículos não se mostrou particularmente entusiasmada por ele querer deixar ali o carro, em vez de o levar até Coimbra; mas depois de olhar longamente para o seu rosto lá acabou por concordar.

Quando o comboio que ia para Coimbra e Lisboa se pôs em movimento, Gregorius, completamente esgotado, encostou a cabeça ao apoio. Pensou nas despedidas que o esperavam em Lisboa. *É esse, no fundo e na verdadeira acepção da palavra, o sentido da despedida: uma autêntica despedida permite que duas pessoas, antes de seguirem cada uma o seu caminho, se entendam acerca do modo como se viram e das imagens que cultivaram uma da outra*, escrevera Prado na carta que nunca enviara à mãe. *Despedir-se também é algo que se faz consigo próprio: assumir-se a si próprio, sob o olhar do outro.* O comboio atingiu a sua máxima velocidade. O susto sobre o acidente que por um triz conseguira evitar começou a dissipar-se. Até Lisboa não queria pensar em mais nada.

No preciso momento em que, embalado pelo ritmo monótono das rodas, conseguiu abrir mão de tudo, a palavra desaparecida surgiu de repente: λιστρον, uma espécie de enxada de ferro, usada para raspar o chão da sala. E agora também sabia novamente onde se encontrava: na *Odisseia*, no final do Canto XXII.

A porta do compartimento abriu-se e um homem ainda novo sentou-se e começou a ler um jornal sensacionalista com enormes parangonas. Gregorius levantou-se, agarrou na sua mala e foi até ao fim da composição, onde encontrou um compartimento vazio. – Λιστρον – disse em voz alta. – Λιστρον.

Quando o comboio entrou na estação de Coimbra pensou na colina da universidade e no topógrafo que, na sua imaginação, atravessava a ponte com uma antiquada maleta de médico; um homem esguio, dobrado para a frente, com uma bata cinzenta e muito pensativo, apostado em convencer as gentes da colina do castelo a deixarem-no entrar.

Quando Silveira voltou para casa, ao fim da tarde, Gregorius veio ter com ele ao *hall*. O português parou e franziu o sobrolho:

– Vai-se embora para casa.

Gregorius confirmou com um aceno de cabeça.

– Conte lá então!

44 – Se me tivesse dado tempo, eu faria de si um português – disse Cecília. – Não se esqueça, quando voltar para aquele seu país agreste e gutural: *doce*, *suave*, e depois saltitamos por cima das vogais.

A professora tapou os lábios com o lencinho verde, que se enfunou quando ela falou. E riu-se ao ver o seu olhar.

– Já percebi que gosta deste truque com o lenço, não é?! – E soprou com força.

Estendeu-lhe a mão. – A sua inacreditável memória. Já só por causa disso não o irei esquecer.

Gregorius segurou-lhe demasiado tempo a mão. Hesitou, até que arriscou.

– Há algum motivo para …

– Para eu vestir sempre de verde? Sim, há um motivo. Eu conto-lhe quando voltar.

Quando voltar. Quando, dissera, não *se*. A caminho da casa de Vítor Coutinho imaginou como seria se voltasse à escola no dia seguinte. Qual seria então a expressão do seu rosto? Como é que os seus lábios se moveriam quando lhe contasse o motivo para aquele eterno verde.

– O que é que quer? – ladrou Coutinho, uma hora mais tarde.

O fecho da porta zumbiu, o velhote desceu as escadas ao seu encontro, o cachimbo entalado entre os dentes. Durante um breve momento, pareceu consultar a sua memória.

– *Ah, c'est vous* – disse.

Continuava a cheirar a comida bolorenta, pó e tabaco de cachimbo. E usava novamente uma camisa desbotada e de cor indefinível.

Prado. *O consultório azul.* E sempre conseguira encontrar o homem?

Não faço a mínima ideia porque é que lhe dou isto, mas as coisas são como são, dissera o velhote, quando lhe oferecera o Novo Testamento. Gregorius trazia-o agora consigo. Mas deixou-o na mala. Nem sequer o mencionou, as palavras adequadas não lhe saíam. *Intimidade, é tão fugaz e enganadora como uma miragem*, escrevera Prado.

Estava com pressa, disse Gregorius, e estendeu a mão ao velho.

– Só mais uma coisa – gritou-lhe Coutinho, quando ele já ia a sair do pátio. – Vai telefonar-lhe, quando voltar para casa? O número que ela lhe escreveu na testa?

Gregorius encolheu os ombros num gesto de indecisão e saudou com a mão.

Seguiu para a Baixa e caminhou pelo tabuleiro de xadrez das ruas. Comeu qualquer coisa no café em frente à farmácia de O'Kelly e ficou à espera que o vulto do farmacêutico fumador aparecesse por detrás do vidro da porta. Mas quereria mesmo falar com ele? Seria mesmo isso que ele queria?

Durante toda a manhã tinha-o incomodado a sensação de haver qualquer coisa de errado nas suas despedidas. Qualquer coisa que faltava. Agora, de repente, sabia o que era. Entrou numa loja de artigos fotográficos e comprou uma máquina com teleobjectiva. De volta ao café, focou o segmento da porta em que O'Kelly aparecia e gastou um rolo inteiro, porque, na maior parte das vezes, era demasiado lento a disparar.

Mais tarde, voltou até à casa de Coutinho, perto do Cemitério dos Prazeres, e fotografou o edifício arruinado com a fachada coberta de hera. Focou a janela com a objectiva e esperou, mas o velho não apareceu. Por fim, desistiu e dirigiu-se ao cemitério, onde tirou fotografias do jazigo da família Prado. Numa loja ali perto comprou mais rolos e tomou o velho eléctrico que o deixou perto da casa de Mariana Eça, depois de atravessar meia cidade.

Um *Assam* vermelho-dourado com açúcar cristalizado. Os grandes olhos escuros. O brilho arruivado do cabelo. Sim, concordou, sempre era melhor poder falar com os médicos na língua materna. Gregorius não lhe contou que tinha desmaiado na biblioteca de Coimbra. Conversaram sobre João Eça.

– O quarto dele é um bocado acanhado – disse Gregorius.

Por um momento, o seu rosto pareceu alterar-se, mas logo a seguir a irritação desapareceu.

– Eu bem o tentei convencer a ir para outros lares, mais confortáveis. Mas não, ele quis aquele. *Tem de ser o mais simples possível*, disse. *Depois de tudo o que aconteceu, tem de ser simples*.

Foi-se embora antes da chaleira ficar vazia. Desejou não se ter saído com aquele aparte sobre o quarto de Eça. Era uma parvoíce comportar-se como se, depois daquelas quatro breves tardes, o conhecesse melhor do que ela, que o conhecia desde criança. Como se o compreendesse melhor. Um disparate. Mesmo que tivesse razão.

Quando, à tarde, se deitou para descansar na casa de Silveira, pôs os seus velhos óculos, mas os olhos não os aceitaram.

Era já demasiado escuro para fotografar quando chegou à casa de Mélodie. O *flash* iluminou a fachada várias vezes consecutivas, mas, apesar das luzes de casa estarem acesas, ela não surgiu à janela. *Uma rapariga que parecia não tocar no chão*. O juiz saíra do automóvel, mandara parar o trânsito com a bengala, abrira caminho por entre os espectadores e, sem olhar para a filha com o boné, atirara uma mão cheia de moedas para a caixa aberta do violino. Gregorius olhou para os cedros que Adriana vira tingirem-se de vermelho de sangue, instantes antes do irmão lhe espetar a faca na garganta.

Nesse momento, viu passar o vulto de um homem por detrás da janela. Isso acabou por lhe tirar as dúvidas sobre se queria ou não tocar à porta. No restaurante onde já tinha estado, bebeu um café e fumou um cigarro, como na altura. Depois subiu até ao terraço do Castelo e deixou que a noite de Lisboa se lhe gravasse na memória.

O'Kelly estava a fechar a farmácia. Quando, alguns minutos depois, saiu para a rua, Gregorius seguiu-o a uma distância suficientemente grande para que, desta vez, não desse pela a sua presença. Quando dobrou a esquina, em direcção ao clube de xadrez, Gregorius voltou para trás e fotografou a farmácia iluminada.

45

No sábado de manhã, Filipe levou Gregorius de carro até ao liceu. Arrumaram o equipamento de campismo no porta-bagagens e Gregorius retirou da parede as imagens de Isfahan. Em seguida, mandou o *chauffeur* embora.

Era um dia soalheiro e quente, na semana seguinte começava Abril. Gregorius sentou-se no musgo dos degraus da escada, em frente à porta da entrada. *Estava sentado no musgo quente das escadarias da entrada e pensava no desejo intransigente do meu pai de que eu me tornasse médico – alguém, pois, capaz de livrar das dores pessoas como ele. Eu amava-o pela sua confiança e maldizia-o pelo terrível peso que aquele seu compreensível desejo representava para mim.*

De repente, Gregorius começou a chorar. Tirou os óculos, escondeu o rosto entre os joelhos e deixou que as lágrimas pingassem para o musgo. «*Em vão*» era uma das expressões preferidas de Prado, contara-lhe Maria João. Gregorius pronunciou as palavras e repetiu-as, lentamente, depois cada vez mais depressa, até que as sentiu fundirem-se umas nas outras e na própria substância das suas lágrimas.

Mais tarde, subiu até àquela que fora a sala de aulas de Prado e fotografou a vista que dava para a escola feminina. Da escola feminina tirou várias fotos na direcção contrária, captando com a teleobjectiva a janela onde Maria João vira os pontos luminosos do sol reflectidos pelas lentes dos binóculos de Prado.

Quando, nessa tarde, se viu sentado na cozinha de Maria João, falou-lhe das fotografias que andava a tirar. E então, de repente, algo se soltou nele e falou-lhe da impotência que sentira em Coimbra, da palavra esquecida de Homero e do pânico que sentia perante a consulta neurológica.

Mais tarde, leram ainda à mesa da cozinha, um ao lado do outro, aquilo que vinha escrito sobre as vertigens numa enciclopédia médica de Maria João. Podiam ter causas perfeitamente inofensivas. Maria

João mostrou-lhe as frases, acompanhando as linhas com o indicador, traduziu-lhas e repetiu as palavras mais importantes.

Tumor. Gregorius apontou mudo para a palavra. Sim, claro, admitiu Maria João, mas também tinha de ler tudo o resto que lá vinha, sobretudo que, nesse caso, as vertigens eram acompanhadas por outros sintomas degenerativos que não se verificavam nele.

À despedida, a velha senhora disse-lhe que tinha ficado muito feliz por ele a ter levado naquela viagem ao passado. Tinha tido assim a oportunidade de sentir aquela estranha mistura de proximidade e distância que havia dentro dela, quando se tratava de Amadeu. Depois foi ao armário buscar a caixa de madeira com os embutidos e entregou-lhe o envelope selado com os apontamentos de Prado acerca de Fátima.

– Como já disse, eu não os irei ler. E acho que ficam bem entregues. No final, talvez acabe por ser você a pessoa que melhor o conhece. Estou-lhe muito grata pelo modo como fala dele.

Quando, mais tarde, se viu sentado no cacilheiro que atravessava o Tejo, Gregorius recordou-a a acenar-lhe, até ele desaparecer do seu campo de visão. Era a pessoa que tinha conhecido mais tarde, e aquela de quem mais falta sentiria. No final, perguntara-lhe se lhe iria escrever quando soubesse os resultados do exame.

46

Quando viu Gregorius à porta João Eça franziu os olhos e a sua expressão endureceu como a de alguém que se prepara para enfrentar uma grande dor.

– Hoje é sábado – disse.

Foram sentar-se nos seus lugares habituais. Sem o tabuleiro de xadrez a mesa parecia vazia.

Gregorius falou-lhe das vertigens, do medo, dos pescadores no fim do mundo.

– Isso quer dizer então que nunca mais cá vem – concluiu Eça.

Em vez de falar dele e das suas preocupações, falava de si próprio. Em qualquer outra pessoa isso tê-lo-ia incomodado. Mas não naquele homem torturado, fechado e solitário. As suas palavras encontravam-se entre as mais preciosas que ele ouvira.

Se as vertigens se revelassem inofensivas e os médicos conseguissem eliminá-las, então voltaria, prometeu. Para aprender Português a sério e escrever a história da resistência antifascista. Disse-o com uma voz firme, mas a confiança que se esforçou por transmitir soou falsa e tinha a certeza de que Eça também sentira o mesmo.

Com mãos trémulas, Eça foi buscar o tabuleiro à estante e dispôs as peças. Durante algum tempo, deixou-se ficar com os olhos fechados. Depois levantou-se e foi buscar uma colectânea de partidas de xadrez.

– Aqui. Alekhine contra Capablanca. Gostava de jogá-la consigo.

– A Arte contra a Ciência – disse Gregorius.

Eça sorriu. Gregorius desejou ter podido captar aquele sorriso num filme.

Às vezes, tentava imaginar como é que seriam os derradeiros minutos, depois de ter engolido os comprimidos mortais, disse Eça a meio da partida. Ao princípio, talvez alívio por tudo; finalmente, chegar ao fim e podermos livrar-nos de uma decrepitude indigna. Um sopro de orgulho pela própria coragem. Um lamentar não se ter sido mais vezes tão corajoso. Um último resumo, o derradeiro reconhecer de que se fez aquilo que se tinha a fazer, e de que seria errado mandar vir a ambulância. A esperança de que a serenidade nos acompanhe até ao fim. O esperar pela sensação mortiça nos lábios, na ponta dos dedos.

E depois, repentinamente, o ataque incontrolável de pânico, a revolta, o desejo enlouquecido de que tudo não acabe já. Uma inundação interior, uma torrente impetuosa de vontade de viver, que tudo afasta e que transforma tudo quanto tem a ver com o pensamento e a decisão em algo superficial, fictício, ridículo. E depois? E *depois*?

Ele não o sabia, admitiu Gregorius, e abrindo o livro de Prado, leu:

Não era então evidente, simples e claro em que consistiria o seu pânico se, nesse momento, recebessem a notícia da sua morte eminente? Virei o rosto cansado para o sol matinal e pensei: eles querem simplesmente mais da substância da vida, por mais leve ou pesada, por mais parca ou farta que essa vida possa ser para cada um deles. Não querem que ela tenha chegado ao fim, mesmo que, depois do fim, já não possam sentir-lhe a falta – e o saibam.

Eça pediu que lhe desse o livro e leu ele próprio, primeiro aquela passagem e depois toda a conversa com Jorge acerca da morte.

– O O'Kelly – disse por fim. – Está a matar-se com os cigarros. *Sim, e depois?!* disse, quando alguém lhe falou nisso. Ainda estou a ver o seu rosto à minha frente: *vai-te lixar*. E não é que o medo o caçou também a ele. *Merda*.

Começava a escurecer quando a partida terminou com a vitória de Alekhine. Gregorius agarrou na chávena de Eça e bebeu o resto do chá. À porta ficaram um em frente ao outro. Gregorius sentiu como dentro dele tudo tremia. As mãos de Eça agarraram-no pelos ombros e de repente sentiu a sua cabeça na face. Eça engoliu em seco, Gregorius sentiu o movimento da maçã-de-adão. Com um repelão que quase o fez perder o equilíbrio, Eça afastou-se e abriu a porta, a olhar para o chão. Antes de desaparecer na esquina do corredor, Gregorius ainda olhou para trás. Eça tinha ficado a olhar para ele. Nunca o havia feito.

Quando chegou à rua Gregorius escondeu-se atrás de um arbusto e esperou. Eça apareceu na varanda e acendeu um cigarro. Gregorius gastou todo o filme.

Não viu nada do Tejo. Viu e sentiu apenas João Eça. Da Praça do Comércio seguiu lentamente em direcção ao Bairro Alto e, já próximo da casa azul, sentou-se num café.

47

Deixou passar o tempo. Adriana. Sabia que seria a despedida mais difícil.

Foi ela quem veio abrir e, nesse mesmo instante, interpretou correctamente a expressão do seu rosto. – Aconteceu alguma coisa – disse.

Um exame de rotina no consultório de um médico de Berna, explicou Gregorius. Sim, era muito possível que ainda voltasse. Ficou espantado com a calma com que ela encarou a situação; na verdade, a sua reacção quase que o ofendeu.

A sua respiração não era ofegante, mas simplesmente mais perceptível do que antes. Depois estremeceu, levantou-se de um impulso e foi buscar um bloco de apontamentos. Queria ficar com o seu número de telefone de Berna, disse.

Gregorius ergueu as sobrancelhas, surpreendido, e ela apontou para uma mesinha, a um canto, onde se podia ver um aparelho.

– Desde ontem – explicou Adriana. E ainda lhe queria mostrar mais uma coisa. Subiu à sua frente para o sótão.

Os montes de livros que se haviam acumulado no soalho do quarto de Amadeu tinham desaparecido. Estavam agora arrumados numa estante, a um canto. Ela olhou para ele com um ar expectante. Gregorius acenou com a cabeça, aproximou-se e tocou-lhe no braço.

Adriana foi até à secretária do irmão, abriu a gaveta, desatou a fita que segurava a tampa de cartão e tirou três folhas de papel.

– Escreveu-as depois do que aconteceu com a rapariga – disse. O seu peito magro subiu e baixou. – De repente, começou a escrever com uma letra tão pequenina. Lembro-me que quando as li pensei que ele estava a tentar esconder qualquer coisa de si próprio.

O seu olhar deslizou pelo texto. – Destrói tudo. *Tudo*.

Meteu as folhas num envelope e entregou-o a Gregorius.

– Ele já não era ele próprio. Quero... por favor, leve-me isso daqui. Para longe, o mais longe possível.

Mais tarde, Gregorius amaldiçoou-se. Quisera ver uma vez mais o consultório onde Prado salvara a vida a Mendes, onde o mapa do cérebro tinha estado pendurado e onde ele enterrara o xadrez que Jorge lhe oferecera.

– Ele gosta tanto de trabalhar aqui em baixo – disse Adriana quando se viu no consultório. – Comigo. Sempre comigo. – Passou a mão pela superfície da marquesa. – Todos o adoram. Adoram e admiram.

E sorriu, um sorriso fantasmagoricamente diáfano, longínquo.

– Alguns até vêm sem ter nada. Inventam qualquer sintoma. Só para o verem.

Gregorius tentou reagir. Os seus pensamentos sucediam-se, vertiginosos. Foi até à mesa com as seringas antiquadas e agarrou numa. Sim, eram aquelas seringas que se usavam na altura, disse. Que diferença para as actuais!

As suas palavras não alcançaram Adriana, que se limitou a ajeitar a ponta da toalha de papel que cobria a mesa de observações. Um resto do sorriso de há instantes pairava ainda nos seus lábios.

Gregorius perguntou-lhe se sabia o que acontecera ao mapa do cérebro. Devia ter hoje em dia bastante valor.

– «Mas afinal porque é que precisas desse mapa?», perguntava-lhe, às vezes. «Se para ti os corpos parecem de vidro.» *É simplesmente um mapa*, diz-me ele. Adora mapas. Cartas geográficas. Mapas dos caminhos-de-ferro. Em Coimbra, durante o curso, chegou a criticar um atlas de anatomia que na época era sagrado. Os professores não gostavam dele. Achavam que não tinha respeito. Mas ele era simplesmente superior.

Gregorius pensou que só havia uma solução. Olhou para o relógio.

– Estou atrasado – disse. – Posso utilizar o seu telefone?

Abriu a porta e seguiu à frente no corredor.

O rosto de Adriana parecia confuso quando ela abriu a porta. Um vinco vertical dividia-lhe a testa, fazendo-a parecer-se com alguém em quem a desordem e a escuridão reinavam.

Gregorius avançou para as escadas.

– Adeus – disse Adriana, e abriu a porta da entrada.

Era a voz seca e distante que ele conhecia das primeiras visitas. Ali estava ela, muito direita, pronta a enfrentar o mundo.

Gregorius aproximou-se devagar e parou mesmo à frente dela. Olhou-a nos olhos, mas o seu olhar estava selado e frio. Não lhe estendeu a mão. Sabia que ela não lhe daria a sua.

– *Adieu* – disse. – Boa sorte. – E saiu.

48

Gregorius entregou a Silveira as fotocópias do livro de Prado. Tinha vagueado pela cidade durante mais de uma hora, até encontrar um centro comercial com uma loja de fotocópias ainda aberto.

– Isto é… – dissera Silveira com voz rouca –, eu…

Depois falaram das vertigens. Silveira contou-lhe que tinha uma irmã doente dos olhos que sofria há décadas de vertigens. Não se tinha conseguido descobrir as causas, ela tivera simplesmente que se habituar.

– Uma vez fui com ela ao neurologista e saí do consultório com a sensação de que ainda estávamos na Idade da Pedra. No que ao nosso conhecimento do cérebro diz respeito. Uns quantos areais, uns quantos padrões de actividade, um par de substâncias. E mais não se sabe. Aliás, lembro-me de ter pensado que eles nem sequer sabiam o que deviam procurar.

Conversaram acerca do medo que tinha origem em toda aquela incerteza. De repente, Gregorius sentiu que algo o inquietava. Demorou algum tempo, até compreender o que era: há dois dias atrás, quando regressara, a conversa com Silveira sobre a viagem. Hoje a conversa com João Eça. E agora novamente Silveira. Poderia ser que duas formas de intimidade se bloqueassem, se impedissem, envenenassem mutuamente? Sentia-se aliviado por não ter mencionado a Eça o desmaio na biblioteca de Coimbra; ao menos, assim sempre tinha uma coisa que podia partilhar só com Silveira.

Silveira perguntou-lhe então se sabia qual era a palavra homérica que havia esquecido. Λιστρον, disse Gregorius, uma espécie de enxada, um instrumento de ferro para limpar o chão da sala.

Silveira riu-se e Gregorius acompanhou-o; riram e riram às gargalhadas, como dois homens que, por momentos, conseguiam sobrepor-se a todos os medos, toda a tristeza, todo o desapontamento, todo o desalento. Que, de uma forma preciosa, estavam ligados um ao outro por aquelas gargalhadas soltas, apesar do medo, da tristeza e do desalento serem seus e só seus, e os projectarem, a cada um, para a sua própria e íntima solidão.

Quando o riso se acalmou e Gregorius pôde, novamente, sentir o peso do mundo, lembrou-se de como rira com João Eça sobre a comida sensaborona do lar.

Silveira foi ao escritório buscar o guardanapo de papel, onde Gregorius lhe apontara, no vagão-restaurante, durante a viagem nocturna para Lisboa, as palavras hebraicas: *E Deus disse: faça-se Luz! E a Luz fez-se*. Pediu-lhe então para que as lesse uma vez mais. E em seguida pediu-lhe para que lhe escrevesse algo da Bíblia em Grego.

Gregorius não conseguiu resistir e escreveu: *No início era a*

Palavra, e a Palavra estava em Deus, e Deus era a Palavra. E a mesma estava, no início, em Deus. Todas as coisas foram através Dela feitas, e sem Ela nada do que foi feito poderia ser feito. Nela estava a vida, e a vida era a luz dos homens.

Silveira foi buscar a sua Bíblia e leu as frases iniciais do Evangelho de S. João.

– Então a Palavra é a luz dos humanos – concluiu. – E as coisas só existem verdadeiramente depois de serem nomeadas através das palavras.

– E as palavras têm de ter um ritmo – acrescentou Gregorius, – um ritmo como, por exemplo, aquele que se sente no Evangelho de S. João. Só então, quando se transformam em poesia, é que lançam, verdadeiramente, luz sobre as coisas. Sob a luz mutante das palavras, as mesmas coisas podem transformar-se, transfigurar-se.

Silveira olhou para ele.

– E é por isso que uma pessoa tem de sentir forçosamente vertigens quando, perante a presença viva de trezentos mil livros, se apercebe da falta de uma palavra.

Desataram ambos novamente a rir; olhavam um para o outro e sabiam que estavam também a rir sobre a vida passada, e sobre o facto de que o que mais lhes dava vontade de rir ser, precisamente, o que de mais importante havia.

Mais tarde, Silveira perguntou-lhe se não lhe podia deixar as imagens de Isfahan. Fixaram-nas nas paredes do seu escritório. Silveira sentou-se à secretária, acendeu um cigarro e contemplou as imagens.

– Quem me dera que a minha ex-mulher e os meus filhos vissem isto – disse.

Antes de se irem deitar, ficaram ainda algum tempo em silêncio no *hall*.

– Só é pena que também isto tenha acabado – disse Silveira a uma certa altura. – Refiro-me à sua estada aqui, em minha casa.

Gregorius não conseguiu adormecer. Imaginou o seu comboio a pôr-se em movimento, na manhã seguinte, o primeiro solavanco suave. Amaldiçoou as vertigens e o facto de Doxiades ter toda a razão.

Acendeu a luz e leu o que Prado escrevera sobre a intimidade.

INTIMIDADE IMPERIOSA. *Na intimidade estamos entrelaçados um no outro, e os laços invisíveis são como correntes libertadoras. Esse entrelaçamento é imperioso: exige exclusividade. Partilhar é atraiçoar. Mas nós não gostamos, amamos e tocamos apenas uma única pessoa. O que fazer então? Gerir as várias formas de intimidade? Impor uma contabilidade pedante sobre os temas, palavras e gestos? Sobre o saber e os segredos comuns? Seria um veneno a pingar silenciosamente, gota a gota.*

Começava já a amanhecer quando deslizou para dentro do sono e sonhou com o fim do mundo. Foi um sonho melodioso sem instrumentos nem sons, um sonho feito da substância do sol, do vento e das palavras. Os pescadores com as suas mãos rudes gritavam coisas rudes uns aos outros, o vento salgado fustigava e dispersava as palavras, incluindo aquela de que se esquecera. Viu-se a mergulhar a pique na água, nadando com todas as suas forças para o fundo, sempre para o fundo, e sentiu o prazer e o calor nos músculos, como eles se contraíam com o frio. Tinha de deixar o cargueiro das bananas, tinha pressa, assegurou aos pescadores que isso não tinha nada a ver com eles, mas eles defenderam-se e olharam-no com estranheza quando ele desembarcou com o seu saco de marinheiro, acompanhado pelo sol, pelo vento e pelas palavras.

QUARTA PARTE

O Regresso

49

Gregorius continuava a acenar, apesar de Silveira há muito ter desaparecido do seu campo de visão. «Será que em Berna há alguma firma que produza porcelana?», perguntara-lhe o amigo já no cais. Gregorius tirara uma fotografia da janela do comboio. Silveira a proteger o cigarro contra o vento, para o poder acender.

As últimas casas de Lisboa. Ontem ainda tinha voltado à livraria religiosa do Bairro Alto, onde encostara a testa ao vidro humedecido pelo nevoeiro, antes de tocar pela primeira vez à campainha da casa azul. Na altura, tivera de lutar contra a tentação de apanhar um táxi para o aeroporto e tomar o primeiro avião que partisse para Zurique. Agora lutava para não descer na próxima estação.

Havia uma pergunta dentro dele: se, a cada metro que o comboio deixasse para trás, uma lembrança fosse extinta, e se, para além disso, também o mundo regredisse, pedaço a pedaço, de modo a que quando chegasse à estação de Berna, tudo estivesse como dantes, poder-se-ia então dizer que o tempo da sua estada tinha também sido destruído?

Gregorius procurou o envelope que Adriana lhe dera. *Destrói tudo. Tudo*. Prado tinha escrito aquilo que ele iria agora ler depois da viagem a Espanha. *Depois da rapariga*. Lembrou-se do que ela lhe dissera sobre o seu regresso de Espanha: saíra do táxi com a cara chupada e por barbear, devorara tudo o que ela lhe pusera à frente, depois tomara um pó e dormira um dia e uma noite.

Enquanto o comboio seguia a caminho de Vilar Formoso, onde atravessariam a fronteira, Gregorius traduziu o texto que Prado escrevera em letras minúsculas.

CINZAS DA FUTILIDADE. *Foi há já uma eternidade que o Jorge me telefonou a meio da noite porque o medo da morte o atacara. Não,*

não foi há uma eternidade. Foi num outro tempo, num tempo completamente diferente. Mas, no fundo, não passaram mais de três anos, três banalíssimos e aborrecidos anos do calendário. A Estefânia. *Na altura, falou-me dela. Das variações* Goldberg. *Ela tocara-lhas, e ele teria gostado de as tocar também no seu Steinway. Estefânia Espinhosa. Que nome mágico, fascinante, pensei nessa noite. Lembro-me que na altura não quis conhecer a mulher, achava que não havia mulher que conseguisse estar à altura desse nome, só podia ser uma desilusão. Como podia eu saber que o contrário é que correspondia à verdade: era o nome que não estava à sua altura.*

O medo de que a vida pudesse ficar incompleta, um torso; a consciência de que, definitivamente, não poderia vir a tornar-se naquele para o qual se projectara. Foi assim que acabámos por interpretar o medo da morte. Lembro-me, no entanto, de ter perguntado como é que se pode temer a falta de plenitude e coerência interna da vida se já não as podemos sentir quando elas se tornam factos irremediáveis? O Jorge *pareceu perceber. Mas o que é que ele disse?*

Porque é que não folheio, porque é que não vou ver? Porque é que não quero saber o que pensei e escrevi na altura? De onde é que me vem essa indiferença? E será mesmo indiferença? Ou será que a perda é maior, mais profunda?

Querer saber o que antes se pensou e como é que chegámos àquilo que hoje pensamos: também isso deveria fazer parte da totalidade ou plenitude da vida, se é que isso existe. Teria eu então perdido a dimensão daquilo que torna a morte tão assustadora? A fé na totalidade da vida, pela qual vale a pena lutar, essa dimensão da plenitude, que tentamos resgatar à morte?

Lealdade, lembro-me de ter dito ao Jorge, *lealdade. É nisso que inventamos a nossa coerência.* A Estefânia. *Mas porque é que a ressaca do acaso não a atirou para um outro sítio? Porque é que ela veio ter logo connosco? Porque é que teve de nos pôr perante um desafio para o qual não estávamos preparados? Um desafio que nenhum de nós conseguiu ultrapassar, cada um à sua maneira?*

«És demasiado esfomeado para mim. É maravilhoso estar contigo, mas há dentro de ti uma fome demasiado grande. Não posso querer essa viagem. Ainda não percebeste que seria a tua viagem, única

e exclusivamente a tua viagem?! Nunca teria podido ser a nossa.» E tinha razão: nunca devemos transformar os outros em elementos construtivos da nossa vida, em aguadeiros na corrida pela própria felicidade.

Finis terrae. *Nunca me senti tão lúcido como ali. Nem tão sóbrio. Desde então sei que a minha corrida chegou ao fim. Uma corrida que eu desconhecia estar desde sempre a correr. Uma corrida sem concorrentes, sem meta, sem recompensa. Totalidade?* Espejismo, *dizem os espanhóis, li num desses dias a palavra num jornal, é a única coisa que sei.* Fata morgana. *Miragem.*

A nossa vida não passa de umas breves formações de areia movediça, constituídas por uma rajada de vento e apagadas pela próxima. Construções da futilidade, que se dissipam antes mesmo de se constituírem.

Ele já não era ele próprio, dissera Adriana. E com aquele estranho, com o irmão alienado de si próprio, ela não queria ter nada a ver. *Para longe, para muito longe.*

Quando é que alguém era ele próprio? Quando era como sempre costumava ser? Ou como era quando a lava incandescente dos pensamentos e dos sentimentos irrompia, sepultando todas as mentiras, todas as máscaras e todas as ilusões? Frequentemente, eram os outros que se queixavam de que alguém já não era ele próprio. Na realidade, isso talvez significasse apenas que já não era como gostaríamos que ele fosse. Não seria então isso muito mais uma espécie de acusação intempestiva, lançada para evitar a ameaça de um abalo daquilo a que se está habituado, uma acusação mascarada de interesse e preocupação pelo bem do outro?

Gregorius adormeceu quando o comboio ia já a caminho de Salamanca. Foi então que sucedeu algo que ele ainda não conhecia: acordou directamente para dentro da vertigem. Uma onda de excitação nervosa mal canalizada atravessou-o. Sentiu-se a cair para o fundo e agarrou-se desesperadamente aos apoios do assento. O fechar dos olhos só tornou tudo ainda pior. Tapou o rosto com as mãos. Já tinha passado.

Λιστρον. Tudo em ordem.

Porque é que não tinha tomado um avião? Amanhã de manhã, dali a dezoito horas, estaria em Genebra, três horas mais tarde em casa. Ao meio-dia iria ter com Doxiades, que se encarregaria do resto.

O comboio começou a abrandar. SALAMANCA. E uma segunda placa: SALAMANCA. Estefânia Espinhosa.

Gregorius levantou-se, puxou a mala da bagageira e agarrou-a com toda a força, até a vertigem passar. Na gare pisou energicamente o chão, para destruir a almofada de ar que o rodeava.

50

Quando, mais tarde, pensou na sua primeira noite em Salamanca, achou que tinha andado horas a fio a lutar contra as vertigens, tropeçando por catedrais, capelas e claustros, cego perante a sua beleza, mas completamente subjugado pela sua força escura. Ficara a olhar para altares, cúpulas e cadeiras do coro, que imediatamente se sobrepunham na sua memória; por duas vezes fora mesmo apanhado pelo início das liturgias e acabara por ficar sentado a assistir a um concerto de órgão. *Não quero viver num mundo sem catedrais. Preciso da sua beleza e da sua transcendência. Preciso delas contra a vulgaridade do mundo. Quero erguer o meu olhar para o brilho dos seus vitrais e deixar-me cegar pelas cores prodigiosas. Preciso do seu esplendor. Preciso dele contra a suja uniformidade das fardas. Quero cobrir-me com a frescura seca das igrejas. Preciso do seu silêncio imperioso. Preciso dele contra a berraria grotesca na parada da caserna e o arrazoar frívolo dos oportunistas. Quero escutar o eco oceânico do órgão, essa inundação de sons sobrenaturais. Preciso dele contra o chinfrim ridículo da música de marcha.*

Quem escrevera isso fora um rapaz de dezassete anos. Um rapaz que ardia num fogo interior. Um rapaz que, pouco depois, fora com Jorge O'Kelly para Coimbra, onde o mundo inteiro parecia pertencer-lhes, e onde chegara mesmo a questionar as afirmações dos professores nas salas de aulas. Um rapaz que, na altura, nada sabia ainda da ressaca do acaso, das formações de areia movediça e das cinzas da futilidade.

Anos mais tarde, escrevera ao padre Bartolomeu estas linhas: *Há coisas que para nós, humanos, são demasiado grandes: a dor, a solidão e a morte, mas também a beleza, o sublime e a felicidade. Foi para isso que criámos a religião. E o que é que acontece quando a perdemos? Acontece que aquelas coisas continuam a ser demasiado grandes para nós. Resta-nos então a poesia da vida individual. Mas será que ela é suficientemente forte para nos sustentar?*

Do seu quarto de hotel, Gregorius podia ver ambas as catedrais, a velha e a nova. Quando batiam as horas certas ele ia até à janela e ficava a olhar para as fachadas iluminadas. San Juan de la Cruz tinha vivido aqui. Florence tinha cá vindo por várias vezes, enquanto escrevera a dissertação sobre ele. Viajara sempre com outros estudantes, nunca lhe apetecera acompanhá-la. Não gostara da maneira exaltada como ela e os outros expressavam o seu entusiasmo pelos poemas místicos do grande poeta.

O que é que a poesia tinha a ver com esse tipo de entusiasmo exaltado? A poesia era para ser lida. Lia-se com a língua. Vivia-se com ela. Uma pessoa sentia como ela nos tocava, mudava. Como contribuía para que a própria vida adquirisse uma forma própria, um matiz, uma melodia. Não se falava nisso. E de maneira nenhuma se devia torná-la carne para canhão de uma carreira académica.

Em Coimbra perguntara-se se, afinal, não teria perdido uma vida na universidade. A resposta era: não. Voltou a ver-se em Paris, sentado no COUPOLE, a desfazer os colegas tagarelas de Florence com a sua língua afiada e Berna, os seus conhecimentos de Berna. *Não.*

Mais tarde, sonhou que Aurora rodopiava com ele na cozinha da casa de Silveira, ao som de uma música de órgão; o espaço à sua volta começou a dilatar-se, ele mergulhou a pique num remoinho, até que perdeu a consciência e acordou.

Foi o primeiro a tomar o pequeno-almoço. Depois foi até à universidade e pôs-se a perguntar pela faculdade de História, até a encontrar. A aula de Estefânia Espinhosa era dali a uma hora: *Isabel la Católica*.

No claustro da universidade os alunos empurravam-se sob as arcadas. Gregorius não percebeu uma única palavra do seu exuberante castelhano e preferiu ir logo para a sala, um espaço revestido de lambris de uma elegância sóbria, monástica, à frente um estrado com uma secretária. A sala começou a encher-se. Embora fosse um espaço grande, encheu-se por completo ainda antes do início. De ambos os lados havia estudantes sentados no chão.

Odiei aquela pessoa, o cabelo preto comprido, o andar cadenciado, a saia curta. Adriana vira-a quando ela era ainda uma rapariga nova, com vinte e tal anos. A mulher que acabara de entrar teria cinquenta e tais. *Ele viu à sua frente aqueles olhos brilhantes, a tez invulgar, quase asiática, a risada contagiante, irresistível, o andar cadenciado, e quis simplesmente que tudo aquilo não se apagasse, não o podia querer,* dissera Eça sobre Prado.

Ninguém o poderia querer, pensou Gregorius. Nem agora. Especialmente se a ouvisse falar. Tinha uma voz de contralto escura e velada e pronunciava as duras palavras espanholas com um resto da suavidade lusitana. Logo ao princípio desligara o microfone. Era uma voz que poderia encher uma catedral. E um olhar que fazia nascer no ouvinte o desejo de que a aula nunca mais acabasse.

Gregorius pouco percebeu daquilo que ela disse. Ouviu-a como se escuta um instrumento musical, por vezes com os olhos fechados e por vezes com o olhar concentrado nos seus gestos: a mão que afastava da testa o cabelo com as madeixas brancas; a outra mão, que segurava uma esferográfica prateada e que, em determinados momentos, desenhava uma linha no ar, como que para acentuar certos contextos; o cotovelo em que se apoiava no tampo da carteira; os dois braços estendidos com que cingia a superfície de madeira, sempre que iniciava um novo assunto. Uma rapariga que começara a trabalhar nos Correios; uma rapariga com uma memória fenomenal, em que estavam guardados todos os segredos da resistência; a mulher que não gostava que O'Kelly a cingisse pela cintura na rua; a mulher que, em frente à casa azul, se sentara ao volante de um automóvel e que, para salvar a própria vida, o conduzira até ao fim do mundo; a mulher que não se deixara levar por Prado na sua viagem, e que nele provocara um desapontamento e uma rejeição tais que toda aquela viagem culminara na maior e mais dolorosa experiência de lucidez da sua vida; na consciência de ter definitivamente perdido a corrida pela própria felicidade, na sensação de que uma vida ardente se extinguia e transformava irremediavelmente em cinza.

Os empurrões dos estudantes ao levantarem-se assustaram Gregorius, fazendo-o regressar ao presente. Estefânia Espinhosa arrumou os seus documentos na pasta e desceu o degrau do estrado. Vários estudantes foram ter com ela. Gregorius saiu e ficou lá fora à espera.

Tinha-se colocado de forma a poder vê-la aproximar-se, para, na altura, decidir se queria ou não falar com ela. Agora estava a vê-la vir ao seu encontro, acompanhada por uma mulher, com a qual conversava como com uma sua assistente. Gregorius sentiu o sangue latejar-lhe no pescoço quando ela passou por ele. Seguiu-as quando subiram umas escadas e percorreram um longo corredor. A assistente despediu-se e Estefânia Espinhosa desapareceu atrás de uma porta. Gregorius passou pela porta e viu o seu nome. *O nome que não estava à sua altura.*

Lentamente, voltou para trás e desceu as escadas, agarrado ao corrimão. Lá em baixo, ficou parado durante um momento. E voltou a subir as escadas apressadamente. Esperou que a respiração se normalizasse e bateu à porta.

Ela tinha vestido um sobretudo e parecia prestes a sair. Olhou-o com um ar inquiridor.

– Eu… posso falar consigo em francês? – perguntou Gregorius.

Estefânia acenou com a cabeça.

Confuso e hesitante, lá conseguiu apresentar-se, até que, como tantas outras vezes nos últimos tempos, lhe mostrou o livro de Prado.

Os seus olhos castanhos-claros crisparam-se. Fitava o livro sem estender a mão para o agarrar. Segundos passaram.

– Eu… porquê… o melhor é entrar, faça favor.

Foi ao telefone e disse a alguém, em português, que agora não podia ir. Em seguida, despiu o sobretudo. Pediu a Gregorius que se sentasse e acendeu um cigarro.

– Está aí escrito alguma coisa sobre mim? – quis saber, expirando o fumo.

Gregorius abanou a cabeça.

– Então como é que soube de mim?

Gregorius contou-lhe. Falou-lhe de Adriana e de João Eça. Do livro sobre o Mar Tenebroso que Prado estivera a ler até ao fim. Das pesquisas do alfarrabista. Do texto da contracapa dos seus livros. Não mencionou O'Kelly nem os derradeiros apontamentos com a caligrafia minúscula.

Só então ela quis ver o livro. E leu. Acendeu um novo cigarro e pôs-se a observar o retrato.

– Era então este o seu aspecto quando era novo. Nunca tinha visto uma fotografia dele dessa altura.

Nunca lhe passara pela cabeça sair do comboio em Salamanca, explicou Gregorius. Mas depois não resistira. A imagem de Prado era… era tão incompleta sem ela. Mas é claro que estava perfeitamente consciente de que era um desaforo aparecer assim, de repente, sem avisar.

Ela levantou-se e foi até à janela. O telefone tocou. Ela deixou-o tocar.

– Não sei se quero – disse. – Refiro-me ao passado, falar do passado. De qualquer forma, aqui nunca. Posso levar o livro? Quero ler o que aí está escrito. Reflectir. Podia ir hoje à noite a minha casa e então dizia-lhe o que penso sobre o assunto.

Deu-lhe um cartão-de-visita.

Gregorius comprou um roteiro e visitou uma série de conventos, um a seguir ao outro. Ele não era o tipo de pessoa que andasse constantemente à caça de monumentos. Quando via muita gente a empurrar-se diante de qualquer coisa, optava, quase sempre, por se manter à distância; a mesma casmurrice levava-o a ler *bestsellers* com um atraso de anos. Assim, também desta vez não foi a avidez turística que o levou a isso. Só a meio da tarde é que começou a compreender: a leitura dos textos de Prado tinha alterado a sua percepção e a sua reacção às igrejas e conventos. *Poderá haver uma seriedade maior do que a seriedade poética*, perguntara ele, uma vez, a Ruth Gautschi e a David Lehmann. Isso ligava-o a Prado. Na verdade, talvez fosse mesmo isso que mais os unia. Mas o homem que, começando por ser um sacristão entusiasta, se transformara num sacerdote ateu, parecia ter dado ainda mais um passo, um passo que Gregorius tentava agora perceber, enquanto ia percorrendo naves e claustros. Teria ele conseguido projectar a seriedade poética que emanava das palavras bíblicas sobre aqueles edifícios, que haviam sido criados a partir dessas mesmas palavras?

Poucos dias antes da sua morte, Mélodie tinha-o visto a sair de uma igreja. *Quero ler as poderosas palavras da Bíblia. Preciso da força irreal da sua poesia. Amo as pessoas que rezam. Preciso da sua imagem. Preciso dela contra o veneno insidioso do supérfluo e negligente.* Tinham sido essas as emoções da sua juventude. Mas com que sentimentos entrara na igreja o homem que esperava que uma bomba-relógio explodisse no seu cérebro? O homem para quem, depois da viagem ao fim do mundo, tudo se tinha transformado em cinzas?

O táxi que levou Gregorius a casa de Estefânia Espinhosa teve de esperar uns momentos num semáforo. O cliente viu então, na montra de uma agência de viagens, um cartaz com cúpulas e minaretes. Como teria sido se nas terras do Levante azul, com as suas cúpulas douradas, ele tivesse escutado todas as manhãs o apelo do muezim? Se a poesia persa tivesse contribuído para determinar a melodia específica da sua vida?

Estefânia Espinhosa usava *bluejeans* e um camisolão de pescador azul-escuro. Apesar das madeixas brancas, não aparentava mais do que quarenta e poucos anos. Tinha preparado uns pãezinhos guarnecidos e serviu-lhe um chá. Notava-se que precisava de tempo.

Quando reparou que o olhar de Gregorius se detinha nas estantes dos livros, encorajou-o a aproximar-se. Ele tomou o peso às grandes obras de História. Que pouco sabia da Península Ibérica e da sua História, constatou, não sem algum espanto. E falou-lhe dos livros sobre o terramoto de Lisboa e a peste negra.

Ela, por sua vez, quis conhecer aspectos da Filologia Clássica e insistiu nas perguntas. Gregorius achou que procurava saber que tipo de pessoa era aquela, a quem ela iria contar a sua versão da viagem com Prado. Ou talvez precisasse apenas de mais algum tempo, pensou.

O Latim, disse Estefânia por fim, de certo modo, tudo tinha começado com o Latim. – Havia aquele rapaz, aquele estudante que nos ajudava nos Correios. Um rapazinho tímido, que estava apaixonado por mim e pensava que eu não me apercebia disso. Andava a estudar Latim. *Finis terrae*, disse um dia, quando lhe veio parar à mão uma carta para Finisterra. E depois recitou um longo poema em latim, em que o fim do mundo era mencionado. Aquilo agradou-me, recitou o poema sem deixar de separar as cartas. Ele também deve ter sentido que eu gostei e continuou a recitar de cor durante o resto da manhã.

Às escondidas, comecei então a aprender Latim. Claro que não quis que ele o soubesse, pois de certeza que iria interpretar mal o meu interesse. Era tão improvável que alguém como eu, uma simples empregada dos Correios, com uma formação escolar miserável, começasse a aprender Latim. Tão *improvável*! Até já nem sei o que mais me espicaçou: se a língua, se a improbabilidade.

Fiz progressos rápidos, tenho uma boa memória. Comecei a interessar-me pela História Romana. Li tudo o que consegui encontrar, mais tarde também livros sobre a História portuguesa, espanhola e italiana. A minha mãe tinha morrido era eu ainda criança, vivia com o meu pai, um empregado dos caminhos-de-ferro. Ele nunca tinha lido livros, ao princípio achou aquilo estranho, mais tarde sentiu-se orgulhoso, um orgulho comovedor. Tinha eu vinte e três anos quando a PIDE. o veio buscar a casa e o mandou para o Tarrafal, acusado de sabotagem. Mas sobre isso não posso falar, nem mesmo passado tanto tempo.

Conheci o Jorge O'Kelly poucos meses depois, num encontro da resistência clandestina. A prisão do papá tinha sido comentada nos Correios e, para meu grande espanto, verificou-se que um número considerável dos meus colegas pertencia ao movimento de oposição ao governo. No que à consciência política dizia respeito, eu como que acordara, de um momento para o outro, com a detenção do papá. O Jorge era um membro importante no grupo. Ele e o João Eça. Apaixonou-se doidamente por mim. Claro que me senti lisonjeada. Ele tentou fazer de mim uma espécie de estrela. Eu tive aquela ideia com a escola de alfabetização, onde todos se podiam encontrar sem levantarem suspeitas.

E foi então que aquilo aconteceu. Numa noite o Amadeu entrou na sala, e a partir daí tudo foi diferente. Uma nova luz caiu sobre as coisas. Com ele aconteceu o mesmo, senti-o logo nessa primeira noite.

Por mim estava mais do que decidida. Fui ter com ele várias vezes ao consultório, apesar daqueles olhares odiosos da irmã dele. Ele queria abraçar-me, no seu interior havia uma avalanche prestes a soltar-se.

Mas rejeitou-me. O Jorge, dizia sempre, o Jorge. E eu comecei a odiar o Jorge.

Uma vez, por volta da meia-noite, fui bater-lhe à porta. Fomos dar um passeio por ali perto. De repente, ele puxou-me para dentro de um prédio. A avalanche soltou-se. «Que isto nunca mais volte a acontecer», disse depois, e proibiu-me de o ir visitar.

O Inverno foi longo, dilacerante. O Amadeu deixou de aparecer nos nossos encontros. O Jorge andava doente de ciúmes.

Estaria a exagerar se dissesse que pressenti o que iria suceder. Sim, claro que é um exagero. Mas não deixei de achar estranho que eles cada vez mais se fiassem, única e exclusivamente, na minha memória. *E se me acontecer alguma coisa*, perguntava.

Estefânia saiu da sala. Quando regressou parecia transformada. Como antes de um combate, achou Gregorius. Parecia que tinha lavado a cara e o cabelo estava agora apanhado atrás num rabo-de-cavalo. Deixou-se ficar à janela, a fumar rapidamente um cigarro inteiro, antes de continuar a falar.

– A catástrofe ocorreu em finais de Fevereiro. Lembro-me de que a porta se abriu devagar, demasiado devagar. Silenciosamente. Usava botas. Não tinha uniforme, mas botas. As botas foram a primeira coisa que vi pela fresta da porta. Depois aquele rosto inteligente, à espreita. Nós conhecíamo-lo, era o Badajoz, um dos homens do Mendes. Imediatamente, comecei a fazer aquilo que tantas vezes tínhamos combinado, pus-me a falar do ç, a explicar o «cê» de cedilha a analfabetos. Depois, durante muito tempo, não podia ver um ç à minha frente, sem ter de pensar logo no Badajoz. O banco rangeu quando ele se sentou. O João Eça lançou-me um olhar de soslaio. *Agora tudo depende de ti*, pareceu querer dizer aquele olhar.

Eu usava como sempre a minha blusa transparente, era, por assim dizer, o meu traje de trabalho. O Jorge odiava-a. O que eu fiz, na altura, foi despir o casaco. O olhar do Badajoz colado ao meu corpo, era isso que nos devia salvar. Vi-o cruzar as pernas, um nojo. Acabei a aula.

Quando o Badajoz se aproximou do Adrião, o meu professor de piano, compreendi que tudo estava perdido. Não ouvi o que eles disseram, mas o Adrião empalideceu e o Pide teve um sorriso pérfido.

O Adrião nunca mais regressou do interrogatório. Ainda hoje não sei o que lhe fizeram, nunca mais o voltei a ver.

O João insistiu para que, a partir daí, eu fosse viver para casa de uma sua tia. Segurança, explicou, era preciso pôr-me em segurança. Logo na primeira noite tudo se me tornou claro: era verdade, mas não se tratava apenas de mim, mas, acima de tudo, da minha memória. Ou daquilo que ela poderia revelar, se eles me apanhassem. Durante esses dias encontrei-me uma única vez com o Jorge. Não nos tocámos, nem sequer com as mãos. Foi fantasmagórico, não percebi nada. Só vim a perceber mais tarde, quando o Amadeu me explicou que tinha de desaparecer do país.

Estefânia voltou da janela e sentou-se. Olhou para Gregorius.

– O que o Amadeu disse sobre o Jorge foi tão monstruoso, de uma crueldade tão inimaginável, que a minha primeira reacção foi desatar a rir. O Amadeu fez-me a cama no consultório, antes de partirmos no dia seguinte.

Não acredito, disse-lhe. *Matar-me*. Olhei para ele. *Estamos a falar do Jorge, o teu amigo*, disse.

Precisamente, disse ele, de uma forma inexpressiva.

Eu quis então saber o que é que ele tinha dito *ao certo*, mas ele não se mostrou disposto a repetir as palavras.

Quando depois fiquei sozinha, no consultório, relembrei tudo aquilo que tinha vivido com o Jorge. Seria ele *capaz* de pensar numa coisa daquelas? Pensar *a sério* num tal acto? Senti-me cada vez mais exausta e insegura. Pensei nos seus ciúmes. Em certos momentos em que ele me parecera violento e sem escrúpulos, se bem que nunca contra mim. No final, já não sabia nada de nada. Simplesmente, já não o *sabia*.

No funeral do Amadeu estivemos ao lado um do outro. Já os outros se tinham ido embora.

Tu não acreditaste, pois não?, perguntou-me ele, a uma certa altura. *Ele* interpretou-me mal. *Foi uma má interpretação, uma simples questão de má interpretação*.

Agora já não é importante, disse-lhe eu.

– Separámo-nos sem nos tocarmos. Nunca mais ouvi falar dele. Ainda é vivo?

Depois da resposta de Gregorius, o silêncio instalou-se durante algum tempo. Finalmente, ela levantou-se e foi à estante buscar um exemplar de O MAR TENEBROSO, o grande livro que também se encontrava no atril de Prado.

– E ele andou a ler isto até ao fim? – perguntou.

Sentou-se e manteve o livro no colo.

– Foi simplesmente demasiado, uma loucura para uma rapariga de vinte e cinco anos, como eu era na altura. Primeiro o Badajoz; depois, a meio da noite, a fuga para a casa da tia do João. A noite praticamente em branco, passada no consultório, a remoer aquele pensamento terrível; a viagem ao lado do homem que me tinha roubado o sono. Estava completamente confusa.

Durante a primeira hora de viagem nem sequer falámos. Senti-me aliviada por ter de me concentrar no volante e nas mudanças. O João dissera que devíamos atravessar a fronteira da Galiza, no Norte.

E depois seguimos para Finisterra, disse eu, e contei-lhe a história do estudante de Latim.

Ele pediu-me para estacionar o carro e fizemos amor. Depois disso pediu-me novamente para parar, e cada vez com mais frequência. A avalancha soltou-se. Ele procurava-me. Mas foi precisamente isso: ele procurava-me a mim, eu procurava *a vida*. Ele queria cada vez mais, queria-o cada vez mais rápida e avidamente. Não que alguma vez tivesse sido rude, ou até violento. Pelo contrário, antes dele eu não soubera que uma tal ternura fosse possível. Mas devorou-me com a sua ternura, aspirou-me para dentro de si, tinha uma sofreguidão tão desvairada da vida, do seu ardor, dos seus desejos... E a sua fome tinha tanto a ver com o meu espírito como com o meu corpo. Naquelas poucas horas quis conhecer toda a minha vida, todas as minhas recordações, pensamentos, fantasias, sonhos. *Tudo*. E compreendia com uma tal rapidez e precisão que, depois do primeiro espanto lisonjeiro, começou a meter-me medo, pois a sua compreensão desenfreada rebentava com todas as barreiras de protecção.

Nos anos que se seguiram eu punha-me em fuga, assim que alguém começava a perceber-me. Também isso acabou por passar. Mas algo ficou: não quero que alguém me compreenda *inteiramente*. Quero percorrer o meu caminho pela vida no anonimato. A cegueira dos outros é a minha segurança e a minha liberdade.

Se bem que possa parecer que o Amadeu se interessou verdadeiramente por mim, com toda a sua paixão, não foi isso o que aconteceu de facto. Não se pode dizer que tenha havido *um encontro*. Ele como que sugava tudo quanto experimentava, sobretudo a própria *substância da vida*, que nunca o saciava. Para me exprimir de outra maneira, eu nunca fui verdadeiramente *alguém* para ele, mas apenas um *palco* de vida, um palco de que ele se apossou, como se até aí lho tivessem interdito. Como se quisesse voltar a viver uma vida inteira, antes que a morte o apanhasse.

Gregorius falou-lhe então do aneurisma e do mapa do cérebro.

– Meu Deus – disse ela em voz baixa.

Tinham estado sentados na praia de Finisterra e visto passar um barco, ao largo.

– *Vamos apanhar um barco*, disse ele, *de preferência um que vá para o Brasil. Belém, Manaus. O Amazonas. O calor, a humidade. Gostaria de escrever sobre isso, sobre cores, odores, plantas pegajosas, a floresta sempre a pingar, os bichos. Até agora, só escrevi sobre a alma.*

Aquele homem, para quem a realidade nunca era de mais, dissera Adriana.

– Não se tratava de um romantismo de adolescente, ou de um qualquer *kitsch* de um homem já meio decrépito. Era algo de *genuíno*, de *real*. E, no entanto, não tinha nada a ver *comigo*. Queria levar-me para uma viagem que acabaria por ser, exclusivamente, a *sua* viagem, a sua viagem interior para as regiões desdenhadas da sua alma.

És demasiado esfomeado para mim, lembro-me de lhe ter dito. *Não posso, é de mais; simplesmente* não posso!

Naquele momento, naquela noite em que ele me puxou para dentro da entrada de um prédio, eu estava disposta a segui-lo até ao fim do mundo. Só que na altura ainda não conhecia aquela sua fome terrível. Pois, porque, de certa maneira, havia algo de terrível naquela sua avidez de vida. Um poder devorador, destruidor. Assustador. Tremendo.

As minhas palavras devem tê-lo ferido terrivelmente. Não quis um quarto de casal, pagou por dois individuais. Quando nos encontrámos, mais tarde, tinha mudado de roupa. Parecia muito controlado, extremamente formal, correcto. Só então compreendi: as minhas palavras tinham-no deixado com a sensação de ter perdido a dignidade, e todo aquele formalismo, toda aquela correcção, não significavam mais do que uma tentativa inábil de me demonstrar que a tinha reconquistado, essa dignidade. Na verdade, eu vira as coisas de outra maneira, completamente diferente: para mim, não tinha havido nada de indigno na sua paixão, nem nos seus desejos. Nada há nos desejos que os tornem indignos.

Apesar de estar completamente esgotada, não preguei olho nessa noite.

Ficaria ainda ali comigo durante alguns dias, disse-me na manhã seguinte, muito lacónico, e nada teria exprimido melhor a sua absoluta e definitiva retirada interior do que esse laconismo.

Despedimo-nos com um aperto de mão. O seu último olhar estava como que selado para dentro. Voltou para o hotel sem se virar uma única vez, e eu fiquei com o carro parado, à espera de o ver aparecer à janela.

Depois de uma meia hora insuportável, ao volante, voltei para o hotel e fui bater-lhe à porta. Estava perfeitamente calmo, sem qualquer animosidade, quase sem reacção, tinha-me excluído da sua alma, para sempre. Não faço a mínima ideia de quando voltou para Lisboa.

– Passado uma semana – disse Gregorius.

Estefânia entregou-lhe o livro.

– Estive a lê-lo durante toda a tarde. Ao princípio, fiquei horrorizada, não por causa dele. Por causa de mim. Por não fazer a menor ideia sobre quem ele era. Sobre aquela lucidez perante si próprio. Sobre a sinceridade. Uma sinceridade impiedosa. Depois a tremenda capacidade de se exprimir. Envergonhei-me de ter dito a um homem daqueles: «Não te quero, és demasiado esfomeado!» Mas depois, a pouco e pouco, compreendi que disse o que tinha a dizer. E teria continuado a ter razão, a minha razão, mesmo se conhecesse os seus pensamentos, as suas frases.

Aproximava-se a meia-noite. Gregorius não se queria ir embora. Berna, a viagem de comboio, as vertigens, tudo tinha desaparecido. Quis saber como é que uma empregadita dos Correios que estudara

Latim às escondidas se tornara professora. As suas informações foram sucintas, quase reservadas. Também havia isso: que alguém se abrisse completamente, no que ao passado remoto dizia respeito, embora se mantenha fechada quando se trata do passado recente e do presente. A intimidade tem o seu próprio tempo.

Estavam já à porta, um em frente ao outro, quando ele se decidiu. Tirou da pasta o envelope com os últimos apontamentos de Prado e entregou-lho.

– Creio que estas frases lhe pertencem a si, mais do que a qualquer outra pessoa – disse.

51

Gregorius estava parado em frente à montra de uma agência imobiliária. Dali a três horas, o seu comboio partiria para Irún e Paris. A sua mala estava num cacifo da estação. Sentia-se firme em cima do pavimento. Leu os preços e pensou nas suas poupanças. Aprender Castelhano, a língua que deixara para Florence. Viver na cidade de um dos seus heróis sagrados. Assistir às aulas de Estefânia Espinhosa. Estudar a história dos inúmeros conventos. Traduzir os apontamentos de Prado. Estudar e discutir as frases com a Estefânia, uma a uma.

Na agência prontificaram-se a levá-lo a três apartamentos no espaço das duas próximas horas. Gregorius viu-se a andar por espaços vazios que ecoavam. Constatou a vista, o ruído do trânsito, imaginou a rotina diária do sobe-e-desce escadas. Mostrou interesse por dois dos apartamentos. Depois tomou um táxi e andou de um lado para o outro na cidade. – *Continue!* – pediu ao condutor. – *Siempre derecho, más y más!*

Quando, finalmente, chegou à estação, começou por trocar o cacifo e teve de desatar a correr para apanhar o comboio.

No compartimento adormeceu e só voltou a acordar quando a composição parou em Valladolid. Uma mulher ainda nova surgiu à porta. Gregorius levantou-se e pôs-lhe a mala na bagageira. – *Muito obrigada!* – disse ela em português, e sentou-se junto à porta, a ler um livro francês. Quando cruzou as pernas ouviu-se uma fricção de texturas sedosas.

Gregorius observou o envelope selado que Maria João não tinha querido abrir. *Só depois da minha morte é que podes ler isto*, dissera Prado. *E não quero que isto vá parar às mãos da Adriana.* Gregorius quebrou o lacre, tirou as folhas e começou a ler.

PORQUÊ TU, ENTRE TODAS? *Uma pergunta que, a uma certa altura da vida, se coloca a cada um de nós. Mas porque é que parece tão perigoso admiti-la, mesmo que isso aconteça apenas dentro de nós? O que é que haverá assim de tão assustador na ideia da casualidade que ela evoca, e que não é o mesmo que a ideia da arbitrariedade e da permutabilidade? Porque é que não podemos simplesmente aceitar e divertir-nos com essa casualidade? Porque é que temos de pensar que ela diminuiria forçosamente a afeição, que a excluiria, se a aceitássemos como algo de perfeitamente natural?*

Vi-te percorrer o salão, segui os teus movimentos por entre cabeças e copos de champanhe. «Aquela é a Fátima, a minha filha», disse-me o teu pai. «Podia imaginá-la a andar pelas salas da minha casa», disse-te depois, já no jardim. «Ainda me consegues imaginar a andar pelas salas da tua casa?», perguntaste-me mais tarde, em Inglaterra. E no barco: «Achas que fomos destinados um para o outro?»

Ninguém está destinado a uma outra pessoa. Não só porque não existe um destino, nem ninguém capaz de manipular as vidas a esse nível. Não: acima de tudo porque entre as pessoas não existe nenhuma obrigatoriedade que possa transcender as necessidades casuais e o poder dominador do hábito. Eu tinha cinco anos de clínica geral no activo, cinco anos em que ninguém se passeara pelas salas da minha casa. Estava aqui por mero acaso, tu passaste por ali, por acaso, entre nós os copos de champanhe. Foi assim que as coisas aconteceram. Simplesmente assim, e de nenhuma outra maneira.

É bom que não possas ler isto. Porque é que achaste que tinhas que te aliar à minha mãe contra o meu ateísmo? Não é por ser um advogado do acaso que uma pessoa deixa de amar menos. E menos leal também não se torna. Antes pelo contrário.

A jovem leitora tirara os óculos para os limpar. O seu rosto tinha poucas semelhanças com o da portuguesa anónima da ponte de

Kirchenfeld. Algo havia, no entanto, que ambas tinham em comum: a diferente distância entre as sobrancelhas e a inserção do nariz. Uma das sobrancelhas começava mais perto do que a outra.

Gostaria de lhe fazer uma pergunta, disse Gregorius. Se a palavra portuguesa *glória*, para além de *fama*, também podia significar *felicidade* num sentido religioso?

Ela reflectiu e acabou por concordar com um aceno de cabeça.

E se um ateu a poderia utilizar se estivesse a referir-se àquilo que restava quando se subtraísse a felicidade religiosa da felicidade religiosa?

Ela soltou uma gargalhada. – *Que c'est drôle! Mais... oui. Oui.*

O comboio saiu da estação de Burgos. Gregorius continuou a ler.

UM MOZART DO FUTURO ABERTO. *Vinhas a descer as escadas. Como já milhares de vezes anteriormente, fiquei a ver como cada vez mais de ti se foi tornando visível, enquanto a cabeça se manteve ocultada, até ao fim, pela escada do lado contrário. Sempre me habituara a completar em pensamento a parte ainda escondida. E sempre da mesma maneira, pelo que já sabia quem ali vinha.*

Mas subitamente, nessa manhã, aconteceu algo diferente. Uns miúdos que tinham estado a jogar à bola no dia anterior tinham quebrado a vidraça colorida da janela. A luz nas escadas era agora diferente – em vez daquele tom dourado, velado, que me fazia lembrar a iluminação de uma igreja, os raios do sol iluminavam directamente o espaço. Foi como se essa nova luz tivesse aberto uma brecha nas minhas habituais expectativas, como se algo se rasgasse, o que exigiu de mim novos pensamentos. De repente, fiquei curioso em ver o aspecto do teu rosto. Esse súbito interesse deixou-me feliz e, simultaneamente, sobressaltado. A fase do sobressalto e do espanto já havia terminado há anos, e a porta por detrás da nossa vida em comum há muito que se fechara. Porquê, Fátima, porque é que tinha sido necessário que um vidro se quebrasse para que eu olhasse novamente para ti com um olhar aberto?

Tentei fazer o mesmo contigo, Adriana, mas a nossa familiaridade tornara-se pesada como o chumbo.

Porque será que o olhar aberto se torna tão pesado? Somos seres indolentes, carentes do habitual. Curiosidade como um luxo raro numa sucessão de rotinas. Manter a firmeza e poder jogar com a possibilidade da abertura, a cada momento que passa, isso seria uma forma de arte. Seria preciso ser Mozart. Um Mozart do futuro aberto.

San Sebastian. Gregorius consultou o horário. Em breve iria ter de mudar para o comboio de Paris. A rapariga cruzou as pernas e prosseguiu com a sua leitura. Ele tirou do envelope lacrado a última folha de apontamentos.

MINHA QUERIDA VIRTUOSA NA AUTO-ILUSÃO. *Muitos dos nossos desejos e pensamentos permanecem-nos ocultos, e são, por vezes, os outros quem melhor os compreende? Quem é que, alguma vez, ousou colocar esta verdade em causa?*

Ninguém. Ninguém que viva e respire com uma outra pessoa. Conhecemo-nos até ao mais ínfimo estremecimento do corpo e das palavras. Sabemos e, frequentemente, não queremos saber o que sabemos. E isso é válido, especialmente quando a lacuna entre aquilo que vemos e aquilo em que o outro acredita se torna insuportavelmente grande. Seriam necessárias uma coragem e uma força verdadeiramente divinas para poder viver em perfeita sintonia com a verdade. Pelo menos, sabemos isso de nós próprios. Não há motivo para presunção.

E se ela for uma virtuosa da auto-ilusão, que se me antecipa sempre com uma nova finta? Será que eu deveria confrontar-te com essa realidade, dizendo: não, estás a iludir-te a ti própria, tu não és assim? Foi o que te fiquei a dever. Se é que te fiquei a dever algo.

Mas como é que uma pessoa pode saber o que deve à outra nesse sentido?

Irún. *Isto ainda não é Irún.* Tinham sido essas as primeiras palavras que ele dissera a alguém em português. Há cinco semanas atrás, e também num comboio. Gregorius tirou a mala da rapariga da bagageira.

Pouco depois de ter tomado lugar no comboio para Paris, a rapariga passou pelo seu compartimento. Já quase tinha desaparecido quando, de repente, parou, inclinou-se para trás, olhou para ele, hesitou durante um instante e acabou por entrar. Ele levantou-se e pôs-lhe a mala na bagageira.

Respondendo à sua pergunta, explicou-lhe que tinha escolhido aquele comboio muito mais lento porque queria ler aquele livro. LE SILENCE DU MONDE AVANT LES MOTS. Para ela, não havia melhor lugar para ler do que num comboio. Em nenhuma outra parte se sentia tão aberta para algo de novo. Fora assim que se tornara uma especialista em comboios lentos. Também ia para a Suíça, para Lausanne. Pois, exactamente, chegariam a Genebra de manhã cedo. Pelos vistos, tinham ambos escolhido o mesmo comboio.

Gregorius escondeu o rosto atrás do sobretudo pendurado. O motivo pelo qual escolhera aquele comboio lento fora outro. Ele não queria chegar a Berna. Não queria que Doxiades telefonasse a reservar uma cama numa clínica. Até Genebra eram vinte e quatro estações. Vinte e quatro oportunidades para sair.

Mergulhou cada vez mais para o fundo. Os pescadores desataram a rir ao vê-lo dançar com Estefânia Espinhosa na cozinha de Silveira. E todas aquelas naves de igrejas, de onde se podia entrar para todos aqueles compartimentos vazios, povoados pelo eco. A vibração do eco no vazio tinha apagado a palavra homérica.

Acordou sobressaltado. Λιστρον. Foi ao WC e lavou a cara.

Enquanto ele dormia, a jovem tinha apagado a luz do tecto e acendido a sua pequena lâmpada de leitura. Não parara de ler. Quando Gregorius voltou do WC, ela olhou para ele um breve instante e esboçou um sorriso distraído.

Gregorius ajeitou novamente o sobretudo e imaginou a rapariga a ler. *Estava aqui por mero acaso, tu passaste por ali, por acaso, entre nós os copos de champanhe. Foi assim que as coisas aconteceram. Simplesmente assim, e de nenhuma outra maneira.*

Podiam tomar juntos um táxi para a Gare de Lyon, propôs a rapariga, quando chegaram a Paris, pouco depois da meia-noite. LA COUPOLE. Gregorius inspirou o perfume da mulher ao seu lado. Não queria ser internado. Não queria cheirar o ar de uma clínica. O ar que ele enfrentara quando visitara os pais moribundos nos quartos de três camas abafados e sobreaquecidos, em que cheirava a urina, mesmo depois de serem arejados.

Quando, por volta das quatro horas da manhã, acordou, por detrás do sobretudo, a jovem tinha adormecido com o livro aberto no colo. Gregorius apagou a lâmpada de leitura por cima da sua cabeça. Ela virou-se para o lado e aconchegou a face ao seu sobretudo.

Amanheceu. Gregorius não queria que clareasse.

O empregado do vagão-restaurante passou pelo corredor com o carrinho das bebidas. A rapariga acordou. Gregorius passou-lhe um copo de papel com café. Ficaram os dois em silêncio, a ver o sol erguer-se por detrás de uma fina cortina de nuvens. Era estranho, disse de repente a rapariga, que a palavra *glória* servisse para exprimir duas coisas tão diferentes: a fama exterior e ruidosa e a felicidade serena e interior. E, decorrido algum tempo: – Felicidade – afinal, de que é que estamos a falar?

Gregorius levou-lhe a pesada mala pela estação de Genebra. Na carruagem não compartimentada dos caminhos-de-ferro suíços as pessoas conversavam e riam em voz alta. A rapariga apercebeu-se da sua irritação, apontou com o dedo para o título do livro que estava a ler, e riu. Gregorius não pôde deixar de rir também. A meio da sua gargalhada a voz do altifalante anunciou Lausanne. A jovem levantou-se e ele tirou-lhe a mala da bagageira. Ela olhou para ele. – *C'était bien, ça* – disse. E saiu.

Fribourg. Gregorius sentiu uma náusea. Subiu ao Castelo e viu estender-se à sua frente a Lisboa nocturna. Atravessou o Tejo no cacilheiro. Esteve sentado na cozinha de Maria João. Andou pelos conventos de Salamanca e sentou-se a assistir à aula de Estefânia Espinhosa.

Berna. Gregorius desceu do comboio. Pousou a mala no chão e esperou. Quando a agarrou e continuou a andar foi como se abrisse caminho numa atmosfera de chumbo.

52

Tinha pousado a mala no apartamento frio e seguido directamente para a loja, onde deixara os filmes a revelar. Agora estava sentado na sala. Dali a duas horas podia ir buscar as fotografias. O que poderia fazer, até lá?

O auscultador pousado ao contrário no gancho lembrou-lhe a conversa nocturna com Doxiades. Tinha sido há cinco semanas atrás. Na altura nevava, agora as pessoas andavam sem sobretudo. Mas a luz ainda era pálida, não havia comparação com a luz sobre o Tejo.

O disco do curso de Português ainda estava no prato do gira-discos. Gregorius ligou-o e comparou as vozes com as das pessoas no velho eléctrico lisboeta. Viajou de Belém para Alfama e com o metro até perto do liceu.

A campainha soou. O capacho em frente à porta, ela sabia sempre pelo capacho que ele estava em casa, disse a Sr.ª Loosli. Entregou-lhe um envelope da direcção da escola que tinha chegado no dia anterior. A restante correspondência ia a caminho do endereço de Silveira. Estava muito pálido, disse ainda. Sentia-se mesmo bem?

Gregorius leu os números da direcção da escola e esqueceu-os logo, enquanto os lia. Chegara à loja antes da hora e teve de esperar. No regresso, quase que desatou a correr.

Um filme inteiro só para a porta iluminada da farmácia de O'Kelly. Disparara quase sempre demasiado tarde. Por três vezes tinha conseguido apanhar o farmacêutico a fumar. O cabelo desgrenhado. O nariz grande, carnudo. A gravata eternamente desapertada. *Comecei a odiar o Jorge.* Desde que soubera da história com Estefânia Espinhosa, pensou Gregorius, o olhar de O'Kelly parecera-lhe falso. Malicioso. Como daquela vez que o observara da mesa do lado, enquanto ele se contorcia todo de nojo, cada vez que Pedro fungava, aspirando ruidosamente o ranho.

Gregorius aproximou muito os olhos das fotografias. Onde é que estava o olhar cansado e bondoso que ele vira antes naquele rosto de campónio? O olhar de pesar pelo amigo perdido? *Éramos como irmãos. Mais do que irmãos. Eu sempre pensei que nunca nos poderíamos perder.* Gregorius não voltou a encontrar os antigos olhares. A *abertura sem limites é simplesmente impossível. Vai para além das nossas forças. Solidão por omissão, também isso existe.* Agora sim, podia vê-los novamente, esses outros olhares.

Será que a alma é um palco para os factos? Ou serão os pretensos factos apenas as falsas sombras das nossas histórias, questionara-se Prado. Gregorius pensou que isso também era válido para os olhares.

Não era que os olhares estivessem lá e fossem simplesmente lidos. Os olhares eram sempre interpretados. E só existiam enquanto interpretados, enquanto objectos de uma leitura subjectiva.

João Eça ao crepúsculo, na varanda da residencial. *Não vou querer cá tubos, nem algálias. Só para durar mais umas semanas.* Gregorius sentiu o chá escaldante que bebera da chávena de Eça.

As fotografias da casa de Mélodie, que tinha tirado na escuridão, não tinham dado nada.

Silveira na gare da estação, a proteger o cigarro contra o vento, para o poder acender. Hoje viajaria, uma vez mais, para Biarritz e perguntar-se-ia, como tantas outras vezes, porque é que continuava a fazer aquilo.

Gregorius pôs-se a rever as fotografias. Uma e outra vez. Sob o seu olhar, o passado começou a congelar. A memória iria escolher, arranjar, retocar, mentir. O pérfido era que todas essas manobras de omissão, distorção e mentira acabariam, mais tarde, por tornar-se irreconhecíveis. Não havia nenhum ponto de vista, para além da memória.

Uma habitual tarde de quarta-feira na cidade em que passara a sua vida. O que havia para fazer?

As palavras do geógrafo muçulmano Edrisi sobre o fim do mundo. Gregorius foi buscar as folhas em que traduzira, em Finisterra, as suas palavras para o Latim, o Grego e o Hebreu.

De repente, soube o que queria fazer. Queria fotografar Berna. Captar aquilo com que tinha vivido durante todos aqueles anos. Os edifícios, vielas, largos, que haviam sido muito mais do que meros cenários da sua vida.

Na loja de artigos fotográficos comprou filmes e passou o resto do tempo, até ao crepúsculo, a percorrer e fotografar as ruas da Länggasse, em que tinha passado a sua infância. Agora, que as observava a partir de ângulos diferentes e com a atenção do fotógrafo, elas pareciam-lhe completamente diferentes. Fotografou-as longamente, e continuou a fazê-lo, mesmo depois de adormecer. Por vezes, acordava e não sabia onde estava. E quando se via sentado ao canto da cama, não tinha a certeza se o olhar distante e calculista do fotógrafo seria o olhar adequado para se apropriar do mundo de toda uma vida.

Na quinta-feira prosseguiu com a sua tarefa. Descendo a Altstadt, tomou o elevador do Universitätsterrasse e optou por atravessar a Estação, para evitar a Bubenbergplatz. Foi assim enchendo de imagens filme após filme. Viu o mosteiro como nunca o tinha visto. Um organista praticava. Pela primeira vez, desde a chegada, sentiu vertigens e teve de agarrar-se ao banco.

Levou os rolos a revelar. Quando, finalmente, se dirigiu para a Bubenbergplatz, foi como se tomasse balanço para realizar algo de verdadeiramente difícil. Parou em frente ao monumento. O sol desaparecera, um céu de um cinzento homogéneo estendia-se sobre a cidade. Tinha esperado sentir se já podia tocar novamente naquela sua íntima praça. Não o sentiu. Não era como dantes, mas também não era como da última vez, há três semanas atrás. Como é que era então? Sentiu-se cansado, com sono e virou-se para se ir embora.

– Afinal sempre gostou do livro do ourives?

Era o dono da livraria espanhola que lhe estendia a mão.

– Cumpriu aquilo que prometeu?

– Sim – disse Gregorius –, absolutamente.

Disse-o de um modo seco. O livreiro apercebeu-se de que ele não estava para conversas e despediu-se rapidamente.

No cinema Bubenberg o programa tinha mudado, a versão cinematográfica do livro de Simenon com Jeanne Moreau havia sido retirada.

Gregorius esperou impacientemente pelos filmes. Kägi, o reitor, surgiu à esquina e entrou na viela. Gregorius pôs-se à entrada de uma loja. *Há momentos em que a minha mulher parece desintegrar-se*, escrevera. Agora estava internada na clínica psiquiátrica. Kägi parecia demasiado cansado para se aperceber do que se passava à sua volta. Por instantes Gregorius sentiu o impulso de falar com ele, mas, logo a seguir, essa sensação desvaneceu-se.

Os filmes ficaram prontos e ele sentou-se no restaurante do Hotel Bellevue e abriu os envelopes. Eram imagens estranhas, que nada tinham a ver com ele. Voltou a enfiá-las nos envelopes e, enquanto comia, tentou em vão perceber o que esperara delas.

Já no seu prédio, quando subia as escadas, sentiu uma forte vertigem e teve de se agarrar com ambas as mãos ao corrimão. Depois passou toda a tarde sentado ao lado do telefone, a imaginar o que irremediavelmente iria acontecer quando telefonasse a Doxiades.

Instantes antes de adormecer sentia, invariavelmente, medo de se afundar na vertigem e na inconsciência e acordar sem recordações. Enquanto amanhecia lentamente sobre a cidade, reuniu toda a sua coragem. Quando a assistente de Doxiades surgiu, já ele se encontrava à porta do consultório.

O grego chegou uns minutos mais tarde. Gregorius estava à espera de uma expressão de mal-humorado espanto, por causa dos óculos novos, mas o grego limitou-se a franzir o cenho, por um instante, e entrou na sala de consulta, onde lhe pediu que lhe contasse tudo acerca dos óculos novos e das vertigens.

Em primeiro lugar, não via ali nenhum motivo para pânico, disse por fim. Mas era necessário fazer uma série de testes e as coisas tinham de ser observadas na clínica durante algum tempo. Doxiades levou a mão ao auscultador e olhou para ele.

Gregorius respirou fundo algumas vezes, antes de anuir com um aceno de cabeça.

Seria internado no domingo à noite, disse o grego, depois de desligar. Não conhecia melhor médico do que aquele, disse.

Gregorius caminhou lentamente pela cidade, passou por todos aqueles edifícios e praças que tão importantes tinham sido para ele. Assim é que estava certo. Comeu onde costumava comer e foi à primeira *matinée* do cinema em que vira o seu primeiro filme. Achou o filme desinteressante, mas o cheiro era o mesmo de há muitos anos atrás, ainda ele era aluno de liceu, e deixou-se ficar até ao fim.

A caminho de casa encontrou Natalie Rubin.

– Óculos novos! – exclamou como saudação.

Não sabiam ambos como se relacionar. As conversas ao telefone tinham sido há uma infinidade de tempo e perduravam apenas como o eco de um sonho.

Sim, admitiu, era bem possível que voltasse para Lisboa. Os exames médicos. Não, nada de especial, uma coisa nos olhos, sem importância.

Aquilo do Persa não andava para a frente, disse Natalie. Sem saber o que dizer, ele acenou simplesmente com a cabeça.

Por fim, perguntou-lhe se já se tinha habituado ao novo professor.

Ela soltou uma gargalhada: – Um chato dum sabichão!

Ambos se voltaram, depois de darem alguns passos, e acenaram um para o outro.

No sábado, Gregorius passou muitas horas a ver os seus livros de Grego. Observou as inúmeras notas marginais e as alterações que a sua caligrafia sofrera ao longo das décadas. No final ficou um pequeno monte de livros em cima da mesa, que ele arrumou na mala de mão que ia levar para a clínica. Depois telefonou a Florence e perguntou se a podia ir visitar.

Ela tinha tido um nado-morto e há alguns anos atrás fora operada a um tumor. A doença não regressara. Trabalhava agora como tradutora. Não parecia, de maneira nenhuma, tão exausta e apagada como ele pensara, quando a vira chegar a casa à noite.

Ele falou-lhe dos conventos de Salamanca.

– Na altura não quiseste – disse ela.

Ele admitiu-o com um aceno de cabeça e ambos riram. Não lhe contou nada da clínica. Quando, algum tempo depois, se dirigiu à ponte de Kirchenfeld, já estava arrependido.

Deu uma volta completa ao edifício às escuras do liceu e lembrou-se da Bíblia hebraica que se encontrava na secretária do Sr. Cortês, embrulhada na sua camisola.

No domingo de manhã telefonou a João Eça. O que é que ele ia fazer hoje à tarde, disse Eça, era capaz de lhe dizer?!

Hoje à tarde ia para a clínica, disse Gregorius.

– Não tem de ser nada – disse Eça, passado algum tempo. – E se for, ninguém o lá pode prender.

Ao meio-dia, Doxiades telefonou a desafiá-lo para umas partidas de xadrez. A seguir, levava-o à clínica.

Depois da primeira partida, Gregorius quis saber se ele ainda continuava a pensar em reformar-se. Sim, admitiu o grego, pensava até bastantes vezes nisso. Mas talvez passasse. No próximo mês ia até Salónica, há mais de dez anos que lá não ia.

A segunda partida terminara e iam sendo horas.

– E se encontrarem algo de mau? – perguntou Gregorius. – Algo que me faça perder-me a mim próprio?

O grego olhou para ele. Era um olhar calmo e firme.

– Eu tenho um bloco de receitas – disse.

Fizeram a viagem até à clínica em silêncio. Escurecia. *A vida não é aquilo que vivemos; é aquilo que imaginamos viver,* escrevera Prado.

Doxiades estendeu-lhe a mão. – Vai ver que não é nada de mau – disse. – E, como disse, o homem é o melhor.

À entrada da clínica Gregorius virou-se para acenar. Depois entrou. Começou a chover quando a porta se fechou atrás de si.